Schmidt, Rochus

Deutschlands koloniale Helden und Pioniere der Kultur im schwarzen Kontinent

1. Band

Schmidt, Rochus

Deutschlands koloniale Helden und Pioniere der Kultur im schwarzen Kontinent

1. Band

Inktank publishing, 2018

www.inktank-publishing.com

ISBN/EAN: 9783747792674

Deutschlands
koloniale Helden und Pioniere der Kultur

im

schwarzen Kontinent

von

Rochus Schmidt.

Erster Band.

Mit sechs Porträts.

Braunschweig.
Druck und Verlag von Albert Limbach.
1896.

Dem Gouverneur

von Deutsch-Ostafrika

Herrn Major Dr. Hermann von Wißmann

gewidmet.

Der Verfasser.

Inhalt.

Verzeichnis der Porträts.

Vorwort.

Mit dem vorliegenden, in zwei Bänden erscheinenden Werk soll den Lesern ein Bild vom Leben, Reisen und Wirken derjenigen deutschen Männer gegeben werden, die sich ganz besonders entweder um die wissenschaftliche Erschließung des vor wenig Jahren mit vollstem Recht noch als dunkel bezeichneten Weltteils, oder um die Erwerbung und Erhaltung unserer deutsch-afrikanischen Kolonien verdient gemacht und sich dadurch einen ehrenvollen Platz in der Weltgeschichte erworben haben.

Im ersten Bande wurde Barths, von der Deckens, von Heuglins, Rohlfs und Schweinfurths Thätigkeit geschildert, während der zweite, im kommenden Frühjahr erscheinende, Nachtigal, Dr. Carl Peters, Emin Pascha und — last not least — Hermann von Wißmann, den jetzigen Gouverneur von Deutsch-Ostafrika behandeln wird. Das einschlägige Quellenmaterial, insbesondere natürlich die eigenen Reisewerke und Schriften der Forscher, wurde ausgiebig benutzt. Bei den von Emin Pascha handelnden Blättern dienten, in Ermangelung eines eigenen Werkes dieses Forschers, als Quellen die Bücher von Junker, Casati, Stuhlmann, Vita Hassan, Paul Reichard und Ohrwalder. Den Herren, die mich durch mancherlei Nachweise und bei der Sammlung des Stoffes gefördert haben, wie den Herren Beamten der deutschen Kolonialgesellschaft, vor allem Herrn Hauptmann Brose sage ich auch an dieser Stelle meinen verbindlichsten Dank. In besonderem Maße aber gebührt dieser meinem Mitarbeiter, dem Kartographen Herrn Ernst Andreas, dessen Mitwirkung beim vorliegenden Werke zu gewinnen, mir von außerordentlichem Werte war.

Berlin, im Oktober 1895.

Der Verfasser.

I.

Dr. Heinrich Barth.

Dr. Heinrich Barth.

Nicht viel mehr als hundert Jahre sind dahingegangen, seitdem das eigentliche Zeitalter der Erforschung Innerafrikas angebrochen ist. Bis dahin war unser Wissen von dem damals wirklich dunklen Erdteil nur ein sehr geringes; bot doch auch die Karte des Innern kaum mehr als eine der Ausfüllung harrende weiße Fläche! Da trat mit einem Schlage eine Aenderung ein. Im Jahre 1788 bildete sich eine geographische Gesellschaft in London. Unter ihrer Aegide wurde die planmäßige Erforschung des dritten Erdteils eingeleitet und seit der Zeit, besonders aber seit Barths berühmter Nordafrika- und Sudanreise, fiel die Hülle von dem afrikanischen Kontinent immer schneller und schneller, und schon ist die Zeit abzusehen, wo auch die kleinsten noch verschleierten Stellen für die Welt frei gemacht sein werden.

Die „African-Association" beabsichtigte zwar, das Innere von Afrika zu erforschen und der geographischen Wissenschaft zu nützen, aber es hieße doch, den Engländern zuviel zumuten, wenn man annehmen wollte, sie hätten nur ein ideales Interesse im Auge gehabt. Vielmehr suchten sie, da durch den Versailler Frieden von 1783 Nordamerika von ihren drückenden Fesseln befreit und für unabhängig erklärt worden war, ein neues Feld für die Ausbreitung und Förderung ihres Handels und ihrer Industrie zu gewinnen, was ihnen ja auch im Laufe unseres Jahrhunderts in hohem Maße gelungen ist.

Zuerst wollte die englische Gesellschaft über die sagenhafte Handelsstadt Timbuktu näheres in Erfahrung bringen und sich über ihre Lage unterrichten. Es sollte erforscht werden, ob der Niger in der Nähe dieser rätselhaften Stadt nach Osten

1*

oder Westen dahinströme, ob er etwa der Oberlauf des Nils wäre, ob er in einen Binnensee münde oder seine Fluten als Senegal oder Gambia in den Atlantischen Ozean wälze. Ueber diese und ähnliche Fragen wollte man also zuerst Klarheit geschaffen wissen.

Neben Mungo Park, der 1795/97 Gambia bereiste, und dem es zuerst gelang, bis an den oberen Niger vorzudringen und somit den ersten Weg durch den Sudan von Westen her zu eröffnen, war der Deutsche Friedrich Hornemann einer der ersten, der im Auftrage jener Gesellschaft nach Afrika hinausging. Er war ein junger, tüchtiger und wagemutiger Gelehrter, den schon als Knaben der sagenumwobene Kontinent mächtig angelockt und verleitet hatte, kühne Pläne zu schmieden. Als er nun endlich 1797 in den Dienst der englischen Gesellschaft treten konnte, da eilte er, wohl ausgerüstet mit wissenschaftlichen Instrumenten, nach Kairo, der „Hauptstadt Afrikas". Hier aber wurde seine Geduld hart auf die Probe gestellt; erst nach mehrmonatlichem Warten konnte er mit einer Karawane, unter der Maske eines mohammedanischen Kaufmanns, durch den ganzen Nordteil der Ost-Sahara ziehen und bis nach Mursuk, der Hauptstadt Fessans, gelangen. Nachdem er dort längere Zeit geweilt und inzwischen auch die Küstenstadt Tripolis besucht hatte, brach er Anfangs 1800 von neuem und nach Süden auf. Seitdem ist er verschollen; seine Berichte blieben aus und spätere Nachforschungen haben ergeben, daß es ihm zwar geglückt war, das Reich Bornu zu erreichen und über Katsena und Sokoto bis an den Niger, sein Hauptziel, zu gelangen, daß ihn aber grade in einer Uferlandschaft dieses mächtigen Stroms, im Frühjahr 1801, ein herbes, unerbittliches Geschick ereilte; — der erste deutsche Pionier auf afrikanischem Boden erkrankte dort an Dysenterie und verstarb, kaum neunundzwanzig Jahre alt!

Aber auch der mutige Vorgänger unseres ersten Afrikaforschers, Mungo Park, mußte mehrere Jahre später, bei einem neuen Unternehmen, fast in demselben Gebiet sein Leben lassen.

Von den Expeditionen, die ein Vierteljahrhundert später von Oudney, Clapperton und Denham von Tripolis aus nach dem mittleren Sudan unternommen wurden, von den Reisen der Gebrüder Lander am unteren Niger und von dem glänzenden Zug des Franzosen Cailié nach Timbuktu (1827/28) soll hier nicht die Rede sein. Wir wollen vielmehr gleich unsere Augen auf den deutschen Forscher Heinrich Barth richten. Dessen sechsjährige Forschungstour, seine zweimalige Durchquerung der Sahara, auch auf einer neuen Route durch das Gebirgsland Air, die Aufklärung über den wahren Charakter der großen Wüste, der Zug nach Adamaua und die Entdeckung des Oberlaufs des Benue, sowie der Nachweis der Unabhängigkeit dieses Flußsystems von dem des Tsad, der Zug nach Kanem, Mußgu und Bagirmi, die Feststellung des Nigerlaufs zwischen Sokoto und Timbuktu, vor allem aber der Besuch dieser mächtigen Handelsstadt haben einen neuen Abschnitt in der Erforschung Afrikas eröffnet und stehen als ruhmvolle Errungenschaft deutschen Geistes und deutscher Thatkraft da.

Heinrich Barth wurde am 16. Februar 1821 als Sohn eines wohlhabenden Kaufmanns zu Hamburg geboren. Seine Vorbildung empfing er auf dem Gymnasium seiner Vaterstadt. Schon als Knabe gab er sich mit Vorliebe dem geschichtlichen Studium des Altertums hin, und auch die afrikanischen Reisen Mungo Parks und der Gebrüder Lander nahmen damals schon seine geistige Teilnahme in höchstem Grade in Anspruch. Privatim und möglichst zurückgezogen, studierte er mit der ihm eigenen, seltenen Willenskraft, Emsigkeit und Gründlichkeit auch andere geographische und ethnographische Schilderungen, sowie die neueren Sprachen.

Längst, bevor er die Berliner Universität (1839) bezog, war in ihm der stille Wunsch aufgetaucht, die alten Kulturländer, die Stätten einst so blühenden Lebens, mit eigenen Augen zu durchmustern. Bald, nach einjährigem Besuch historischer und — bei Karl Ritter — geographischer Vorlesungen und auch fleißigem Privatstudium, wobei er leider die Naturwissenschaften nicht berücksichtigte, sollte er die Gestade des Mittelmeers begrüßen können. Ueber die Alpen wanderte er nach dem Süden, verweilte in Rom, besuchte Pompeji und ferner Sizilien. Zehn Monate hielt es ihn dort; dann erst kehrte er in die Heimat zurück, um sich auf die Laufbahn eines akademischen Lehrers einzurichten.

Der von Italien mitgebrachte Gedanke — die nordafrikanischen Gestadeländer zu erforschen — ließ ihm indes keine Ruhe. Er machte sich eifrig daran und traf umfassende Vorbereitungen für eine größere Reise. Mit reichen Geldmitteln ausgestattet, verließ er Ende Januar 1845 sein Vaterhaus, um zuerst die in London aufbewahrten Monumente antiker Kunst zu besichtigen und das Erlernen der arabischen Sprache zu beginnen, wobei ihm sein außerordentliches Sprachtalent sehr zu statten kam. Darauf eilte er über Paris und Orléans in das südliche Frankreich, durchstreifte das Rhonethal mit seinen berühmten Resten römischer Kultur, kam nach Marseille, zog sodann über die Pyrenäen nach Madrid und mehreren andern, für seine Zwecke wichtigen Orten Spaniens, bis er die südlichste Spitze des westlichen Europas, die inselartige Felserhebung Gibraltar, erreichte, den eigentlichen Ausgangspunkt seiner diesmaligen Wanderungen und Forschungen.

Auf einem kleinen Maurenschiff verließ er am 7. August 1845 den Felsen Gibraltars und fuhr durch jene merkwürdige Meerenge in kaum fünf Stunden nach der marokkanischen Hafenstadt Tanger.

Von hier aus folgte er südwärts der Küste des Atlantischen Ozeans, besuchte die verfallenen Städte Asila, El-Arisch und die Ruinen der ehemals wichtigen punischen Kolonie Lir, auf dem nördlichen Ufer des in mächtigem Strom dahinrauschenden Flusses Aulkos. Leider war es ihm nicht vergönnt, über Rabat weiter nach Süden vorzudringen, und auch das Innere von Marokko blieb ihm bei dem außerordentlichen Mißtrauen der

Regierung, die den Fremden keinen Schritt unbeachtet machen ließ, verschlossen. Auf einer nur wenig verschiedenen Route kehrte er nach Tanger zurück. Danach unternahm er einen Ausflug nach der südöstlich davon an der Mittelmeerküste gelegenen, ansehnlichen Stadt Tetuan.

Um seine Reise nach Osten fortzusetzen, sah er sich nun zu einem großen Umweg über Spanien genötigt und erreichte so erst von Alicante aus Algier. Dort wehte nun schon seit fünfzehn Jahren die Trikolore, aber noch hatte die ursprüngliche Bevölkerung den ernsten Kampf für Freiheit und Unabhängigkeit nicht eingestellt und Barth mußte dieser unsicheren Zustände wegen auf ausgedehnte Untersuchungen verzichten. Dagegen fand er in Tunis ein größeres und dankbareres Feld. Dort zogen die altpunischen Kultursitze von Karthago und Utika natürlich zuerst seine Aufmerksamkeit auf sich. Als er sodann die tunesische Küste von Tunis westwärts bis zu der betriebsamen Stadt Sfar bereist, in das Innere abgebogen und wieder Tunis berührt hatte, unternahm er aus materiellen Gründen einen Abstecher nach der südlich von Sizilien gelegenen Insel Malta.

Drei Wochen später eilte unser Reisender wieder nach Tunis zurück, um noch mehrere Wanderungen nach dem westlichen Teil der Regentschaft Tunis zu unternehmen und um bald darauf über die den Mohammedanern heilige Stadt Kiruan nach Südosten, längs der Küste der kleinen Syrte, nach Tripolis zu wandeln. Dann säumte er nicht, den weiten Saum der großen Syrte zu umkreisen und zahlreiche Ruinen aus der Römerzeit zu besichtigen.

Doch noch vor dem Ende dieses ersten großen Abschnittes seiner Reise trat nun ein äußerst nachteiliger und unglückseliger Umstand ein. In dem streitigen Grenzgebiet zwischen Tripolis und Aegypten gelang es einem Trupp räuberischer Beduinen, den Reisenden stark zu verwunden und ihm nach langer, vergeblicher Gegenwehr sein sämtliches Gepäck abzunehmen, samt dem überaus reichen, seit einer elfmonatlichen Reise gesammelten Material.

Aber einen Charakter wie Barth konnte das herbe Mißgeschick nicht entmutigen und seinen Plan, auch einen Teil von Aegypten und die asiatischen Küsten des Mittelmeeres zu durchwandern, auch nicht zunichte machen. Bald war er wieder auf dem Marsche. Ueber Alexandria traf er Anfang August in Kairo ein. Darauf befuhr er den Nil stromaufwärts bis Assuan und zog durch bis dahin von Europäern noch nicht besuchte Thäler der arabischen Wüste nach den Ruinen von Berenice am Roten Meer und von dort nach Kosser.

Am 12. Dezember langte er wieder in Kairo an und nahm hernach seinen Weg durch die Syrisch-ägyptische Wüste nach Palästina, das er auf vielen Querrouten durchstreifte. Ueber Beirut setzte er seinen Weg an der Küste nordwärts fort, um die altphönicischen Städte zu besuchen, und bog später nach Westen um. Ueber Tarsus erreichte er den kleinen Hafenort Kilindria, von wo ihn ein Schiff nach der Insel Cypern überführte.

Nach der Südküste Klein-Asiens zurückgekehrt, setzte er seinen Marsch durch das gebirgige Cilicien fort, betrat die reichen, aber vollständig verwilderten, von ansehnlichen Strömen bewässerten Pamphylischen Ebenen, die Bergthäler Lykiens und danach die Insel Rhodos. Von dort zurückgelangt, hatte er das Unglück, in den sumpfigen Flußebenen von Peraia ein heftiges Fieber zu bekommen, so daß er mit genauer Not Smyrna erreichte. Nach einigem Aufenthalt daselbst zur Wiederherstellung seiner Gesundheit begann er den letzten Teil seiner asiatischen Reise zurückzulegen. Durch das jonische Küstenland ziehend, erreichte er die troische Gebirgsgruppe, durchkreuzte sie in verschiedenen Richtungen, um sich schließlich nach Konstantinopel, der majestätischen Hauptstadt am weltenscheidenden Bosporus hinüber einzuschiffen, von wo er dann über Athen wieder in die Heimat zurückreiste, die er fast nach dreijähriger Abwesenheit am 27. Dezember 1847 glücklich erreichte: geistig und körperlich frisch, mit einem auserlesenen Schatz von Kenntnissen über die Gestadeländer des Mittelmeeres, wie sie wohl so leicht kein Zweiter zu sammeln imstande gewesen wäre, wohlbekannt mit jener eigentümlichen Lebensform, wo das Kamel und die Dattelpalme die charakteristischen Züge bilden, reich an Erfahrungen, gewöhnt an Strapazen und gewappnet gegen die heimtückischen Einwirkungen des afrikanischen Klimas, dem er nur zu bald wieder und auf Jahre hinaus ausgesetzt sein sollte.

Zunächst bereitete Dr. Barth die Herausgabe eines Buches über diese Reisen vor, die ihm die ansehnliche Summe von 40000 Mark gekostet hatten; alsdann traf er die Vorbereitungen für seine Lehrthätigkeit als Privatdozent an der Berliner Universität. Letztere soll nicht den Erfolg gehabt haben, den Barth sich versprochen; sein Bild vom Wirken als Lehrer auf einer Hochschule war der Wirklichkeit gegenüber ein zu ideales; er fand sich vollkommen enttäuscht, blieb der Universität eine Zeit lang fern und widmete seine Tage der Ausarbeitung seines Reisewerks über die „Wanderungen durch die Küstenländer des Mittelmeeres".

Sein Hauptaugenmerk auf diesen Wanderungen war, wie er selbst sagt, allerdings auf die Reste des Altertums und auf Völkerverhältnisse gerichtet, die noch gegenwärtig die alten Zustände beleuchten; dennoch aber war ihm die lebendige Gegenwart keineswegs gleichgültig geblieben und er hatte stets einen Seitenblick nach jenen halb oder ganz unbekannten Landschaften im Innern Afrikas geworfen, welche in fortwährender Verbindung mit der Küste stehen. Das Verlangen, mehr von jenen zu wissen, als die bisherigen Berichte boten, bewegte ihn nicht wenig. Die Worte eines Haussa-Sklaven in der tunesischen Stadt Kaf, mit dem er in eine Unterhaltung über sein Heimatland geriet und der, als er das Interesse gewahrte, das Dr. Barth an seinem Lande nahm, ihm in einfacher, aber eindringlicher Weise sagte: „So es Gott gefällt, sollst Du Dich noch aufmachen und Kano (den bedeutendsten Mittelpunkt des Verkehrs im Sudan) besuchen," tönten fortwährend in seine Ohren und fingen an, ihn dringlicher zu mahnen, sobald er zur Ruhe des europäischen Lebens zurückgekehrt war.

Nun kam es, daß im Jahre 1849 der Journalist James Richardson, der bereits in den Jahren 1845/46 Nordafrika bereist hatte, der englischen Regierung den Plan zu einer größeren Expedition nach einigen der wichtigsten Staaten von Mittelafrika vorlegte. Er wollte einen Handelsweg in das Innere Afrikas zu eröffnen suchen und zu gleicher Zeit Schritte zur Abschaffung des Sklavenhandels thun. Die englische Regierung billigte diesen Entwurf, und Richardson wurde als Leiter für eine Expedition durch die Sahara nach dem Sudan bestimmt. Der preußische Gesandte in London, Baron v. Bunsen, wußte die englische Regierung zu veranlassen, daß sie die Teilnahme eines deutschen Gelehrten an der Expedition gestattete, um das Unternehmen auch in wissenschaftlicher Hinsicht nach Möglichkeit auszunutzen. Diese Geneigtheit wurde dem Vorstande der Gesellschaft für Erdkunde zu Berlin mitgeteilt und von diesem freudig aufgenommen. Es galt nun, einen Mann zu finden, der sich einer so schwierigen und gefahrvollen, ja einer solchen Lebensaufgabe zu widmen bereit sein würde. In seinem Schüler und Freund Dr. Heinrich Barth glaubte Professor Karl Ritter den geeignetsten Mann gefunden zu haben und übermittelte ihm daher, es war im Herbst 1849, das Anerbieten der englischen Regierung. Bei Barths Vorliebe, ja Bewunderung für die britische Nation und seinem Forschungsdrange war es nur zu erklärlich, daß er sich mit Begeisterung bereit erklärte, an der Expedition nach Bornu und dem Tsadsee teilzunehmen; er stellte nur die Bedingung, daß der wissenschaftlichen Erforschung des Innern eine größere Ausdehnung und Bedeutung gegeben würde. Aber dringende Vorstellungen seines besorgten Vaters nötigten Dr. Barth, von den übernommenen Verpflichtungen zurückzutreten und dem Geologen Dr. Overweg Platz zu machen, der, von der Berliner Geographischen Gesellschaft unterstützt, auch seine Dienste angeboten hatte. Die englische Regierung jedoch wollte auf Barths bewährte Kraft nicht verzichten, und diesem gelang es denn auch schließlich, die Besorgnisse seines Vaters zu beseitigen, der denn auch noch die Freude gehabt hat, ihn ruhmgekrönt von seiner so bedeutsamen Reise heimkehren zu sehen!

Heinrich Barth schloß sich also der Unternehmung an; die englische Regierung war überdies so liberal, auch dem Dr. Overweg — ebenfalls, aber auf eigene Kosten! — die freiwillige Teilnahme an der Expedition zu gestatten.

Anfang November 1849 verließen Dr. Barth und Dr. Overweg voll heiteren Mutes ihre Vaterstadt Hamburg und fuhren nach London zu näherer Besprechung mit der englischen Regierung. Nunmehr, nachdem eine schriftliche Uebereinkunft getroffen war, reisten Beide über Paris nach Marseille. Ein Dampfschiff brachte sie über Philippeville und Bona nach Tunis, wo sie am 15. Dezember eintrafen.

Mit einem ansehnlichen Vorrat von notwendigen Kleidungsstücken, die in Tripolis schwerer zu haben waren, und anderen nützlichen Artikeln versehen, zogen die Reisenden auf dem Landwege von Tunis über Sfar nach Tripolis. Diese ansehnliche Küstenstadt erreichten sie am 18. Januar 1850.

Während Richardson noch einen Monat ausblieb, unternahmen Barth und Overweg einen größeren, erfolgreichen Streifzug durch die Ghurianberge, im Süden und etwa zehn deutsche Meilen von Tripolis gelegen, und bereiteten sich dadurch für ihre große Reise auf das schönste und zweckmäßigste vor.

Von Tripolis nach Mursuk.

Ein voller Monat mußte noch verfließen, bevor die Reisenden in den Besitz von Zelten, Instrumenten, Waffen und Dienern gelangten und von Tripolis ins unerforschte ferne Innere aufbrechen konnten. Die Beschaffung von zwei brauchbaren Dienern für die weite Reise machte nicht wenig Schwierigkeiten. Die Transportierung eines zur Befahrung des Tsadsees bestimmten Bootes, das aus Mahagoniholz gebaut, von Malta in zwei

Hälften geschickt und vor der Abreise wiederum in zwei Abteilungen zersägt werden mußte, machte auch Mühe und Umstände. Ebenso die Fortschaffung des reichlichen Gepäcks, wozu Barth und Overweg allein acht Kamele brauchten.

Am 24. März verließen Barth, der übrigens unter dem Namen Abd-el-Kerim (Sohn des Barmherzigen) reiste, und Overweg in feierlichem Aufzuge Tripolis und bezogen auf einige Tage ein Zeltlager außerhalb der Stadt, um dadurch, wie Barth sagt, den gefährlichen Einflüssen eines plötzlichen Ueberganges vom behaglichen Stadtleben zu den Strapazen der Reise zu entgehen.

Erst am 2. April erfolgte der gemeinsame Aufbruch. Endlich zog die kleine heldenmütige Schar europäischer Forscher, unbekümmert um die ihr wohlbekannten Gefahren, gen Süden, den ins Dunkel der Zukunft gehüllten Geschicken entgegen. Eine Wüstenzone lag vor ihnen, in der nur wenige schmale, von der Natur vorgeschriebene Straßen von Oase zu Oase, von Brunnen zu Brunnen leiten, welche nicht selten von Wegelagerern unsicher gemacht werden. Ihre Karawane bewegte sich über eine öde Sandwüste mit beweglichen Sandhügeln, über ein breites aber sehr felsiges und zerrissenes Thal hinweg, der Ghurianbergkette entgegen. Diese wurde durchschnitten, und man kam durch mannigfaltige und abwechselnde Landschaft, durch mehrere Dörfer und bestieg später die Höhe von Kuleba, auf deren östlichem Abhange das Dorf Kuleba gelegen ist, das zugleich die südliche Grenze des Oelbaums bezeichnet. Von Kuleba weiterziehend, sahen die Reisenden anfänglich noch vereinzelte kleine Kornfeldchen, bald aber verschwand jedes Zeichen von Anbau: ihr Weg führte sie in die traurige Wüstenlandschaft Ghadama.

Die so öde Gegend lief in einen lieblichen Rastpunkt aus; ihn bildete die kleine Oase Misda, die, von wohlwollenden Arabern bewohnt, schöne, wohlbewässerte und regelmäßige Gersten- und Weizenfelder, sowie eine erhebliche Anzahl von Dattelpalmen aufwies. Ueber Kalksteinboden zog man am 10. April nach dem von frischem, üppigem Gras, von Büschen und Gestrüpp bekleideten Thal Wadi Tagidje. Schon auf dem bisherigen Wege hatten die Reisenden mannigfache architektonische Reste gesehen. Hier in der Nähe aber fand Dr. Barth ein überaus schönes, wohlerhaltenes kunstvolles römisches Grabmonument. Abwechselnd über öde Hochebenen und durchbrechende Thäler oder Wadis, die das Aussehen von Wasserrinnen haben, schlängelte sich die Straße nach dem berühmten Thale Wadi Semsem. Dann führte ein steiniger Pfad zum Brunnen von Taboni und ein wenig darüber hinaus, an den Rand einer tiefen Schlucht, die zur Linken eine frische grüne Palmenpflanzung aufwies, sonst aber nur von nackten Felswänden umgeben war.

Erst nach mehreren Ruhetagen verließen Barth und Overweg den Brunnen, um mit ihrer nunmehr gestärkten und munteren Gesellschaft die schwere Reise über die steinige, wasserlose Hammada („die Durchglüte") anzutreten, die sich in ungeheurer Ausdehnung durch diesen Teil Nordafrikas ausbreitet und fast ganz ohne Pflanzen und Tiere ist. Richardson folgte den beiden Deutschen, seiner schlecht disziplinierten Schwarzen wegen, in nächtlichen Märschen.

Einige Tage vergingen, bevor man die höchste Erhebung dieser Plateauwüste erreichte und wieder einige Tage, bevor man über den traurigsten und ödesten Teil an die frischeste und größte Einsenkung der Hammada gelangte. Erst am sechsten Tage war der Südrand der ganzen Hochebene erreicht. Die Reisenden riefen ihr frohen Herzens ein Lebewohl zu, um nunmehr die Zone der Oasen zu betreten. Bald winkte ihnen ein schöner, frischer Kulturstreifen, das Dattelwäldchen Wadi e' Schati, zu erquickender Rast und später kamen sie an den Fuß des malerischen Hügels Egeri, mit der Stadt gleichen Namens, die sich in diesem sonst armseligen Landstrich wie eine seltene und eigentümliche Erscheinung ausnahm.

Hinter Egeri hatten die Reisenden einen höchst beschwerlichen Weg, der fast ununterbrochen durch tiefe und steile Sandhügel führte bis in das große Thal el Wadi. Aber darüber hinaus wurde der Marsch noch mühevoller; die steilen Sandhügel mußten mitunter abgeflacht werden, um den Kamelen das Ansteigen zu ermöglichen. Dazu kam die wahrhaft tropische Temperatur von 45° Celsius. Der glühendheiße Sand, der durch die Schuhe brannte, steigerte die Beschwerden fast bis zur Unerträglichkeit. Die Erde war Feuer, der Wind eine Flamme. In dem Schatten eines wilden Palmenbusches konnte man endlich von der ermüdenden und übermäßigen Strapaze ausruhen.

Am andern Morgen ging es weiter durch die Region der Sandhügel, und am 1. Mai, nach einem mehr als zwölfstündigen, ununterbrochenen Marsche gelangte man glücklich aus den Sanddünen in das Wadi Tigidefa und darauf nach dem ersten kleinen Dorfe Ugrefe. Neben zwei interessanten, außerordentlich großen Ethel-Bäumen (eine Art Fichten) wurde der Lagerplatz gewählt. Nach einigen Tagen betraten die Reisenden durch einen Paß das Hochland von Mursuk, das, mit Ausnahme weniger grüner Thalsenkungen und kleiner Dattelwälder, sehr öde und wüst ist, und erreichten bald die erste große Station der Reise, die Stadt Mursuk, wo sie von dem dort ansässigen englischen Agenten freundlich empfangen und in seinem Hause behaglich untergebracht wurden.

Mursuk, die Hauptstadt der Provinz Fessan, ist von aus Lehm gebauten Mauern umgeben. Die umfangreiche Stadt zählt mit Einschluß der Garnison kaum dreitausend Bewohner, schwarze Fessaner, Araber und Mauren, kann aber einen lebhaften Fremdenverkehr aufweisen. Zwei große Verkehrsstraßen sowohl von Norden als auch von Süden haben ihr Centrum in Mursuk; sie bringen die Völker aus aller Herren Länder in diesem Kreuzpunkt zusammen, der mit seinem bunten Völkergewimmel zu vielen Zeiten ein lehrreiches Bild bietet.

Ueber Rhat nach Tintellust.

Verirrung Dr. Barths und Belästigungen durch fanatische Räuberhorden.

Erst nach einem sechswöchentlichen Aufenthalt, den Dr. Barth hauptsächlich zur Ausarbeitung seiner bisher gemachten Aufnahmen benutzte, verließen unsere Reisenden Mursuk und wählten die Straße, die nach Südwesten durch das Land der Tuareg über Rhat und durch Air oder Asben nach Katsena und Kano führt. Im Vergleich mit der andern, die nach dem Lande Bornu und deren Hauptstadt Kakaua oder Kuka leitet, war sie für den Handel die bei weitem günstigere; sie wurde von unseren Reisenden um so lieber gewählt, als sie das interessante Gebirgsland Air mit berührte, das bis dahin noch kein Europäer betreten; um aber den gefährlichen Weg mit einiger Aussicht auf Sicherheit verfolgen zu können, mußte es den Reisenden ebenso ratsam als notwendig erscheinen, sich unter den Schutz eines mächtigen Häuptlings zu begeben. Sie ließen deshalb durch den englischen Agenten in Mursuk Verhandlungen mit einigen Tuareg-Häuptlingen anknüpfen. Diese in Rhat ansässigen Leute erklärten sich denn auch bereit, zum Schutze der Reisenden nach Mursuk zu kommen und sie dann weiter zu geleiten. Da sie aber lange auf sich warten ließen, so zog man schließlich auf eigene Faust weiter gen Bornu.

Nach mehreren Tagen durchzog die Kafla das Wadi Aberdjusch, eine lange, schmale, mit Krautwuchs für Kamele und Schafe sowie mit vereinzelten Talha-Bäumen bestandene Einsenkung und gelangte nach dem Brunnen Scharaba, der 900 Fuß über der Meeresfläche und beinahe 600 Fuß unter dem Niveau von Mursuk liegt. An den Brunnen Ahitsa und Em-encsa vorbei kam man in das Wadi Elauen und fand nicht weit von einem Wasserbecken, das der Regen gebildet hatte, einen guten Platz zum lagern. Hier stieß Richardson mit den Häuptlingen aus Rhat zur Karawane; die Verträge mit diesen Leuten hatten ihn so lange in Mursuk zurückgehalten.

Alles versprach nun den schönsten Fortgang zu nehmen. Leider sollte aber diese Hoffnung schon am folgenden Abend verscheucht werden. Hatita, der erste der Asgar-Häuptlinge, meinte unter eigentümlichen Voraussetzungen, er brauche noch einen vollen Monat Zeit, um die nötigen Vorbereitungen zur Reise nach Air treffen zu können und redete weiter, es wäre notwendig, erst einen Boten dorthin zu senden, um die Reisenden anzumelden. Erst wenn man die Erlaubnis erhalten habe, jenes Land zu betreten, könne man weiter ziehen; dabei sei es nun notwendig, daß sie, die Reisenden, sich von der Kafla trennten und mit ihm nach Rhat gingen.

Der durchtriebene Häuptling wollte nichts weiter, als die Reisenden auf irgend eine Weise um schnöden Mammon bringen. Diese aber, sowieso arm an Mitteln, durchschauten rechtzeitig den Schwindel und wiesen diesen Hatita mit seinem unverschämten Verlangen bestimmt ab; sie erklärten ihm, daß sie in Gemeinschaft ihrer Kafla der graden Sudanstraße folgen und auf keinen Fall länger als sieben Tage in Rhat verweilen wollten.

Durch die Streitigkeiten mit den Asgar-Häuptlingen waren die Reisenden einige Tage an dem Becken Elauen aufgehalten worden. Am 5. Juli setzten sie ihre Reise nach Rhat weiter fort. Sie kamen nach dem Wadi Elghom-ode (Thal des Kamels) und später durch den merkwürdigen, rauhen und von Sandsteinwänden gebildeten Paß von Rhalle, bergan in eine breite, weit offene Thalfläche, sowie an den Rand des Passes, der mehr als 600 m über dem Mittelmeer liegt und eine vollkommene Wasserscheide zwischen dem Plateau von Mursuk und der Ebene von Taita bildet. Ein halbstündiger Abstieg brachte die Reisenden in dessen sehenswertesten Teil; auf beiden Seiten des schmalen Durchganges erhoben sich die aus mächtigen Sandsteinen und Mergel errichteten Wände fast senkrecht bis zu einer Höhe von 35 m; die Seitenwände standen an manchen Stellen so nahe beieinander, daß die Breite des Passes kaum 2 m betrug. Boden und Wände zeigten sich dabei so eben und glatt, als wenn sie Menschenhand geschaffen. Ein vierstündiger Marsch abwärts führte die Reisenden wieder in die offene Ebene hinaus. Von hier gewannen sie einen großartigen Blick auf die hohen, jähen Felswände des Hochlandes.

Während der nächsten zwei Tage zog die Karawane über die dürre, öde und einförmige Ebene von Taita und näherte sich allmählich der Bergkette des Akakus. Im flachen Thale Telia, unweit einer Gruppe von Talha-Bäumen, nahe bei einem Brunnen, ruhte man zwei Tage und zog dann auf beschwerlichem Wege über die Bergkette des Akakus. Die Reisenden betraten durch eine tiefe Schlucht das breite Thal Tanessof und hatten hier einen ebenso überraschenden als großartigen Anblick. In der Ferne gewahrten sie den isolierten, zinnenähnlichen Kamm des Berges Idinen und zur Linken die lange Akakuskette, von der untergehenden Sonne prachtvoll beleuchtet und übergoldet. In südlicher Richtung ritten sie weiter, fortwährend den seltsam gestalteten Kamm des rätselhaften Berges Idinen vor Augen, den die Eingeborenen den „Palast der Geister“ nennen, der aus dem breiten Thale an der hufeisenförmig gebildeten Bergwand schroff emporsteigt und deren Höhe einem künstlich errichteten Gebände von kolossalen Mauern und Türmen täuschend ähnlich sieht.

Barth und Overweg beschlossen, den Berg genauer zu untersuchen und zu besteigen, trotz der Warnungen der Häuptlinge aus Rhat, die die Reisenden davon abhalten wollten, einen frevelhaften Besuch dieser Wohnung „böser Geister“ zu wagen. Es gelang auch nicht, am andern Tage einen Führer zu erhalten, und so machte sich denn Dr. Barth allein auf den Weg, nur mit einem kleinen Wasserschlauche auf dem Rücken und mit etwas trockenem Zwieback und mit einigen Datteln versehen.

Sein Weg führte zuerst über Sandhügel und dann über eine kahle, mit schwarzen Kieselsteinen bedeckte Ebene. Die Entfernung des Berges vom Lager erwies sich viel bedeutender, als er vermutet hatte. Nach einer aufreibenden Wanderung und unter dem entkräftigenden Einfluß der Sonnenhitze erreichte Dr. Barth endlich mit Mühe und Not den engen, mauerähnlichen Kamm auf der Höhe des hufeisenförmigen Bergrückens. Von den geträumten Inschriften war nichts zu finden, und enttäuscht versuchte der Forscher wieder in das Lager zurück zu gelangen. Als er wieder die breite Thalsohle betreten und noch einmal einen Blick auf die großartige, wildzerrissene Berghöhe geworfen hatte, verlor er aber seinen früheren Pfad. Da er in der Richtung desselben irre geworden, bestieg er einen kleinen Sandhügel, um über das Thal blicken und ungefähr den Ruheplatz der Karawane ermitteln zu können; aber weit und breit war kein lebendes Wesen, war kein Zelt zu sehen! Nun griff er zur Pistole; aber sein Signal blieb unbeantwortet. Er verließ darauf den Hügel, schleppte sich mit großer Anstrengung weiter, erklomm eine andere Anhöhe und feuerte zum zweiten Male, aber ebenso vergeblich. Nunmehr wandte er sich ostwärts, in dem Glauben, daß die Karawane noch zurück sein möchte. Da gewahrte er in geringer Entfernung kleine runde Hütten; in höchstem Jubel eilte er ihnen entgegen, traf jedoch nur verlassene an; nicht einmal ein Tropfen des so sehnsüchtig begehrten Wassers war zu finden! Noch hoffte unser ganz abgematteter Forscher die Karawane bald zu sehen, ja einen jeden Augenblick glaubte er in der Ferne einen Zug Kamele vorüberziehen zu sehen. „Aber es war eine Täuschung, wie denn nichts in der Welt voll täuschenderer Gebilde ist, als die von der Sonnenglut erhitzten Thäler und Flächen der Wüste."

Völlig ermattet und fast bewußtlos legte sich der Verirrte auf die Erde; nach einer Rast von etwa zwei Stunden, als es völlig dunkel geworden, schaute er von neuem umher. Mit unaussprechlicher Freude erblickte er in südwestlicher Richtung, abwärts im Thale, ein großes Feuer; Hoffnung belebte ihn von neuem, es mußte dies ja das Zeichen seiner ihn suchenden Reisegefährten sein! Mit fester Zuversicht folgte er dem gewaltigen

Schalle seines Pistolenschusses, wie er das Thal hinab der Flamme zurollte. Er horchte lange, aber auch jetzt wurde ihm keine Antwort. Selbst ein zweites Signal war ebenso erfolglos. Nunmehr ergab sich der Forscher in sein Schicksal, legte sich wieder nieder, und bald umfing ihn die Totenstille der Nacht.

Kaum war der Morgen angebrochen, so versuchte er noch einmal seinen Gefährten ein Lebenszeichen zu geben. Wieder rollte ein gewaltiger Schuß das Thal hinab, aber wieder blieb die Antwort aus. Die Sonne stieg höher und höher, und mit der zunehmenden Hitze war sein Zustand immer unerträglicher; von entsetzlichem Durste unsäglich gequält, sog er an seinem Blute, ward schließlich besinnungslos und verfiel in eine Art von wahnsinniger Träumerei. Erst als die Sonne sich wieder hinter die Berge senkte, kam ihm das Bewußtsein wieder. Er raffte sich auf, um noch einen letzten trüben Blick über die Ebene zu werfen. Da traf plötzlich der Schrei eines Kamels sein Ohr — „der klangreichste Ton, den ich je gehört!“ In geringer Entfernung gewahrte er einen Targi, der aufmerksam umherspähte, und rief ihm mit schwacher Stimme „aman, aman“ („Wasser, Wasser“) zu. In wenigen Augenblicken saß sein Retter an seiner Seite, wusch und besprengte seinen Kopf, während er bewegten Herzens unwillkürlich in ein oft wiederholtes „el hamdu lillahi“ (Gott sei Dank) ausbrach.

Im Lager war unterdessen alles in großer Aufregung und Angst gewesen. Dr. Overweg war unserem Forscher auf demselben Tage auf einem andern Wege gefolgt und am Nachmittag allein zurückgekommen. Er ging noch an demselben Abend mit mehreren Leuten weg, um seinen Gefährten zu suchen, kam aber um Mitternacht zurück, ohne eine Spur gefunden zu haben. Am andern Tage hatte man nur noch wenig Hoffnung, den Verirrten lebend zu finden: die Eingeborenen behaupteten, niemand könne länger als zwölf Stunden leben, wenn er sich während der Sonnenhitze in der Wüste verirre. Doch wollte man nichts unversucht lassen, und so ward eine hohe Belohnung für den ausgesetzt, der den Verirrten finden und zurückbringen würde. Ein Targi, der auf seinem Kamel die Ebene am Abhange des Berges durchstreifte, entdeckte die Fußspuren, verlor sie aber auf hartem Felsboden. Er gab jedoch die Hoffnung nicht auf und stachelte klugerweise sein Kamel zum Schreien auf, um den Forscher, wenn er noch am Leben wäre, zu ermuntern. Auf den schwachen Ruf Barths eilte der aufmerksame Mann schnell herbei, reichte dem fast Verdürsteten vorsichtig einen Trank, hob ihn auf sein Kamel und eilte mit ihm zu den Zelten, wo der Gerettete und der Retter mit außerordentlich großer Freude begrüßt wurden. Erst nach drei Tagen war Dr. Barth, Dank seiner kräftigen Konstitution, wieder imstande, die Anstrengungen des Marsches zu ertragen.

Die Karawane verließ am 19. Juli den fast verhängnisvoll gewordenen Lagerplatz, zog durch ein breites Thal, rastete bald nach Mittag in der Nähe eines herrlichen Ethelbaumes und erreichte schon am darauffolgenden Tage das Städtchen Rhat. Mohammed Scherif, ein Neffe des Stadthalters Hadji Ahamed, kam den Europäern in glänzender Kleidung und auf einem sehr guten Pferde entgegen und geleitete sie in sein Haus. Ueberhaupt war man hier erfreut, eine Mission der englischen Regierung bewirten zu können.

Richardson versuchte, seinem Auftrage gemäß, mit den Tuareg-häuptlingen zu Rhat, die die Herren mehrerer der wichtigsten, nach Central-Afrika führenden Straßen waren, einen Handelsvertrag abzuschließen, hatte aber kein Glück damit.

Am 25. Juli saßen die Reisenden wieder im Sattel, verließen die liebliche Oase von Rhat, zogen an der bedeutenden Pflanzung von Iberike vorbei und erblickten das am Fuße einer sandigen Anhöhe und von einem dichten Palmenhain umgebene Städtchen Barakat, bevor sie in völlig unbekanntes Gebiet, auf dem „Schiff der Wüste" in die eigentliche Sahara, die Central- und Nordafrika scheidet, hineinzogen, deren Charakter sich aber keineswegs so grausig erwies, als man bisher gewähnt hatte.

Am 26. Juli gelangte man in die Nähe des Brunnens Issaien, erstieg später einen Engpaß und kam nach dem mit Esidder=Bäumen und Kräutern bewachsenen, anmutigen Thale Erajar=n=Akern, wo sich inmitten der Felshöhen ein großes Wasserbecken von ansehnlicher Breite gebildet hatte. Hernach betrat man eine grasreiche Landschaft von sehr unregelmäßiger Bildung und bestieg auf einem sehr beschwerlichen Pfade, der sich zwischen abgelösten Felsblöcken an einem steilen Abhange hinschlängelte, in zwei Stunden das Hochland der Asgar. Dieser Gebirgsrücken bildet einen charakteristischen Zug in diesem Teile Nordafrikas; seine durchschnittliche Höhe beträgt etwa 1200—1500 m über dem Meere und ist als die höchste Erhebung der Wüste zwischen Tripolis und Asben anzusehen.

Von dem Kamm dieses Hochlandes führte der Weg in eine tiefere Region herab in eine wilde, tief eingerissene Schlucht, die auf beiden Seiten von hohen Felskuppen überragt ward und die allmählich, wie die Reisenden vorwärts rückten, einen immer großartigeren Charakter annahm. Nachdem die Reisenden am Fuße einer Seitenschlucht schönes frisches Bergwasser gefunden, wanderten sie mehrere Kilometer weiter und lagerten im Schatten eines Ethelbaumes, dessen Zweige soweit reichten, daß die ganze Reisegesellschaft bequem Platz unter ihm fand. Nach einem Rasttage erreichte die Karawane das breite, flache Thal Edjendjer, und zog am darauffolgenden Morgen über eine große, öde wasserlose Ebene. Zu ihrer Rechten sahen die Reisenden den interessanten, kegelförmigen Berg Tiska. Weiter nach Süden, am Brunnen Falesseles, lagerten sie am 4. August. Der Tag war bei vollkommener Windstille drückend heiß und das Thermometer zeigte an einer besonders geschützten Stelle 44° Celsius.

Nach einem Aufenthalt von zwei Tagen marschierte man zwölf Stunden lang über eine kiesige, kahle Ebene, die fast ganz ohne Vegetation war und lagerte darauf an der Nordseite einer höchst imposanten, gewaltig gegliederten Masse von seltsam gestalteten Sandsteinblöcken, deren Fuß einige schöne Talhabäume schmückten.

Tags darauf hatte die Karawane wieder einen langen und mühseligen Weg über rauhen und steinigen Boden zurückzulegen. Am 8. August zog sie etwa 3 km weit auf einem gewundenen Wege durch pfeilerartige Granitmassen. Dann ward die Landschaft freier und offener, und in der Ferne wurde die Gebirgslandschaft Anahef sichtbar. Endlich kam man in das breite, von zwei malerischen, scharf geformten Felszügen eingeschlossene Thal Ngakeli, das sich durch eine Fülle von Pflanzenwuchs auszeichnete, wie es die Reisenden seit ihrem Eintritt in die Wüste noch nicht gesehen.

Bei Tagesanbruch passierten sie einen engen Paß, an dem sich einige prachtvoll geformte Kuppen erhoben und erstiegen nach einem 10 km langen Wege eine ansehnliche Kette zerrissener Anhöhen. Danach kamen sie allmählich in das Thal Arokam, eine tiefe, wilde Schlucht, die von hohen, abschüssigen Felsen umgeben ist und eine der großartigsten Ansichten in der Wüste bildet. In mannigfachen Windungen ging es durch mehrere Thäler bis nach einem höchst interessanten Paß in der Erhebungskette. Ein paar Tage später ging es eine gewundene Straße im Thale entlang bis nach dem Brunnen Issala. Der Charakter der Landschaft hatte sich mittlerweile gänzlich verändert; die Felswände waren zerrissen und Massen von Blöcken gewaltig aufeinander getürmt. Die mit Granitblöcken überstreute Einsenkung ließ kaum eine Passage frei. Ueber diese wüst durcheinanderliegenden Massen stiegen die Reisenden abwärts nach einem Brunnen, bei dem sie zu ihrer Freude und Beruhigung endlich die Karawane des Tinylkum wieder einholten, die den Transport der Waren auf der westlichen Sudanstraße fast ausschließlich besorgte, von der sie sich vor mehr als einem Monat im Thale Elauen getrennt und die ihr Gepäck zu befördern hatte.

Nach einigen Tagen trat die Reisegesellschaft nunmehr in die eigentliche Centralregion der öden und nackten Wüste ein. Felsiger Boden und sandige Ebene wechselten einander ab.

Es nahm sich in diesem Gebiete recht eigentümlich aus, als am Nachmittage des 15. August ein heftiger Wind losbrach, dem schwerer Regen mit vereinzeltem fernen Donner folgte. Die Atmosphäre war dabei außerordentlich drückend und einschläfernd. Dieses erste Zeichen des tropischen Klimas, in das die Reisenden nun eingetreten waren, war ihnen auch in Bezug auf die Oertlichkeit sehr interessant; denn bald erreichten sie die durch Granitblöcke gekennzeichnete Stätte Marawaba, in der Mitte des Weges zwischen Rhat und Air gelegen. Die Karawane überschritt einen sehr auffälligen Granitkamm und zog am 16. August über kiesigen und felsigen Boden weiter. An einem Nachmittage entlud sich ein heftiger tropischer Orkan, der anfangs nur den Sand aufwirbelte, um mit ihm die Luft zu erfüllen, dann aber schwere Regengüsse folgen ließ. Als das Wetter sich wieder aufklärte, sah man fern im Süden das Gebirge Asben. Nach einem vierzehnstündigen Marsche und nach einer kurzen Rast zog die Karawane bei schwachem Mondschein und trotz großer Ermüdung weiter, um so bald als möglich den Brunnen Assin zu erreichen, um auch dadurch einen Zusammenstoß mit den räuberischen Horden, die hier die Gegend unsicher machten, zu verhindern. Einige Stunden nach Sonnenaufgang erreichte man glücklich diesen, für den Karawanenhandel aller Zeiten wichtigen Punkt, in dem sich die Straßen von Ghadamas und Tauat vereinigen.

Mit dem Erreichen dieses Platzes schien die gefährlichste Strecke der Route überwunden zu sein; doch bald sollten die Reisenden auf die empfindlichste Weise darüber aufgeklärt werden, daß die eingebildete Grenze zwischen den Territorien der Asgar und der Kel-owi ihnen keinen Schutz gegen Raubanfälle der nördlichen Stämme gewähre.

Ein ganzer Tag ging mit dem Tränken der Kamele und dem Füllen der Wasserschläuche verloren. Am 18. August zog man aber weiter und stieg allgemach über Felsen, die aus thonigem Sandsteinschiefer bestanden und von roter und grünlicher Farbe waren; später gelangte man auf eine höhere, mit Kies bedeckte Fläche und endlich in eine, etwa eine Meile breite Thaleinsenkung.

Gegen Abend erschienen unverhofft drei wohlbewaffnete Männer mit ihren Kamelen im Lager. Sie kamen mit der Maske der Friedfertigkeit, gehörten aber zweifelsohne dem gefürchteten Banditenvölkchen an. Diese Freibeuter der Wüste beginnen nämlich nicht mit offenem Angriff, sondern suchen, was ja viel gemeiner ist, sich erst heuchlerisch unter friedlichem Vorwand bei einer Karawane einzuschleichen, bis es ihnen gelungen ist, die geringe Eintracht, die in einer so bunt zusammengewürfelten Reisegesellschaft zu herrschen pflegt, zu untergraben und die Verhältnisse zu ihrem Nutzen auszubeuten. Am andern Morgen entfernten sich die drei, um zu ihrer Bande zu stoßen, die sich während der Nacht in geringer Entfernung vom Lager versteckt gehalten hatte. Doch am nächsten Abend kamen wieder drei zurück, aber nicht die von gestern, sondern andere Mitglieder der Landstreicherschar. Glücklicherweise wurde das Nachtlager der Reisenden nicht weiter gestört.

Am nächsten Morgen suchten die frechen Eindringlinge in raffinierter Weise den religiösen Gegensatz zu Nutzen zu machen; er schien ihnen ein vortreffliches Mittelchen und gutes Mäntelchen für ihre Raubgier abzugeben. Sie beriefen nämlich „alle guten Gläubigen" zu einem feierlichen Gebete zusammen und sonderten in auffälliger Weise die drei Europäer — als Christen — von dem Rest der Karawane.

Immer mehr beunruhigt, setzte die Karawane ihren Marsch in einer geschlossenen Reihe fort, um ein flaches Thal von unregelmäßiger Bildung, doch voll jungen Krautwuchses, zu durchziehen oder seinen Windungen zu folgen. Dann kam sie über eine ganz offene Landschaft und lagerte endlich in einer freien, kiesigen Ebene. Die drei unwillkommenen und frechen Gäste waren aber fortwährend in der Nähe geblieben und hatten inzwischen die Stirn gehabt, vor den Tinylkum offen zu erklären, es sei ihre Absicht, die drei „Christen" umzubringen.

Am 21. August zog man in aller Frühe weiter, stieg auf rauhem Boden aufwärts und erreichte nach mehrstündigem Marsche, nachdem mehrere kleine Thäler durchschritten worden, das bedeutende breite Thal Djinninan. Tags darauf trat man in einen sehr unregelmäßigen, steil aufsteigenden Paß ein, erfreute sich später mehrerer Thäler, die in frischem Grün prangten, kam über eine durch prächtigen Pflanzenwuchs ausgezeichnete Ebene und schließlich nach dem Thal Ta-rah-djit.

Kaum hatte man hier einige Stunden gerastet, so verbreitete sich die unangenehme Botschaft, daß eine Bande von fünfzig bis sechzig zu Kamel berittenen Kriegern sich näherte, um sie anzugreifen. Die ganze Karawane geriet darüber natürlich in große Bestürzung und Verwirrung, so daß noch am Abend, ja während der hellen Mondnacht das Lager in ununterbrochener, lebhafter Aufregung verblieb. Auch am folgenden Tage wurde die Lage keine bessere; vielmehr machten sich die Führer der Wegelagerer daran, den Glaubensgegensatz in schärferes Licht zu setzen und die Auslieferung der drei „Christen“ zu fordern; nur dann wollten die fanatischen Freibeuter die Karawane nicht weiter beunruhigen und ziehen lassen. Selbstverständlich wies man solche dummfreche Forderung mit Entschiedenheit zurück; das fruchtete wenigstens so viel, daß die Frommen es vorläufig bei ihrer Drohung bewenden ließen.

Die Lagerstätte vertauschte man mit einer andern im Thale Imenan, das große Talha-Bäume lieblich schmückten. Aber wie hungrige Wölfe in trostlosen, öden Gegenden den Reisenden unablässig und zähneflätschend verfolgen, so auch die beutegierigen Wegelagerer hier in der Wüste. Der Diener Mohammed der Tunesier hatte umhergeforscht und den Eindruck gewonnen, daß die beutehungrigen Verfolger nunmehr einen ernsten Angriff planten. Er teilte den Reisenden seine Wahrnehmungen mit, und diese beriefen einen Kriegsrat, dessen Beschluß dahin ging, den Kampf nötigenfalls mit zwanzig bis dreißig Leuten aufzunehmen, bei größerer Anzahl der Feinde jedoch den Versuch zu machen, sie mit einem Teil der Güter zu befriedigen.

Die Karawanenleute, zumeist Kel-owi, mußten am nächsten Morgen zu ihrer Bestürzung wahrnehmen, daß ihre Kamele verschwunden waren; die Freibeuter hatten sie während der Nacht gestohlen. Bald erschienen auch die Unheimlichen und forderten gradezu die Auslieferung der „Christen" mit ihrem ganzen Gepäck und ihren Kamelen. Diese unverschämte Forderung wurde mit Festigkeit abgelehnt unter der Erklärung, daß man entschlossen sei, im Notfalle bis auf das Aeußerste zu kämpfen. Noch waren die Verhandlungen mit ihnen nicht zu Ende geführt, als plötzlich ein vierzig Mann starker Trupp dahergeritten kam und mit wildem Kriegsgeschrei die Karawane zum Kampfe herausforderte. Offenbar kam die Bande in der Absicht, durch plötzlichen Schrecken die Reisenden einzuschüchtern. Aber kaum war deren erste Ueberraschung vorüber, so zog auch schon der größte Teil der Karawane, mit Flinten, Pistolen und Schwertern bewaffnet, dem Feinde mutig entgegen und erklärte, die Herausforderung anzunehmen. Diese kühne Bewegung der bedrohten Karawane machte die Angreifer stutzig. Außer den Feuergewehren schienen namentlich die Bajonette auf den Flinten die feindlichen Banditen in respektvoller Entfernung zu halten. Trotz alledem mußten sich aber die Reisenden hinterher eingestehen, daß ihre Lage ganz unhaltbar wäre; denn wenn sie sich auch den Feind vom Leibe hätten halten können, so war doch das Gepäck in ihrem Rücken zu wenig geschützt und hätte sehr leicht dem Feinde zur Beute werden können. Deshalb hielten sie es für geratener, mit der feindlichen Bande in Unterhandlung zu treten, die noch immer auf den Glaubensgegensatz pochte und vorgab, nicht gegen die Leute ihres eigenen Glaubens kämpfen zu wollen. Die Christen dagegen, diese Ungläubigen, wollten sie ausgeliefert oder getötet haben. Eine entschiedene Zurückweisung war die Antwort. Nun verlangten sie, daß die Christen auf dem Wege, den sie gekommen, zurückreisen sollten; als auch dies abgelehnt ward, traten sie mit der Forderung hervor, daß die Christen ihren Glauben ändern und den Islam annehmen sollten, ein Vorschlag, den die Reisenden ernst und mit Abscheu als undenkbar verwarfen. Schließlich verlangten sie einen beträchtlichen Teil ihres Gepäcks als Lösegeld. Da nichts anderes übrig blieb, als auf dieses letzte Verlangen einzugehen, so willigten die Reisenden ein und ließen dem Banditenvölkchen Waren zu einem ansehnlichen Betrage ausliefern; dieses mußte sich dafür „verpflichten“, die heimlich weggetriebenen Kamele zurückzustellen und die Reisenden weiterhin unbelästigt zu lassen.

Am 26. August brachen unsere Reisenden wieder in der Frühe auf, verließen diese unsichere Gegend und marschierten 5 km weit durch eine von höheren Granitkegeln überragte Thalbildung, stiegen dann ansehnlich aufwärts und gewannen eine freie Aussicht auf die große Bergmasse, die im Süden den Horizont begrenzte und mit dem allgemeinen Namen Asben bezeichnet zu werden pflegt.

Das eigentliche Gebirgsland Air oder Asben erstreckt sich in einer Länge von zwei Graden und in einer Breite von vierzig bis sechzig nautischen Meilen zwischen dem 17. und 19. Grad nördlicher Breite und dem 8. und 9. Grad westlicher Länge von Greenwich; es wird von den Kel-owi bewohnt, deren Dörfer aus festen, unbeweglichen Hütten bestehen und deren Stamm in eine große Anzahl von Abteilungen oder Familien zerfällt, die zusammen eine große Stammgenossenschaft bilden. Letztere zerfällt wiederum in eine größere Genossenschaft mit den Kel-gereß, den I-ti-ssan und einigen andern kleineren Stämmen. Das gemeinsame Oberhaupt dieser größeren Verbindung ist der in Agades regierende Sultan, den Dr. Barth, wie wir bald sehen werden, besuchte. —

Der Bergmasse entgegengehend, sahen die Reisenden in der Ferne den ersten Strauß, und betraten bald das Thal Tidik, das mit seinen höchst üppigen Talha-Bäumen einen überaus angenehmen Eindruck machte. Später kam man auch durch den schmalen Paß, der gewöhnlich für das eigentliche Thor des Südens angesehen wird. Bald war derselbe durchwandert, und auf der nun folgenden, überaus rauhen und unwegsamen Straße ging der Marsch nur langsam vorwärts. In der rauhen, engen Einsenkung

Taroi rastete man ein wenig, und auf dem weiteren Wege verlor sich der öde Charakter der Landschaft, um einem stellenweise sogar malerischen Raum zu geben.

Bis nach Eselufiet, dem nächsten Rastplatz, waren nur noch etwa 12 km zurückzulegen, und die Reisenden glaubten, diesen Ort noch an demselben Tage erreichen zu können. Aber an dem Rande eines breiten Thales wurde plötzlich ohne genügenden Grund zu früher Stunde das Lager aufgeschlagen. Da die Reisenden schon am Tage vorher frische Fußspuren von Menschen und Kamelen bemerkt hatten, erschien es ihnen unzweifelhaft, daß ein geheimes verräterisches Einverständnis zwischen mehreren Gliedern der Karawane und einem neuen versteckten Trupp beutegieriger Landesbewohner angeknüpft und unterhalten worden war.

Bald sollten sie abermals das Prekäre ihrer Lage zu fühlen bekommen. Die neuen habgierigen Verfolger, dem fanatischen und halb unabhängigen Stamme der Merabetin angehörend, dessen Hauptwohnsitz Tin-tarh-ode war, traten alsbald hervor, kehrten mit pfiffiger Berechnung, wie die ersten früheren Räuber ja auch gethan, den Religionsgegensatz hervor und rückten schließlich mit einem Trupp in beträchtlicher Anzahl heran. Zwar begnügten sie sich im Augenblick mit Drohungen; als es jedoch dunkel geworden und ihre Zahl zu etwa hundert angewachsen war, rückten auch diese Frommen mit der Erklärung heraus, daß sie den Christen zwar kein Leid anthun, aber von diesen verlangen müßten, den Islam anzunehmen; kein Ungläubiger habe je ihr Land betreten, noch solle dies je geschehen; im Weigerungsfalle wäre ihr Loos der Tod. Aber die Reisenden ließen sich nicht bange machen und wiesen mit Bestimmtheit und Abschen das Verlangen zurück. Nach lebhaften Auseinandersetzungen kam endlich ein Vergleich mit der Räuberhorde zustande, der den Reisenden wieder einen ansehnlichen Betrag an Waren kostete.

Nach einer besorgnisvollen Nacht zog die Karawane weiter, ließ das hohe Horn des Timge oder Tengik zur Linken und erreichte, eine meist anmutige Gegend passierend, das prachtvolle

Thal Eselusiet und das aus etwa sechzig bis siebzig Hütten bestehende Dorf gleichen Namens. Auch hier konnten sich die Reisenden noch nicht viel der Ruhe und Sicherheit erfreuen. Nicht ohne Besorgnis dachten sie an ihren sowieso geringen und zur Reise überaus notwendigen Besitz. Wie berechtigt ihre Sorge war, zeigte sich auch am nächsten Morgen. In aller Frühe und im Dunkel der Nacht hatten die Merabetin alle ihre Kamele weggetrieben; die diebischen Wegelagerer hatten nur Friedfertigkeit geheuchelt. Erst am andern Tage und auf dringende Vorstellungen brachten sie einen Teil der Kamele zurück. Fünfzehn Tiere fehlten noch immer, als die Reisenden ihren Marsch am 30. August fortsetzen mußten.

Ueber das Thal führte der Weg hinaus auf ein felsiges Terrain zu einem freien Platz in der Nähe des Dorfes der Merabetin, das aus etwa hundert Hütten bestand, die meistens aus Gras und den Blättern der Palme gebaut waren. Das kleine Dorf Tin-tarh-ode ist für den Verkehr zwischen Nord- und Mittelafrika immerhin von Wichtigkeit; denn ohne den Schutz der Bewohner desselben kann er, wie wir gesehen, kaum mit einiger Sicherheit betrieben werden.

Die Reisenden sollten hier Zeugen eines wunderbaren Naturereignisses werden. In kurzer Zeit fiel eine so ungeheure Regenmenge, daß binnen vierundzwanzig Stunden das ruhige, fast 2000 Schritt breite Thal, in dem sie lagerten, in das Bett eines reißenden Stromes verwandelt wurde, mächtig genug, um Schafe, ja selbst Kamele widerstandslos fortzutragen und Bäume zu entwurzeln. An einem Nachmittage ertönte plötzlich der Ruf: „die Flut kommt“, und bald darauf sah man eine breite, mit weißem Schaum bedeckte Wassermasse sich vom Süden her zwischen den Bäumen das Thal entlang wälzen. Bald war das ganze Thal in ein Flußbett und der höherliegende Lagerplatz in eine Insel verwandelt. Selbst während der Nacht regnete es ununterbrochen. Das Wasser im Thale stieg höher und drohte auch den Lagerplatz zu überfluten. Deshalb wurde es notwendig, die Lagerstätte mit einer höhergelegenen zu vertauschen. Erst zu Mittag des nächsten Tages fiel das Wasser allmählich und beseitigte damit die Gefahr eines Verlustes an Menschen und Tieren.

Zu gleicher Zeit erschien eine Truppe wohlbewaffneter Mehara. Es war, wie die Reisenden zu ihrer Freude hörten, die von dem Häuptling Annur in Tintellust zu ihrem Schutz entgegengeschickte Geleitsmannschaft.

In Gemeinschaft mit dieser Bedeckung wurde am 2. September das große Thal von Tin-tarh-ode verlassen. Einige Schluchten, eine höchst malerische Gegend sowie das Zweigthal Fodet wurden durchschnitten. Ueberall waren Spuren der vorgestrigen Ueberschwemmung zu bemerken. Die Reisenden zogen in der gebirgigen, abwechselungsvollen Landschaft weiter, stiegen aufwärts, bis sie den Höhenkamm erreicht hatten. Dann führte der Weg allmählich wieder abwärts, an kleinen Thalsenkungen entlang, bis in eine tiefe Schlucht. Einige Stunden später konnte man in einer Erweiterung des Thales Afis, in geringer Entfernung von einem Brunnen, das Lager beziehen. Hier zeigte es sich, wie wenig die von dem Häuptling Annur entsandte Schutzwache von Nutzen war, die Leute machten bald unangemessene Forderungen und erleichterten heimlich einen Ballen um die Hälfte seines Gewichts. Am 4. September, nach Zurücklegung einer kurzen Strecke Weges, erreichten unsere Reisenden die langersehnte dritte große Station auf ihrer Reise, Tintellust, die Residenz des alten Häuptlings Annur.

Gleich am Tage nach der Ankunft besuchten die Reisenden den alten, graden und leidlich ehrlichen Häuptling, der die üblichen Geschenke gnädig entgegennahm und meinte, daß sie zwar als Christen schuldbefleckt in sein Land gekommen, aber durch die vielen Gefahren und Mühseligkeiten rein gewaschen seien. Einmal unter seinen Schutz gestellt, hätten sie nun nichts weiter als das Klima und die Diebe zu fürchten. Später ließ der Alte unseren Reisenden wissen, daß sie allenfalls auf eigene Gefahr und in Begleitung der Salzkarawane, die er aus Bilma erwartete, nach Bornu wandern könnten; wünschten sie aber, daß er selbst mitgehe und sie beschütze, so wäre ihm mit einer ansehnlichen Summe gedient. Unsere Reisenden, belehrt durch die bisher gemachten Erfahrungen, nahmen das letztere Anerbieten an.

Mittlerweile war die Regenzeit angebrochen. Fast täglich fiel eine ansehnliche Regenmenge, verursachte zwar manche Unannehmlichkeit, war aber auch zugleich ein handgreiflicher Beweis dafür, daß man nunmehr wirklich die neuen, lange ersehnten Regionen des Innern betreten hatte. Die Natur prangte in wenigen Tagen wie im Frühlingsschmuck. Die Tierwelt regte sich mehr denn je und entwickelte ihre geselligen Eigenschaften in besonderem Maße. Von den dichtkronigen Bäumen ließen sich Ammern und Finken und die girrenden Turtel- und ägyptischen Tauben hören. Affen stiegen heimlich in die kleine Einsenkung hinter der Lagerstätte, um einen Trunk Wasser zu erlangen; Hyänen und Schakale störten mit ihrem Geschrei die Nacht, und dann und wann erscholl in der Ferne das Gebrüll eines Löwen.

Vorläufig benutzte Dr. Barth den längeren Aufenthalt, um über die Verhältnisse der bisher ganz unbekannten Landschaft näheres zu erfahren und über die Natur des Landes und der Menschen, mit denen er hier in Berührung gekommen, Aufzeichnungen zu machen. Zu gleicher Zeit bereitete er auch einen Ausflug nach der ansehnlichen, 250 km südwestlich von Tintellust liegenden Stadt Agades vor, die einst an Größe Tunis gleichgestanden haben soll und schon lange in unserem Forscher den Wunsch rege gemacht hatte, ihre Mauern zu betreten. Der alte Annur versah ihn entgegenkommend mit einem Empfehlungsbrief an den Sultan von Agades und gab ihm seinen Schwiegersohn Hamma zum Begleiter.

Barths Ausflug nach Agades.

Es war am 4. August, als Dr. Barth mit seinem kleinen Trupp bei schönem Wetter das breite Thal von Tintellust verließ. Ueber felsiges Gelände kam er in das Thal Eghellal, um später in einem anmutigen, von aufstehenden Granitblöcken umgürteten Felswinkel, in der Nähe eines kleinen Dorfes, das Lager zu beziehen. Durch eine malerische Wildnis, deren interessantester Gegenstand der imposante und merkwürdige, von einem Doppelhorn gekrönte Berg Tschereka war, sowie an der nahe bei demselben gelegenen Stadt A-ssodi zog man am andern Tage vorüber. Bald wurde im Osten, vor dem herrlichen Thal Tschijolen, die interessante Bergkette des Bundai sichtbar. Der Weg führte hernach über felsiges Gelände, das zur Rechten von den Kuppen und Kegeln einer schroffen Erhebung, zur Linken von der mächtigen Gestalt des Berges Eghellal überragt wurde. Angesichts dieses breiten, majestätischen Berges und in der Nähe des Dorfes Eghellal lagerte man in einiger Entfernung vom Brunnen. Am nächsten Morgen ließ man zeitig diesen Lagerplatz zurück, kam durch offenere Gegend und durch das Bett eines zeitweiligen Bergstromes sowie durch einen kleinen Paß, von dessen Gipfel herab man einen höchst malerischen Ausblick nach dem überaus schönen Thale Tiggeda gewann. Der weitere Pfad schlängelte sich in diesem interessanten Thale entlang, führte über eine leichte Scheidewand felsigen Bodens in das überaus schöne und malerische Thal Erhajar-n-Assada, das mit einer wahrhaft tropischen Ueberfülle an Pflanzenwuchs bedeckt war. Da zog eine große Sklavenkarawane an den Reisenden vorüber, deren Leute ein fröhliches Lied in der wilden Melodie ihrer Heimat sangen; da trat, als die Reisenden aus der dichten Thalwaldung herauskamen, der imposante Kegel des Dogem in ihren Gesichtskreis. Eine enge Schlucht in den steilen Felswänden führte nach dem Dorfe Assada. Von hier stieg man auf die Höhe des Passes und hatte den mächtigen, majestätischen Kegel des Dogem zur Linken. Darauf stieg die kleine Karawane in eine steinige Ebene hinab nach einer düsteren, wildzerrissenen Thalebene. Das von mannigfaltigen Bäumen und Büschen, namentlich aber von einem reichen Hain von Fächerpalmen, belebte Thal Auderas bot für heute eine gute Lagerstätte.

Am nächsten Morgen, bei schönem, klarem Wetter, betrat unser Forscher, über felsiges Gelände ziehend, bald das fruchtbare Thal Budde. Tags darauf führte sein Weg anfänglich zwar wieder über rauhes Terrain, mündete aber in die prachtvolle Einsenkung Boreel. Hier sah Dr. Barth auf seinem Rückwege einen außerordentlich großen, umfangreichen und merkwürdigen Baum mit großen, fleischigen Blättern von herrlichstem Grün, eine Fikus-Art, die auf Haussa „Baure“ genannt wird.

Am Morgen des 10. Oktober erreichte der Reisende endlich die Höhe des steinigen, flachen Plateaus, auf dem die Stadt Agades gebaut ist und das die gesunde Lage derselben bedingt. Agades hatte im Allgemeinen das Ansehen einer verödeten Stadt. Ueberall waren Spuren verschwundenen Glanzes wahrzunehmen. Zur Zeit ihrer höchsten Blüte, vor mehreren hundert Jahren, soll die Stadt einen beträchtlicheren Umfang gehabt und wohl fünfzigtausend Einwohner gezählt haben. Jetzt aber konnte unser Forscher nur die bewohnten Häuser auf sechs- bis siebenhundert und die Menge der Bevölkerung, die Sklaven mit eingerechnet, auf etwa siebentausend schätzen. Während er die Wahrnehmung macht, daß die moralische Qualifikation der Bewohner zu wünschen übrig lasse, bemerkt er zugleich, daß sich in Agades doch viele auffallende Züge eines behaglichen Lebensgenusses und glücklichen Daseins, sowie kaum eine Spur von Elend, wie man es sonst in gesunkenen Städten sieht, vorfinden lassen.

Noch am Tage seiner Ankunft in Agades ließ ihn der Sultan zu sich rufen. Barth überreichte ihm die üblichen Geschenke und sagte ihm, daß die Engländer mit allen großen Männern und Häuptlingen der Erde in freundschaftliche Verhältnisse zu treten wünschten, um friedlichen und gesetzlichen Verkehr mit ihnen anzuknüpfen, und daß sie deshalb, obwohl in so ungeheurer Entfernung von ihm wohnend, auch seine Bekanntschaft zu machen wünschten. Er übergab ihm die Briefe vom Häuptling Annur und von Richardson und beklagte sich zu gleicher Zeit bei Abd-el-Kadiri, wie ungerecht und schmachvoll sie auf ihrem Wege von den Stämmen behandelt worden wären, die seiner Oberhoheit unterstanden.

Mit Wohlwollen hatte der Sultan den Mitteilungen unseres Reisenden gelauscht; jetzt aber, bei der Erwähnung jener Ueberfälle, gab er seinem Unwillen darüber deutlichen Ausdruck; dann nahm er die Geschenke freundlich an und erwiderte dieselben, indem er dem Reisenden hinterher einen großen fetten Hammel sowie ein schmackhaftes Gericht, eine Art dicken Pfannkuchens, zukommen ließ.

Einige Tage darauf hatte Dr. Barth Gelegenheit, der feierlichen Einsetzung des Sultans, der von den Inaregstämmen neu gewählt worden war, beizuwohnen. Die Häuptlinge waren inzwischen von allen benachbarten Gegenden herbeigekommen, um an der Einsetzung, die im Palast stattfand, teilzunehmen. Nach der förmlichen Belehnung begab sich der Sultan mit seinen Gästen in feierlichem Zuge nach der außerhalb der Stadt gelegenen Kapelle. Dr. Barth hat uns ein Bild von dieser Aufführung und von der Anordnung des interessanten Zuges gegeben. Er schreibt: „An der Spitze, von Musikanten begleitet, ritt der Sultan auf einem sehr stattlichen Pferde von Tanater Zucht; denn das Roß aus ‚Tanat' ist sprichwörtlich und bei den Berberstämmen der Wüste ebenso berühmt, wie die ‚Frauen der Imanang' oder der ‚Reichtum von Tunis'. Er trug über einem schönen Sudanhemde von buntem Gewebe aus Baumwolle und Seide einen blauen Burnus, welchem ich ihm als Geschenk der Königin von England überreicht hatte. An der Seite hatte er einen stattlichen krummen Säbel mit goldenem Griff. An seiner Linken ritt Mohammed Boro, der frühere Minister oder ‚Iserki-n-turana', an seiner Rechten der gegenwärtige Minister Aschu. Ihnen folgten die ‚fadana-n-sserki' oder die Adjutanten des Sultans. Hinter diesen zogen die sämtlichen Häuptlinge der J-tissan und Kel-gereß einher. Sie waren alle zu Pferde, in voller Kleidung und bewaffnet mit Schwert, Dolch, langem Speer und ungeheurem Schilde. Darauf kam der längere Zug der Kel-owi, meist auf Mehara- oder Reitkamelen; an der Spitze ritt ihr Titularsultan Astafidet. Den Beschluß machten die Bewohner der Stadt, größtenteils zu Fuß, zum teil aber auch zu Pferde! Einige von ihnen waren mit dem gewöhnlichen graden Schwert und Speer, viele jedoch auch mit Pfeil und Bogen bewaffnet. Alle hatten zu dieser Feierlichkeit ihren höchsten Schmuck angelegt, und der ganze Aufzug wäre wohl einer künstlerischen Darstellung wert gewesen; er erinnerte in der That an die ritterlichen Prozessionen des Mittelalters." —

Während seines mehrwöchentlichen Aufenthaltes durchwanderte unser Forscher die Stadt nach allen Richtungen, besuchte die verschiedenen Marktplätze, den Kamelmarkt, Gemüsemarkt, Fleischmarkt, Krammarkt, und erhielt auch einen Einblick in die Industrie des Ortes. Er sah überdies auch Leder-, Feinschmiede- und Schuhmacherarbeiten, die freilich europäischen Ansprüchen kaum genügen würden.

Endlich war es an der Zeit, wieder nach dem Ausgangspunkt Tintellust zurückzukehren. Barth verließ nach einem dreiwöchentlichen Aufenthalt am 30. Oktober die Stadt, verfolgte ganz seine alte Straße und erreichte am 5. November wieder wohlbehalten Tintellust und stieß am Tage darauf in der Thalebene Tinteggana auf das Lager der Karawane, die mittlerweile schon nach dem Süden hatte aufbrechen wollen.

Jetzt waren die Reisenden wieder vereint und hofften, ohne jeden weiteren Aufenthalt ihrem Ziele entgegengehen zu können. Allein der alte Häuptling Annur erklärte, nicht mit ihnen weiter ziehen zu können, sondern auf die noch immer nicht von Bilma zurückgekehrte Salzkarawane warten zu müssen. Somit ward den Reisenden eine neue, unfreiwillige Mußezeit auferlegt. Der unermüdliche Barth füllte dieselbe mit dem Schreiben eines ausführlichen Berichts über die Nachrichten aus, die er in Agades gesammelt hatte und mit der Verfertigung eines reichhaltigen Wörterverzeichnisses der Emgedesi-Sprache.

In den ersten Tagen des Dezember traf endlich der erste Trupp der Salzkarawane ein, und somit eröffnete sich die Aussicht auf baldige Weiterreise.

Letzter gemeinsamer Marsch bis Taghelel.

Endlich, am 12. Dezember, konnten unsere Reisenden ihren heimischen Lagerplatz bei Tintellust verlassen und gen Süden ziehen. Dr. Barth schreibt in seinem Reisewerke: „Festlich und imposant war besonders alle Morgen der Aufbruch der vereinigten Karawane. Alle Trommeln wurden gerührt und ein wilder enthusiastischer Ruf hallte vom ganzen Lager wider; dann rückte in kriegerischer Ordnung ein Zug nach dem andern heran, von seinem jedesmaligen Madogu, d. h. dem erfahrensten und zuverlässigsten unter den Dienern und Anhängern jedes Häuptlings, angeführt. So ging es dann in ruhigen, langen Zügen durch Thäler und über Hochflächen. Am Abend aber gab es Spiel und Tanz in der ganzen Ausdehnung aller Abteilungen des großen Lagers. Die Trommler wetteiferten miteinander, ihre Kunstfertigkeit zu zeigen; einige trommelten wirklich mit vielem Geschick und erregten allgemeinen Enthusiasmus unter den Tanzenden. Die vielen lebhaften und munteren Scenen in einer weiten, von wilden Felsmassen unterbrochenen Landschaft, von großen Feuern beleuchtet, gewährten ein heiteres, eigentümlich malerisches Bild eines regen Volkslebens, worüber der Reisende die schwachen Seiten, welches dieses Wüstenleben sonst haben mag, leicht vergessen konnte".

„Auch ihm, dem Reisenden, fällt es auf, daß diese ganze große Bewegung eines wandernden Volksstammes durch einen einzigen Handelsgegenstand veranlaßt wird. An den nacktesten, unfruchtbarsten Stätten der Wüste, im Gebiet der Tubu bei Bilma, hat die schöpferische Natur jene reichen Salzlager ausgebreitet, während sie weiten Landschaften des fruchtbaren Innern dieses den Menschen zum notwendigen Bedürfnis gewordene Mineral gänzlich versagt hat. Aber weder die Tubu noch die Haussa, weder die Produzierenden noch die Konsumierenden sind es, die diesen großen Verkehr vermitteln; ein Dritter tritt hier ins Mittel, und während er die Bedürfnisse der Letzteren befriedigt, schafft er sich selbst seine Existenz. Es ist dies der Bewohner der zwischen Nord und Süd gelagerten ungastlichen Zonen. Aus weiter Ferne zieht er zu den Salzlagern, beladet seine Hunderte und Tausende von Tieren und zieht in monatelangem Marsch den fruchtbaren Ländern zu, deren Bewohner ihm gern mit ihrem Korn und den Erzeugnissen ihrer Industrie sein Salz abkaufen."

In den südöstlichen Landschaften Airs, durch die die Reisenden ihren Weg nach Süden zu verfolgten, wechseln Wüsteneien und Fruchtboden wunderbar miteinander ab. So zog am 13. Dezember die Karawane im Grunde des Thales Tanegad entlang, um später auf unebenes, nacktes Gelände und darauf über eine mit prachtvollen, sich weitausbreitenden Adduabäumen geschmückte Thalebene zu wandern. Ein schmaler Pfad führte über die rauhe Fläche schwarzen Basalts in das Thal Telua. Die Reisenden stiegen aufwärts und genossen eine schöne Aussicht auf den Berg Adjuri, an dessen Fuß Tschemia liegt, ein wegen seiner Dattelpalmen berühmtes Dorf und Thal. Diese Gegend verließ die Karawane am 21. Dezember, kam nach dem Thal Unan, das ab und zu mit Dumpalmen bestanden war und darnach an den Rand eines Strombettes, der einen wildkräftigen Pflanzenwuchs aufweisen konnte.

Das Land Air oder Asben wurde verlassen und ernster als bisher die schwierigere und gefahrvollere Reise fortgesetzt. Ueber das zwar nicht hohe, aber sehr bemerkenswerte Wüstenplateau Abadardjen ging es hinweg, das die Uebergangsregion von der felsigen Wildnis der Wüste zu der fruchtbaren Zone Innerafrikas, und nebenbei bemerkt, die Heimat der Giraffe bildet. Am 30. Dezember führte ein mehr als sieben Stunden langer Weg über einen wüsten Gürtel kahler Sandhügel; die Reisenden waren froh, schließlich unweit des berühmten Brunnens Tergulauen in einer Einsenkung das Lager beziehen zu können.

Mittlerweile war das Jahr 1850 zu Ende gegangen und die ersten Tage des neuen Jahres hatten kalt und unbehaglich angefangen. Auch die Landschaft, durch die der Zug sich weiter bewegte, war überaus einförmig und nichts mehr als eine große ungeheure Sandfläche. Erst nach einigen Tagen bekundete sich einiger Reichtum an Bäumen und Büschen. Dann begannen sich die Zeichen zu mehren, daß man die günstigere südliche Zone dieses sandigen, durchschnittlich 550 m hohen Plateaus betreten hatte. Neue Tiere und neue Völkerstämme traten auf. Während man soeben die Heimat der Giraffe und des Straußes durchzogen hatte, sah man auch bald die ersten Exemplare des afrikanischen gebuckelten Zebus, jenes eigentümlichen Sudanrindes, das als Last- und Reittier benutzt wird. Nachdem die Karawane mehrere Tage bei einem Dorfe, das Tagama bewohnten, geruht hatte, kam sie am 4. Januar, nach einem Marsche von mehreren Kilometern, zu einem felsigen und steilen Abhange, der als regelmäßige Terrassenstufe in eine niedrigere Ebene hinab führte, man betrat nunmehr eine Steppe, in der zahlreichere und neue Pflanzenformen auftraten. Ueberhaupt nahm die ganze Gegend von Schritt zu Schritt einen freundlicheren Charakter an. Nach ein paar Tagen stiegen die Reisenden ein eigentümlich gegliedertes Hügelland hinan und gewannen dort oben einen interessanten Ueberblick über das hügelige Land, das vor ihnen ausgebreitet lag. Durch anmutiges, parkähnliches Hügelland ging es dann weiter, bis man am Nachmittage des 6. Januar die ersten Kornfelder von Damerghu in der Nähe zweier Dörfer erblickte. Noch nie hatte man eine Gegend durchzogen, deren Boden die Mühen des Ackerbaues auch nur einigermaßen dankbar belohnt hätte. Hier aber hatte man endlich jene fruchtbaren Regionen des inneren Afrikas erreicht, die nicht nur ihrer eigenen Bevölkerung hinreichende Nahrung verschaffen, sondern auch bei wenig Industrie genug hervorbringen können, um noch andere, von der Natur weniger begünstigte Gegenden zu versorgen; sie bildeten also ohne Zweifel einen wichtigen Abschnitt der ganzen bisherigen Reise.

Die Landschaft wurde wieder offener und flacher; an den niedrigsten Stellen waren ausgedehnte Wasserbecken, die sich während der Regenzeit gesammelt, zu sehen. In den nächsten

Tagen fielen schon einige Regentropfen; da mußte man um die Salzladung besorgt werden. Fast unangenehmer aber war die Veränderung der Temperatur; an manchen frühen Morgen hatte man unter empfindlicher Kälte zu leiden; das Thermometer zeigte vor Sonnenaufgang mitunter nur 7½ bis 16° Celsius. Auf dem Weitermarsche sahen die Reisenden Dörfer, deren Hütten fast ganz aus dem Rohr der Negerhirse gebaut waren, Stoppelfelder, brachliegendes Weideland, einzeln zerstreute Meiereien, weidende Rinderherden und große Mengen Pferde in steter Abwechslung, während die Landschaft leicht gehügelt und hier und da von einem ausgetrockneten Wasserbecken durchschnitten war. An dem großen Ort Dom-magadji, der, von einer langen Mauer umgeben, die Form eines regelmäßigen Vierecks hatte, vorbeiziehend, erreichten die Reisenden endlich einen kleinen Weiler, aus dem ihnen eine große Menschenmenge entgegeneilte und sie mit dem Ruf begrüßte, das sei nun Taghelel, die Residenz des alten Häuptlings Annur.

Die Dorfschaft Taghelel, in der fruchtbaren Landschaft Damerghu gelegen, war für den Fortgang der Reise aus mehreren Gründen ein wichtiger Punkt. „Hier hatten wir Gegenden erreicht, durch die es auch einzelnen Reisenden möglich wird, ihre Straße zu verfolgen; Overweg und ich mußten uns daher wegen des schlechten Zustandes unserer Finanzen hier von Herrn Richardson trennen, damit ein jeder einzeln versuchen möchte, was er allein in bescheidenster Weise, und ohne Aufsehen zu erregen, ausrichten könne, bis neuer Zuschuß aus der Heimat angekommen wäre."

Beginn der selbständigen Forschung Dr. Barths.

Reise über Tessaua und Katsena nach Kano.

Es war am Sonnabend, den 11. Januar, als sich die Reisenden voneinander verabschiedeten. Dr. Barth wollte mit der Salzkarawane weiter ziehen; Richardson wollte graden Wegs über Sinder nach Kuka und Dr. Overweg nach Gober und Maradi gehen. Später, anfangs April, wollten sie in Kano wieder zusammenkommen. Barth nahm von Richardson und von dem alten Häuptling, in dessen Händen ihr Geschick so lange geruht, Abschied, und Annur übergab unseren Forscher der Fürsorge seines Bruders Eleidsi, der die Salzkarawane weiter führen sollte und dessen ganze Erscheinung auf unseren Forscher einen vertrauensvollen Eindruck machte. Barth trennte sich von dem alten ehrenwerten Annur, der ihm ein höchst interessantes Beispiel eines gewandten Diplomaten und friedfertigen Herrschers mitten unter gesetzlosen Horden gezeigt, mit aufrichtigem Bedauern. Im Allgemeinen aber sah er frohen Herzens in die Zukunft; er glaubte, das Schwerste hinter sich zu haben und eine reiche Ausbeute vor sich liegen zu sehen.

Die beiden deutschen Reisenden zogen mit der Salzkarawane die Straße nach Katsena entlang und kamen zuerst durch eine schöne Landschaft, die der Goschi, ein Baum mit eßbarer Frucht, bewaldete. Hohes Gras, Gruppen schöner Bäume, Perlhühner und Turteltauben bekam man weiterhin zu sehen. Durch offenere Landschaft führte die Straße an den Teich Kudara. Bald erblickten die Reisenden auch einen wundervollen, ganz ausgewachsenen Tamarindenbaum. Dieser majestätische, sehr umfangreiche Baum mit seiner dichten, schön abgerundeten Laubmasse, die sich fast in gleichmäßiger Linie bis wenige Fuß über den Boden herabsenkt, bildet ein köstliches, schattenspendendes, von der Natur ausgespanntes Ruhezelt. Weiterhin sahen sie den ersten und herrlich blühenden Tulpenbaum und die ersten Baumwollfelder, welch letztere einen ganz neuen Blick in die Betriebsamkeit der Eingeborenen eröffneten. Nahe bei dem Dorfe Tschirak trennten sich auch Overweg und Barth. Sie schieden unter gegenseitigen herzlichen Glückwünschen. „Dr. Overweg erfreute sich damals eines ungeschwächten Wohlseins und war voll Begeisterung, sich dem Studium der neuen Welt, welches sich vor uns aufthat, zu widmen.“ Barth setzte nun seinen Weg allein fort, kam an mehreren Dörfern vorbei und erblickte auf dem Wege mehrere neue Arten von Bäumen. „Die Landschaft hatte einen höchst interessanten und heiteren Charakter; Dörfer und Kornfelder lösten einander ab und waren auf kurze Strecken von dichtem Unterholz unterbrochen; der Boden war leicht gewellt, bisweilen fast hügelig. Zahlreiche Herden schönen Rindviehs belebten die abgeernteten Felder, und auch an anderer interessanter Staffage mangelte es nicht.“ Die Dumpalme trat nun recht zahlreich auf und belebte besonders die Stoppelfelder östlich vom Dorfe Gosenakko, wo die Karawane ein Lager auf mehrere Tage bezog. Dr. Barth begab sich ins Dorf hinein, um sein Pferd zu tränken und zugleich den ansehnlich großen Ort in Augenschein zu nehmen.

Am andern Morgen wurde er durch die Ankunft eines Dieners des Kel-owi-Häuptlings Lu-ssa und mehrere Bornureiter überrascht, die Briefe von letzterem und vom Agenten des Scheichs von Bornu an Eleidji, den Führer der Karawane, überbrachten des Inhalts, Barth und Overweg selbst gegen ihren Willen nach Sinder zu senden. Zur scheinbaren Begründung dieses Verlangens diente die Angabe, es wäre ein Brief vom Konsul von Tripolis eingelaufen, der den Reisenden anbefehle, in Bornu zu bleiben, bis weitere Maßregeln in Bezug auf ihre jüngsten Verluste getroffen wären. Eleidji sah gleich, daß dies eitel Lüge sei und erklärte deshalb, die Reisenden nicht zwingen und nichts gegen ihren Willen thun zu wollen. Dr. Barth, der sowieso die nicht weit vom Dorfe entfernt liegende Stadt Tessaua besuchen wollte, machte sich auf den Weg dahin und besprach sich dort mit seinem ehemaligen Gefährten Overweg wegen dieses eigentümlichen und ungerechtfertigten Verlangens; darauf nahm er die Stadt, deren Bevölkerung zur Zeit seiner Anwesenheit sicherlich 10000 Bewohner zählte und die das Bild eines regen Lebens bot, in Augenschein. Dr. Barth berichtet darüber in seinem Werke: „Tessaua war der erste größere Ort des eigentlichen Negerlandes, den ich gesehen, und er hatte bei mir einen sehr heiteren Eindruck hinterlassen. Ueberall waren mir die unverkennbarsten Beweise einer behaglichen, sorgenlosen Lebensweise der Eingeborenen vor die Augen getreten; ihre Wohnungen waren geeignet, sich mit den häuslichen Bedürfnissen, so weit sie hier empfunden wurden, bequem auszudehnen; dabei waren Hofraum und Hütte ganz dazu gemacht, die Vertraulichkeit des Lebens zu fördern. Die ganze Wohnung war überdies von weitspannenden Bäumen beschattet und von zahlreichen Kindern, Ziegen, Hühnern und Tauben in gemütlicher Unordnung belebt. Zu dieser lebendigen Staffage kam bei größerem Wohlstand wohl noch ein Pferd oder Packochsen hinzu. — Mit dieser Behaglichkeit der Wohnungen ist der Charakter der Bevölkerung selbst in vollständiger Uebereinstimmung: ein heiteres Temperament, welches das Leben freudig genießt, eine sanfte Zuneigung zum weiblichen Geschlecht und Lust zu Gesang und Tanz, alles aber ohne widerlichen Exzeß. Jedermann findet hier sein größtes Glück in einer hübschen Genossin, und sobald es die Umstände erlauben, fügt er der älteren eine jüngere Lebensgefährtin hinzu oder giebt auch wohl der früheren einen Scheidebrief. Nur die Reichsten haben mehr als zwei Frauen zur Zeit, der größte Teil der Bevölkerung nur eine einzige." — Die Kleidung der Eingeborenen ist höchst einfach. Ein weites Hemd, meist von dunkler Farbe, und Beinkleider, die jedoch bei längeren Märschen ausgezogen werden und als Schnappsack dienen, genügen für den Mann; dabei ist der Kopf gewöhnlich mit einer leichten, ziemlich weiten Kappe aus Baumwollzeug bedeckt, die, nachlässig aufgesetzt, allerlei Gestalten annimmt. — „Die Frauen sind leidlich hübsch und haben, so lange sie jung sind, einnehmende, regelmäßige Züge; ihre Körperformen sind von mäßiger Fülle, aber schwere häusliche Arbeit macht sie früh altern. Ein großes dunkelfarbiges Baumwollentuch, die ‚turkedi', bildet fast die einzige durchgängige Tracht der Frauen; es wird bei Unverheirateten unter, bei Matronen über der Brust befestigt. Auf das Haar verwenden sie wenig Sorgfalt, und ihr Schmuck beschränkt sich meist auf einige Reihen Glasperlen um den Hals." —

Dr. Barth erteilte dem Agenten in Sinder von hier aus eine, dessen Anmaßung und Lüge entsprechende Antwort mit und versicherte ihm, er wolle erst seine Geschäfte in Kano besorgen und sei fest entschlossen, seinen Plan ohne seine Zwischenkunft auszuführen, da er nicht die geringste Neigung habe, ihm selbst einen Besuch abzustatten. Dieser Brief wurde für unseren Reisenden in der Folge von großer Wichtigkeit, da ihn der Agent nach Empfang sofort nach Kuka sandte und den Reisenden damit bei seinem Scheich und seinem Vezier, wie die spätere Aufnahme dortselbst bewies, günstig einführte.

Unser Forscher war am 18. Januar abends in das Lager bei Gosenakko zurückgekehrt und bereits am andern Morgen trat die Karawane mit besonderer Rüstigkeit den Weitermarsch an. Tamarinden bildeten den ganzen Weg entlang den schönsten Schmuck der Gegend. Nach mehreren Stunden kam man zu dem ansehnlichen Dorfe Kalgo; dahinter war die Gegend mit dichten Gruppen von Dumpalmen bestanden, die ihre viel durchwundenen Fächerkronen malerisch in luftiger Höhe ausbreiteten. Das Waldthal von Gasaua und die dahinter versteckte Stadt ließ man zur Rechten liegen, um auf einem freien Platze zu lagern, der sich bald mit Kleinhändlern füllte und auf dem die Reisenden noch manchen ansehnlichen und interessanten Besuch bekamen.

Die Karawane verblieb bis zum 20. bei Gasaua. Dr. Barth sammelte währenddessen Nachrichten verschiedener Art über die eben betretene Landschaft. Am Vormittag nach der Ankunft konnte er eine interessante Erscheinung im Lager beobachten, die den nimmer ruhenden Kampf in diesen Ländern wohl bezeichnete: „Ein Trupp von ungefähr vierzig Reitern, meist wohlberitten, zog durch die Reihen des Lagers. Sie waren von einer Anzahl schlanker und wohlgebauter Bogenschützen gefolgt, die außer einem Lederschurz unbekleidet waren. Es war eine rüstige

Heerschar, und wenn auch im Allgemeinen in ganz Centralafrika kriegerischer Mut nicht eben die glänzendste Eigenschaft der Eingeborenen ist, so gehören doch diese Grenzbewohner sicherlich zu den mutigsten Streitern. Der Reitertrupp war auf dem Wege, sich dem räuberischen Einfalle des Fürsten von Maradi in das Gebiet der Fellani anzuschließen. Wie das ganze Leben in diesen Gegenden ein wundersames Gewirr der widersprechendsten Bestrebungen, ein Gemisch der äußersten Barbarei und einer gewissen Gesittung ist, so bot sich auch hier zur selben Zeit ein Schauspiel ganz anderer Art unseren Augen dar. Es war die Ankunft der Natronkarawane des Hadj Al Wali auf ihrem Wege vom Tsad nach Nupe oder, wie die Haussa sagen, Nyffi am unteren Lauf des Niger. Sie marschierte in feierlichem Aufzug, von zwei Trommeln begleitet, einher, ein gefälliges Bild des lebhaften und gemütlichen Charakters des Haussa-Volkes".

Am 21. Januar war man wieder unterwegs, zog mehrere Kilometer weit durch das von Zeit zu Zeit durch bebaute Felder unterbrochene Unterholz in offenere Landschaft, die in der Ferne eine niedrige Hügelkette sichtbar machte. Neue Arten von Bäumen traten auf, wie z. B. die „kokia", mit großen Blättern von dunkelgrüner Farbe und einer grünen ungenießbaren Frucht von der Größe eines Apfels. Selten traten hier und da ein paar Exemplare der Delebpalme auf.

In ungleich ernsterer Weise als in den letzten Tagen ging es dahin, zumal da man sich auf einer der gefährlichsten Straßen dieser von Kampf und Krieg erschütterten Gegenden befand. Zu Mittag hatte man zur Linken einen dichten, von Vögeln, namentlich Turteltauben reich belebten Wald, später eine hügelige, mit einem schönen Kräuterteppich bekleidete Landschaft vor sich. Erste Spuren von Elephanten wurden sichtbar, bevor die Reisenden, durch einen dichten Wald marschierend, an die melancholische Stätte der einst bedeutenden Stadt Dankama vorüberkamen, die ein stummes und dennoch beredtes Zeugnis der Kämpfe vorstellte, die vor Jahrhunderten bis zu Anfang des laufenden durch unbarmherzigen fanatisch-religiösen Krieg stattgefunden. Die nördliche Grenze des Gebiets der Fellani wurde überschritten; das unsichere streitige Grenzgebiet lag nun hinter ihnen. Ein schmaler Pfad leitete durch dichtes dorniges Unterholz und wenig angebaute Felder. Die Karawane ließ einige Dörfer zurück und schlug in einiger Entfernung und nordöstlich von der großen Stadt Katsena das Lager auf.

Während man das Zelt unseres Reisenden aufstellte, sprengte der Sultan von Katsena mit einem zahlreichen Gefolge wohlberittener Begleiter vorbei und, von Eleidji offiziell belehrt, es sei das einer der drei Christen, ließ er Dr. Barth bald darauf einen fetten Widder und zwei große Kalabassen voll Honig übersenden. Der Reisende wurde dadurch gezwungen, dem Sultan — einem ziemlich hageren Mann von mittleren Jahren, mit scharfen, einen leidenschaftlichen Charakter verratenden Zügen —, in der bewilligten Audienz ein recht ansehnliches Gegengeschenk zu machen. Dem habsüchtigen und hochmütigen Fürsten genügte aber selbst dieses nicht, und als am nächsten Tage die Karawane im Begriff war, aufzubrechen, ließ er unseren Forscher auffordern, aus freien Stücken hinter der „Airi" zurückzubleiben und sich in die Stadt hinein zu begeben. Barth blieb nichts übrig, als zu gehorchen und durch die gewaltigen, wohlerhaltenen Mauern das Innere der außerordentlich umfangreichen Stadt Katsena zu betreten, das übrigens aus nichts als zerstreuten, leichten Hütten und Stoppelfeldern bestand, die, von einer Anzahl reich belaubter Bäume verschiedener Art beschattet, dem Orte einen recht freundlichen aber nur nicht städtischen Anstrich gaben. Barth wurde mehrere Tage in dieser Stadt zurückgehalten, lernte dieselbe somit näher kennen und verließ dieselbe erst am 30. Januar.

Mit seinem kleinen Reisetroß zog er durch das südliche Thor zu einem etwa 5 km weit entfernten Brunnen, kam dann durch ein wildes Dickicht in offene Landschaft. Später wurde die Scenerie immer schöner und anmutiger. Vereinzelte bequeme Hütten rinderzüchtender Fellani und eingezäunte, gut erhaltene

Kornfelder erblickte man zu beiden Seiten des Wegs. Die mit frischem Gras bekleidete Bodenoberfläche war leicht gewellt; darüber erhob sich der edlere Pflanzenwuchs in der größten Mannigfaltigkeit, in der reichsten Fülle und Gruppierung. Die verschiedensten Arten von Vögeln belebten die Landschaft; namentlich war es der Sjerdi, ein großer Vogel mit prachtvollem blauen Gefieder, der die Aufmerksamkeit des Reisenden erregte. Dann unterbrachen gut angebaute Baumwollfelder diese parkähnliche Gegend bis zu dem Dorfe Temma. Dahinter kamen weidenreiche, von zahlreichen Ziegenherden besuchte Niederungen in Sicht und am 1. Februar gelangte man in die Nähe der bedeutenden Stadt Kussada. Mehrere majestätische, in die Wolken strebende Exemplare des „Rimi‘ erregten bald die besondere Aufmerksamkeit unseres Forschers; die Eigentümlichkeit, daß dieser, von den alten heidnischen Bewohnern der Gegend als heilig verehrte Baum, der übrigens zu den höchsten Bäumen der Schöpfung gehört, sowie auch die „kuka“ sich gewöhnlich in der Nähe des Hauptthores der Städte in Haussa erhebt, sollte er noch oftmals beobachten. An dem Hügel, der die Grenze zwischen den Provinzen Katsena und Kano bezeichnet, an der bedeutenden Stadt Betschi, an mehreren in heiterer Gegend liegenden Dörfern ging es vorüber und bald auch durch den hauptsächlich von Fellani bewohnten Distrikt Danana. Beinahe alle Leute, die unserem Reisenden begegneten, grüßten aufs Freundlichste und riefen: „barka, ssanu ssanu, hm! hm!“ was soviel als „Segen über Euch, gemach, gemach, ei, ei!“ bedeutet. Endlich kam auch die erste vereinzelte Dattelpalme in Sicht, ein höchst charakteristisches Zeichen von Kano. Jetzt wurde die Landschaft offener und unser Forscher gewann einen vollen Blick auf zwei andere Wahrzeichen der Stadt, die beiden innerhalb der Ringmauer liegenden Hügel, schritt rüstig vorwärts und erreichte Kano, das eine ersehnte Hauptziel des Unternehmens, noch vor Thoresschluß.

Aufenthalt in Kano. Reise nach Kuka, der Hauptstadt Bornus.

Nicht nur als Mittelpunkt des Handels, als die reichste Quelle einer Fülle von Nachrichten und als der beste Ausgangspunkt zur Erreichung entfernter Gegenden wurde Kano von unserem Reisenden begrüßt, sondern auch als eine wichtige Station für den wissenschaftlichen Erfolg der Sendung überhaupt und für die Verbesserung seiner materiellen Lage. Nach den schweren Erpressungen, die der Reisende auf der Straße nach Air oder Asben zu erdulden gehabt, war ihm nur eine kleine Quantität wertloser Waren geblieben. Davon sollten nun die Kosten für den Transport einer Waren von Tinteggana nach Kano und für die Geschenke, die auf dem Wege den verschiedenen kleinen Fürsten zu geben waren und noch mancherlei andere Ausgaben gedeckt werden. Außerdem erwartete der Statthalter von Kano ein bedeutendes Geschenk; der jetzt ganz untaugliche und sonst auch unverschämte Diener Mohammed der Tunesier war abzulohnen und zu entlassen und neue Mittel für weitere Unternehmungen waren zu schaffen.

Schon seit seiner Abreise von Europa hatte Barth stets sein Augenmerk auf den sogenannten Tschadda gerichtet, den wir unter dem Namen Benuë kennen, jenen gewaltigen östlichen Nebenfluß des mächtigen Nigerstroms. Von diesem so bedeutenden Nebenfluß waren allerhand Hypothesen im Umlauf; während einige dessen Zusammenhang mit dem Tsad-See behaupteten, glaubten andere das Gegenteil und vermuteten seine Quelle in einer ganz verschiedenen Gegend. Unserem Forscher erschien letztere Vermutung wahrscheinlicher und er trachtete darnach, nunmehr seinen Wunsch, von Kano aus in der Richtung nach Adamana vordringen und dort die Frage über den Verlauf dieses Flusses zu entscheiden, zu verwirklichen. Zur Ausführung einer solchen Reise waren aber leidlich große Geldmittel von Nöten und das Unternehmen hing gänzlich davon ab, ob Barth seine Waren würde gut verkaufen können. Nun waren leider die Preise für solche Waren, wie er sie hergebracht, sehr gedrückt, und wäre es ihm nicht gelungen, zur Bestreitung der nötigen Ausgaben seines Haushalts von einem seiner Begleiter von Mursuk her eine Anzahl der bekannten Kaurimuscheln, von denen 2500 den Wert eines österreichischen Thalers haben, zu leihen, so wäre die wenig tröstliche Aussicht, nicht nur dem Statthalter, sondern auch dem Ghaladima oder ersten Minister, dem Bruder des Sultans oder Statthalters, ein gleich ansehnliches Geschenk machen zu müssen, noch niederschlagender gewesen. Was aber die Unannehmlichkeiten und die peinliche Lage des Reisenden auf die Spitze trieb, das war eine kleinliche Intrigue des Engländers Herrn Richardson gegen ihn. Barth hatte nämlich, um nicht die Ansprüche der Regierungsbeamten zu steigern, die Stadt absichtlich recht unscheinbar und unauffällig betreten. Richardson dagegen hatte am zweiten Tage nach Barths Ankunft dem Statthalter die bestimmte Botschaft zukommen lassen, daß er, sobald er neue Mittel an sich gezogen, gewiß Kano besuchen und dem Statthalter seine Aufwartung machen würde. Es war daher nicht zu verwundern, daß der Statthalter dem deutschen Reisenden seinen Unwillen zu erkennen gab, daß er in die Stadt gekommen, ohne ihn, wie es sein ehemaliger Gefährte schon vorzeitig gethan, benachrichtigt zu haben; zu gleicher Zeit erhöhte er seine Erwartungen in Bezug auf das ihm zukommende Geschenk und verbot ihm das Verlassen seiner dunklen, höchst unbequemen und unerfreulichen Wohnung so lange, bis daß er ihn zu einer Audienz würde rufen lassen. Diese schob der Statthalter ungebührlich lange hinaus, und Barth verfiel unterdessen aus Mangel an Bewegung einem heftigen Fieber, das ihn arg mitnahm.

Schon mehr als vierzehn Tage waren verflossen, bevor eine Einladung von dem Sultan eintraf. Obgleich noch schwach und matt, bestieg der Reisende doch an einem schönen Morgen sein ärmliches schwarzes Pferdchen, ritt nach dem südlichen Stadtteil und an Wohnungen aller Art, an grünen Plätzen mit weidenden Rindern und Pferden, großen, tiefen Gräben und an Menschen vorüber, die in dem buntesten Gemisch der Kleidung, vom fast nackten

Sklaven bis zum farbenreich und prächtig gekleideten Araber, auch ein belebtes und anregendes Schauspiel boten. Zuerst begab er sich mit Eleidji in das Haus des Gado oder Finanzministers. Se. Excellenz prüfte die für den Fürsten bestimmten Geschenke und eignete sich dabei ungeniert eine hübsche, große, reich vergoldete Kumme zu, die Barth mit vieler Mühe glücklich durch die Wüste gebracht hatte. Mit ihm ging es dann nach dem Palast des „Sserki". Zuerst schritt man durch ein Labyrinth von Hofräumen nach dem Audienzsaale des Ghaladima. Der erste Minister sowohl als auch der Sultan waren stark gebaute, schöne Männer, Söhne einer aus Daura gebürtigen Frau von trefflichem Charakter und ausgebildeter edler Weiblichkeit. Sowohl in der Audienz beim Minister, als auch beim Statthalter fungierte der alte Eleidji als Sprecher. Während der Ghaladima einige intelligente Bemerkungen äußerte, hatte der Sserki nur die Geschenke im Auge und meinte, daß er, der Reisende, allem Anschein nach, trotz der erduldeten Erpressungen, noch ganz annehmbare Geschenke für ihn haben werde. Barth überreichte ihm darauf eine schwarze „Kaba", eine Art mit Seidenstickerei und Goldlitzen verzierter Burnus; ferner eine rote Mütze, einen weißen Shawl mit roter Borde, ein großes Stück Musselin, zwei Fläschchen Rosenöl, ein Pfund Gewürznelken, eben soviel Weihrauch, ein Rasiermesser, Scheeren, ein englisches Tischmesser und einen großen Spiegel von Neusilber. Der Ghaladima erhielt ganz dieselben Geschenke, aber an Stelle der Kaba ein großes Stück Lyoner Seide. Erst nach wenigen Stunden konnte Barth den Palast verlassen und wieder in seine anspruchslose Behausung zurückkehren.

Wenigstens war ihm die Erlaubnis gewährt worden, sich nach Gefallen in der Stadt umzuthun. Er bestieg denn auch am andern Tage sein Pferd und durchritt, geleitet von einem ortskundigen Führer, mehrere Stunden lang die Stadt nach allen Richtungen. Das folgende, lebensvolle Bild schildert seine dabei gewonnenen Eindrücke: „Der Reisende zu Fuß kann sich gar keinen rechten Begriff von einer afrikanischen Stadt verschaffen, zu Pferde dagegen gewinnt er einen Blick in alle Hofräume und wird Augenzeuge der verschiedenen Geschäfte und Scenen des alltäglichen Lebens. So konnte ich denn auch heute, von meinem Sattel aus all die verschiedenen Bilder des öffentlichen und Privatlebens überschauen, äußerlich von denen europäischer Städte durchaus verschieden und doch wieder in den vielfachen Triebfedern so ähnlich. Hier reiche Buden mit feilschenden Käufern und Verkäufern, dort halb nackte, halb verhungerte Sklaven unter einem hürdenähnlichen Schattendach zum Verkaufe ausgeboten. Buden mit den schmackhaftesten Lebensbedürfnissen aller Art, auf die der darbende Arme begierig blickt; ein reicher Herr, in Seide und glänzende Gewänder gekleidet, auf einem edlen, reich gezäumten Rosse, gefolgt von einem Troß übermütiger Sklaven, und wiederum ein armer Blinder, mühsam seinen Weg fühlend. Hier ein nett mit neuen Matten und Rohr eingefaßter Hofraum um eine reinliche, gemütliche Hütte mit wohlgeglätteten Lehmmauern, eine sorgsam geflochtene Rohrthüre an das runde Thor gelehnt, ein sauberer Schuppen für die tägliche Hausarbeit, beschattet von einer sich weit ausbreitenden Alleluba, einer schönen Gonda oder einer hohen Dattelpalme. Die Hausfrau im reinlichen schwarzen Baumwollenkleid, mit einem Knoten um die Brust befestigt und mit zierlich geflochtenem Haar, geschäftig, die Mahlzeit für den abwesenden Mann zu bereiten oder Baumwolle zu spinnen, die Sklavinnen antreibend, mit dem Stampfen des Korns für die Fura zu eilen, und umgeben von nackten spielenden Kindern und dem wohlgeordneten Hausrat der irdenen Töpfe und hölzernen Schalen und Schüsseln. —

In der regen Marina waren die Männer beschäftigt, die Indigofarbe zu mischen, wohlgesättigte Hemden zum Trocknen aufzuhängen und die schon getrockneten in regelmäßig harmonischem Takt mit hölzernen Hämmern zu schlagen, um ihnen den feinsten Glanz zu verleihen. Ein Grobschmied schmiedete mit rohem Werkzeug Dolche von bewundernswerter Schärfe, Speere mit furchtbaren Widerhaken oder die nützlicheren Werkzeuge des Ackerbaus. Ueberall geschäftige Männer und Frauen, und daneben träge Umhertreiber, in der Sonne sich streckend. — Dort kehrt ein zahlreicher Zug einheimischer Handelsreisender aus dem fernen Lande Gondja heim, beladen mit der allgemein begehrten Gurunuß, dem Kaffee des Sudans. Hier bricht eine Karawane, mit Natron befrachtet, nach Nupe oder Nyffi auf, oder ein Trupp Tuareg zieht zur Stadt hinaus, um Salz nach den Nachbarstädten zu bringen. Araber bringen ihre schwer beladenen Kamele nach dem Quartier der Ghadamsier, oder Sklaven schleppen einen seinem kläglichen Leben erlegenen Leidensgenossen hinaus, ihn in den alles verschlingenden Sumpf Djakara zu werfen. Hier ein Trupp mehr prahlend als kriegerisch aussehender Reiter, nach dem Palast des Statthalters sprengend, ihm die Nachricht von einem Einfall des Sserki Ibram von Sinder zu bringen; dort — eine weite Knochenstätte von Aas und Unrat aller Art. — Kurz überall das menschliche Leben in allen seinen verschiedenen Formen, Freude und Trauer, Gedeihen und Verderben im buntesten Gemisch. Alle Nationen, Gestalten und Farben waren vertreten: der olivenbraune Araber, der rötere Targi, der dunkle Bornauer; der leicht und schlank gebaute Fellani mit kleinen, scharfen Zügen; dort die breiten Gesichter der derberen Wangarana (Mandingos) oder eine große, starkknochige Frau von Nyffi, hier die wohlgebaute, freundlich lächelnde Bahanscherin." —

Den weiteren Aufenthalt in Kano ließ sich Barth insofern besonders von Nutzen sein, als er Nachrichten über die weiter zu besuchenden Länder einzog und sich durch einige Bekanntschaften den ersten leidlich richtigen Begriff von der Straße nach Jola (Adamaua) und der Straße von Timbuktu nach Sokoto verschaffte, die ein neues Feld für seine Forschungen und Abenteuer werden sollten. Ebenso nahm ihn die Ordnung seiner Geldangelegenheiten in Anspruch. Von seiner Barschaft war ihm kaum soviel geblieben, um die Vorbereitungen zu der Reise nach Bornu treffen zu können. Glücklicherweise kam ihm aber eine unerwartete Unterstützung vom Sserki, im Betrage von 60 000 Kauris, zu Hilfe.

4*

Nachdem ein paar Kamele gekauft, Berichte und Briefe in die Heimat gesandt, wünschte er um so dringender, von Kano fortzukommen; dagegen ließ die Erlaubnis zur Abreise bis zum 9. März auf sich warten.

Bevor wir mit dem Reisenden Kano verlassen und die Straße nach Kuka verfolgen, wird es sich lohnen, einen Blick auf den Handel und Wandel dieser so bedeutenden Stadt zu werfen.

Kano ist von einer Ringmauer umschlossen, deren Umfang fast vier deutsche Meilen ausmacht. Der ungeheure Raum, der die Mauer einschließt, ist in seinem südlichen Teil bewohnt, an allen andern Stellen durch ausgedehntes Feldland eingenommen. Diese große freie Fläche und die Hinausrückung des großartigen Mauerwerks erfolgte aus rein strategischen Gründen, man wollte Raum gewinnen, um zur Zeit einer Belagerung die Bewohner des flachen Landes aufzunehmen und innerhalb der Mauern einen genügenden Vorrat an Korn für die gesamte Bevölkerung bauen zu können. Ein von Osten nach Westen sich erstreckender sumpfiger Teich teilt die Stadt in einen nördlichen kleineren und in einen südlichen größeren Teil.

Thongebäude und Hütten sind in der ganzen Stadt untereinander gemengt, und hinsichtlich seiner Bauart und wohl auch Reinlichkeit bleibt Kano weit hinter Agades und Timbuktu zurück.

Wie in jedem großen Handelsplatze, so ist auch in Kano die Bevölkerung sehr gemischt; die hauptsächlichsten Elemente sind die Kanori oder Leute von Bornu, die Haussa, Fulbe und Nyffaua oder Tapua sowie Araber in ansehnlicher Anzahl. Barth veranschlagte die Einwohnerzahl auf 30 000; nehme man die stetige und wechselnde Bevölkerung zusammen, so könne Kano zur Zeit seiner größten Regsamkeit, in den Monaten Januar bis April, bis auf 60 000 Menschen in seinen Mauern haben.

Nicht nur für den Handel, auch für die Manufaktur im Negerlande nördlich vom Aequator bildet Kano die bedeutendste Stadt, deren Handel sich im Norden bis nach Mursuk und Rhat, ja selbst bis Tripolis, im Westen nicht nur bis Timbuktu, sondern sogar bis an die Küsten des Atlantischen Ozeans und im Osten weit über Bornu, ja sogar bis über Bagirmi hinaus verbreitet. Wer hätte wohl früher, vor Dr. Barths Feststellungen, an eine so großartige Ausdehnung des Handelsgebiets einer Stadt Centralafrikas geglaubt!

Die Handels- und Gewerbethätigkeit Kanos, wie sie Dr. Barth seiner Zeit beobachtet und geschildert hat, bestand hauptsächlich in der Erzeugung und dem Vertrieb einheimischer Fabrikate, besonders von Baumwollenzeugen. Auch ein Hauptartikel einheimischer Industrie sind z. B. Sandalen. Von arabischen Schuhmachern in Kano gefertigte Schuhe werden in großer Menge nach Nordafrika ausgeführt. Natürliche Produkte, auf die der Handel sich besonders ausstreckt, sind das Negerkorn und die Kolanuß. Auch die Sklaven bilden auf dem Markte von Kano einen der wichtigsten Artikel. Dr. Barth veranschlagt den Ertrag des Handels in Kano im Ganzen auf 150 bis 200 Millionen Kauris jährlich. — Die Einfuhr nach Kano geschieht zum Teil aus verschiedenen Teilen Afrikas, zum Teil aus Europa. Der wichtigste Gegenstand ist das Salz des Airi. Die Salzkafla, mit der Dr. Barth kam, bestand aus 3000 Kamelladungen, von denen etwa ein Drittel für den Verbrauch der Provinz Kano selbst erforderlich sein mochte. Darnach würden jährlich Landeserzeugnisse im Werte von 50—80 Millionen im Austausch gegen diesen Einfuhrartikel gegeben werden müssen. Fast alles wird in Korn und Baumwollengeweben geliefert. — Arabische Kleidungsstücke, wie Burnusse, Kaftane, Westen, Beinkleider werden zu bedeutendem Werte, etwa für 50 Millionen Kauris eingeführt. Die gesuchtesten Manufakturen dieser Art kommen aus Tunis und Kairo. Auch Weihrauch, Gewürz und Rosenöl bilden einen nicht unbedeutenden Einfuhrposten. Ueberdies wird teils von Tripolis, hauptsächlich aber von den in Wadai wohnenden Djellaiba Kupfer eingeführt, die es von der berühmten, im Süden von Dar-Fur gelegenen Kupfermine El

Hofrah holen. Ein geringer Vorrat von Silber wird durch reisende Kaufleute eingeführt, und die durchziehenden Pilger von Timbuktu bringen dann und wann kleine Quantitäten an Gold. — Sogar die kleine Kaurimuschel, das gewöhnliche Umlaufsgeld, bildet auf dem Markte von Kano einen wichtigen Einfuhr- und Handelsartikel.

Werfen wir nun einen Blick auf die Einfuhr aus Europa. Verschiedene Arten von Kattunen kommen von Manchester, französische Seide, rotes Tuch aus Sachsen und aus Livorno, Glasperlen von Venedig, sehr grobes Papier, Spiegel, Nadeln und Kurzwaren von Nürnberg, Schwertklingen von Solingen, Rasiermesser aus Steiermark und Zucker aus Marseille. Alle diese Waren werden vorzugsweise auf der Straße von Norden her eingeführt.

Diese kurze Skizze über den in Kano betriebenen Handel dürfte zur Genüge eine Vorstellung von dem ganzen Verkehrsleben daselbst geben und besagen, daß sich der so rege Verkehr auch für die Ortsansässigen recht vorteilhaft gestalten muß. „Welche Quelle für den Nationalreichtum muß z. B. die Baumwollenmanufaktur allein sein, mit ihrem jährlichen Gewinn von 30 Millionen Kauri, wenn man bedenkt, daß eine eingeborene Familie bei bescheidenen Ansprüchen jährlich mit 60000 Kauri ganz bequem leben kann! Ueberdies ist die Provinz Kano eines der fruchtbarsten Länder der Welt, hat Korn im Ueberfluß und nebenbei die prachtvollsten Weidegründe.“ Erwägen wir ferner, daß die Arbeiter nicht durch die Thätigkeit in ungeheuren Fabriken den lieben langen Tag über von ihrer Familie und dem häuslichen Leben entfernt werden, so dürfen wir wohl mit Barth schließen, „daß Kano eines der glücklichsten Länder der Welt sein müsse“. —

Die fruchtbare Provinz Kano ist von bedeutender Ausdehnung und zählt außer der Hauptstadt noch siebenundzwanzig bedeutende, mit Mauern versehene Städte; nach Dr. Barths Berechnung beträgt die Zahl ihrer Bewohner an 300000 Freie und mindestens ebensoviele Sklaven, so daß die gesamte Bevölkerung eine halbe

Million weit übersteigt. Die Einnahmen des Sserki oder Statthalters sind recht bedeutende; sieht man von den Geschenken der reicheren Kaufleute ab, so bestehen diese zum größten Teil in der Grundsteuerabgabe, die nicht von dem bebauten Boden, sondern von jedem Familienoberhaupt erhoben wird, das jährlich 2500 Kauri, einen spanischen Thaler, zu bezahlen hat. Der Sserki verfügt über eine Macht von 7000 Mann Reiterei und mehr als 20000 Mann Fußvolk; seine Regierungsgewalt ist aber keine absolute; vielmehr hat jeder Unterthan das Recht, die Berufung an den Oberherrn in Sokoto oder Wurno anzubringen, sowie auch an eine Art Ministerrat, den übrigens auch der Sserki in wichtigen Angelegenheiten zu Rate ziehen muß.

Verfolgen wir nunmehr die Route Dr. Barths nach Kuka, der Hauptstadt Bornus.

In den ersten Tagen des Monats März war unser Forscher von einem ernsteren Fieberanfall heimgesucht worden, so daß er noch halb krank und kraftlos war, als er die Erlaubnis zum Aufbruch erhielt. Trotzdem war er doch froh, endlich aus den ungesunden, engen, schmutzigen Stadträumen hinaus in die freie Natur gen Osten, wenn auch auf unsicherem Wege, ziehen zu können. Am Nachmittage waren seine drei Kamele bepackt; sein Geleitsmann, der ihn bis an die Grenze des Kanogebietes führen sollte, war zur Stelle, und weg gings, aus den engen Straßen durch das geräumige Thor in wohlbebautes Land hinein. An vereinzelten Hüttengruppen und Meiereien durch immer anmutiger werdende Landschaft kam unser Reisender zu den von üppigen Bäumen beschatteten Feldern und zerstreuten netten Hütten von Tscharo. Ueber die Stadt Gansana hinaus und in Gesellschaft eines wohlhabenden, stattlichen Arabers ging es weiter nach dem Lagerplatz Kuka Meirua, d. i. „der Affenbrotbaum mit dem (teuren) Wasser“. Unterwegs passierten die Reisenden bald einen Zug Natronhändler, bald einen Brunnen, an dem Vieh getränkt und von der gesamten Einwohnerschaft eines Ortes Wasser geschöpft wurde, bald einen prachtvollen Tamarindenbaum, der sein schattiges

Dach über eine Anzahl gemütlich plaudernder Weiber ausbreitete, die Lebensmittel und Baumwolle feilboten. Zu beiden Seiten des Weges lagen kleine Dörfer, bis man nach der bedeutenden und letzten Stadt im Gebiet von Kano, Gerki, kam. Die Straße war weiterhin von verschiedenen Karawanen belebt. Vor Birmenaua, der ersten Ortschaft Bornus, einem sehr kleinen aber stark befestigten Städtchen, nahmen die Reisenden von der schönen, lieblichen Haussalandschaft, mit ihrer heitern, fleißigen Bevölkerung Abschied und überschritten die Grenze. „Es ist in der That bemerkenswert, welcher Unterschied des Charakters zwischen dem Bahauscha, dem Bewohner Haussas, und dem Kanori, dem Bewohner Bornus, herrscht; jener lebendig, voll Feuer und von heiterer Gemütsstimmung, dieser mehr melancholisch bedrückt und roh. Derselbe Charakter liegt auch im Ausdruck der Gesichtszüge. Die Haussa haben meist angenehme, regelmäßige Züge und anmutigere Formen, während die Kanori mit ihren breiten Gesichtern, weit offenstehenden Nasenlöchern, ihren derben Knochen und eckigen Gestalten einen weit weniger angenehmen Eindruck machen. Dies gilt namentlich von den Frauen, welche entschieden zu den häßlichsten Vertretern des zarten Geschlechts im Negerlande gehören.“ Endlich erreichte unser Reisender auch die Stadt Gummel, die damals wohl 15000 Einwohner zählen mochte. Verlief schon der erste Tag seines hiesigen Aufenthaltes in angenehmer Weise, so sollte doch der darauffolgende, der 15. März, ein noch erfreulicherer für ihn werden. Ein Araber aus Sokna in Fessan überbrachte ihm zu seiner Ueberraschung ein Paket, „das mich augenblicklich aus der mich umgebenden Welt nach Europa versetzte. Es enthielt Briefe aus Deutschland, England und von meinen Freunden aus Tripolis; denn selbst von diesen hatte ich seit zehn Monaten keine Nachricht erhalten. Da gabs Briefe aus Berlin, die sogar wissenschaftliche Fragen behandelten; Briefe von meinen Angehörigen, voll von Ausdrücken sorgender Liebe; inhaltsreiche Schreiben von meinem Gönner, Herrn Ritter Bunsen, mit den Versicherungen der regsten Teilnahme und der frohen Nachricht einer kleinen, von Sr. Majestät dem Könige von Preußen mir und meinen Gefährten bewilligten Unterstützung. Alle diese Beweise der Liebe, Freundschaft und Achtung machten einen tiefen, anregenden Eindruck auf mich. Doch die Briefe enthielten noch etwas, etwas Materielleres, das — ich muß es gestehen — im Augenblick mich noch tiefer berührte. Ich war nämlich gänzlich ohne Geldmittel, ja fast ohne eine einzige Muschel; denn mein von Kano mitgenommener kleiner Vorrat von Muschelgeld war fast ganz ausgegeben, um mein Quartier herzurichten, meine Führer zu bezahlen und einen meiner Diener abzulohnen, der sich als gänzlich unbrauchbar erwiesen hatte, — so war mir fast nichts geblieben, um auch nur meine geringen Bedürfnisse bis Kuka bestreiten zu können. Wie froh war ich daher, als ich in Herrn Gaglinffis Brief (dem englischen Agenten in Mursuk) — zwei spanische Thaler fand! Er schickte sie mir, um einen kleinen Irrtum in meiner Rechnung mit ihm auszugleichen. Diese beiden Thaler waren das einzige gangbare Geld, das ich damals hatte, und mir deshalb mehr wert als eben so viel Hunderte zu anderer Zeit".

Lebendig durch die empfangenen Briefe angeregt und nach einer zweitägigen Beschäftigung mit der Beantwortung der empfangenen Schreiben, beschloß er, allein und unverzüglich weiterzuziehen. Barth verabschiedete sich von dem freundlichen Araber und zog mit einem neuen Geleitsmann, mit seinen Kamelen und den beiden ihm noch gebliebenen Dienern, auf sein gutes Glück vertrauend, anfangs durch tote und melancholische Landschaft nach Osten weiter und an zahlreichen Ortschaften vorbei, nach dem zu der Provinz Maschena gehörenden Orte Benfari. Hinter der Stadt Tschifoa betrat er einen höchst einförmigen Landstrich, erreichte die Stadt Belkaja, kam darauf anfänglich über leicht gewelltes, einförmiges Land, durch eine niedere Waldung zu der bedeutenden, von Mauern und Doppelgräben umgebenen Stadt Taganama. Auf dem Wege nach Bundi bot sich nichts Bemerkenswertes und die Landschaft verlor kaum ihren einförmigen

Charakter bis zu dem Dorfe Wuelleri. Feld und Wald wechselten auf der Straße nach der großen Stadt Maschena miteinander ab. Nachdem sich Dr. Barth hier über den weiteren Weg orientiert, setzte er ohne Aufenthalt die Reise fort, zog über Weideland, dann durch eine gut beholzte Gegend und gelangte nach einem behaglich sich ausbreitenden Dorf, wo er freundlich aufgenommen wurde. Am andern Tage, jenseits eines dichten Waldes, kam er nach dem Orte Bundi, der 8000 Einwohner zählen mochte. Von hier aus näherte er sich dem eigentlichen Bornu, kam durch Felder, Wälder und Dörfer in eine von Dumpalmen reich bestandene Landschaft, an einen Arm des Komadugu Waube, dessen Breite etwa 80 Schritt betrug und sah in geringer Entfernung davon die große aber gegenwärtig halb verlassene Stadt Surrikulo, die seinem heutigen Marsche eine Grenze setzte.

Am 24. März hatte der Forscher einen Wald von dichtem Unterholz zu durchschneiden, stieß dann aber plötzlich auf eine malerisch und fremdartig aussehende Gruppe Reiter. Als Dr. Barth ihre Frage, ob er der von Kano erwartete Christ sei, bejahte, meldeten sie ihm, daß sein Reisegefährte Jakob Richardson, noch ehe er Kuka erreicht habe, gestorben und all sein Eigentum verschleudert sei. Anfangs erschien dem Reisenden diese Trauerbotschaft, die den Erfolg des ganzen Unternehmens in Frage stellte, nicht recht glaubhaft und er eilte schneller vorwärts, um sich in Kuka volle Gewißheit zu verschaffen.

Die Gegend, die er dann betrat, war kahl und fade, und erst nach dem Orte Kabi nahm sie einen freundlichen Charakter an. Ueber die Stadt Deffoa hinaus war fleißig bebautes Land und mehrere mehr oder minder große Ortschaften zu sehen. Der bisher sehr betretene Weg wurde bald wieder zu einem Fußpfad, der sich ohne Hauptrichtung von Dorf zu Dorf hinschlängelte, dennoch aber von Reisenden ziemlich belebt war. Durch bebautes Land, durch buschiges Dickicht, an dem offenen großen Dorf Kabna vorüber gelangte unser Forscher zu dem Dorfe Buschiri, und später, an zwei großen Orten vorüber und durch einen dichten

Wald ziehend, an einen Arm des weit ausgedehnten Netzes des Komadugu. In einer üppigen Landschaft, im Schatten kleiner Ganobäume, einer besonderen Art Akazie, hielt er Mittagsruhe und betrat hinter dem Dorfe Schogo ein breites, sehr schönes Thalbecken mit reichem Weidegrund. Da teilten ihm Eingeborene zu seiner Bestürzung mit, daß in dem nicht weit davon entfernten Dorfe Nghurutua vor kurzem der „Christ“ gestorben sei. Barth beschloß sogleich, dahin zu gehen, um wenigstens einen Blick auf das Grab seines Gefährten zu werfen und sich von dessen Zustand zu überzeugen. Die Grabstätte fand er sehr passend unter einer schönen Sykomore gewählt, — ein Zeichen, wie tiefe Achtung die Eingeborenen vor dem Christen gehabt hatten. „Der Tod des christlichen Fremdlings hatte in der ganzen Umgegend großes Aufsehen und allgemeine Teilnahme erregt. Herr Richardson war am Abend des 28. Februar in schwachem Zustand angekommen und schon am nächsten Morgen verschieden. Bereits in Sinder, vielleicht auch schon früher, scheint der unglückliche Mann das Zutrauen zu sich selbst verloren zu haben. Zu der großen niederdrückenden Wärme vor Eintritt der Regenzeit kam noch hinzu, daß er sich die ihm vollkommen ungewohnte Beschwerde des Reitens zu Pferde zumutete. So scheint er nach allem, was ich von den Eingeborenen hörte, die ihn in den letzten Tagen seines Lebens sahen, mehr an Erschöpfung als an den Folgen eines wirklichen Fiebers oder der Dysenterie gestorben zu sein.“

Am nächsten Morgen setzte Barth seinen Weg fort, passierte die ehedem bedeutende, jetzt halb verlassene Stadt Alhaune und zog durch eine teils angebaute, teils mit dichtem Unterholz bestandene, aber von Heuschrecken heimgesuchte Gegend bis an den schönen Wasserspiegel des großen Komadugu von Bornu.

Das noch vor ihm liegende Gelände war ein schwieriges, da der breite Grund des Thales von vielen Wasserläufen durchschnitten und in dichtes Walddickicht eingehüllt war, in dem viele wilde Tiere und gelegentlich auch feindliche Wegelagerer hausten. Ueber den mittelgroßen Ort Mikiba kam er wieder an den

Komadugu. Hinterher brachten sorgfältig eingehegte Baumwollenfelder, kleine Dörfer, zahlreiche Herden von Schafen und Ziegen, weidendes Rindvieh und gelegentlich auch eine kleine Gesellschaft Reisender Abwechselung in die sonst ziemlich einförmige Gegend.

Unser Forscher kam nach dem Dorfe, in dem der Kaschella (Kriegshauptmann) seinen Sitz hatte, machte diesem seine Aufwartung und fand in ihm einen zuvorkommenden Mann: er ließ sofort einen seiner rüstigsten Diener aufsetzen, um dem Vezier des Reichs in Kuka die nahe Ankunft Dr. Barths zu melden. Dieser brach am andern Tage frühzeitig auf, kam nach der in zerstreuten Weilern sich ausbreitenden Dorfschaft Bescher, ließ endlich auch das letzte Oertchen von Kuka, Kalilua zurück und am 2. April, also genau nach einem Jahre seit dem Abmarsch von der Küste, war das eigentliche Ziel des ganzen Unternehmens, sowie es ursprünglich angeregt war, die Hauptstadt Bornus, glücklich erreicht.

Aufenthalt in Kuka. Reise nach Adamaua.

Unser Forscher zog nun in die Hauptstadt ein, die aus zwei ganz getrennten Städten besteht, deren jede von einer besonderen Mauer umgeben ist. Er kam zuerst durch die schmalen krummen Gäßchen der westlichen Stadt, die das gemeine Volk inne hat. Alsdann sprengte er über einen freien Platz und kam in den östlichen für die Reichen bestimmten Teil Kukas, den selbstverständlich auch der Scheich mit seinem ganzen Hofstaat bewohnte. Mit seinen ansehnlichen Gebäuden, mit seinem regen Leben bot dieser Ort ein weit großartigeres Bild dar, als es sich unser Barth gedacht hatte.

Zu gelegener Zeit und in dem Augenblicke kam er vor die Thür des Hauses, in dem der Vezier wohnte, als dieser hohe Würdenträger grade heraustrat. Hadschi Beschir, eine große kräftige Gestalt mit offenen, wohlwollenden Zügen begrüßte ihn mit freundlichem Lächeln, wollte sogleich seine Ankunft dem Scheich melden, der die Nachricht mit der größten Freude aufnehmen würde, und ließ ihn schließlich nach dem für ihn und seine Leute bestimmten Quartier führen. Dieses stieß unmittelbar an den sogenannten Palast des Veziers und bestand aus zwei sehr großen Hofräumen, von denen der zweite eine sehr geräumige, schmuck gebaute Hütte einschloß.

Am nächsten Tage machte Barth dem Vezier seine Aufwartung und überreichte ihm einige Kleinigkeiten zum Geschenk. Da er mittellos und ungewiß war, ob die britische Regierung ihm die Fortsetzung des Unternehmens übertragen würde, so erklärte er jenem einfach nur, daß er hoffe, er werde nach dem Tode des Leiters der Expedition auch aus seinem Munde die Versicherungen der freundlichsten Gesinnungen der britischen Regierung gegen ihn, seinen Herrn und dessen Reich annehmen, obwohl er und sein anderer Gefährte, Dr. Overweg, gegenwärtig selbst zur Ausführung wissenschaftlicher Unternehmungen ganz von ihrer Freundlichkeit abhängig wären. Ebenso zurückhaltend benahm sich der Reisende auch am andern Tage in der Audienz beim Scheich selbst. In dem Herrscher von Bornu, Omar, fand er einen recht einfachen, wohlwollenden und selbst aufgeweckten Mann, der seine keineswegs bedeutenden Geschenke wohlwollend entgegennahm und ihn überhaupt sehr zuvorkommend behandelte.

Nunmehr überließ sich Barth ganz seinen Studien und Forschungen, gewann ein Bild von den Zuständen des Landes und von der, wenn auch Kano an Regsamkeit und Betriebsamkeit nicht ganz ebenbürtigen Hauptstadt Kuka, sowie ihrer geschichtlichen Entwickelung.

Ein Ausflug nach dem volkreichen und hübschen Orte Ngornu und den immer wechselnden Ufern des ungeheuren, sumpfartigen Tsad-Beckens unterbrach den Aufenthalt in der Stadt angenehm.

Mittlerweile kam auch Dr. Overweg von Zinder nach Kuka und fand ebenfalls im „Englischen Hause“ ein Unterkommen.

Barth, der ihn schon sehnlichst erwartet hatte, besprach mit ihm die ferneren Aufgaben. Overweg sollte die Umschiffung des großen inselreichen Tsad vermittelst des mitgebrachten Bootes unternehmen, und Barth wollte seine längst geplante Adamauareise verwirklichen.

Ende Mai verließ Dr. Barth, einen starken, schön gezeichneten Apfelschimmel reitend, mit einem kleinen Troß die Hauptstadt Bornus, um südwärts durch eine, wegen ihrer zahlreichen flachen Einsenkungen mit schwarzem Boden (Firki genannt) charakteristischen Gegend zu wandern, die von Schua bewohnt wird, wie die seit alters her hier ansässigen Araber bezeichnet werden. Diese, von hellerer Hautfarbe als die dunklen Bornauer, leben während der Regenzeit in festen Ortschaften und ernähren sich von dem Ertrage ihrer Felder so lange, bis die trockne Jahreszeit sie nötigt, mit ihren Rinderherden umherzuwandern. Nach einigen Tagen kamen die ersten Baumwollen- und Kornfelder in Sicht und nun betrat unser Forscher einen der schönsten Teile Bornus, die Landschaft Udje, dicht bevölkert von regsamen Menschen.

Ueber die Stadt Mabani hinaus führte der Weg in südwestlicher Richtung an dem gewundenen Lauf des Komadugu von Alaö entlang durch eine fruchtbare und volksreiche Gegend. Die Ufer des Komadugu schmückten hier Dinabäume, die, etwa 30—40 Fuß hoch, dunkelgrünes Laub und eine schwarze, pflaumenähnliche Frucht trugen.

Im Laufe des folgenden Marschtages führte die Straße direkt nach Süden durch den gut bebauten und dicht bevölkerten Landstrich von Udje Kassula nach dem Bezirk Schamo, der von Marghi, einem äußerlich zum Islam bekehrten Völkchen, bewohnt wird. Nunmehr kam man in das streitige Grenzgebiet zwischen Bornu und Adamaua, das im Wesentlichen von mehr oder minder dichtem Wald bedeckt wird, in dem sich ab und zu Spuren früheren Anbaues und verfallene Reste von Hütten finden und den mitunter dichtes Riedgras von solcher Höhe durchflocht, daß es Roß und Reiter überragte. Fast vier deutsche Meilen waren durch diese unerfreuliche Wildnis zurückzulegen, bis das Dorf Herimari, das die südliche Grenze von Bornu markiert, erreicht war. Darüber hinaus war auch nur dichter Wald zu durchqueren, in dem aber ungeheure Fußspuren eines Elephanten den Pfad bequemer machten. Molghu, eine Raststation auf dem Wege, bildet eine sehr weit auseinanderliegende Ortschaft, in der sich heidnische Bewohner noch ihrer vollen nationalen und religiösen Unabhängigkeit erfreuten. Hier lief jedermann völlig unbekleidet herum, und nur die wenigen, scheinbar zum Islam übergetretenen Personen waren spärlich „angezogen“. Aber das seltene Ebenmaß ihrer Gestalt und ihrer Züge, die außerordentliche Mannigfaltigkeit ihrer Hautfarbe, vom glänzendsten Schwarz bis zur leichten Kupferfarbe, sowie ihre hohe Stirn mußten jeden Fremden überraschen.

In südlicher Richtung führte der Weg weiter und wiederum durch eine ausgedehnte Waldung, bis unser Reisender in eine wunderbar schöne Lichtung heraustrat, die eine dunkle Waldung lieblich begrenzte. Da tauchten auch mehrere Meilen weit nach Osten die dunkel gefärbten Wandalaberge, mit ihrem schön gestalteten und malerisch ausgezackten Kamm auf. Es war einer der interessantesten und lohnendsten Ausblicke seiner ganzen Reise, den unser Forscher hier genoß.

Später sah er zwischen den weit zerstreuten Gehöften der Ortschaft Issege Pferde und Schafe weiden und Weiber das Feld bebauen. Die Bewohner waren kräftige hohe Gestalten, nur mit einem kurzen Lederschurze umgürtet, aber voller Stolz auf ihre Unabhängigkeit und Wohlhabenheit. Ein schöner kleiner See, der den umwohnenden Leuten Fische von bedeutender Größe lieferte, lag nicht weit von diesem Gau und Barth besuchte ihn, bestieg einen in der Nähe dieses von dichtem Rohr bewachsenen Sees gelegenen Hügel, der den ersten lohnenden Ausblick auf den etwa 1500 m hohen Berg Mentif und des höchst eigentümlich gestalteten Kamalle bot.

Hinter dem Dorfe und Gau von Kofa nahm die Landschaft einen ganz andern Charakter an. Hier traten Felsmassen auf, halb Sandstein, halb Granit, dort ein niedriger mit Baum und Busch bewachsener felsiger Höhenzug, bis das Dorf Lahaula in einem malerischen, von Felsen gebildeten Thale eine anmutige Abwechselung gewährte. Ueber zahlreiche kleine Wasserläufe, an mehreren Marghidörfern und wohlbestellten Ackerfeldern vorbei, und über einen Landrücken, der die Wasserscheide zwischen dem Wasserbecken des Tsad und dem Benuë bildet, ging es nun hinweg, bis ein rauher Paßpfad auf Uba auslief, die nördlichste Ansiedelung der Fullah oder Fulbe. So hatte der Forscher denn in vier Tagemärschen den streitigen, fünfzehn deutsche Meilen breiten Grenzbezirk zwischen Yerimari, dem letzten Bornuort und Uba, der ersten Stadt von Adamaua oder Fumbina, glücklich durchzogen. Endlich konnte er in das Land von Adamaua hineinziehen, nach dem er sich schon so lange gesehnt und das weiterhin vielversprechende Kornfelder, schönes Weideland, hier und da aber wiederum Wald bedeckte. Im Süden wurde eine bedeutende Bergmasse, Fingting genannt, sichtbar. Von nun an, bis zum Benuë, marschierte Dr. Barth immerfort durch einen Landstrich, der nach den neuesten Abmachungen mit England und Frankreich noch glücklich in unser arg beschnittenes Kamerungebiet gefallen ist.

Nach einem Marsche von zwei deutschen Meilen wurde für heute in Mubi Quartier genommen. Unser Reisender bewunderte dort die Lebhaftigkeit und Intelligenz der Fulbe, übersah aber auch nicht ihren großen widerlichen Hang zur Bosheit. Ueberall, wohin man nun kam, lief Alt und Jung zusammen, um die merkwürdige Erscheinung in dem Reisezuge, die Kamele, anzustaunen. Diese Tiere werden nämlich, da sie dem Klima dieses Landstrichs nicht widerstehen können, nur selten hierhergebracht.

Je weiter unser Forscher in Adamaua hineindrang, um so mehr ging der anfangs so rauhe Charakter der Landschaft in milderen über. Vor Sjegero, einer Stadt, die von eingeborenen Heiden vom Stamme der Holma und von Fulbe gemeinschaftlich bewohnt wird, breiteten sich überdies weite Saatfelder in reichster Fülle aus. Weiter im Süden wurde die schöngeformte Holmabergkette sichtbar und schließlich kam der Forscher nach dem hochgelegenen Orte Ssarau-Berebere, dessen Bewohner eigentümlicherweise Bornuleute waren und sich von Weberei und Handel ernährten. Da grade Markttag war, sah er Rindvieh zum Verkauf ausgestellt, frisch geschlachtetes Fleisch in kleinen Quantitäten ausliegen, sowie Erdmandeln, Butter, Reis, Salz, Seife und Baumwollenzeug. In dem südlich davon gelegenen Orte Sseran-Fellani, der etwa 2000 Bewohner zählte, sah er wieder Ackerbau und Viehzüchterei betreibende Fulbe. Darüber hinaus blieb das Land rauh und felsig. Bei der Araberkolonie Belem wechselten wieder Wald und Felder miteinander ab. Aber hier beobachtete der Reisende zum ersten Male besondere Stallungen für Pferde, welch letztere man nicht, wie in Bornu und Haussa, allen Wechseln des Wetters ausgesetzt sehen wollte.

Es dauerte nicht mehr lange, so war unser Forscher dicht vor seinem Ziel. Mit Ungeduld marschierte er emsig südwärts, durch eine immer anmutiger, parkähnlicher werdende Landschaft. Dem breiten sandigen Rinnsal des Mayo-Tiel folgte wieder Wald und Feld. In dem Dorfe Ssuleri wurde übernachtet, und am nächsten Morgen, den 18. Juni, nach kurzem Marsche, stand er an den Ufern des langersehnten Benuëstroms. Es wird das beste sein, hier dem Forscher selbst das Wort zu geben:

„Wer je den schrankenlosen Phantasien eines Jugendtraumes sich überlassen hat und einem großen Plane nachgegangen ist, wird sich leicht eine Vorstellung von den Gefühlen machen können, die mich bewegen mußten, als ich vom Ufer herab meine Blicke über die Flußlandschaft schweifen ließ. Von stummem Entzücken ergriffen, schaute ich sprachlos in das Land hinein. Wie die Natur es geschaffen, ohne von der künstelnden Hand des Menschen berührt zu sein, lag diese reiche Landschaft da, ein Feld der Thätigkeit kommender Geschlechter. Das ganze Land trug den Charakter wüster Wildnis, und kaum war das anders möglich in einer Gegend, die alljährlich durch die Fluten des hoch über seine Ufer tretenden Stromes Meilen weit unter Wasser gesetzt wird.

„Der Hauptstrom, der Benuë, floß hier von Ost nach West, in majestätischer Breite, durch ein vollkommen offenes Land, aus dem nur hie und da vereinzelte Berghöhen aufstiegen. Die gegenwärtigen Ufer auf unserer Seite stiegen bis 25 und an einigen Stellen bis 30 Fuß in die Höhe, während grade meinem Standpunkte gegenüber, hinter einer Sandspitze, der Faro hervorstürzte und, von hier gesehen, nicht viel kleiner schien, als der Hauptfluß selbst; er kam in schön gewundenem Laufe von Südosten, wo er sich in der Ebene verlor, aber in Gedanken von mir bis an den steilen östlichen Fuß des Alantika verfolgt wurde. Der so gebildete Doppelstrom hielt sich unterhalb des Zusammenflusses in der Hauptrichtung des größeren Flusses, machte aber eine leichte Biegung nach Norden und floß am nördlichen Fuße des Berges Bagele entlang.

„Hier entzog er sich dem leiblichen Auge, indem Berge von Norden her bis hart an seine Ufer herantraten und ihn abzudämmen schienen. Im Geiste aber folgte ich dem Laufe des herrlichen Stromes durch die Gebirgslandschaft der Batschama und Eina nach Hamarrua, und weiter, wie er von dort, aus seiner westlichen Bahn etwas nach Süden ablenkend, durch das Land des einst poetisch bedeutenden und durch einen gewissen Grad von Industrie hervorragenden Kororofa dem größten Strom im Westen dieses Kontinents (dem Niger) zueilt, um mit ihm vereint seine Wasser in dem Atlantischen Ozean zu begraben.

„Lange schaute ich in stillem Entzücken auf den Fluß zu meinen Füßen; es war einer der glücklichsten Augenblicke meines Lebens. Zwar hatte ich nach den in Kuka erhaltenen deutlichen Angaben im Geiste längst die Frage entschieden, daß der Fluß, von welchem die Reisenden in Adamaua erzählten, die obere Fortsetzung des von den Engländern William Allen, Laird und Oldfield in seinem unteren Laufe niedergelegten Stromes sei; nun aber konnte ich auch mit der Bestimmtheit eines Augenzeugen von der Natur und Richtung dieses großen Binnengewässers sprechen. Es war entschieden, daß der Benuë mit dem Kuara (oder Niger) eine ununterbrochene und herrliche natürliche Wasserstraße bilde, auf welcher einst die rüstigen, alles überwältigenden Kräfte des Nordens in das Herz des tropischen Afrika Eingang finden werden, um die Schätze dieser gesegneten Länder zu heben und die Keime menschlicher Glückseligkeit, die auch hier in dem einfachen Leben der Eingeborenen in reichem Maße verborgen liegen, von dem Drucke der Sklaverei und der Jagd auf Menschen zu befreien und zu voller Entfaltung zu bringen. Wohl sah ich schon die Wimpel Europas heranschwimmen, ahnte aber dennoch nicht, in wie kurzer Zeit ein Fahrzeug, wie es die jüngste Erfindungsgabe der Europäer geschaffen hat, bis nahe zu der Stelle vordringen sollte, wo man mich heute in einem ausgehöhlten Baumstamm über den Strom führte."

Aber nicht in Betrachtungen blieb unser Forscher versunken. Thatkräftig wie immer machte er sich alsbald daran, den großen Binnenstrom und seinen Nebenfluß Faro zu überschreiten. Und wenn auch das Hinüberschaffen der Sachen und der Kamele, die sich übrigens recht widerspenstig anstellten und nicht ins Wasser wollten, ein mühevolles und zeitraubendes war, so ließ er doch erst jenseits im Dorfe Tschabad Krocke Rast machen. Von hier aus zog er mit seinem kleinen Trupp durch offene, wohlbebaute und bevölkerte Landschaft in südwestlicher Richtung weiter, der Hauptstadt von Adamaua entgegen, die er am 20. Juni erreichte, nach einer im Ganzen genommen höchst glücklichen Reise.

Auch diese Stadt, heute mehr denn je unter dem Namen Yola bekannt, damals aber eine ganz neue und ziemlich unansehnliche Ansiedelung, betrat unser Forscher als erster Europäer.

Doch schnell und unerwartet sollte er sie wieder verlassen! Die Aufnahme war keine freundliche. Der Statthalter ließ ihn zwei Tage unbeachtet. Dann erst genehmigte der „Lamido" die nachgesuchte Audienz. Nachdem ihn Barth in freundlich höflichen Formen über seine Absichten unterrichtet und das entsprechende Empfehlungsschreiben des Scheichs von Bornu übergeben hatte, schien dessen Mißtrauen und kühle Reserve etwas weichen zu wollen.

Aber die Scene änderte sich nur zu schnell. Denn als Billama, der unserem Reisenden vom Scheich von Bornu beigegebene Offizier, die Briefe seines Herrn übergab, die insgesamt Ansprüche auf das uns bekannte, jüngst durchzogene streitige Grenzgebiet enthielten, da erhob sich ein Sturm der Entrüstung und unserem Reisenden wurde schließlich vorgeworfen, aus ganz andern Beweggründen in dieses Land gekommen zu sein, als die im Empfehlungsschreiben so wohlgefälliger Weise entwickelten. Nun schien in der That Scheich Omar und dessen Vezier den Reisenden arglistigerweise dazu benutzen zu wollen, den Lamido einzuschüchtern, zumal da sie ihn auch als Abgesandten einer ihnen befreundeten mächtigen Nation hingestellt hatten. Kurz, die Unterredung ging in die Brüche.

Die sogenannte Audienz war also aufgehoben worden. Nach ein paar Tagen wurde unserem Reisenden überdies bedeutet, die Hauptstadt zu verlassen. Wenn nun auch Barth recht gern mehr von Land und Leuten gesehen und erkundet hätte, so ließ er doch die schroffe, ernste Weisung nicht unbeachtet, und wenn auch sein Befinden schon beim Betreten der Stadt ungünstig gewesen und er grade jetzt sehr abgemattet und sich überhaupt sehr unwohl fühlte, so ließ er doch alles zur Abreise herrichten.

Aber er war kaum fähig, sich auf dem Pferde zu halten! Trotz alledem ritt er bis nach dem sechs Stunden entfernten, jetzt verfallenen Dorfe Ribago! Es bedurfte eben der ganzen Willenskraft unseres Reisenden, um so etwas zu unternehmen. Dort erholte er sich ein wenig. Dann ging es weiter zum größten Teil auf dem Wege, den er gekommen, vorerst in kurzen Tagereisen, weil ihn sein fieberhafter Zustand noch immer peinigte. Der inzwischen stark angeschwollene Benuë wurde wieder passiert und das schöne, durch mannigfaltige Gestaltung von Thal und Hügel ausgezeichnete Adamaua wieder verlassen. Am 24. Juli 1851, und nach fast zweimonatlicher Abwesenheit, war der etwa sechzig deutsche Meilen lange Weg zurückgelegt und wieder konnte Barth, voller Genugthuung über die gewonnenen Resultate, mit seinem kleinen Trupp in die Hauptstadt Bornus einziehen.

Neuer Aufenthalt in Kuka. Reisen nach Kanem und Mußgu.

Bei seiner Rückkehr nach Kuka hatte die Regenzeit, die in Adamaua schon auf ihren Höhepunkt angelangt sein mußte, noch nicht eingesetzt. Das Gebiet von Bornu war noch kahl und pfahl, dürr und versenkt. Aller Orten harrte man sehnsüchtig des Segens, „der aus der Wolke quillt". Da fielen endlich die ersten Tropfen, und nun begann der regelmäßige Regenfall und mit ihm der afrikanische Frühling einzuziehen, das Land erquickend und verschönernd. Ueberall sproßte junges Gras und frisches Laub, überall entfaltete sich neues Leben auf Flur und Hain, und die Welt der Tiere wurde lebendiger denn je. Emsig gingen die Einwohner daran, die Felder zu bestellen, und einen Monat später konnte schon die erste Probe von neuer weißer Negerhirse eingeerntet werden.

Doch wieder zu unserem energischen, schaffensfreudigen Wanderer aus dem fernen Norden! Nur er fühlte sich nicht neu belebt oder gekräftigt. Fieber und Siechtum statt frischer und rüstiger Kraft ist ihm geworden. Zum ersten Male ist er der vollen klimatischen Einwirkung der Regenzeit in den Tropen ausgesetzt. Dazu kommt, daß Kuka grade um diese Zeit einen höchst ungesunden Aufenthaltsort abgiebt und daß die mehr als sorglose Bevölkerung es fertig bringt, in die Lachen stehenden Wassers, die die Stadt rings umgeben, totes Vieh und Abfall aller Art hineinzuwerfen und somit die Atmosphäre zu verpesten. Da nimmt es denn nicht Wunder, wenn selbst ein Mann von kräftiger Konstitution von krankhaften Zuständen geplagt wird.

Endlich, am 9. September kam auch Dr. Overweg von seiner interessanten Beschiffung des Tsad-Sees zurück. Er hatte auf dem Boote, das mit vieler Mühe von Tripolis durch Sand- und Steinwüsten hierher transportiert worden war, eine mehrwöchentliche Fahrt über das große seichte Wasserbecken unternommen und viele Inseln besucht, die in ihm zerstreut liegen und dabei deren Bewohner, die Buddума kennen gelernt.

Beide Forscher dachten nunmehr daran, aus den sumpfigen Niederungen der Hauptstadt hinaus zu gelangen, und dazu fanden sie bald Gelegenheit.

Um den Instruktionen von der englischen Regierung nachzukommen, wollten sie die nordöstlich vom Tsad gelegenen Gebiete, so das berühmte mit vielen blühenden Ortschaften besetzte Thal Bahr el Ghasal oder gar das noch weiter entfernte Land Borgu zu erreichen suchen. Nun kam es, daß grade jetzt ein Zug der kriegerischen Uelad Sliman nach Kanem abgehen sollte. Dieser Araberstamm, einst seiner wilden, ruhelosen und räuberischen Lebensweise wegen von den Türken aus seinen ursprünglichen Wohnsitzen an der Syrte vertrieben, stand jetzt im Solde des Veziers von Bornu und sollte das nördlich vom Tsad gelegene Kanem, das eigentliche Land der Kanori-Dynastie, das aber völlig wiederzuerobern den Herrschern von Bornu nicht gelungen war, von seinen Feinden und Verheerern säubern. So waren namentlich von dem Sultan von Wadai die östlichen Ortschaften von Kanem bedroht und die westlichen steten räuberischen Einfällen der Tuareg ausgesetzt. Anstatt nun mit einem eigenen Heere die ehemalige Kernprovinz Bornus zu befreien, hatte es der Vezier vorgezogen, diese Araber dazu zu verwenden. Er war es auch, der den Reisenden erlaubte, an dem gewagten Zuge teilzunehmen, und diese suchten nun, so gut es eben ging, ihre friedlichen Bestrebungen mit den weniger heilsamen jener Horde zu vereinigen. Barth erhielt von seinem Gönner Hadji Beschir auch ein ausgezeichnetes Pferd aus dessen eigenem Stall, das ihm auf allen seinen folgenden Reisen ein treuer Gefährte war, bis es im Dezember 1854 auf seiner Heimreise von Timbuktu in Kano einging.

Mitte September ging es aus den engen Mauern der Stadt nordwärts nach der drei Tagereisen entfernten Stadt Yo. Dicht dahinter sah man die malerischen von Pelikanen und sonstigem

Wassergeflügel belebten Ufer des schnell dahinfließenden Komadugu, der etwa drei Meilen östlich von Yo bei dem ansehnlichen Kanembu-Ort Bosso in den Tsad mündet.

Vier Meilen hinter Yo und über das Oertchen Barrua hinaus kam man über ein sandiges Hügelland, dann über grünendes Weideland und später in eine völlig flache Ebene, die jedenfalls einst Seeboden gewesen ist. Hier hatte man eine herrliche Uebersicht über die Uferlandschaft des nahen Tsad und hier sollten unsere Reisenden auch eines der anziehendsten Schauspiele genießen. „Rechts in der Ferne rückte eine ganze Herde Elephanten (sechsundneunzig Stück) in regelmäßigem Aufzuge langsam heran zur Tränke, einer Heerschar vernünftiger Wesen nicht unähnlich. Den Vortrab bildeten die Männchen, deutlich an ihrer Größe erkennbar, in regelmäßiger Schlachtordnung; in einem kleinen Abstande folgten die Jungen, in einem dritten Zuge die Weibchen, und den Nachtrab des ganzen Zuges bildeten fünf Männchen von ungeheurer Größe. Die letzteren bemerkten uns, obgleich wir in ziemlicher Entfernung waren und uns ganz ruhig verhielten; einige von ihnen warfen Staub in die Luft, wir störten sie jedoch nicht."

Am 26. September erreichte man das äußerste Ende des Tsad und zugleich das große Dorf Beri. Hier sah Barth eine der größten und schönsten Viehherden, die er je in Innerafrika angetroffen. Bald verließen die Reisenden das Seeufer und zogen über leichtgewellte Landschaft in nordöstlicher Richtung bis zum Stammquartier der Uelad Sliman, die sie feierlich einholten.

Schon während der ersten Tage ihres Aufenthaltes im Lager der Araber bekamen unsere Reisenden einen Vorgeschmack von dem unruhigen Leben, das sie fortan führen sollten. „Fast keine Nacht verging ohne eine aufregende Nachricht oder einen Vorfall, der den leicht erregbaren Haufen in Bewegung brachte. Bald war es der nächtliche Einfall einiger frecher Räuber in das Lager, um Vieh- und Lasttiere zu stehlen, bald die Flucht einer Sklavin von großer Schönheit, einer Tochter der Yedina oder

Buddduma, die für des Veziers Harem bestimmt gewesen war, bald Streit und Zwistigkeit im Innern der Bande."

Als die Reisenden den Häuptling dieser Horde ihre Absicht unterbreiteten, nach dem Bahr el Ghasal vorzudringen, erklärte dieser ein solches Unternehmen für unausführbar, und die Reisenden mußten wohl oder übel davon abstehen. Sahen sie auch somit den Hauptzweck ihrer Reise vereitelt, so wollten sie doch noch nicht so ohne Weiteres zurückschwenken; vielmehr glaubten sie, noch ein gutes Stück von Kanem sehen zu können. Deshalb verblieben sie noch ein paar Wochen bei diesem zügellosen Trupp.

Mehrmals wurde das Lager nach Osten verlegt und oftmals auch recht angreifende Märsche unternommen, die besonders den noch immer kränkelnden Barth sehr mitnahmen. Als schließlich die Uelad Sliman in die Nähe des Thales kamen, wo ihr Stamm einst von den Kel-owi überfallen und beinahe vernichtet worden war, da stießen sie auf die Worhda, ihren Feind. Es kam zu einem ernsten Gefecht, das aber nur mit einer Niederlage und schmählichen Flucht der Araber endete. An einem frühen Morgen war es zu diesem Kampfe gekommen und Barth befand sich infolge eines heftigen Fieberanfalls krank und matt in seinem Zelte. Da überbrachte ihm Dr. Overweg die Kunde von dem Ausgang des Gefechts. Es war die höchste Zeit. Denn nur zu bald, nachdem Dr. Barth kaum sein Pferd bestiegen und davon gejagt war, fand sich der Feind im Lager ein und raubte die zurückgelassenen Habseligkeiten. Erst am andern Tage gelang es den Arabern, ihm wenigstens das Zelt des Reisenden wieder abzunehmen.

Durch die Niederlage der Araber war den Reisenden die Hoffnung, in die südlichen Teile von Kanem vordringen zu können, genommen. Sie schlugen daher den Heimweg ein. Ueber Beri und am Nordwestufer des Tsad entlang zogen sie auf dem früheren Wege südwärts nach Kuka, wo sie am 14. November wohlbehalten anlangten.

Bereits zehn Tage später waren unsere Reisenden von neuem auf dem Marsche. Diesmal aber gings nach Südosten, ins Land der Mußgu. Scheich Omar und dessen Vezier hatten nämlich ein Heer ausgerüstet, angeblich um den Fürsten des kleinen von Bergen beschützten Ländchens Mandara zu dem verweigerten Gehorsam zurückzuführen. In Wirklichkeit aber darum, weil am Hofe von Bornu wieder einmal Kisten und Kasten leer waren. Bornus Kassen bedurften der Füllung und der edle Regent und sein erster Minister — skrupellos wie immer — wollten sie vermittelst Raub und Brandschatzung wieder füllen und selbst dann, wenn auch Tausende friedlicher Menschen dabei zu Grunde gingen.

Allerdings war es für die Reisenden keine Annehmlichkeit, an einem solchen schandbaren Zuge teilzunehmen. Immerhin glaubten sie die Gelegenheit wahrnehmen zu müssen, durch Anschluß an den Heereszug mit neuen Gegenden bekannt zu werden. Bei Kukia, südöstlich von Kuka und jenseits der Stadt Ngornu, stießen sie auf das große Lager. Schon am Tage darauf, in aller Frühe, gab die Kriegstrommel das Zeichen zum Aufbruch. In breiter Schlachtordnung zog das Heer mit seinem mächtigen Reitertroß über die mit hohem Rohr bedeckte Ebene hin und gelangte am zweiten Tage bis nach der Stadt Dikōa, wo sich ein echtes und rechtes Lagerleben entfaltete.

Fünf Tage verweilte man hier und unsere Forscher fanden hinreichend Gelegenheit, die Stadt, die 25000 Einwohner zählte, sowie ihre nächste Umgebung näher kennen zu lernen. Baumwollenweberei war die Hauptbeschäftigung ihrer Bewohner.

Auch das Lagerleben bot vieles Interessante. In den Abendstunden kam es zwischen den deutschen Forschern und dem Vezier zu lebhaften anregenden Unterhaltungen und man erörterte u. a. auch, wie in gerechter oder anständiger Weise Bornus nationales Ansehen und Wohlstand zu heben und wie die Sklaverei abzuschaffen wäre.

An einem nebeligen Morgen setzte man über den Komadugu von Yaloë, den Dr. Barth schon früher, auf seiner Reise nach Adamaua, aber weiter oberhalb überschritten hatte, ließ zur

Linken die Stadt Afage, zur Rechten Kodege liegen und zog in die Nähe der ebenfalls befestigten Stadt Sogoma, die die Grenze des Kanorigebiets bezeichnete. Später betrat man den Distrikt Massa, der ausschließlich von Schua bewohnt wird, durchzog einen mehrere Meilen langen Wald und sah später offenes und wohlbebautes Land, in dem friedliche Dörfer und Weiler lagen. Dann führte der Weg durch eine öde Wildnis, die hier und da angenehmerweise durch zahlreiche Fächerpalmen und anderem Laubholz unterbrochen wurde.

Inzwischen entschied sich das Verhältnis zu dem Häuptling von Mandara. Dieser sandte einen Boten mit so günstigen Bedingungen ins Lager, daß der Herr von Bornu damit zufrieden sein konnte. Jetzt dachte Scheich Omar nicht mehr daran, selbst den Raubzug fortzusetzen, sondern kehrte mit einem kleinen Teil des Heeres nach seinem Residenzstädtchen zurück, um dort sein beschauliches Leben fortzusetzen. Der Vezier dagegen zog mit dem größeren Troß nach Mußgu weiter, hauptsächlich um Sklaven zu machen, Dörfer auszurauben und zu verheeren. Die Reisenden hofften, wichtige Aufschlüsse über das Verhältnis der Stromsysteme des Tsad und des Benuë erlangen zu können, und sie zogen mit.

Am 16. Dezember gings weiter nach Südosten. Man kam in Gegenden, die noch kein Europäer betreten hatte und die zu den elephantenreichsten im ganzen mittleren Afrika gehörten.

Später gelangte man in eine große Wildnis, wo von den Zweigen der niederen Bäume kunstvolle Nester des Webervogels herabhingen, die dem Destillierkolben eines Chemikers nicht unähnlich sahen. Elephanten waren herdenweise und auch Giraffen in großer Anzahl vertreten. Hier und da sah man Wiesenflächen, die von den wandernden Fulbe mit ihren Rindern besucht werden.

Immermehr näherte man sich den Grenzen von Mußgu und bald erschien auch ein verächtlicher Mußguhäuptling, der die Sache seiner Landsleute verriet und sich Bornu unterwarf. Das nördlichste Dorf des Mußgulandes kam bald in Sicht, und hier empfingen unsere Reisenden sogleich ein trauriges Bild der Plünderung und Verwüstung. Die armen Eingeborenen hatten die Flucht der Gefangenschaft vorgezogen. Ihr Dorf mußte in ruhigen Tagen ein Bild behaglichen Lebens geboten haben.

Nunmehr zog die Räuberschar über frisches, sumpfiges Hügelland und bildete in der Nähe des Dorfes Korom das Lager. Hier erteilte der Vezier verschiedenen Leuten Audienz, u. a. auch dem abtrünnigen und feigen Mußguhäuptling, Adischen benamst. Zum Zeichen seiner Untergebenheit streute dieser Staub auf sein „fürstliches" Haupt, und nun durfte er Klagen gegen seine unruhigen Nachbarn, die Fulbe, vorbringen. Nachdem ihn der Vezier ruhig angehört und vollen Schutz für die Zukunft versprochen, ließ er ihm ein schönes dunkelblaues Gewand überreichen. Damit war die knechtische Ceremonie zu Ende.

Der nächste Tag war der 25. Dezember, und unsere Deutschen, beide Söhne einer und derselben Stadt, feierten das Weihnachtsfest nach der Sitte ihrer Heimat durch eine außerordentliche Abendmahlzeit. Diese bestand freilich nur in Kaffee und Milch; es war schon etwas Außergewöhnliches, hier Milch zu haben.

Durch eine Landschaft, von dem Charakter einer nassen Savanne, durch dichte Waldung führte der Weg nach einem behaglichen freundlichen Orte, dessen Hütten über reichen, wohlbeschatteten Feldern zerstreut lagen. Ein bedeutendes Gewässer, der Fluß von Logone, durchzog diesen Gau. Weiterhin wechselten dichter Wald und Felder miteinander ab und immer neue Züge von Land und Volk enthüllten sich vor den Blicken der Reisenden.

Endlich kam der vorletzte Marschtag, an dem die ganze Heeresmasse gegen Südosten vorrücken sollte. Bei der Ortschaft Kakala kam es zu einem Kampfe, in dem drei Bornureiter fielen, aber wohl 1000 Bewohner zu Sklaven gemacht wurden. Hier beobachtete Dr. Barth auch die merkwürdige, aber barbarische Art, wie die Mußgu sich zu Pferde halten. Absichtlich bringen diese ihren kleinen stämmigen Pferden eine breite, offene Wunde auf dem Rücken bei, um festzusitzen, und ritzen wohl auch noch ihre Beine auf der inneren Seite auf, um mit Hilfe des rinnenden Blutes an den Seiten ihrer Pferde festzukleben — eine Eigentümlichkeit der Reitkunst, die nie bei andern Stämmen beobachtet wurde, die aber jeglichem Mangel an Reitzeug zuzuschreiben ist und die übrigens auch für die niedrige und unabänderliche Naturanlage der schwarzen Rasse ein beredtes Zeugnis bildet.

Hinter den Hüttengruppen von Demmo, die vor einigen Stunden noch eine Stätte der Wohlhabenheit und des Glücks, jetzt aber ein Haufen rauchender Trümmer waren, zwischen denen die Leichen abgeschlachteter Männer umherlagen, passierte man eine überaus reiche, wohlbewässerte und mit schönen Bäumen geschmückte Landschaft.

Endlich gebot der ansehnliche Fluß Serbewuel, der seine Wasser dem Schari zuwendet und der hier etwa 600 Schritt breit und von beträchtlicher Tiefe war, der Heeresmasse ein Halt. Drei Meilen nordwestlich von dieser Stelle errichtete man das Lager. Ungeachtet des auf den 4. Januar fallenden mohammedanischen Festes Aid el Mulud wurde eine vorläufige Verteilung der Sklaven vorgenommen, wobei sich die herzzerreißendsten Scenen abspielten. Schonungslos entriß das brutale Raubgesindel Kinder zarten Alters ihren Müttern, — die sie nie wiedersehen sollten!

Endlich am 7. Januar machte man sich auf den Heimweg. Zufällig trat grade zu dieser Zeit eine Mondfinsternis ein. Aber das Oberhaupt des Zuges ließ sich trotz alles Aberglaubens dadurch nicht irre machen; er, der Vezier, ließ sich nur von Dr. Overweg die merkwürdige Erscheinung erklären.

Die Reise ging direkt nach Norden und durch das schöne Gebiet Wuliya, über leicht gewelltes Gelände, gut gepflegtes Ackerland, sumpfige Wiesenflächen und Baumland. Nach zwei Tagen verließ man diesen überaus fruchtbaren Distrikt, betrat eine verödete Grenzlandschaft und verweilte bei Kakala.

Mit einigen Abweichungen verfolgte man dann den früheren Weg. In kurzen Märschen wurde Mußgu durchquert und am

15. Januar bei der Ortschaft Baga, die gesamte Beute, die sich auf etwa dreitausend Sklaven belief, verteilt. Wieder kam man in die südöstlichste Tributärprovinz von Bornu und endlich zog man in die Hauptstadt Bornus ein, wo der Vezier mit seinem gemeinen Troß mit vielen Förmlichkeiten empfangen wurde und von seinen Raubthaten ausruhen konnte.

Bis Massena, der Hauptstadt von Bagirmi.

Waren auch diesmal die Resultate für unsere Europäer reicher ausgefallen als auf dem Zuge nach Kanem, so litt sie doch ihr Wissenstrieb nur kurze Zeit in Kuka. Schon lange hatte Dr. Barth den Wunsch gehegt, die südlichen Provinzen des Nachbarreichs Bagirmi zu bereisen und auch den Hauptzufluß des Tsad, den Schari kennen zu lernen. Obgleich seine Hilfsmittel gänzlich erschöpft waren, so verschaffte er sich doch noch durch Verkauf der entbehrlichsten Gegenstände einige Mittel.

Fest entschlossen, sein Glück noch einmal in einer andern Richtung zu versuchen und dann, falls ihm weitere Mittel nicht zukommen sollten, nach Europa zurückzukehren, trat er, nur ärmlich ausgerüstet, am 4. März 1852 seine Reise an. Dr. Overweg begleitete ihn bis jenseits Ngornu, um von dort aus längs des Tsad nach Maduari zu ziehen.

Bis zur Stadt Yedi führte der Weg über bekanntes Gelände, das erst einen größeren Reiz bot, als man in die Umgebung von Ngala kam. Diese Stadt bot in ihrem Ansehen etwas, wie nichts der Art im Sudan sich vorfindet. Große Lehmwohnungen waren auf hohen Terrassen erbaut worden und besonders merkwürdig nahm sich der Palast des Statthalters aus, der mit seinem gewaltigen Unterbau und seinen hohen Ringmauern einer Citadelle ähnlich sah.

An zerstreuten Städten, die mit ihren Ruinen auf den Verfall des Landes hinwiesen, führte der Weg nach der bedeutendsten

Stadt der Provinz Kotoko, Afade. Darüber hinaus ging es nicht ohne Beschwerde über waldiges und sumpfiges Gelände bis zur Stadt Kala, die ein lieblicher Hain von Feigenbäumen umzog und die die erste Stadt im Gebiet von Logon bildete. Während der beiden nächsten Tage war die Landschaft im Ganzen mäßig bebaut; zu beiden Seiten des Pfads lagen zahlreiche Schnadörfer.

In der Hauptstadt von Logon, Karnak Logon, die unser Forscher nun erreichte, wurde er vortrefflich untergebracht und bewirtet. Von hier aus besuchte er den dicht bei der Stadt vorbeifließenden Logon, den er schon auf seiner Reise ins Mußguland als Serbewuel kennen gelernt hatte, und zog am 16. März weiter durch das Gebiet Logon, das sich durch eine höchst vorteilhafte Lage zwischen zwei beträchtlichen Strömen, die sich an der nördlichen Grenze vereinigen — dem Fluß von Logon im Westen und dem Schari im Osten — auszeichnet. Bald bekam er den prächtigen Spiegel des Schari, den Hauptzufluß des Tsad, zu sehen, der auch die Grenze gegen Bagirmi bildet. Bei der Fährstelle von Mele gelangte er über den etwa 900 Schritt breiten und von hohen Ufern eingesäumten Fluß. Da er vorläufig die Erlaubnis zur Weiterreise aus der Hauptstadt Bagirmis nicht erhalten konnte, so mußte er einen längeren unfreiwilligen Aufenthalt in Mele nehmen. Hier unterrichtete er sich indessen über den Lauf des Schari und dessen Zusammenhang mit dem Fluß von Logon.

Nach acht Tagen kam der nach Massena gesandte Bote wieder in Mele an und überbrachte wenigstens die Erlaubnis zur Weiterreise bis nach der weiter stromaufwärts gelegenen Stadt Bugoman. Dort respektierte aber der Statthalter die Befehle seines Herrn nicht und verbot unserem Reisenden das Betreten der Stadt, so daß diesem nichts übrig blieb, als umzukehren und graden Wegs in der Richtung nach der Hauptstadt weiter zu ziehen, um dann nach Maßgabe der Umstände zu handeln.

Der Weg führte ihn durch eine wohlangebaute Gegend nach dem aus mehreren Gruppen oder Weilern bestehenden Dorfe Bakada, das nur noch zweieinhalb Stunden von der Hauptstadt entfernt war. Der Geleitsmann wurde nach Massena geschickt, um dem Statthalter das Benehmen des Stadtherrn von Bugoman anzuzeigen und zugleich anzufragen, was weiter werden sollte.

Wie schon manchmal bei einem unfreiwilligen Aufenthalt, so lernte auch hier der Reisende einen Mann kennen, der ihm zuverlässige Kunde von der Beschaffenheit und Geschichte des Landes geben konnte.

Nach mehrtägigem Warten kam der Bote aus Massena zurück, aber nicht mit einer bestimmten Antwort; der Reisende solle nur noch geduldig warten, bis der Bescheid des Sultans, der auf einem Zuge nach dem südlichen Teile seines Gebiets begriffen sei, selbst einlaufe. Aber dazu hatte Barth keine Lust; seine Geduld war zu Ende. Am 16. April und auf dem Wege, den er gekommen, zog er wieder nach Mele zurück, wo die Eingeborenen den alten Bekannten freundlich begrüßten.

Doch da ereignete sich am andern Morgen ein seltsamer Zwischenfall. Der Vorsteher des Dorfes trat plötzlich in das Zelt und meldete dem Reisenden, es seien Boten vom Vizestatthalter angekommen, um seine Weiterreise zu verhindern. Barth achtete bei der Unterredung mit dem Ersten des Dorfes nicht darauf, daß mehrere Leute nach und nach ins Zelt geschlichen waren; diese fielen nun mit einem Male über ihn her und legten seine Füße in Fesseln und Hand an sein Gepäck, Chronometer, Kompaß und Tagebuch. Es war wohl ein Glück, daß dies unversehens geschah; denn sonst wäre den Schwarzen doch der Spaß teuer zu stehen gekommen. Erst nach vier Tagen ließ man den Weißen frei, der nun unbelästigt nach Massena ziehen durfte.

Diese Stadt, in einer offenen, mit dem frischesten Grün bekleideten Senkung gelegen, in der die Ruinen von Lehmwohnungen weit verbreitet umherlagen, bot eine trümmerhafte und verödete Erscheinung dar, als sie Dr. Barth am 17. April 1852 betrat.

Ein Vierteljahr verweilte Barth in Massena, wo er mit allen Vorurteilen und mit dem Argwohn einer nur äußerlich zum Islam übergetretenen Bevölkerung zu kämpfen und manches zu erdulden hatte. Trotzdem fand er doch Gelegenheit, die umfassendsten Forschungen sowohl über Bagirmi, dessen Länge nur etwa 60 und dessen Breite nur gegen 38 Meilen betrug und etwa 1½ Millionen Bewohner zählte, als auch über das bedeutende und mächtige östliche Nachbarland Wadai zu machen. Ueber die Bewohner von Bagirmi berichtet er uns, daß sie von stattlicher Figur wären und sich von den plumpen Bornauern nicht bloß durch Größe und Muskelkraft, sondern auch durch Mut und Thatkraft auszeichnen. Ihre Weiber sähen überdies keineswegs so vierschrötig aus, wie die häßlichen Bornauerinnen; sie zeichneten sich vielmehr vor diesen wesentlich durch ebenmäßige Glieder, regelmäßige Züge, angenehmen Gesichtsausdruck, große dunkle, ja mitunter schöne Augen aus.

Manche bemerkenswerte Persönlichkeit lernte unser Forscher hier in Massena kennen und manche Stunde unterhielt er sich mit Faki Sjambo, einem Blinden vom Stamme der Pullo, der über ein für hiesige Verhältnisse erstaunliches Wissen verfügte und schon durch seine äußere Erscheinung und durch seine ausdrucksvollen Gesichtszüge unwillkürlich für sich einnahm. Dieser Mann war nicht nur mit der Litteratur Arabiens völlig vertraut, er kannte sogar die Schriften von Aristoteles und Plato soweit, als sie ihm in arabischer Uebersetzung zugänglich geworden waren!

Endlich, am 3. Juli, nach langem Harren und manchem falschen Gerücht, näherte sich der Sultan der Stadt und hielt unter Entfaltung von schimmerndem Pomp und barbarischer Pracht seinen feierlichen Einzug. Bald darauf ließ er dem Reisenden ein „Willkommen" übermitteln.

Schien nun mit der Ankunft des Sultans die Lage in Massena eine bessere zu werden, so stand unserem Forscher doch ein noch viel freudigeres Ereignis bevor. Ein Bote überbrachte Briefpakete, darunter auch Depeschen von der englischen Regierung, die den Auftrag enthielten, er möge an Stelle des verstorbenen Herrn Richardson das Unternehmen weiter führen, entweder dem alten Plane folgen und nach Osten oder nach Westen, nach Timbuktu hin sein Glück zu versuchen.

Die neuen Beweise von dem hohen Interesse, die man den früheren Resultaten der Expedition geschenkt und die nunmehr erfolgte Sicherung des Fortgangs des Unternehmens steigerten den Enthusiasmus unseres Forschers. Er fühlte seine Thatkraft verdoppelt und brannte vor Eifer, nach Kuka zurückzueilen und die Vorbereitungen für seine letzte große Reise zu treffen.

Sobald als möglich überreichte er dem Sultan Abd el Kader die üblichen Geschenke und erwirkte dabei die Erlaubnis zur Abreise. Freudigen Herzens zog er am 10. August zum Westthor hinaus und über den Schari nach dem Centralpunkt aller seiner Reisen. Dr. Overweg kam ihm entgegen und überbrachte ihm die erfreuliche Nachricht, daß auch die längst erwarteten Gelder eingetroffen seien.

Das Wiedersehen der beiden Reisenden war beiderseits ein recht freudiges, da sie diesmal viel länger voneinander entfernt gewesen waren als je zuvor; nur wurde Barth durch das erschöpfte Aussehen seines Genossen überrascht und zugleich tief betrübt. Dieser hatte, während er in Massena geweilt, eine sehr interessante Reise nach dem südwestlichen Gebirgsland von Bornu ausgeführt, von wo er vor zwei Monaten zurückgekehrt war. Seitdem hatte er viel gekränkelt. Jetzt sehnte er sich nach einer Luftveränderung. Eine Exkursion nach Adjiri am Komadugu von Bornu, etwa vierzehn Meilen westlich von Kuka, sollte Besserung bringen. Zwar sammelte Overweg dort manche wertvolle Notiz, aber er kehrte nicht gestärkt heim. Bei einer kleinen Jagdpartie zog er sich eine heftige Erkältung zu und da er den ernstlichen Rat Dr. Barths, ein schweißtreibendes Mittel zu nehmen, unbeachtet ließ, nahm seine Krankheit mit beunruhigender Schnelligkeit zu. Da er erklärte, er könne in der Stadt nicht genesen und müsse eine Luftveränderung haben, ließ ihn Dr. Barth ganz seinem Wunsche gemäß, nach seinem zwei Meilen von Kuka entfernten Lieblingsorte Maduari schaffen. Aber auch hier trat keine Besserung ein, und am Sonntag, den 26. September, war der wackere Genosse unseres großen Reisenden am Gestade des von ihm befahrenen Central-Afrikanischen Wasserbeckens verschieden.

„Am Nachmittage legte ich ihn in sein Grab: er lag im Schatten eines schönen Hadjilidj und war gegen Raubtiere wohlgeschützt. So starb mein einziger Freund und Gefährte im dreißigsten Jahre seines Lebens, in der Blüte der Jugend. Es war ihm nicht beschieden, seine Reisen zu vollenden und glücklich heimzukehren; aber er fand einen höchst ehrenvollen Tod im Dienste der Wissenschaft."

Tief erschüttert und voll trüber Betrachtungen über seine verlassene Lage, ging Barth in seine altbekannte Behausung zurück. Jeder längere Aufenthalt an diesem Orte erschien ihm aber unerträglich. Deshalb beschloß er, ungesäumt nach Westen aufzubrechen, „um neue Länder zu sehen und mit neuen Menschen in Berührung zu kommen".

Bis nach Timbuktu.

Wohl wissend, welche Gefahren und Mühseligkeiten seiner warteten, faßte Heinrich Barth den heroischen Entschluß, den Versuch zu machen, die so vielseitig besprochene, fast fabelhafte Stadt Timbuktu zu erreichen und über den mittleren Lauf des großen westlichen Flusses Klarheit zu schaffen. Nur wenige Europäer hatten bisher die berühmte Stadt erreicht; aber nur ein einziger, der Franzose Caillié, war nach einer höchst gefahrvollen und anstrengenden Reise wieder heimgekehrt.

Bereits am 25. November 1852 trat der unermüdliche Wanderer mit einer kleinen Schar, unter der besonders seine beiden Diener Mohammed aus Gatron und Abd Allahi hervorragten, seine Reise nach der Stadt Timbuktu an, die zugleich seine größte und berühmteste werden sollte und die, seine Rückkehr nach Europa mit eingeschlossen, fast drei Jahre in Anspruch nahm! Einem Wunsche Scheich Omars zufolge, berührte er die Stadt Kano nicht, sondern nahm seinen Weg durch die nördlicher gelegenen Provinzen Munio und Sinder nach Katsena. In Sinder langte er grade zur Weihnachtszeit an und verweilte hier einige Wochen, um eine längst erwartete Geldsendung von eintausend harten Thalern in Empfang zu nehmen und sich mit allerhand nötigen Artikeln zu versehen.

Am 30. Januar verließ er die Hauptstadt der westlichen Provinz des Bornureichs, passierte jene Lagerstelle der Salzkarawane der Kel-owi, von wo aus er vor zwei Jahren Dr. Overweg in Tessaua besucht hatte und erreichte am 5. Februar die unseren Lesern bereits bekannte Stadt Katsena. Weiterhin durchquerte er die in fortwährendem Krieg zwischen eingeborenen Haussanern und erobernden Fulbe, zwischen Heiden, die ihre nationale und religiöse Unabhängigkeit verteidigten, und fanatischen erst jüngst zum Islam bekehrten Moslemin verwickelte Landschaft Sanfara. In dem bedeutenden Orte Wurno trat der Reisende in freundschaftliche Beziehungen zu dem gegenwärtigen Regenten Aliu, den Großfürsten des großen östlichen Pullo- oder Fellatareichs. Ueber Sokoto erreichte er Gando, die bisher ganz unbekannte Residenz des ebenso unbekannt gebliebenen großen mittleren, am Niger entlang sich ziehenden Pulloreichs, dessen Fürst Chalilu in mönchischer Zurückgezogenheit die Regierungssorgen eines von Aufruhr und Krieg zerrissenen, weitgeschichteten Reiches vergißt. Ueber die in vollem Aufstande begriffenen Provinzen Kebbi und Saberma, zuerst durch die dicht bewohnten und von fruchtbaren, besonders der Reiskultur zugewiesenen, breiten Thalsenkungen durchzogene Landschaften, dann durch dichte Waldungen und das interessante, mit Salz geschwängerte Dumthal Foga marschirend betrat er das weite Gebiet der Sonrhay-Sprache, näherte sich mehr und mehr dem Niger, dessen silberne

Wasserfläche er am 20. Juni zu Gesicht bekam. Der nicht unansehnliche, auf dem rechten Ufer des gewaltigen Stroms liegende Marktplatz Say wurde passiert und der Weg durch völlig unerforschte Länder genommen, die der mächtige Strom mit einer weiten, hoch nach Norden in das Herz der Wüste eindringenden Biegung gegen Westen, Norden und Osten hin umschließt. Durch die hügelige Landschaft Gurma, die von drei verschiedenen Nationalitäten bewohnt wird: den mit den Mosi verwandten Eingeborenen, den früheren Eroberern des Landes, den Sonrhay, und den gegenwärtigen Herrschern desselben, den Fulbe, geht es über den von ausgedehnten unsicheren Waldungen getrennten Fürstensitz Tschampagore und Yaga nach Dore, der Residenz Libtakos und der westlichen Provinz des Reichs von Gando.

Hier vermehren sich die Schwierigkeiten des Vordringens für den Christen, und um seinen Plan, Timbuktu zu erreichen, auszuführen, sah der unerschrockene Reisende sich genötigt, während er bisher nie seinen europäischen und christlichen Charakter verleugnet hatte, sich auf dem weiteren Marsche für einen Araber und Scherifen auszugeben und war unter dieser Maske so glücklich, durch die zum Stamme der Tademekket gehörigen Imoschar oder Tuaregs, die selbst im Süden des Stromes die Weidelande auf weite Ferne in Beschlag genommen, und durch die fanatischen Fulbe von Hamdallahi, die ihre Herrschaft im Süden weit über Timbuktu ausgedehnt hatten, unangefochten hindurchzukommen. Bei Saraiyamo, einem ansehnlichen und an einem Nebenarm gelegenen Orte sich einschiffend, folgte er dem gewundenen Laufe bis zu dem Hafenort Kabara. Von hier aus zog er feierlichst und mit großem Gefolge der Einwohner am 7. September 1853 in die berühmteste aller Städte Innerafrikas ein.

———

Gefährlicher, siebenmonatlicher Aufenthalt in Timbuktu.

Bevor wir mit dem Reisenden Timbuktu betreten, sei die Geschichte dieser berühmten Stadt kurz berührt.

Timbuktu, am Knie des Niger gelegen, wo dieser gewaltige Strom aus einer nordöstlichen Richtung in die östliche übergeht, datiert seine Gründung aus dem Jahre 1100 n. Chr. durch die Tuaregs, legte aber den Grund zu seiner späteren Bedeutung erst nach der Einverleibung in das mächtige Sonrhay-Reich. Dieses Reich entstand im siebenten Jahrhundert nach Christi durch Ssa, der der Tradition nach aus Yemen (Arabien) eingewandert sein soll, in den Uferlandschaften des mittleren Niger um den Mittelpunkt Kukia. Doch bald wurde die Residenz nach dem nahe gelegenen Gogo oder Ga-Rho verlegt, während Kukia seine Bedeutung als Handelsstadt für den Verkehr mit Aegypten und zwar vornehmlich mit Gold und Salz fürs Erste noch beibehielt. Dies geschah alles, bevor zu dem späteren Timbuktu der erste Stein gelegt wurde. — Während so das Reich der Sonrhay schnell an politischer und kommerzieller Bedeutung zunahm, mußte es mit den in den angrenzenden Ländern entstehenden oder bereits in früheren Zeiten gegründeten Reichen in Beziehung treten. So mit dem Königreich Ghanata, das als ältestes Reich in den Nigergegenden ums Jahr 300 n. Chr. entstanden, von den nach Norden herabgedrängten Berberstämmen den Islam annahm, nach wechselvollen Schicksalen aber im Laufe des elften Jahrhunderts dem Stamm der Senagha erlag, der in den westlichen Wüstenlandschaften im zehnten Jahrhundert empor gekommen war. Aber auch in diesen Ländern stürzte ein Reich über das andere. Im Jahre 1233 fiel die Herrschaft der Senagha dem Reich von Melle am oberen Niger zur Beute, dessen größter König Mansfa-Muß (von 1311—1331) auch das Reich Sonrhay samt seiner Hauptstadt Gogo in seine Gewalt brachte und mit ihm zugleich Timbuktu, das zwei Jahrhunderte seit seiner Gründung ohne jede Bedeutung geblieben war. Den Verlust an politischer Freiheit, deren sich die Stadt bisher ihrer Abgeschiedenheit halber am Rande der Wüste erfreut hatte, ward ihr jedoch reichlich durch die Zunahme ihrer kommerziellen Bedeutung ersetzt, zu der zu jener Zeit der erste Grund gelegt wurde. Selbst das alte Ghanata wurde bald von ihr überflügelt, und im Jahre 1373 wurde Timbuktu zuerst in Europa bekannt, indem es in dem spanischen Kartenwerk Mappamondo Catalan als Timbutsch aufgeführt ward. Namentlich für Gold und Salz blieb Timbuktu in den folgenden Jahrhunderten das Hauptemporium, und diese Bedeutung behielt die Stadt trotz der zahlreichen politischen Wirren, unter denen vor allem der Untergang des Reiches Melle und das Emporkommen und der Fall einer Neben-Dynastie der Sonrhays unter Ssonni Ali, „dem großen Tyrann und berüchtigten Bösewicht“, sowie das Behaupten der Herrschaft durch einen Eingeborenen Sonrhays, den Hadj Mohammed Askia, ums Jahr 1500 das Bedeutsamste war.

Dieser Fürst, unzweifelhaft der größte Regent, den das Negerreich zu allen Zeiten hervorgebracht hat, stand noch zur Zeit der Reisen Dr. Barths in der besten Erinnerung bei den gelehrtesten Mohammedanern, und seine Grabstätte in der Moschee zu Gogo, die der Forscher auf der Rückreise von Timbuktu besuchte, galt noch zu jener Zeit als besonders heiliger Ort. Auch ihm verdankte Timbuktu, in dessen Nähe der Herrscher oft und lange weilte, einen großen Teil seiner späteren Bedeutung.

Während der Kämpfe des nächsten Jahrhunderts, die mit dem Untergange des gewaltigen Sonrhay-Reiches endigten, und die es nebst seinen Nachbarländern zu einer Provinz des marokkanischen Kaiserreichs erniedrigten, spielte Timbuktu wiederholt eine hervorragende Rolle, nicht nur als Handelsplatz, sondern auch als Mittelpunkt des Nationalgefühls und der Begeisterung für Freiheit und Unabhängigkeit. So ward in der Stadt fast der letzte Kampf des sinkenden Sonrhay-Reiches gegen die andringende marokkanische Herrschaft geführt, der aber mit dem

Brande der ganzen Stadt ein trauriges Ende nahm, und bei dem fast die gesamte Bevölkerung hingemordet wurde. Doch schnell erhob sich die Stadt wieder aus der Asche, Dank seiner günstigen Lage am Rande der Wüste und an den Ufern des mächtigsten Stromes Nordafrikas.

Besonders glänzte Timbuktu zu jenen Zeiten als Brennpunkt der Wissenschaft und als Sitz des religiösen Lebens, wie sie denn auch die Heimat des gelehrtesten Mannes im siebzehnten Jahrhundert, des Ahmed Baba war, der unter dem Titel „tarich e Ssudan“ die erste Geschichte jener Länder verfaßte. Die Bibliothek Timbuktus war eine der größten, die man in der damaligen Welt kannte, und keine Stadt besaß so stattliche Moscheen und massive Gebäude als sie. So groß daher auch das Unglück war, das Timbuktu mit dem Untergange des gewaltigen Sonrhay-Reiches betraf, so trug dies doch gleichfalls viel zu seiner höheren Entwicklung bei; denn je mehr die alten Königsstädte Gogo und Ghanata versanken, desto mehr stieg Timbuktu, dem marokkanischen Reiche so nahe gelegen, zu Ansehen und Reichtum, zu politischer und kommerzieller Bedeutung empor.

Leider legte der Mangel an geregelten politischen Zuständen schließlich den Grund zum Niedergange dieser bedeutenden Stadt. Die Ruma, ein Mischlingsstamm, hervorgegangen aus marokkanischen Soldaten und Eingeborenen, rissen für einige Zeit die Herrschaft an sich, wurden aber durch die Tuaregs, die Bewohner der mittleren Sahara, wieder gestürzt, zu einer Zeit, zu der das Eindringen der mohammedanischen Fellatas, oder Fulahs von Senegambien aus auch diesen bereits mit Untergang drohte. Endlose Streitigkeiten und Kämpfe zwischen diesen Stämmen nahmen die erste Hälfte unseres Jahrhunderts ein, und die Wirren wurden nur noch vermehrt, als im Jahre 1831 der Scheich der Ghadamssier El Muchtar, der ältere Bruder El Bakays, seine Residenz aus Asauad nach Timbuktu verlegte. Schließlich wurde durch dessen Vermittlung eine Einigung dahin getroffen, daß Timbuktu den Fellatas unterworfen sein solle und an sie Abgaben zu zahlen habe. Doch betrieben gleichzeitig die Tuaregs fortwährend Erpressungen von den unglücklichen Bewohnern, die zudem noch dem Scheich El Bakay für seinen hervorragenden Schutz reichliche Geschenke darzubringen hatten. Diese trostlosen Zustände werden erst dann ein Ende nehmen können, wenn eine starke Regierung die Herrschaft über die Stadt in einer Hand vereint.

Was nun die Stadt selbst anbelangt, so wichen die Angaben der Geographen über ihre Lage um Hunderte von Meilen ab, und erst durch Barths Expedition wurde ihre Position auf 17° 37' n. Br. und 3° 5' w. L. v. Gr. angesetzt. Sie liegt zwei deutsche Meilen vom Flusse entfernt, und ihr Umfang beträgt anderthalb Stunden. Die Häuser sind alle in guter Verfassung und zum überwiegenden Teil aus Thon aufgeführt, selbst mit architektonischen Verzierungen geschmückt. Einige zeigen zwei Stockwerke und auf dem flachen Dach ein Dachzimmer, den Lieblingsaufenthalt der Bewohner. Die Straßen sind regelmäßig gebaut und sauber gehalten; doch an freien Plätzen mangelt es sehr. Oeffentliche Gebäude sind übrigens nur die drei Moscheen, von denen der Forscher später das Glück hatte, die größte Djingere-ber zu besuchen. Vor allem fällt übrigens in der Stadt die große Armut an Bäumen auf, die noch von der Eroberung durch den Feldherrn des Kaisers von Marokko im Jahre 1590 herrührt, bei welcher Gelegenheit alle Bäume zum Bau einer Flotte gefällt wurden. Nur wenige Hadjilidj und vereinzelte Palmengruppen ragen einsam empor.

Die Volkszahl in Timbuktu schwankt wegen des wechselnden Fremdenverkehrs, der mitunter, besonders vom November bis Januar 10000 Fremde herbeiführt, ganz außerordentlich; wirklich Angesessene gab es damals wohl kaum mehr als 13000.

Dr. Barth hatte also in den ersten Tagen des September die „Königin der Wüste", die vielherrscherige und in Parteiungen zerrissene Stadt betreten. Sein späterer Beschützer Scheich El Bakay war noch nicht anwesend; wohl aber dessen persönlicher

Feind und Nebenbuhler Hammadi, der einflußreichste Mann in der Stadt. Von diesem und den Fellatas gingen dann auch bald Gefahren und Drangsale aller Art aus, die der schutzlose Forscher ruhig dulden mußte. Auch der arglistige Sfidi Alauate, bei dem Barth Unterkunft gefunden, vermehrte seine Sorgen täglich und das nur, weil Barth seine unersättliche Habgier nach Geschenken, nicht wie er wünschte, befriedigte.

Aber das Eintreffen des Scheichs selbst vermochte nicht immer die Gefahren, die dem Europäer auf Schritt und Tritt umgaben, völlig abzuwenden. Ahmed el Bakay, der Sohn Sfidi Mohammeds und Enkel Sfidi Muchtars vom Stamm der Kunta, war der Mann, auf dessen alleinigen Beistand und Schutz hoffend, Barth es gewagt hatte, die Stadt Timbuktu, diese Burg des Islam, zu betreten, wo er als Christ und Kafir (Ungläubiger) tausend Gefahren unter der fanatischen Bevölkerung der Stadt ausgesetzt war, die seit dreißig Jahren zum ersten Mal wieder einen der verhaßten Europäer zu Gesicht bekam. Mord und Verrat umgaben den Forscher während der acht Monate seines unfreiwilligen Aufenthaltes in Timbuktu Tag und Nacht, aber nichts vermochte die eiserne Ausdauer des unbeugsamen Mannes zu erschüttern.

Am 27. September 1853 hatte Barth die erste Audienz beim Scheich, und schon in dieser erkannte er, einen wie zuverlässigen Freund und Beschützer er an jenem gefunden. Im Anfang der fünfziger Jahre stehend und mit klugen, fast europäischen Gesichtszügen empfing El Bakay den Europäer mit aufrichtiger Freundschaft, und bald verband trotz der Verschiedenheit der Nationen und des Glaubens wahre Zuneigung diese beiden Männer. Besonders das Schicksal des Major Laing, jenes unglücklichen Briten, der im Jahre 1826 von Tauat aus unter den größten Gefahren bis Timbuktu vorgedrungen war, aber nach seiner Ausweisung aus der Stadt durch die Fulbe auf der Rückkehr überfallen und erdrosselt wurde und den der Vater des Scheichs damals in der edelsten Weise bis zu seinem Tode gepflegt hatte, war für Beide ein gleich interessanter Gesprächsstoff. Später wurden vor allem die Beziehungen der mohammedanischen Religion zu der christlichen erörtert und Barth lernte dabei die Objektivität seines Freundes, der von allem fanatischen Haß gegen Andersgläubige frei war, schätzen und ehren.

Schon in den nächsten Tagen hatte Dr. Barth den Schutz und die Hilfe seines neuen Freundes gar sehr von nöten. Am 1. Oktober traf nämlich vom Herrscher von Massina, dem Oberherrn der Stadt Timbuktu, der Befehl ein, den Christen ganz in derselben Weise, wie es mit dem früheren (Major Laing) geschehen, aus der Stadt zu jagen, und ein Aufruf des erwähnten Hammadi an die Fulbe unterstützte dieses Gebot auf das Kräftigste. Zudem litt die persönliche Sicherheit des Forschers noch durch ein weiteres Ereignis, nämlich durch einen gewaltigen Gewitterregen, der die ohnehin hinfällige Wohnung unter Wasser setzte und eine Wand fast völlig hinwegriß. Dr. Barth schlief infolgedessen nie anders als mit geladenen Pistolen im Gürtel, zumal da jener Schaden nur unvollkommen wieder ausgebessert werden konnte.

Um den täglichen Angriffen und Widerwärtigkeiten der fanatischen Bevölkerung zu entgehen, und um seinen Freunden, den Hauptstämmen der Imoschar näher zu sein, siedelte der Scheich mit seinem Schützling in ein befestigtes Lager vor der Stadt über. Dort verlebte unser Forscher denn auch einige Tage in Ruhe und Sicherheit mitten in dem bunten Lagerleben, allein der Erholung und Stärkung seiner angegriffenen Gesundheit sich hingebend. Aber die Rückkehr nach der Stadt unterbrach diese glückliche Abwechslung nur zu bald, und alles gestaltete sich nach derselben wie zuvor.

An Abreise von Timbuktu war bei solch drohendem Verhalten der Bewohner natürlich fürs Erste nicht zu denken, zumal da Barth den kürzeren Wegen nach Norden und Westen zur Küste des Meeres den längs des Niger bis Sai vorzuziehen gewillt war; diese Gegenden boten aber noch bei weitem größere Gefahren als die Karawanenwege nach der Küste.

Ein Ausflug nach dem südlich gelegenen Kabara, den der Scheich, um seine Macht gegenüber den feindlichen Fellata zu zeigen, in dieser Zeit mit seinem Schützling unternahm, brachte diesem wenigstens etwas Abwechslung und zugleich Belehrung über die Bodenverhältnisse der Umgegend; aller Orten hatten die Regen des September und Oktober bereits ihren günstigen Einfluß hervorgerufen. Auf dem Rückwege wurde auch der Moschee Djingere-ber ein Besuch abgestattet, die ums Jahr 1300 von einem spanischen Mauren aus Granada aufgeführt, mit ihrer Länge von 267 Par. Fuß und einer Breite von 194 Fuß ein stattliches und gewaltiges Gebäude darstellt.

Das drohende Benehmen der Fellatas hielt unseren Forscher auch während des Monats Oktober in der Stadt und im Lager zurück, und wenn auch der Verkehr mit dem Scheich und anderen Stammesangehörigen der Amo-schrah an Abwechslung und Belehrung stets Neues bot, so machte der Mangel an geistiger Beschäftigung sich bei dem regsamen Barth auf die Dauer doch drückend bemerkbar. Und doch schienen die Verhältnisse sich trotz des langen Zauderns und Wartens nur noch ungünstiger gestalten zu wollen; denn im Süden entbrannte der alte Kampf der Auelimmiden gegen die Fellatas wieder aufs neue, und auch im Norden entstanden kriegerische Verwicklungen. Zudem rüsteten sich die zahlreichen Feinde unseres Forschers in der Stadt selbst zu einem entscheidenden Angriff, so daß der Scheich es für geraten hielt, den befreundeten Stamm der Tademekket zu seiner Unterstützung herbeizurufen. Da inzwischen die Zeit der Märkte und Handelsgeschäfte herangekommen war, und zahlreiche Fremde in Timbuktu erschienen, wurden auch die Feinde des Dr. Barth bedeutend vermehrt, und es schien, daß es nicht ohne Blutvergießen abgehen sollte. Waren doch auch die Berabisch, die den Europäer zu töten geschworen hatten, unter der Führung des ältesten Sohnes Hamed Ueled Abedas, des anerkannten Mörders des Major Laing, in der Stadt eingetroffen. Nur durch ein Wunder, scheint es fast, wurde Dr. Barth nicht der Mittelpunkt eines blutigen

Kampfes; denn jener Führer der Berabisch starb plötzlich eines unerwarteten Todes, und die abergläubische Bevölkerung brachte dies Unglück mit der Frevelthat des Vaters in Verbindung. Auch die Berabisch selbst, die geschworen hatten, den Fremdling zu töten, wurden durch jenes Ereignis sehr bestürzt und suchten die Freundschaft des Scheichs El Bakay zu gewinnen. So konnte Dr. Barth das Ende des Jahres 1853 in froherer und gesicherterer Lage verleben und seine geschädigte Gesundheit für die Rückreise stärken, zu der nun allmählich auch Aussicht sich zeigte.

Da die Regenzeit den Niger inzwischen bedeutend geschwellt hatte, bot die Umgegend der Stadt bald ein interessantes und eigenartiges Bild dar. Allenthalben durchzogen Ströme und Wasserbäche das vor kurzem noch so wüste und sandige Land, und grünendes Weideland, mit Akazien bestanden, bot Ziegen und Schafen hinreichende Nahrung.

Ueberhaupt machte Barth betreffs der vom Niger ausgehenden Ueberschwemmungen recht interessante Wahrnehmungen. So beobachtete er, daß dieser Fluß in seinem mittleren Laufe jedes Jahr bis Ende Januar steigt und erst im Februar zu fallen beginnt, der untere Niger hingegen seinen höchsten Wasserstand im August und September erreicht und ganz wie der Nil erst in der ersten Hälfte des Oktober wieder abnimmt. Die vielfachen und großen Windungen neben der bedeutenden Länge des gewaltigen Stromes und die Schnelligkeit seines Laufes scheinen dieses eigentümliche Verhalten einigermaßen erklären zu können.

Die ersten Monate des Jahres 1854 in Timbuktu.

Die ersten Monate in Timbuktu verflossen für unseren Forscher in Eintönigkeit und Ungeduld. Ausflüge ins Gebiet der Ueberschwemmungen wechselten mit dem Aufenthalt im Lager und in der Stadt ab, und die Ankunft des älteren Bruders des Scheichs brachte des Interessanten genug.

Wohl ging die Zeit der „schwarzen Nächte" und des Steigens des Niger vorüber, aber die Stunde der Abreise für unseren Forscher wollte trotz all seines Drängens noch immer nicht kommen. So verging die Zeit bis zum April unter beständigen Beratungen mit dem Scheich und seinen Verwandten, unter wiederholten Angriffen der Fellatas und unter oft drohender Gefahr. Während der letzten vier Wochen hatte Barth seinen Aufenthalt beständig im Lager vor der Stadt, wie sich dies nach den Vorgängen am 13. März als notwendig herausgestellt hatte.

In den letzten Tagen des Februar war nämlich eine Gesandtschaft von Hamd-Allahi, dem Herrscher von Massina, eingetroffen, mit dem wiederholten Befehl an den Kadi, endlich mit Energie gegen den Europäer aufzutreten und ihn kurzer Hand aus der Stadt zu jagen. Eine zahlreiche Schar zu Fuß und zu Roß nebst einigen Musketieren machte diese Aufforderung noch gewichtiger. El Bakay und seine Verwandten verkannten denn auch die ernste Wendung der Angelegenheit nicht und thaten ihrerseits die nötigen Schritte. Bald ward der Palast des Scheichs in ein bewaffnetes Heerlager verwandelt, und aufs Schnellste wurde der Stamm Kel-Ulli, der dem Scheich tributpflichtig war, zur Hilfe entboten. Schon in den nächsten Tagen langte eine Schar von sechzig Kriegern an und hielt ihren Einzug in die Stadt. Doch auch diese Unterstützung schien gegenüber den zahlreichen Feinden noch keineswegs zu genügen, und El Bakay rief daher auch den Heerbann der Anelimmiden zur Verstärkung herbei. Leider verzögerte sich deren Ankunft von Tag zu Tag, und schließlich blieb diese Hilfe ganz aus, da im eigenen Gebiet kriegerische Verwicklungen entstanden waren.

Das ganze Land war also des einzigen Europäers wegen in Aufruhr versetzt, aller Orten wurde die Kriegstrommel gerührt und Roß und Reisige zusammengezogen. Aber selbst dem eigenen Bruder schien es nun fast zu viel des Interesses für den Ungläubigen, und mehr und mehr wurden auch im eigenen Lager Stimmen laut, die rieten, sich des gefährlichen Gastes doch so bald wie möglich zu entledigen. Doch der Scheich hielt an seinem gegebenen Wort und dem zugesagten Schutz fest, zumal er es grade jetzt für eine Ehrensache ansah, den Fellatas nicht nachzugeben.

Der 13. März sollte der denkwürdigste Tag für Barth werden. Die Nachricht, daß der Scheich von allen Seiten Kriegsvölker nach der Stadt rufe, hatte allmählich die Erbitterung der Bewohner dermaßen gesteigert, daß an dem erwähnten Tage in einer Volksversammlung der feierliche Beschluß gefaßt wurde, den verhaßten Eurapäer zu töten und zwar dies sogleich auszuführen. Nur mit knapper Mühe vermochte unser Forscher aus der Stadt zu entrinnen und mit Hilfe des Bruders des Scheichs das Lager zu erreichen. Dies ward sogleich alarmiert und die Scharen des Scheichs in Schlachtordnung aufgestellt. So brach die Nacht herein, die schrecklichste wohl, die unser Forscher in jener bewegten Zeit durchleben mußte. Von einer Schar Kel-Ulli umgeben, kaum vor seinen Freunden sicher, mußte er jeden Augenblick ein schreckliches Blutvergießen seinetwegen erwarten, und dabei war der Ausgang des drohenden Kampfes für die Anhänger des Scheichs mehr als ungewiß; denn grade jetzt traf die Nachricht ein, daß der Heerbann der Auelimmiden keinesfalls zu El Bakay stoßen werde. Um so mehr bemühte sich Barth selbst auf das Lebhafteste, eine friedliche Lösung herbeizuführen und bestürmte den Scheich, selbst auf alle irgend annehmbaren Forderungen der Fellatas einzugehen. Endlich gab El Bakay seinem Drängen nach, und unter der Zusage, daß der Europäer die Stadt nicht mehr betreten, sondern sich fernerhin im Lager aufhalten werde, zog er seine Scharen tief in der Nacht nach ihren Lagerplätzen zurück.

Die lange Zeit der Unthätigkeit, zu der sich Barth auf diese Weise verurteilt sah, suchte er mit Erforschung der Gewerbsthätigkeit und der Handelsverhältnisse Timbuktus nach Möglichkeit auszufüllen. Vor allem ward bald zu bemerken, daß die Stadt allein durch Vermittlung fremden Verkehrs, nicht durch eigene Erzeugnisse ihre kommerzielle Bedeutung zu behaupten imstande wäre; denn fast alle Lebensbedürfnisse für die Bewohner mußten auf dem Niger herbeigeführt werden. Selbsthergestellt wurden an industriellen Erzeugnissen nur einige Lederarbeiten und Goldschmiedeartikel und in dem benachbarten Fermagha wollene und baumwollene Decken und Teppiche. Auch die Weberei, die in früheren Zeiten in größerem Maßstabe betrieben wurde, ward in der Neuzeit fast völlig aufgegeben.

Als Hauptartikel des Zwischenhandels, der über Timbuktu geleitet wird, ist das Gold und das Salz in erster Reihe zu nennen, von denen jenes vom oberen Niger und Senegal, dieses von den Salzminen von Taodenni eingeführt wird; ferner die Kolanuß, die die Stelle des Kaffees bei den Eingeborenen vertritt, aber roh genossen wird.

Von Bodenerzeugnissen erscheinen auf dem Markte von Timbuktu vor allem Reis und Negerkorn, neben einer Art Butter aus den Früchten der Bassia butyracea. Als Haupthandelsstraße wird der Karawanenweg nach Marokko benutzt, für welchen wieder Ssuera oder Mogador als Hafenplatz dient. Uebrigens sind die meisten Kaufleute von Timbuktu nicht selbständige Händler, sondern nur Vertreter und Beauftragte von Handelsherren in Ghadames, Ssuera, Marokko und Fez, wobei zu bemerken ist, daß außer den örtlichen Schwierigkeiten die Konkurrenz englischer und französischer Kaufleute eine größere Ausdehnung des Handelsverkehrs hintanhält.

Mißlungener Versuch der Abreise.

Am 19. April 1854 war denn endlich der denkwürdige Tag gekommen, an dem der Scheich dem beständigen Drängen seines Freundes nachgab und mit ihm die Abreise von Timbuktu antrat. Nur schwer trennte sich der gemütvolle Mann von dem Kreise seiner Familie, an der er mit gradezu patriarchalischer

Liebe hing; war doch diese einer der Hauptgründe gewesen, weshalb die Reise immer aufs neue hinausgeschoben ward, und Barth war während des langen Aufenthalts im Lager oft Zeuge rührender Familienbilder. Uebrigens haben die Amor-Schar, wie auch die Tuaregs, nur ein Weib; diese gehen unverhüllt einher und nehmen auch sonst keineswegs eine untergeordnete Stellung in der Familie ein. Ihre Sitten sind im Allgemeinen gute, zumal harte Strafen auf Ehebruch verheirateter Frauen, nämlich die Steinigung, gesetzt ist.

Der Zug setzte sich also am 19. August in Bewegung und rückte, wenn auch langsam, vorwärts, und Barth war schon froh, daß man überhaupt aufbrach und man endlich die verhaßte Stadt im Rücken hatte. Der Weg ging den Uferlandschaften des Niger zu, jenen Landstrichen, die je nach der Jahreszeit einen so ganz verschiedenen Anblick gewähren. Während der Ueberschwemmungszeit ist dieses Gebiet, das sich südlich von Kabara wohl zwölf deutsche Meilen ausdehnt, völlig unter Wasser gesetzt, im Sommer aber bieten seine Niederungen mit ihrem reichbefruchteten Sumpfboden ausgezeichnetes Weideland dar. Bei Ernesse ward das Lager eines Tuareg-Stammes, der Kel-n-Nokunder, erreicht und weiterhin ein solches der Kel-Ulli, eines Stammes, der unserem Forscher in den gefährlichsten Tagen in Timbuktu so oft schützend zur Seite gestanden hatte. Bei den Tantilit und ihrem Häuptling Uorhdah vorbei, ging es weiter den Windungen des Niger entlang zum Orte Iseberen, wo aus Timbuktu eintreffende Nachrichten des dort als Stellvertreter zurückgelassenen Sidi Mohammeds und politische Verwicklungen den stets zögernden El Bakay zur Rückkehr nach Timbuktu bestimmten. Es ging also kaum vierzehn Tage nach dem Aufbruch in Timbuktu wieder rückwärts den Orten zu, die unser Forscher vor wenigen Tagen für immer verlassen zu haben geglaubt hatte.

Zum weiteren Unglück brachen auch bereits die Vorboten der Regenzeit in diesen Gegenden herein, und die Sumpfniederungen waren an den tieferen Stellen bereits unpassierbar geworden.

Nur mit banger Sorge hatte unser Forscher den Rückweg nach Timbuktu angetreten, wußte er doch voraus, daß bei seinem zweiten Betreten der Stadt aufs neue unabsehbare Schwierigkeiten und Gefahren für ihn entstehen würden, und kaum ließ sich hoffen, daß er ihnen diesmal mit gleichem Glücke entgehen würde. Mit Freuden begrüßte er daher die Erlaubnis des Scheichs, mit seinem Neffen und dem größeren Teile seiner Schüler und des Gefolges im Lager der Kel-n-Nokunder in Ernesse zurückzubleiben und dort die Rückkehr des Scheichs abzuwarten. Doch ließ sich hoffen, daß diesmal El Bakay schneller aus Timbuktu sich losreißen werde, da Tiko, seine vortreffliche Leibköchin, die der behagliche Herr nicht lange zu entbehren vermochte, im Lager zurückblieb.

Die Zeit bis zur Rückkehr des Scheichs benutzte Barth, den Lauf des Niger und die Verhältnisse der Ueberschwemmungsgebiete zu studieren, und von den befreundeten Iguadaren über Land und Leute der Umgegend Erkundigungen einzuziehen. Er konnte auf diese Weise viel des Interessanten und Neuen erfahren, wie es den Forscher denn vor allem interessierte, aus gewissen Anzeichen eine Verwandtschaft der berberischen mit den kanaanitischen Völkerschaften annehmen zu können.

Wirkliche Abreise.

Schon am 17. Mai traf übrigens die Nachricht ein, daß der Scheich bereits wieder zurückgekehrt und in der Nähe sei, und voller Jubel ging es ihm entgegen. Die Freude Barths wurde noch erhöht, als El Bakay ihm Briefe aus Europa überbrachte, unter denen die Nachricht, daß ihm in Dr. Vogel ein neuer Gefährte erstehen werde, der ihm bereits entgegeneile, und daß Hoffnung vorhanden sei, jenen in Bornu anzutreffen, die

Ungeduld des Forschers, den Weitermarsch nun schleunigst anzutreten, nur noch erhöhte. Waren doch seit dem Aufbruche in Timbuktu bereits volle vier Wochen verstrichen.

Im Allgemeinen nördlich der Flußniederung ging der Weg durch die Gegend von Zieberen und bei zahlreichen Seitenarmen und Sümpfen dahin, meist durch unbewohntes Land. So wurde am 22. Mai gegenüber dem Städtchen Rhergo gerastet, dessen Bewohner Sonrhays sind und die Entstehung ihres Ortes noch vor die von Timbuktu zurückverlegen. Ihr Gewerbe ist vor allem die Viehzucht und die Gänsezucht, und zahlreiche dieser Vögel bevölkern die ganze Umgegend.

Der Weitermarsch fand besonders an den zahlreichen Hinterwassern und Nebenarmen des Niger bedeutende Hindernisse und Verzögerungen, und oft mußten weite Sümpfe halb durchwatet, halb durchschwommen werden. Erst als Bamba in Sicht kam, wurde der Untergrund fester, und Tabaksfelder neben Weizenbeeten und Gerste kündigten kultiviertere Landstriche an. Auch die seit so langer Zeit nicht beobachteten Dattelpalmen traten wieder auf und boten in Gruppen vereint neben prächtigen Tamarinden einen malerischen Anblick. Was den Ort Bamba selbst betrifft, so war seine Bedeutung in früheren Jahrhunderten offenbar eine weit größere, wie er denn auch in der Geschichte Sonrhays des öfteren erwähnt wird.

Die Lage dieser Stadt ist nämlich eine recht günstige, da von jener Stelle an der Niger in ganz andere Bodenverhältnisse eintritt. Denn während der gewaltige Fluß stromaufwärts in einem oft meilenweiten Bett zwischen flachen und sumpfigen Ufern dahinströmt, treten bei Bamba hohe und abschüssige Felsen an sie heran und engen den Lauf von da an stromabwärts meist auf 900—1000 Schritte ein. Für die Beschiffung des Flusses ist also die Stadt von außerordentlicher Bedeutung.

Die Bevölkerung von Bamba besteht zum größten Teil aus Ruma, jenen Mischlingen, die aus den Ehen marokkanischer Soldaten mit den Weibern der Eingeborenen hervorgegangen sind; doch haben sie unter den Angriffen und Brandschatzungen der umwohnenden Tuaregs beständig zu leiden, und selbst Ahmed Baba, ein Bruder El Bakays, der meist in der Stadt seinen Wohnsitz hat, vermag nicht mehr Schutz zu gewähren. So traf man denn dort mehrere Glieder der edlen Kunta-Familie an, die unserem Forscher alle mit gleicher Freundschaft entgegenkamen. Die Nachkommen der einst so gefürchteten Ruma betrieben vor allem den Tabaksbau, wie denn der Tabak von Bamba weithin im Lande gesucht ist; sind doch überhaupt alle Anwohner des Stromes, Männer wie Frauen, leidenschaftliche Raucher.

Von Bamba aus näherte sich die Karawane einer sehr bemerkenswerten Stelle im Laufe des Niger, nämlich seinem nördlichsten Punkte, der also nicht, wie bis dahin angenommen wurde, bei Timbuktu sich befindet, sondern erst dreißig Meilen östlich von dieser Stadt, und von wo aus sich der Strom auf seiner nordnordöstlichen Richtung nach Ostsüdosten wendet.

Beim Eintritt in das Gebiet der eigentlichen Auelimmiden, der Heimat der Kuntas und El Bakays, trat der Fluß in felsigen Grund und Boden über, durch den er weiterhin seinen Lauf verfolgt; so trägt eine mit Granitblöcken völlig umschlossene Insel aus diesem Grunde den Namen „Eingangsfels“.

Nur langsam rückte der Zug längs des gewaltigen Strombettes vor, dessen Wassermassen seit dem Eintritt in die felsige Landschaft oft durch zahlreiche Inseln und Felsen zu mächtigen Stromschnellen zusammengedrängt werden. Bei einem derartigen Platze Tin-scherifen, mußte auf den Scheich mehrere Tage gewartet werden, da dieser aus futterreicheren Gegenden frische Kamele herbeischaffen wollte. Dr. Barth benutzte diese Zeit, um über den Strom, der grade an jener Stelle ein ungemein interessantes Bild bot, sich nach Möglichkeit zu orientieren. Außer zwei mächtigen Felsen, Schabor und Barror, „das eiserne Thor“, brachen zahlreiche Inseln die Gewalt der Wassermassen, und auf einer derselben ragte eine gewaltige Felsmasse aus schneeweißem

7*

Quarz in die Lüfte. Mit den Bewohnern der Gegend vom Stamme Kel-e Essuk, trat Barth bald in freundschaftlichen Verkehr, und erhielt sogar den Besuch einer Häuptlingstochter Nassaru nebst ihren Gespielinnen. Wenn auch die Frauen dieses Stammes wohl höher stehen als die der benachbarten Tademekka, so war doch auch das Benehmen dieser Damen frei genug, und die Pfeife wanderte beständig bei Männern und Frauen umher. Die aus Seidenstreifen zusammengesetzten Gewänder wurden zur Erhöhung des Eindrucks des öfteren über den Kopf hinaufgeschlagen, und voller Freude fragte Nassaru den Doktor, ob er sie heiraten wolle. Barth fand dies bedenklich, zumal da seine geschwächten Kamele die Last der wohlbeleibten Jungfrau zu schmerzlich empfunden hätten.

Auch von Mungo Park, dem rätselhaften Engländer, der fünfzig Jahre vorher den Niger aufwärts in jene Gegenden vorgedrungen war, und von dem noch viele ältere Leute zu erzählen wußten, erhielt Barth in Tin-scherifen Kunde und ward ihm bestätigt, daß jener unfern des Ortes erschlagen worden wäre.

Eine ähnliche Erscheinung wie das erwähnte eiserne Thor bot sich am nächsten Tage eine Meile stromabwärts bei „To-sse“, wo der gewaltige Strom auf eine Breite von nicht mehr als 200 Schritt eingeengt wird. Wie hinderlich derartige Unterbrechungen des Stromlaufes für die Schiffahrt sein müssen, liegt auf der Hand.

Hinter einer großen Insel, Adar-n-haut, die der Fluß mit zwei gewaltigen Armen umgreift, wurde endlich das Knie von Burrum erreicht, jener Punkt, wo der Strom sich nach Südosten wendet und diese Richtung von dort an beibehält. Dieser Punkt liegt fast unter derselben geographischen Breite von 17° 30' wie die Umbiegung des Flusses südlich von Timbuktu, wo er aus einer nördlichen in eine östliche Richtung übergeht, so daß also der Lauf des Niger zwischen jenen beiden Orten, deren ungefähre Entfernung drei Längengrade beträgt, fast genau eine westöstliche ist. Auch weiterhin fanden sich viele bewohnte Inseln im Fluß, dessen Breite einundeinhalb Stunden betragen mochte; zum ersten Male bemerkte unser Forscher auch ein Fahrzeug, das von Gogo nach Bamba unterwegs war. Jene Gegend war einst der Hauptsitz der Sonrhays, und von dort aus erfolgten die ersten Beziehungen nach Aegypten hinüber. War doch auch der Haupthandel von Gogo stets nach Aegypten gerichtet, und Ssuk im Berberstamme der Tademekka gelegen, ist wohl als erste Station auf dem Wege dorthin gegründet worden.

Die Umgehung des Knies von Burrum nahm drei Tage in Anspruch, dann ging es über einen Gürtel sumpfigen Wiesenlandes hinweg dem Gebiet der Tin-ger-egedesch zu. Auch dieser Stamm war seiner Zeit mit Mungo Park in feindliche Berührung gekommen, und es bedurfte vieler Mühe, die Leutchen zu überzeugen, daß Barth kein wildes Tier („tanakaßt") sei, denn dafür hielten sie den wackeren Europäer.

Nur noch vier Tagemärsche, gegen elf deutsche Meilen, trennten die Karawane noch von Gogo, der früheren Hauptstadt des alten Sonrhayreiches. Im Osten erschien bereits die Bergkette Asegarbu, die Grenzscheide gegen die Gebirgslandschaft Aderar, der eigentlichen Heimat der Auelimmiden. Auch stellten sich bereits Sonrhays und Rumas ein, vom Stamme der Ibanadsiten, deren Auftreten und Ausstattung übrigens schon auf den Verfall der einst so mächtigen Stadt hinwiesen. Endlich traten die Anzeichen bewohnterer Gegenden mehr und mehr hervor; mit Negerhirse bestelltes Ackerland, Tabakspflanzungen und Reisfelder dehnten sich aus. Durch diese arbeitete sich der kleine Zug vorwärts, wahrlich ein buntes Bild. Zu Pferd oder Kamel, zu Esel oder zu Fuß strebten die Einzelnen in der glühenden Sonne dahin, Araber, Sonrhays und Tuaregs, die Einen mit Feuergewehren, die Andern mit Spießen bewaffnet, barhäuptig oder mit roten Mützen, diese in blaue, jene in weiße Hemden und Tücher gehüllt. So hielt man am Vormittag des 19. Juni den Einzug in ein ärmliches Dorf Gogo, einst die berühmte Hauptstadt des großen Negerreiches der Sonrhay. Vom Niger ist von Gogo aus nichts anderes als ein blind endigender Nebenarm zu sehen, zwischen welchem und dem Hauptstrom eine weite Niederung sich hinzieht. Ein Ausflug, den El Bakay in politischen Angelegenheiten zu einem benachbarten Stamm der Gabero unternehmen mußte, gab unserem Forscher Gelegenheit, auch diesen Stamm der Fellatas kennen zu lernen. Ihre Tracht bot im Allgemeinen nichts Neues gegenüber der ihrer westlichen Brüder, und die Kleidung der Frauen entsprach vollkommen der der Bewohnerinnen von Gogo, indem ein Stück wollenes Zeug durch kurze Träger gehalten, von der Brust bis zu den Knöcheln herabfiel.

Zahlreiche Flußpferde erschwerten übrigens den Verkehr mit dem jenseitigen, dem westlichen Ufer. Auf dem Rückwege nach Gogo traf man auch eine größere Abteilung junger Sklaven, männliche und weibliche, die ganz in Leder gekleidet waren, wie dies überhaupt bei den Sklaven der Tuaregs Brauch ist.

Zurückgekehrt, nahm Barth die Vorbereitungen zur Abreise sogleich mit Energie auf, und am 8. Juli konnte diese erfolgen. Eine große Zahl naher und entfernter Verwandter El Bakays sollten unserem Forscher das Geleit bis Sokoto und Had Amed bis nach Bornu geben. Mit Empfehlungen aller Art an die verschiedenen Häuptlinge, deren Gebiet zu durchziehen war, trat Barth nach Verabschiedung von dem Scheich seinen Weg an. Fünf Stunden unterhalb der alten Königsstadt ward der Niger überschritten, und von dort an die Reise nach dem westlichen Ufer fortgesetzt. Vor allem lag es dem Forscher daran, schneller als bisher vorwärts zu dringen, aber nur mit Mühe vermochte er die angeborene Lässigkeit seiner Begleiter zu überwinden, und mehr als dreiunddreiviertel Meilen an einem Tage konnte er nicht hinter sich lassen.

Der Charakter der Thalrinne des Niger blieb fürs Erste im Allgemeinen der gleiche: eine weite Mulde, von flachen Dünen oder steilen Felsen begrenzt und in der Mitte des Stroms zahlreiche große Inseln, oft nur mit ihren höheren Punkten aus den Fluten emporragend. Späterhin trat eine mehr felsige Beschaffenheit des Landes hervor, und es erfolgte eine öftere Teilung des Flußlaufes; so bei Adar=udurren, wo der Strom in vier Arme sich teilte, von denen besonders die beiden westlichen durch unzählige Felsen und Klippen sich hindurch winden mußten. Eine gleiche Erscheinung wiederholte sich auf dem Wege noch des öfteren, so besonders beim Kap Em=n=ischibl, dem Eselvorgebirge, unterhalb dessen der Fluß durch zahlreiche Felsen und Inseln auf eine Breite von mehr als einer Meile aneinander gedrängt wird; doch bleibt am linken Ufer ein schmaler Streifen für die Schifffahrt übrig.

Allmählich näherte sich die Karawane bewohnteren Gegenden; Schwärme von Heuschrecken kündigten sie an, und bald dehnten sich Felder mit Negerhirse in weiter Ausdehnung hin. Aber erst der Nebenfluß des Niger, Gorodjende, der übrigens von Krokodilen wimmelte, bedeutete den Eintritt in dichter bevölkertes Land. Während bis dahin nur die Wandergebiete unsteter Tuaregstämme passiert waren, traten von dort an feste Ansiedelungen und Dörfer auf. So das Dorf Kendadji mit wohl 2000 Einwohnern, und weiterhin Hütten und Ortschaften der Fellatas. Weidegründe überdeckten den Boden, auf denen Herden von Rindern, Schafen und Pferden sich tummelten, und allerorten waren die Einwohner mit Landarbeit, vornehmlich mit dem Einernten der Hirse beschäftigt; doch neben ihnen lagen zugleich Pfeil und Bogen bereit, zur Abwehr räuberischer Nomadenvölker.

Ein besonders lebendiges und ungewohntes Bild boten die zahlreichen Nachen, die den Fluß belebten, ein Zeichen, daß die Anwohner auch den Wert der Wasserstraße zu würdigen gelernt hatten.

So näherte man sich den Inselstädten Garn und Sinder, gegenüber von Say gelegen, die, von Fellatas und Sonrhays gemeinschaftlich bewohnt, wohl 18 000 Einwohner gezählt haben. Diese Städte sind besonders als Kornmärkte für die Umgegend wichtig, und auch die Reisenden nach Timbuktu müssen sich in ihnen mit Proviant für ihren langen und beschwerlichen Weg versehen. Von Sinder wurde in acht Tagen der Weg nach Say zurückgelegt, wobei man in den reich bevölkerten und angebauten Gegenden den langentbehrten Affenbrotbaum wiedersah, neben Talhabäumen und Dattelpalmen. Die Bevölkerung begann bereits vorherrschend aus Fellatas zu bestehen und mehr und mehr die Tuaregs und Sourhays zu verdrängen.

Indem die Stadt Larba zur Rechten blieb und der Fluß Sirba passiert wurde, trat man aus der zum großen Teil flachen Gegend heraus und in hügelartige Erhebungen ein, die das Flußthal scharf begrenzten. Am linken Ufer stiegen sogar bedeutendere Ketten empor, von denen die von Bafele oder Fatadjemma die bemerkenswerteste war. Zum Teil rückten die Höhenzüge sogar bis unmittelbar an den Fluß heran, so daß nur ein enger Durchgang für die Marschlinie sich öffnete. An solcher Stelle ragte das Städtchen Birni empor, das bei dieser Lage für die Beherrschung des Flusses und die Verteidigung des Landes schon wiederholt von großer Bedeutung ward. Ausschließlich Fellatas waren die Bewohner der Stadt, und auch die unterworfenen Sourhays reden von dort stromabwärts nur die Sprache dieser Eroberer.

Der den Strom oft in nächster Nähe begleitenden Höhenzüge wegen konnte dem Laufe des Niger nicht immer gefolgt werden, und wiederholt mußten breite Hügelrücken erstiegen und ausgedehnte Hochebenen erklommen werden. Erst dicht vor Say ward wieder in das sumpfige Flußthal hinabgestiegen, und in diesem bis gegenüber der Stadt der Weg fortgesetzt. Uebrigens waren von Sinder ab die natürlichen Schwierigkeiten, die sich dem Strom oberhalb jener Stadt entgegengestellt hatten, meist verschwunden, und auch die in jener Strecke sehr zahlreichen Inseln wurden geringer und waldreicher. Endlich, am 30. Juli war Say erreicht, die Stadt, die unser Forscher vor fast einem Jahre auf seinem Wege landeinwärts verlassen hatte, und die jetzt innerhalb einer Fülle von Vegetation einen so ganz andern Anblick bot, als damals, wo die außerordentlichste Dürre und

Einförmigkeit sie umgab. Bei Abu-Bakr, dem Statthalter, wurde auch diesmal wieder Quartier bezogen, wiewohl die Bewirtung der allenthalben herrschenden Kriegsunruhen wegen eine bei weitem geringere als beim ersten Besuche war. Als Gegengeschenk erhielt Barth ein Pfund Zucker, den er schon so lange zum Thee hatte entbehren müssen. Hier setzte die Ortskenntnis Abu-Bakrs der westwärts gelegenen Länder Barth und seine Gefährten mehr als einmal in Erstaunen.

Doch die Zeit drängte, und am 2. August setzte unser Forscher den Weg nach Sokoto fort, um der vorgerückten Regenzeit wegen so bald als möglich Kuka zu erreichen. Der Fluß ward also überschritten und bald für immer verlassen.

Jetzt ging es rastlos nach Osten zu, dahin durch die neu erwachte Natur, die allenthalben das herrlichste Pflanzenleben hervorrief. Von besonderem Interesse war es für Dr. Barth, hin und wieder ein Exemplar der Oelpalme zu finden, ein Beweis, daß dieser Baum selbst im Innern des Kontinents in großer Entfernung von dem Meere auf salzigem Boden zu gedeihen vermag.

Aber wiewohl unser Forscher nun meist durch belebtere Gegenden dahinzog, so nahmen die Schwierigkeiten und Drangsale eigentlich mehr zu als ab. Vor allem war es der völlige Geldmangel, der Barth selbst die allernotwendigste Hilfe und Unterstützung der Einwohner entbehren ließ; war doch die Nachricht von seinem Tode allgemein verbreitet und geglaubt worden, so daß die Hilfsmittel, die der Reisende in einzelnen Orten auf der Hinreise für seinen Rückweg niedergelegt hatte, nirgends mehr vorgefunden wurden. Zudem war die Gesundheit Barths durch diese nunmehr fünfjährige Reise und ihre Drangsale völlig untergraben, und nur mit größter Kraftanstrengung vermochte sich der erschöpfte Mann aufrecht zu erhalten. Auch erhöhten die politischen Wirren, die im Reich von Bornu ausgebrochen waren, die Schwierigkeiten der Reise um ein Bedeutendes, und oft mußte der drohenden Unsicherheit wegen in fluchtähnlicher

Eile die Nachtzeit zum Marsche benutzt werden. So wurde über Gando der Weg nach Sokoto verfolgt, der zur Zeit reißende Buggafluß passiert, und meist nahe der nördlichen Grenzen der Haussastaaten hin Mitte Oktober 1854 Kano erreicht.

Erst in dieser Stadt erfuhr Barth von der den Benuë hinauf gesandten Baikie'schen Expedition, wo er längere Zeit unter den unerfreulichsten Verhältnissen verweilen mußte, und von der Ankunft Dr. Vogels in Kuka, zugleich aber auch von den in dieser Stadt herrschenden kriegerischen Verwicklungen. Zu seinem größten Schmerz mußte er erfahren, daß eine Kiste mit 400 Dollars barem Geld, die er in Sinder, der nordwestlichsten Grenzstadt Bornus, niedergelegt hatte, verschwunden sei, und daß auf diese Weise eine der letzten Hilfsquellen für ihn versiegt war. Doch mußte er eilen, Kano, einen für Europäer höchst ungesunden Ort aufs schnellste zu verlassen. Ein fessaner Kaufmann lieh ihm ein Darlehn von 200 spanischen Thalern zu 100 Prozent — ihm, dem nichts auf der Welt so unerträglich vorkam, als bei fremden Leuten herumbetteln zu müssen!

Der drohenden Gefahren und der allerorten herumziehenden Kriegsvölker wegen wählte Barth einen etwas nördlicheren Weg, als den auf der Hinreise eingeschlagenen, und überall mahnten die Spuren der Verheerungen und die Folgen des blutigen Bürgerkrieges zur möglichsten Eile. Welche Freude bereitete es daher unserem Forscher, als er hinter dem Städtchen Bundi einem Europäer, einem Weißen, begegnete mit roter Mütze und weißem Turban, inmitten seiner schwarzen Begleitung ein wunderbares Bild. Es war Dr. Vogel, den man zu seiner Unterstützung und Mitarbeit an dem großen Forschungswerke ihm entgegengesandt hatte. Welche Freude! Seit mehr als zwei Jahren hatte unser Barth keinen Europäer gesehen und nichts anderes als die Sprache der afrikanischen Negerstämme gehört. Jetzt traf er nun mit solchem Gefährten zusammen, der bereit war, in die Spuren des vorangegangenen Forschers zu treten, und das von jenem begonnene Werk mit jugendlichem Eifer und

Thatendrang fortzuführen, bis er in Wadai durch Mörderhand fiel.

Inmitten der afrikanischen Wildnis zwei Sendboten europäischer Kultur! Der eine gereift an Erfahrung und fast gebrochen durch kolossale Strapazen, der andere eben von Europa angekommen voll jugendlicher Kraft und Begeisterung. Die Nachricht von Barths Tode hatte sich in Europa verbreitet und war auch von Vogel geglaubt worden; um wie viel freudiger schloß er jetzt den Wiedergefundenen in die Arme! Des Erfreulichen war leider nicht viel zu berichten, da Barth erfahren mußte, daß sein in Sinder zurückgelassenes Eigentum vom Usurpator Abd e' Rahman geraubt sei, und auch sonst alles so ungünstig wie möglich sich gestaltet hatte. Aber jetzt, wo man einen Gefährten zur Seite hatte, erschien alles in rosigerem Licht. Zwei Stunden verlebten die beiden Männer so miteinander, dann trat Dr. Vogel den Marsch nach Sinder an, während Barth den Weg nach Kukana fortsetzte, wo er denn auch am 11. Dezember, von dem ersten Eunuchen des Scheichs mit dreißig Reitern begrüßt, seinen Einzug hielt.

Nach der Heimat zurück!

Die Hauptstadt von Bornu war während der Zeit der Abwesenheit durch die Revolution des Bruders des Scheichs in größte Verwirrung geraten, und die Angelegenheiten Barths dadurch eher verschlechtert als gebessert.

Am 29. Dezember traf zur größten Freude unseres Forschers Dr. Vogel aus Sinder wieder ein, und so verlebte man die letzten Tage des scheidenden Jahres in Ruhe und in der Hoffnung auf bessere Zeiten. Doch endete diese kurze Ruhezeit sehr bald, da Dr. Vogel bereits am 20. Januar 1855 nach der Provinz Bautsch aufbrach. Barth gab ihm auf einige Tage das Geleit. Dann trennten sich die beiden Männer — auf Nimmerwiedersehen.

Volle zwei Monate brachte Barth in Kuka damit hin, vom Scheich einen Ersatz der ihm in Sinder gestohlenen Gegenstände zu fordern, und endlich erlangte er die Auszahlung von 100 Dollars, so daß er nun in den ersten Tagen des Mai die Stadt verlassen konnte.

Die kleine Karawane, der sich ein Kaufmann Namens Kolo aus Bilma angeschlossen hatte, bestand aus elf Kamelen und zwei Pferden, und die Schar unterfing sich, den mehrere Hundert Meilen weiten Weg durch feindliches Gebiet und durch die Mitte der Sahara anzutreten.

Zuerst am Westufer des Tsadsees entlang, der weit über seine Ufer getreten war, und in dessen morastigen Fluten Büffel und Elephanten Kühlung suchten, ging es durch die Orte Barrua, Ngegimi und Beduaram hindurch, stets in nördlicher Richtung. Jenseits des letzteren wurde zum ersten Mal das offene Sandmeer betreten, und die schreckliche Wüste von Tintumma dehnte sich vor den Reisenden aus. Glühend war der Wind, und senkrecht fielen die Strahlen der Sonne herab, aber unentwegt ging es dahin, bis endlich die Brunnen von Dibbela erreicht wurden, jenes Ortes, bei dem später Henry Warrington, der Gefährte Dr. Vogels, sein einsames Grab fand. Die Hitze war in dieser Zeit ganz außergewöhnlich, und selbst im tiefsten Schatten waren zur Mittagszeit 34° R. Bei dem bekannten Städtchen Bilma verließ Kolo den kleinen Zug, und bei Anikimma trat dieser in das eigentliche Wüstengebiet ein. Vor ihm dehnte sich die gefürchtete Sahara aus, und nicht weniger als hundert Meilen war der Weg lang, der bis zur nächsten bewohnten Ortschaft Tiggeri in Fessan zurückgelegt werden mußte.

Durch glühenden Sand, mitunter durch Sandwehen bedroht, arbeitete sich die kleine Karawane vorwärts; unabsehbar breiteten sich nach allen Seiten die Sandflächen aus, und nur nach oft tagelangen Märschen ward hin und wieder eine kleine Oase oder ein Brunnen angetroffen, der den fast Verschmachteten Schatten und Kühlung spendete. Oft erschienen über der weiten Ebene jene berüchtigten Luftspiegelungen, die den Erschöpften eine ferne Oase in nächster Nähe vorzauberu. Die Drangsale des Marsches steigerten sich allmählich bis zur Unerträglichkeit, und selbst die stahlharten Sehnen der Kamele erschlafften; vier von ihnen erlagen und ebenso eins der beiden Pferde, und von seiner Höhe spähte der einsam schwebende Adler herab, wenn auch die Männer der glühenden Hitze und dem Durst erliegen und ihm zum Opfer fallen würden; denn allenthalben bleichten die Knochen von Menschen und Tieren am Wege, ein Zeichen, daß nicht alle Wanderer mit gleichem Glücke diesen gefahrvollen Pfaden gefolgt waren.

Mit welcher Freude begrüßte daher unser Forscher die Thonmauern von Tiggeri, die er am 6. Juli erreichte, und wo der gefährlichste Teil der Reise hinter ihm lag. Von dort ging es über Mursuk nach der ansehnlichen Stadt Sokna, von wo aus die Brunnen von El Hammam und später die berühmte Thalebene Semsem erreicht wurde. —

Endlich, am 19. August 1855 traf unser Barth in Tripolis ein, jener Stadt, die er vor fünfundeinhalb Jahren verlassen hatte. Mit unaussprechlicher Rührung betrachtete er das blaue Meer. Welche Zeiten lagen hinter ihm, welche Entbehrungen und Drangsale hatte er durchgekostet und — wie wunderbar, daß er tausend Gefahren so glücklich überwunden! Vier Tage verblieb er in Tripolis, um dann über London in die Arme seines Vaters zu eilen.

Schluß.

So beschloß Heinrich Barth eine lange und erschöpfende Laufbahn als afrikanischer Forscher, so beendete er ein Unternehmen, dem er sich unter höchst ungünstigen Bedingungen als Freiwilliger angeschlossen hatte. War auch anfangs die ganze Anlage der Expedition äußerst beschränkt und ihre Mittel gering, so wurde doch in Anbetracht der glücklichen Erfolge, die grade er erzielte, dem Unternehmen eine größere Ausdehnung gegeben.

Es schwoll zu mächtiger Bedeutung an und nahm das lebhafteste Interesse der ganzen wissenschaftlichen Welt und des gebildeten Publikums überhaupt in Anspruch. Das zeigte sich auch bei seiner Ankunft in Europa, wo ihm sowohl das wissenschaftliche als auch das allgemeine Publikum unzweideutige Anerkennung zu teil werden und ihm die Pariser und Londoner Geographische Gesellschaft zu gleicher Zeit die goldene Medaille überreichen ließ. Denn der kühne Reisende hatte reich ausgestattete Länder des schwarzen Erdteils aus dem Dunkel der Verborgenheit gerissen, im ganzen dreitausend deutsche Meilen oder 20000 km zurückgelegt, die von ihm durchzogenen Landschaften in dem Gesamtbilde ihrer Oberflächenverhältnisse soweit als möglich mit aller Treue dargestellt, dabei einen fast gänzlich unbekannten Raum von etwa 196000 Meilen erschlossen und überdies die Eröffnung eines regelmäßigen Verkehrs zwischen Europa und jenen Ländern ermöglicht. Nebenbei bemerkt, hatte er alles dies nur mit ungefähr 30000 Mark ausgeführt, wozu Se. Majestät der König von Preußen 3000 Mark und er selbst 4200 Mark beigetragen.

Unser Forscher ließ sich durch die auf ihn einstürmenden Auszeichnungen und Ernennungen nicht einschläfern. Ohne Zeitverlust, ohne Rücksicht auf seine durch die vielen Strapazen und Entbehrungen angegriffene Gesundheit setzte er sich nieder, um die Hauptergebnisse seiner bewegten Wanderung niederzuschreiben und dem Publikum seinen anspruchslosen Bericht vorzulegen. Mit seltenem Fleiß und mit rühmlicher Sorgfalt hatte er dort draußen im fernen Afrika Tagebuch geführt und versuchte nun alles zu einem abgerundeten Ganzen zu verschmelzen. Bereits 1858 war diese Arbeit gethan und ein Bild der Geschichte, der Politik und Sprachen jener schwer zugänglichen Welt entrollt, wie es bis heute noch kein Anderer hat bieten können.

Kaum hatte Barth die letzte Hand an die Vollendung seines gewissenhaften und umfangreichen Berichts gelegt, als er von neuem die Weiterausbauung seiner eigentlichen Lebensaufgabe — die reichgegliederten Küsten des Mittelmeeres in ihrem ganzen

Umfange zu erforschen in Angriff nahm. Manche Lücken hat er bei seinen Wanderungen durch die Gestadeländer des Mittelmeeres gelassen und manche neue Reise sollten sie ausfüllen. So sehen wir ihn denn im Herbst 1858 die Nordhälfte Klein-Asiens bereisen, drei Jahre darauf einen Ausflug nach Spanien machen und im August 1862 die griechisch-türkische Balkanhalbinsel durchforschen; darauf bereiste er die Alpen und später Italien. Nach dem Gebrauch einer Kur in Cannstadt gegen körperliche Leiden wandte er sich, im Jahre 1865, wieder nach Südosten in der Absicht, sich von Dalmatien nach der Insel Kreta einzuschiffen. Jedoch infolge der in jenen Gegenden ausgebrochenen Cholera mußte er seinen Plan ändern, konnte aber stattdessen durch die unbekannten Teile des nordöstlichen Montenegro in die fast gänzlich unerforschte Mitte der Balkanhalbinsel vordringen. Damit sollten seine afrikanischen Studien über den Länderkreis des Mittelmeeres ihren Abschluß finden.

Während Barth so dem sich selbst gesteckten Ziel unermüdlich entgegenstrebte, war er aber auch eifrig für die afrikanische Sache thätig. Als Leiter der Gesellschaft für Erdkunde zu Berlin war er sozusagen der Mittelpunkt für die geographischen Forschungen in Afrika geworden und stets fand man ihn bereit, den nach Afrika abgehenden Reisenden wichtige Ratschläge zu erteilen, und schließlich begründete er die Karl Ritter-Stiftung zur Unterstützung deutscher Forscher.

Wie so vielen tüchtigen und begabten Männern, so fehlten auch unserem Barth, der unter einer zuweilen etwas rauhen, auf bloße konventionelle Formen keinen Wert legenden Schale einen edlen Charakter und ein treffliches Herz besaß, Feinde und Neider nicht. Die egoistischen Engländer gönnten dem deutschen Manne selbstverständlich die glänzenden Erfolge nicht, aber auch im eigenen Vaterlande war man nicht allzu erkenntlich und kritisierte obendrein an dem Geleisteten nicht wenig herum. Die Berliner Akademie der Wissenschaften hatte ihn zwar 1855 zum korrespondierenden Mitglied ernannt, später aber nicht als ordentliches

Mitglied aufgenommen und erst im Mai 1863, als ein ehrenvoller Ruf an die Universität Jena an ihn ergangen war, erfolgte seine Ernennung zum außerordentlichen Professor an der Berliner Universität.

Doch nicht lange mehr sollte er im heimatlichen Berlin wirken können. Ein bedenkliches Unwohlsein warf ihn aufs Krankenbett, und am 25. November 1865 war Heinrich Barth nicht mehr. Erst fünfundvierzig Jahre alt starb der Mann, dessen Verdienste um die Erschließung Afrikas ihm einen ehrenvollen Platz unter den bedeutenden Männern unserer Nation sichern.

II.

Carl von der Decken.

Carl von der Decken.

Ausgangs der vierziger Jahre unseres Jahrhunderts kam die überraschende Kunde von der Auffindung schneebedeckter Berge im äquatorialen Ostafrika nach Europa. Die Deutschen Rebmann und Krapf hatten die seltsamen Hochgebirgsstöcke entdeckt! Der Missionar Krapf, der vorher Abessinien zu Missionszwecken bereist, war 1843 von Aden nach Sansibar gekommen, hatte darauf seine Schritte nach Mombasa gelenkt und war dort 1846 mit dem Missionar Rebmann zusammengetroffen. Beide gründeten die Missionsstation Kisolutini bei Rabbai mpia und bereisten von diesem Punkt aus, der nicht weit von Mombasa liegt, die Suahelikuestenländer. Damit nicht zufrieden, drang Rebmann weiter ins Innere vor, bis nach dem Kadiaroberg. Später, 1848, wanderte er nordwestwärts weiter, kam nach dem Dschaggalande und erblickte als erster Europäer den himmelanstrebenden, vom ewigen Schnee bedeckten Kilima-Ndscharo, den er späterhin noch zwei Mal besuchte.

Nach Rebmanns überaus erfolgreichen Unternehmungen beschloß der Missionar Krapf, ebenfalls in das Innere zu pilgern, das Land der Wakamba aufzusuchen, um zu erforschen, ob es von Ukamba aus einen Weg nach Unyamwesi und nach dem großen See gäbe, von dem die Eingeborenen schon so viel gefabelt hatten. Mit einigen Trägern verließ er daher am 1. November 1849 die Mission, durchzog wenig bewohntes und bebautes Land, kam nach den Ndara- und Burabergen, erreichte schließlich die Landschaft Kikumbulin und ging weiter nach Norden

8*

bis Kitui. Hier erfuhr er, daß zwischen dem Lande Kikuju und der Landschaft Mbe ein Schneeberg existiere, der dem Tanafluß Schneewasser zuführe. Bald hatte er auch Gelegenheit, diesen Riesenberg, Kenia genannt, der ihm wie eine ungeheure Mauer mit zwei großen Türmen vorkam, zu erblicken.

Die Nachrichten von den hocherfreulichen Entdeckungen der beiden Missionare gehörten zu den interessantesten, die zu damaliger Zeit über Afrika laut wurden und die in der geographischen Welt nicht bloß lebhaftes Erstaunen, sondern auch Mißtrauen und Opposition hervorriefen. Der englische Gelehrte Cooley ging sogar so weit, zu behaupten, die Reisenden hätten so etwas wie weiße Felsen für Schnee gehalten.

Zu gleicher Zeit nahmen auch die Nachrichten von der Existenz eines großen, innerafrikanischen Sees in hohem Maße das Interesse der Geographen in Anspruch, zumal da der eigentliche Kernpunkt aller geographischen Forschungen in Ostafrika, die Entscheidung über die Lage der Nilquellen noch völlig rätselhaft geblieben und sich darüber Hypothese über Hypothese angehäuft hatte. Ein anderer Missionar, Ehrhardt, der längere Zeit in Usambara und in dem Küstenorte Tanga, einem großen Karawanensammelpunkt geweilt, entwarf eine Karte, die neues Licht über die physikalische Gestaltung Ostafrikas bringen sollte. Ehrhardt hatte Gelegenheit gehabt, Araber und Suahelis, die dort in Tanga von allen Teilen Innerafrikas zusammenkamen, über die von ihnen bereisten Länder zu verhören. Er verfertigte daraufhin die Karte, auf der man den großen innerafrikanischen See, von dem ihm berichtet worden war, verzeichnet fand. Seine Arbeit rief ein lebhaftes Für und Wider hervor. Der See von gewaltigen Dimensionen blieb natürlich ein Streitpunkt, bis Augenzeugen darüber entschieden. Das sollte nicht lange dauern.

Leider waren es Engländer, die den Deutschen zuvorkamen, die Palme des Ruhms davontrugen und das Seengebiet entschleierten. Wohl ausgerüstet brachen Burton und Speke 1857 von Sansibar auf, und erreichten nach mehreren Monaten, immer

Missionar Krapf.

nach Westen wandernd, den oft genannten Distrikt Udjidji und entdeckten den in einer eigentümlichen Einsenkung liegenden Tanganyika-See. Damit bestätigten sie wenigstens in einigen Hauptpunkten die so vielfach angezweifelten Angaben des deutschen Missionars. Zugleich wurde aber auch die mehr als hyperkritische Behauptung Cooleys, daß nur ein großer See in jener Region vorhanden, für falsch befunden; denn ein solcher See, wie ihn dieser Gelehrte entworfen, existierte ja nach den hoch anzuschlagenden Entdeckungen der Engländer keineswegs. Vielmehr meldeten dieselben das Vorhandensein von vier mehr oder minder großen Seen in jenen Gebieten.

Auf dem Rückwege von Udjidji kamen die Forscher nach dem Hauptcentrum Ostafrikas, nach Tabora. Von hier aus unternahm Speke einen Marsch nach Norden, erblickte im Juli 1858 den Ukerewe, den eigentlichen großen centralafrikanischen See und taufte ihn „Victoria Nyansa“.

Erfreulicherweise folgten den englischen Forschern, deren Entdeckungen zu den allerwichtigsten des Jahrhunderts gehören und durch die eine umwälzende Einsicht in die physikalischen Verhältnisse des Innern von Ostafrika gewonnen wurde, bald deutsche Pioniere. Diese wollten es sich besonders angelegen sein lassen, die Behauptungen ihrer Landsleute Rebmann und Krapf auf ihre Richtigkeit hin zu prüfen.

Zuerst war es Albrecht Roscher, ein junger Gelehrter von guter Konstitution und energischem Temperament, der im Jahre 1858 seine Vaterstadt Hamburg verließ in der Absicht, in den noch unbekannten inneren Teil des äquatorialen Ostafrika vorzudringen. Mehrere Jahre hindurch hatte er die eifrigsten und umfangreichsten Vorstudien aller Art gemacht, um die große, sich gestellte Aufgabe mit bestem Erfolge lösen zu können. Er gedachte dem Reisewege Krapfs zu folgen und über Kitui nach dem Kenia vorzudringen. So hätte er die Welt vollständig über die Position dieses berühmten Schneeberges aufklären können.

Roscher fuhr nach Sansibar, einem Ort, der fast allen Anforderungen, die man an den Ausgangspunkt für ein Reiseunternehmen stellen darf, entspricht; ein Ort also, der sowohl mit Europa wie mit Innerafrika in vielfacher Verbindung steht, wo sich der Reisende an das Tropenklima gewöhnen kann, ohne durch den Aufenthalt in einer ungesunden Gegend Leben und Gesundheit aufs Spiel zu setzen. Hier konnte der junge Reisende auch über manche interessanten Fragen Aufschluß erhalten, da man in Sansibar leicht Gelegenheit hat, mit Eingeborenen aus den fernsten Gegenden zusammenzutreffen.

Dr. Roscher wollte sich erst durch eine kleine Reise genügend vorbereiten und dann erst eine größere in das Innere unternehmen. Es fehlte ihm bedauernswerterweise an Geldmitteln; jedoch mit Hilfe einiger deutscher Handelshäuser auf Sansibar, die sich seiner in jeder Weise aufs Freundlichste angenommen, war es ihm gelungen, sich die nötigsten Mittel zu einer vorläufigen kürzeren Reise zu verschaffen. Zuerst bereiste er die Küste bis Kilwa und brach darauf, einige Monate später, nach dem Nyassa=See auf in der Absicht, dort ein bis zwei Monate zu verweilen und dann zurückzukehren. Er fuhr nach Kilwa, verschaffte sich Träger, begab sich mit einer Handelskarawane auf den Weg nach dem Nyassa, kam dabei durch die Habgier des Karawanenführers fast um sein ganzes Eigentum, erreichte aber doch glücklich im Oktober 1859, einen Monat später als der Engländer Livingstone, den See. Jedoch nach einem mehrwöchentlichen Aufenthalt in den den See umgebenden Ländern verfiel er einem beklagenswerten Schicksal und wurde von abergläubischen und raubgierigen Eingeborenen überfallen und ermordet.

Inzwischen war Baron von der Decken, ein Forscher, dessen Reisen wir auf den nachfolgenden Blättern schildern wollen, nach der großen ostafrikanischen Inselstadt abgereist. Bevor wir jedoch des Näheren auf seine Unternehmungen eingehen, dürfte es angebracht erscheinen, einen Blick auf seinen Lebenslauf zu werfen.

Der Baron Carl von der Decken, aus Kotzen in der Mark Brandenburg, Sohn des Barons Ernst von der Decken und dessen Gemahlin Adelheid geb. von Stechow, späteren Fürstin von Pleß, wurde am 8. August 1833 geboren. Nachdem er den ersten Schulunterricht im elterlichen Hause empfangen und später auf kurze Zeit eine Erziehungsanstalt besucht, ging er Ostern 1849 auf die Gelehrtenschule zu Lüneburg. Geschichte und Erdkunde waren seine Lieblingsgegenstände, und wenn er auch den alten Sprachen gar kein Interesse abgewinnen konnte, so vertiefte er sich doch mit Lust und Liebe in das Studium der neueren Sprachen und der Mathematik. Während er sich noch auf der Schule befand, erwachte in ihm der lebhafte Wunsch, die Militärkarriere einzuschlagen, zumal da er zu wissen schien, daß er zu einem Beamten oder Gelehrten nicht tauge. Allein sein Vormund, der Major von der Decken, verweigerte die Erlaubnis dazu. Der junge Carl Claus wollte sich aber nicht tyrannisieren lassen und wandte sich nun schriftlich, seinen lebhaften Wunsch vortragend, an den König Ernst August von Hannover. Dieser, angenehm von der Keckheit des Jünglings berührt, veranlaßte dessen Aufnahme in das Kadettenkorps zu Hannover. 1851 trat der junge Decken nach glücklich bestandener Offiziersprüfung in die Armee ein und wurde zwei Jahre später als Leutnant in das zu Lüneburg und Harburg garnisonierende Königin-Husaren-Regiment versetzt. Während seiner freien Zeit studierte er Naturwissenschaften und schöne Litteratur, unternahm längere Urlaubsreisen und besuchte den größten Teil Deutschlands, ferner Frankreich, das nördliche Spanien, Ungarn und Italien. Der Wunsch, außereuropäische Länder zu schauen, trieb ihn 1858 nach Algier, aber ein langwieriges Fieber zwang ihn, nach viermonatlicher Abwesenheit in die Heimat zurückzukehren. Die schönen Erinnerungen, die er unter heißerer Sonne gesammelt hatte, ließen ihm indes keine Ruhe. Es bedurfte jetzt nur noch eines leichten Anstoßes, um aus dem Vergnügungsreisenden einen Forscher werden zu lassen; seine Kenntnisse und Erfahrungen, sein kräftiger Körper, seine Zähigkeit und Willensstärke befähigten ihn vor Vielen dazu, sein Vermögen sicherte ihm außerdem manche Vorteile, welche Anderen entgingen.

Im Frühjahr 1860 hatte er den erbetenen Abschied erhalten. Zuerst wollte er englische Dienste in Indien nehmen; bald aber gab er auch seine andere Absicht, Südafrika aufzusuchen und von Natal aus Jagdexpeditionen in das Innere zu unternehmen, auf. Vor seiner Abreise besuchte er nämlich den bereits geschilderten, berühmten Reisenden Heinrich Barth in Berlin, um dessen einsichtsvolle Ratschläge zu vernehmen. Dr. Barth riet ihm, sich mit dem jungen, tüchtigen Forscher Dr. Albrecht Roscher aus Hamburg, der, wie wir wissen, schon im Juni 1858 nach Sansibar abgereist war, zu verbinden. An Jagdgelegenheit sei auch in Ostafrika kein Mangel und überdies verspräche das fast völlig unbekannte Land überraschende Entdeckungen. Die schöne Gelegenheit, seine reichen Geldmittel mit den Erfahrungen und Kenntnissen eines fachmäßig durchgebildeten, bereits erprobten Reisenden zu vereinigen, verspräche nicht wenig Nutzen und ließe auch Großes für die Erforschung jener Gebiete erwarten. Sofort und mit Freuden ging von der Decken an die Verwirklichung dieses verlockenden Planes. Er verschaffte sich eine vortreffliche Ausrüstung und reiste Ende April 1860 von Hamburg nach dem afrikanischen Kontinent ab.

Wie aber nicht selten ein häßliches Schicksal freudige Hoffnungen und berechtigte Erwartungen zunichte macht, so sollte auch unserem Forscher nur zu bald die Freude vergällt werden. Kaum hat er nämlich nach fast dreimonatlicher Seefahrt Sansibar erreicht, so trifft ihn auch schon die erschütternde Kunde, daß sein erwählter Genosse Roscher im Nyassagebiet dem Pfeil eines niederträchtigen Negers erlegen sei.

Einem so thatkräftigen, festen Charakter, wie von der Decken war, konnte der überwältigende Eindruck der schmerzlichen Nachricht nicht allzusehr beikommen. Ein neuer Plan war bald gefaßt und ohne Bedenken ging er daran, den für Roscher so verhängnisvollen Ort am Nyassa aufzusuchen, seine Ermordung zu rächen oder wenigstens seine Papiere zu retten.

In kurzer Zeit hatte der Reisende die Vorbereitungen zur Expedition beendet, sich gleichzeitig mit Sprachkenntnissen ausgerüstet und mit den Sitten und Gebräuchen der Eingeborenen bekannt gemacht. Sein gewandter und befähigter Diener, Koralli, den er aus Europa mitgebracht, ging ihm hilfreich zur Hand und leistete ihm auch weiterhin treue Dienste.

Der Sultan von Sansibar, Said Madjid, hatte dem Forscher seine Unterstützung zugesichert, brach aber in vielen Beziehungen sein Wort. So verlangte er für die Träger, die Decken brauchte, einen mehr als hohen Preis. Aber der Baron dachte gar nicht daran, sich sein Geld aus der Tasche ziehen zu lassen, zumal da den Engländern weit billigere Bedingungen gewährt worden waren, und begnügte sich daher mit seinem Diener Koralli und drei Männern bei der Ueberfahrt nach Kilwa. Außer seinen beiden großen Hunden und vier Eseln waren noch mancherlei nützliche Gegenstände in die arabische Dau verladen worden, die ihn nach dem südlich von Sansibar gelegenen guten Hafen von Kilwa bringen sollte. Die Fahrt ging gut von statten und am 7. Oktober traf er wohlbehalten in Kilwa ein.

Kilwa Kisiwani liegt auf einer Insel und fast unter dem neunten Grade südlicher Breite. Damals stand der Ort unter der Oberhoheit des Sultans von Sansibar und zählte kaum einige Tausend Einwohner. Kleiner als die nördlich davon gelegene Stadt Kilwa Kivindje, bestand er nur aus einer Anzahl von Hütten, die höchstens von zehn wohnlichen Steinhäusern überragt wurden. Ein sogenanntes Fort befand sich in der Mitte der Stadt, um das sich die Ruinen der alten Stadt Kilwa zogen, die im sechzehnten Jahrhundert eine große Rolle gespielt und von den Portugiesen besetzt und verbrannt worden war.

Der Baron ging sofort an Land und gab im Zollhause seine Empfehlungsbriefe ab. Dann ließ er den Wali oder Statthalter herbeirufen und überreichte ihm die Befehle Said Madjids.

Der Wali zeigte sich anfangs, wie alle Araber, überaus zuvorkommend und höflich, versicherte auch, den Reisenden in jeder Hinsicht unterstützen zu wollen, that aber in Wirklichkeit nicht das Geringste; nur durch ganz entschiedenes Auftreten konnte etwas von ihm erlangt werden.

Ein bewohnbares Haus fand sich nicht vor; glücklicherweise war jedoch eine, wenn auch recht primitive Hütte, in der Roscher gewohnt, noch zu haben. Es kostete mehrere Tage Zeit, um diese Art von Behausung wohnlich zu machen, da sie bisher Scharen von Ameisen und Ratten beherbergt hatte. Die Ausbesserung ging nicht ohne Aerger vor sich; denn die Werkleute zeigten einige von den recht widerwärtigen Charakterschattenseiten und Rasseneigentümlichkeiten der Neger, wie Faulheit und träge Gleichgültigkeit in fast beispiellosem Maße. Die Unannehmlichkeiten mehrten sich; z. B. ließ der sogenannte Hauswirt, der die Wirtschaft mit Trinkwasser versorgen sollte, statt dessen eine schlechte, brackige Flüssigkeit herbeischleppen, suchte sich auch seiner anderen Verpflichtungen so viel als möglich zu entledigen, beschwindelte bei Einkäufen, wo er konnte, und erwies sich überhaupt als ein höchst eigennütziger und ungefälliger Bursche.

Inzwischen waren die Reisepläne des „Msungu", wie die Suaheli den Europäer nennen, in dem Orte bekannt geworden. Unser Forscher sah sich nunmehr genötigt, eine Versammlung anzuberaumen, um seine Absichten unzweideutig darlegen und die Erlaubnis zur Reise erlangen zu können. Die vornehmsten und einflußreichsten Araber- und Negerhäuptlinge fanden sich ein, sahen sich aber bald in ihrem Glauben getäuscht, Decken werde als demütig Bittender vor ihnen erscheinen. Wohl kannte der Reisende die Schwierigkeiten, vor Leuten solchen Schlages den rechten Ton zu treffen, aber es gelang ihm, sich seiner außerordentlichen Aufgabe mit seltenem Geschick zu entledigen. Allzugroße Nachgiebigkeit wird von solchem Volk als Schwäche angesehen, man glaubt, mit dem höflichen Fremden weniger Umstände machen zu dürfen; ein allzu großes Maß von Strenge hingegen oder gebieterisches Auftreten ruft Verstimmung hervor; darum gilt es auch im Allgemeinen als ausgemacht, daß solchen Leuten gegenüber mit sanften Worten weniger ausgerichtet werde als mit Entschiedenheit, und daß es besser ist, von der Strenge zur Güte überzugehen, als umgekehrt. Die Achtung, die man sich anfangs zu verschaffen weiß, bleibt stets von günstigem Einfluß für spätere Zeiten.

Als unser Reisender am Morgen des 18. Oktober die schweigsamen und lauernd blickenden Afrikaner anredete, kamen ihm dabei auch seine in Algier gesammelten Erfahrungen zu statten. Eine vornehme Miene annehmend, sagte Decken den Versammelten, er wäre in hohem Grade verwundert, daß viele von ihnen trotz der ausdrücklichen Befehle ihres Gebieters ihm als Weißen nicht mehr Bereitwilligkeit gezeigt und ihm noch nicht ihre Aufwartung gemacht hätten; er habe sich aber die Namen Aller gemerkt und werde sie dem Sultan Said Madjid melden, damit dieser hinfort „seine treuen Diener“ kenne und erfahre, wie seine Gebote beachtet werden. Dieser geschickte Zug veranlaßte alle, mit Entschuldigungen nicht zu sparen. Den einen hatte Krankheit geplagt, der andere wollte verreist gewesen sein, alle aber ohne Ausnahme baten, mit dem Schreiben an den Sultan noch zu warten. Decken ging zögernd darauf ein, ließ sich zureden und versprach, seinen Brief nicht vor Beendigung aller Vorbereitungen zur Abreise abzusenden. Dann gab er ihnen vierundzwanzig Stunden Zeit, um zu überlegen, ob und wie sie ihm am besten helfen wollten; darnach werde er diejenigen, so sagte er weiter, die ihm behilflich gewesen, lobend gegen den Sultan erwähnen, ihm aber zugleich auch das Benehmen der anderen nicht verhehlen.

Seine Rede hatte einen guten Eindruck gemacht, und erst nach einer längeren Pause erwiderte der Wali, daß er ganz der Meinung des geehrten Herrn Vorredners sei. Zu guterletzt nahm auch der Kadi das Wort und erklärte für sich und die anderen Häuptlinge, während der Frist von vierundzwanzig Stunden alles reiflich erwägen und sich bereden zu wollen, in welcher Weise die Reiseangelegenheiten des Msungu am besten gefördert werden könnten.

Nunmehr schienen alle Besorgnisse beseitigt zu sein, und die bisher nur mühsam zurückgehaltene Neugier der Besucher trat in ihre vollen Rechte. Die wunderbaren Gegenstände, die der Msungu in so großer Mannigfaltigkeit besaß, nahmen die bieder Thuenden in Augenschein und erschöpften sich in Ausdrücken staunenden Beifalls. „Wie alle Araber," schreibt Dr. Kersten in dem Decken'schen Reisewerke, „betrachten sie insbesondere die Gewehre mit größter Aufmerksamkeit: konnte es auch etwas Merkwürdigeres geben, als eine Flinte, welche man mit einem einzigen Handgriffe zu zerbrechen, mit dem zweiten wieder zu laden, mit dem dritten wieder in Stand zu setzen vermochte?" Noch größeren Beifall erntete ein Gummiboot. „Aber zum Entsetzen steigerte sich die Verwunderung, als der Msungu schließlich seine beiden riesigen Hunde vorführte. Diese Tiere zeichneten sich allerdings durch gewaltige Größe, seltene Schönheit und wilde Kraft vor den kleinen, gelben, dürftigen Kötern, die die arabischen Schombas bewachen, so wesentlich aus, daß man keinen Vergleich wagen mochte; diese Doggen schienen den Löwen ungleich näher verwandt zu sein, als jenen Hunden, und zweifellos zu den gefährlichsten aller Raubtiere zu gehören. Wenn der Msungu demungeachtet mit solchen Ungeheuern zu spaßen wagen durfte, so mußte offenbar Zauber mit im Spiele sein; denn solche Gewalt konnte nur vom Schetani (Satanas) — vor welchem der Herr alle Gläubigen bewahren möge — herrühren. So schwer es den ehrbaren Häuptern der Stadt geworden, sich von der fesselnden Besichtigung der Wunder Uleias oder Europas zu trennen, dieser offenbare Teufelsspuk erleichterte ihnen den Abschied. Einer nach dem andern erhob sich und verließ kopfschüttelnd die Hütte des Bedenken erregenden Fremdlings." —

Unterdessen vergingen einige Tage, ohne daß die Araber ihr Versprechen einlösten. Die Pille, die ihnen der Baron verabreicht, hatten sie augenscheinlich nicht gehörig verschlucken können. Schließlich entschuldigte man sich damit, daß einige Angesehene der Umgegend, die brieflich von der Verhandlung in Kenntnis gesetzt worden wären, ihre Entschließung noch nicht gemeldet hätten. Unter solchen Umständen schien auch die Versicherung des Wali, beim Sultan Klage über die Säumigen führen zu wollen, nur wenig tröstlich; denn es war deutlich zu ersehen, daß man den unbequemen Fremden mit leeren Vorwänden hinhalten wollte. Wider Erwarten traf am folgenden Tage wirklich eine Antwort von dem Häuptling ein, freilich nicht die gewünschte; man erklärte gradezu, die Reise nicht nur nicht begünstigen, sondern der Weiterreise alles in den Weg legen zu wollen.

Mit einer so unverschämten Rückäußerung durfte man aber dem deutschen Forscher nicht kommen! Unumwunden erklärte er den Häuptlingen, daß er seine Reisepläne auch gegen ihren Willen durchzuführen entschlossen sei. Da die Anwerbung von Trägern auch nicht glücken wollte, weil keiner es wagte, gegen den Willen der Häupter der Stadt etwas zu unternehmen, drohte der Baron, den Sultan, seinen hohen Gastfreund, persönlich von der Lage unterrichten zu wollen, damit dieser die widerspenstigen Unterthanen gebührend bestrafen könne. Jetzt gaben die dreisten Häuptlinge klein bei. Als aber eine zweite Verhandlung auch so gut als keinen Erfolg hatte, zögerte der Baron nicht mehr, nach Sansibar zurückzukehren, um mit Said Madjid Rücksprache zu nehmen.

Leider traf Decken den Sultan nicht an, dieser befand sich in Mombasa, und der Reisende mußte unverrichteter Sache, nach vielfachen neuen Verzögerungen und mit der Gewißheit, daß man auch von europäischer Seite das Zustandekommen der Expedition zu verhindern suchte, wieder nach Kilwa zurückkehren.

Noch mancherlei Widerwärtigkeiten waren in Kilwa zu überstehen und einige unsäglich langweilige Schauris oder Beratungen mitzumachen. Zwischendurch gewährten Spaziergänge und Jagdausflüge dem Reisenden Erholung und erhielten die Spannkraft seines Geistes, wurden aber auch wiederum Ursache zu neuen Beschwerden und Leiden. Das ungewohnte und wie Decken allerdings arg übertrieben sagte, abscheuliche Klima machte seine Rechte geltend. Fast auf jeden größeren Ausflug folgte ein mehr oder minder schweres Unwohlsein, und wenn auch Decken sich immer rasch erholte, so verdankte er doch seiner im Kersten'schen Werk wiedergegebenen Auffassung nach diese Zähigkeit nicht bloß der Gesundheit seines strapazengewohnten Körpers und der leiblichen und geistigen Frische, die er noch von Europa her besaß, sondern auch der ihm eigenen, unbeugsamen Willenskraft, die ihn aufrecht erhielt, wenn andere erlagen. Die Schonung der Gesundheit muß dem Reisenden überhaupt vor allem am Herzen liegen; denn der Kranke ist unfähig, den Beschwerden und Gefahren, die ihm jeder Tag bringt oder bringen kann, zu widerstehen und nicht imstande, zum Nutzen der Wissenschaft zu arbeiten und zu schaffen.

Erste, aber mißglückte Reise ins Innere.

Die nötigen Vorbereitungen für die geplante Expedition, welche Abdallah ben Said, einer der einflußreichsten Häuptlinge der Umgegend von Kilwa, im Auftrage des Barons und gegen eine Entschädigung von fünfhundert Thalern übernommen hatte, erreichten nicht so bald ihr Ende. Bis zum 22. November mußte Decken sich gedulden, bevor Abdallah ben Said, der zugleich Karawanenführer und als Kenner von Land und Leuten mitgehen und sonst die geeigneten Träger zusammen bringen sollte, ihm meldete, daß dem Aufbruch nichts mehr im Wege stände. Die Karawane, welche am Morgen des 23. November Kilwa verließ, zählte, abgesehen von dem Baron, Koralli und mehreren farbigen Dienern, etwa vierzig Träger. Außerdem war ein Karawanenführer, zwei arabische Dolmetscher und als bewaffnete Macht zwanzig Beludschen im Zuge.

Am ersten Tage, nach Zurücklegung einer Strecke von zwölf Seemeilen, traf die Reisegesellschaft auf die Schamba oder Eingeborenenplantage Mukapunda, die Abdallah ben Said gehörte. Die Angesehenen der Umgegend kamen zur Bewillkommnung herbei und Decken hatte mit ihnen mehrere langweilige Schauris, deren Hauptgegenstand das Grigi oder Zaubermittel zur Sicherung einer glücklichen Reise bildete, zu überstehen. Der dazu gehörige Zauberkünstler, ein verschmitzter Indier, verlangte für sein „Grigi“ die Kleinigkeit von dreißig Thalern. Waren auch nicht selten Reisende thöricht oder einfältig genug, solche unberechtigten, ja unverschämten Forderungen zu erfüllen, so machte doch von der Decken nicht bloß die empörende Prellerei des Hexenmeisters zu schanden, sondern drang auch auf Bestrafung des Schwindlers.

Hatte somit der Reisende Gelegenheit, die geistige Unzulänglichkeit und Niedrigkeit der zaubergläubigen Araber kennen zu lernen, so sollte er auch bald ein Stückchen von der Moralität dieser Leute wahrnehmen können. Wie er beobachtete, lebte Abdallah hier auf seiner Schamba mit acht Frauen und zwei Surias (Favoritinnen) in Ehegemeinschaft zusammen, von denen die eine — seine eigene Tochter war. Wie das Familienleben, so schmählich waren alle andern Verhältnisse beschaffen.

Nach einem langweiligen, viertägigen Aufenthalte verließ der Baron mit seiner Karawane den Platz und erreichte am 28. nachmittags die acht Seemeilen entfernte Ansiedelung Mnasi (zu deutsch Kokospalme). Tags darauf führte der Weg über eine dicht bewaldete Hochebene, deren fester, roter Boden zahlreiche Fährten von Zebras und Zweihufern zeigte, nach Mpuömu. Hier ließ Decken, da er von Krankheit geplagt wurde, den Tag über Rast machen und marschierte erst gegen Mitternacht weiter, durch einen ausgedehnten und schwer passierbaren Wald nach Karissu. Der nächste Marsch nach Kahigongo wurde wieder zum teil in der Nacht zurückgelegt, über eine sanft ansteigende Ebene, anfangs in gleicher Richtung mit der Kette der Kilundama- und Matumbiberge, später zwischen Hügeln, die dem Reisenden durch ihre kühnen Formen auffielen. Das Land war vortrefflich bebaut und stark bevölkert. Ueberall, wohin man kam, erregte der Europäer das größte Aufsehen; denn die Leute hatten noch nie einen „Msungu“ gesehen.

Auch Nahigongo bildete, wie die meisten afrikanischen Ortschaften überhaupt, einen aus zahlreichen Hütten bestehenden Bevölkerungsmittelpunkt. Während des zweitägigen Aufenthaltes streifte der Baron in den südlich davon gelegenen Bergen umher und entdeckte auf halber Höhe der Hügelkette Nanguala mehrere Scheiterhaufen. Auf einem derselben fand sich ein weibliches Skelett vor, auf den übrigen Schädel und verschiedene andere Knochen von menschlichen Wesen. Offenbar handelte es sich um Verbrennung von Toten.

Mit dem Monat Dezember beginnt ein neuer Jahresabschnitt, die Regenzeit. Die oft allerliebste Landschaft verschleiert sich, der Lehmboden weicht auf, die Schlüpfrigkeit der Wege sowie das zahlreiche Vorkommen angeschwollener Bäche verhindert ein schnelles Vorwärtskommen.

Nach der Menge von Hütten zu schließen, welche man überall traf, mußte die Gegend stark bevölkert sein; trotzdem bekam man keine Bewohner derselben zu sehen; sie waren alle aus Furcht vor „den weißen Männern mit den abgerichteten Löwen“ geflüchtet. Ueber Lukose gelangte die Karawane am 6. Dezember an den Muriafluß und bezog im Dorfe gleichen Namens das Nachtlager. Mit dem anbrechenden Morgen ging es durch niedriges sumpfiges Land. Nachmittags wurde das große Dorf Merui erreicht, das zum größten Teil Wagindo bewohnten. Die Beschaffung der notwendigen Lebensmittel machte wiederum erhebliche Schwierigkeiten, da die störrigen Eingeborenen diese nur zu unerhört hohen Preisen abgeben wollten.

Hier in Merui hatte man einen längeren, unliebsamen Aufenthalt. Abdallah, der Führer, weigerte sich unter allen erdenklichen Vorwänden, die Reise fortzusetzen. Koralli, nächst dem Baron der einzige Europäer der Karawane, wurde von einem heftigen Fieber heimgesucht. Mehrere Tage vergingen, bis er sich einigermaßen erholt, und erst am 12. Dezember, als er erklärte, nun weiterreisen zu können, wurde der Marsch fortgesetzt. Durch strömenden Regen und auf grundlosen Wegen mußte man wandern, bevor der nächste Ort, Kiangara in Sicht kam. Der Forscher wurde von schlimmem Kopfweh geplagt und erholte sich erst am andern Tage.

Weiter ging es durch stark bevölkertes Kulturland. Den zwei Fuß tiefen Kipereleflüß überschreitend, kam man nach Nahilala und weiter nach Kipindimbi, wo das Lager errichtet wurde.

Auf dem Wege nach der Ortschaft Luëre, dem nächsten Reiseziel, passierte die Expedition mehrere Flüsse, darunter auch den Ruhuhu. Luëre zählte nur zwei Häuser, bot aber Lebensmittel in Menge, namentlich Mehl und Hühner zu billigen Preisen.

Nunmehr schien sich alles gut anlassen zu wollen. Die Expedition kam am folgenden Tage zeitig fort, und Träger und Beludschen belästigten den Baron wenigstens nicht mehr mit Klagen. Abgesehen von wenigen Stellen, war das Land sehr stark bevölkert und vorzüglich bebaut. Fast überall hielten die Bewohner desselben Lebensmittel am Wege feil. Zwischen Bergen und Höhenzügen ging es hindurch in eine anmutige, reichbewässerte Landschaft, Nangungula genannt. Der Reisende bestieg den Berg Lukunda, der ihm einen lohnenden Ausblick bot, sowohl in das Land, als auch nach dem merkwürdig geformten Mbaha- und Makunduebergen.

Unterdessen hatte Abdallah mit sichtlichem Mißvergnügen bemerkt, daß einige Tage ohne Störung verlaufen waren. Er weigerte sich nunmehr auf das Entschiedenste, an dem Weitermarsche teilzunehmen, und suchte seinem unehrlichen Benehmen dadurch einen Anstrich von Berechtigung zu geben, daß er meinte, man müsse mehrerer Träger wegen, die krank wären, einige Zeit lang, bis zu ihrer Besserung, hier bleiben. Auch erklärte er, er und seine sämtlichen Sklaven gingen nicht weiter, falls Decken nicht auf den Araber Salem ben Abd-Allah, der mit einer Karawane von 1500 Leuten unterwegs war, warten wolle. Dies war derselbe Mensch, mit dem Roscher gereist und der wohl seinen Tod hauptsächlich verschuldet hat. Daß der Baron in diese letzte Forderung nicht einwilligen konnte und wollte, lag selbstverständlich auf der Hand. Denn er hätte sich ja sonst leichtfertig mit seiner geringen und dazu unzuverlässigen Mannschaft ganz in die Hände desselben Schurken gegeben, der Roschers Tod mit herbeigeführt!

Decken ließ sich auf die Pläne des verschlagenen Arabers nicht ein, gab ihm vierundzwanzig Stunden Bedenkzeit und zog, gefolgt von seinen Beludschen und Dienern, allein eine Tagereise weiter nach Messule, einem außerordentlich reichen Landstrich. Zuckerrohr, Reis, Bohnen, Erbsen, süße Kartoffeln, Baumwolle, Bananen waren dort in Fülle vorhanden.

Von hier aus schickte der Baron ein paar zuverlässige Leute aus, um den flüchtigen Araber womöglich aufzusuchen, um ihn mit seinen Trägern zum Weitermarsch zu bewegen. Auch dieser Versuch war umsonst. Der freche Abdallah ließ dem Baron mitteilen, er sei bereit, den Sklaven zu befehlen, seine Sachen nach Kilwa zurückzubringen, vorwärts dagegen ginge weder er, noch einer seiner Leute.

Da die entlaufenen Träger nicht wieder eingefangen werden konnten und da den Beludschen gar nicht zu trauen war, blieb dem Reisenden nichts anderes übrig, als nach der Küste zurückzugehen. Es war ein harter und schwerer Entschluß, nach Aussage der Leute nur noch neun Tage vom Rowumaflusse entfernt, umkehren, Strapazen, Aerger, Geldopfer, fast alles umsonst hingegeben, und ohne größeres Resultat wieder in Sansibar ankommen zu müssen!

Die Rückreise ging schnell vor sich. Der Reisende benutzte eine kürzere Straße nach Kilwa. Ueber Luëre, über den Ruhuhufluß kam er in den stark bevölkerten Landstrich Nassoro. Am

Tage darauf wurde in Kiangara übernachtet. Täglich ein tüchtiges Stück Weges zurücklegend, kam der Reisende bald durch die volksreichen Landstriche Namguira und Kiguruha.

In der zuletzt genannten Ortschaft mußte Koralli zurückgelassen werden, da er wegen zu heftigen Fiebers nicht weiter konnte. Decken selbst eilte mit der Hälfte der Beludschen voraus nach Kilwa, um von hier aus Leute nebst Tragbahre zu schicken, die den Kranken auf diese Weise weiter transportieren sollten; seine Träger nahm er mit.

Der Baron marschierte, da die Sonne zu heiß brannte, meist in der Nacht. Da geschah es, daß einer von den Beludschen von einer Schlange gebissen wurde. Während Decken damit beschäftigt war, die Wunde auszuschneiden und zu brennen, benutzten sämtliche Träger die Zeit, um sich mit ihrem Gepäckstück zu entfernen. Wie der Reisende nachher in Kilwa erfuhr, hatten sie den Weg nach Mukapunda eingeschlagen, aus Furcht, daß Decken sie für das Vergehen ihres Herrn bestrafen würde. So kam es denn, daß der Forscher am 1. Januar 1861 ohne Gepäck nach Kilwa zurückkam. Fünf Tage später traf auch Koralli dort ein.

Die ängstlichen Träger hatten den größten Teil des Gepäcks auf der Schamba Abdallahs abgegeben. Die Nachforschungen ergaben auch, daß jedes Stück geöffnet und um einige Mengen „erleichtert“ worden war! Bei näherer Kontrolle stellte es sich sogar heraus, daß einige Ballen ganz fehlten; ebenso die sämtlichen, den Trägern gelieferten Gewehre. Trotz allen Schadens war Decken froh, als er wenigstens wieder in den Besitz seiner Medizinkiste und der meisten seiner Instrumente kam. Erstere hatte der Baron außerordentlich vermißt; denn inzwischen war er von einem heftigen Küstenfieber heimgesucht worden, das sich sehr bösartig zeigte und ihn schon bei geringerer Anstrengung fortwährend Ohnmachtsanfällen aussetzte, die oft längere Zeit anhielten.

Es lag dem Reisenden begreiflicherweise alles daran, so bald als möglich aus der Fieberhöhle, in der er sich befand, fortzu-

9*

kommen. Erst am 25. Januar waren seine Geschäfte und Anordnungen dort beendigt. Nun konnte er sich nach Sansibar einschiffen, das er nach achttägiger Fahrt erreichte.

Beinahe ein Monat verging, bevor er wieder einigermaßen gesund wurde. Alsdann suchte er den Sultan von Sansibar zu bewegen, den vertragsbrüchigen Abdallah ben Said einzufangen und zur Bestrafung zu ziehen, sowie denselben zum Ersatz der bezahlten Summen und zur Entschädigung für den Raub an Waren zu zwingen. Die Bemühungen des Barons bei Said Madjid mußten jedoch vergebliche sein; denn zwischen den Rechtsanschauungen des Europäers oder, was weit mehr sagen will, des deutschen Mannes und des arabischen Herrschers bestand von Natur eine gewaltige Kluft. Decken drohte jedoch, falls er ihm Gerechtigkeit nicht verschaffen wolle, sich selbst zum Richter aufzuwerfen. Es blieb aber bei dieser Drohung. Der Reisende sah wohl später ein, daß ein solches Verhalten ihm Schaden für seine späteren Reisen bringen mußte.

Ohne Eindruck scheint übrigens dieser Vorfall nicht an dem Sultan vorübergegangen zu sein; wenigstens waren die Empfehlungsbriefe, welche er dem „Msungu“ auf seine nächste Reise mitgab, ganz anderer Art. Uebrigens mag auch Said Madjid sich aus Teilnahme für den so schwer von Unglück und Krankheit Betroffenen zu besseren Empfehlungen haben bestimmen lassen.

Reise nach dem Schneeberg Kilima-Ndscharo in Gemeinschaft mit Mr. Thornton.

Vorbereitungen.

Ausgangs Februar 1861 konnte von der Decken, nachdem er die lange und schwere Fieberkrankheit völlig überstanden hatte, den längst gehegten Plan verwirklichen und die nordwestlich von Sansibar gelegene Stadt Mombaja und vor allem den Missionar Rebmann besuchen, den wir ja als den Entdecker des himmelanstrebenden, schneebedeckten Kilima-Ndscharo kennen. Nach dreitägiger, unerquicklicher Fahrt, an der hafenreichen und fruchtbaren Insel Pemba vorbeisegelnd, erreichte er am Morgen des 23. Februar das alte, reizend gelegene Mombasa. Die Stadt, im siebzehnten Jahrhundert im Besitz der Portugiesen, liegt auf einer Insel, die vom Festlande durch kleine Kanäle getrennt ist.

Decken überreichte dem Vorsteher der Zollstätte die Empfehlungsbriefe und erfuhr von ihm das Wichtigste über Personen und Zustände des Orts. Am Nachmittage stattete der Reisende dem Wali, dem Gouverneur des Platzes, seinen Besuch ab. Dieser kam dem Reisenden mit einem Gefolge von etwa hundert der vornehmsten Araber der Stadt entgegen und empfing ihn überhaupt mit großer Feierlichkeit. Später führte der Wali seinen Gast auch in dem Fort herum, dessen Besichtigung sonst noch keinem Europäer ermöglicht worden war.

Am Nachmittage desselben Tages trat Decken, gefördert durch eine frische Brise, eine Bootsfahrt nach Kisolutini an. Am 24. Februar, in aller Frühe, erreichte der Reisende die Mission. Rebmann war über den unvermuteten Besuch freudig überrascht; er und seine Frau, eine Engländerin, empfingen den Reisenden sehr herzlich und erwiesen ihm unumschränkte Gastfreiheit. Decken blieb einige Tage dort, besprach sich mit Rebmann über weitere Reisen in das Innere und unterrichtete sich über dessen frühere Ausflüge. Um jene Zeit und in einem Briefe an Heinrich Barth sprach sich Decken über des Missionars persönliche Eigenschaften im Allgemeinen günstig aus; weniger gut beurteilte Decken dessen Frau, die „ihre ganze Zeit der Lektüre der Bibel widmet, ohne sich um Haus und Hof zu bekümmern“.

Die Erkundigungen, die der Reisende einzog, waren nicht sehr befriedigend. Seit sieben Jahren war keine Suahelikarawane nach Dschagga, der gesunden und fruchtbaren Landschaft am Kilima-Ndscharo, gezogen und das Wanikaland hatte sich durch einen vor drei Jahren erfolgten Raubzug der Massai sehr ungünstig verändert.

Nach drei Tagen verließ der Baron die Mission und kehrte über Mombasa und Pangani nach Sansibar zurück.

Hier rüstete der Forscher unausgesetzt, um nach der Regenzeit von neuem und mit größerem Erfolge in das Innere des dunklen Erdteils eindringen und nach dem Kilima-Ndscharo gelangen zu können.

Eines Tages lernte er auch hier einen jungen Engländer, den Geologen Richard Thornton kennen. Dieser talentvolle junge Mann hatte bereits mehrere Reisen hinter sich und war wiederholt — besonders auch als Geologe der Livingstone'schen Expedition zur Erforschung des Sambesiflusses, im Innern Afrikas thätig gewesen. Thornton interessierte sich sehr für die Pläne des deutschen Forschers und bat schließlich, ihn als Teilnehmer an der Expedition aufnehmen zu wollen.

Dem Baron kam das Angebot sehr gelegen, hatte ihn doch die Erfahrung hinreichend gelehrt, daß einer allein nur sehr schwer alle notwendigen Arbeiten bewältigen und daß durch eine Arbeitsteilung bedeutend mehr geleistet werden könne, sind doch auch die Anforderungen, welche an einen wissenschaftlichen Forschungsreisenden der Neuzeit gestellt werden, ziemlich bedeutend; in ein besonders grelles Licht setzt dieselben der spätere Begleiter von der Deckens, Dr. Kersten, indem er schreibt: man mutet dem Forscher zu, bei tropischer Sonnenglut Tag für Tag mit seiner Karawane zehn bis fünfzehn Seemeilen und mehr zu marschieren; dann soll er mit Hilfe des Routenkompasses, der Uhr und Schrittmessers den Reiseweg sorgfältig festlegen, kleine Abstecher machen und Berge besteigen, um Peilungen oder Richtungsbestimmungen nach benachbarten Objekten vornehmen zu können. Dann wünscht man charakteristische Punkte von ihm photographiert zu sehen; man wünscht nähere Angaben über die Temperatur der durchreisten Gebiete und über die Höhenlage derselben. Hat der Reisende dergleichen Arbeiten hinter sich, hat er sich tagsüber mit Trägern und Führern herumgeärgert, mit den Eingeborenen wegen Lebensmitteln unterhandelt und auf dem Marsche nebenbei gejagt, dann soll er abends, ermüdet von den Strapazen des Tages, seine Erlebnisse und Beobachtungen niederschreiben und obendrein noch astronomische Ortsbestimmungen ausführen! Sind nun auch die dazu nötigen Instrumente, der Reisetheodolit und der Taschenchronometer geprüft oder aufgestellt, so kommen nicht selten die Eingeborenen herbei und suchen dem Reisenden alles zu verleiden; denn, beim Anblick eines Instrumentes, ist der Wilde überzeugt, daß der fremde weiße Mann die Sonne oder den Mond vom Himmel reißt, den ersehnten Regen vertreibt, böse Krankheiten oder gar Tod erzeugt und das Land auf viele Jahre hinaus behext! Ferner soll der Reisende die Eingeborenen über die näheren Verhältnisse ausforschen, sich über ihre Geschichte unterrichten und die Völker- und Sprachkunde zu bereichern suchen. Schließlich verlangt man von ihm, wie einst der Engländer Burton schrieb, daß er recht oft lange Berichte nach Hause schicke, um zu verhindern, daß die Königliche Geographische Gesellschaft zu London bei ihren Abendsitzungen nicht einschlafe."

Am 28. Mai verließen die Reisenden Sansibar und fuhren auf einer Brigg, die der Sultan Said Madjid dem Baron überlassen hatte, nach Mombasa. Der Sultan sowohl, als auch die Vertreter der europäischen Mächte, waren bemüht gewesen, dem Baron die Wege zu ebnen und ähnliche Unfälle wie bei seiner ersten Reise unmöglich zu machen.

In Mombasa eingetroffen, vergingen doch noch Wochen, ehe die Verhandlungen mit Führern und Trägern endigten. In der Zwischenzeit durchstreiften die Reisenden Stadt und Insel. Die Abende verbrachte Decken zumeist in Rebmanns Gesellschaft, der ihn hilfreich und nach Kräften unterstützte.

Erst am 28. Juni 1862 konnte der Baron mit den beiden andern Führern, Thornton und Koralli, einer Trägerschar von etwa fünfzig Mann und zwei Wegekundigen, Mombasa verlassen und seine geplante Reise nach dem Kilima-Ndscharo antreten. Uebrigens führte man noch fünf unbelastete, nur mit Sattel und

Zaum versehene Esel mit, die den Europäern in Ausnahmefällen, bei Unwohlsein oder Ermüdung, als Reittiere dienen sollten.

Nach reiflicher Ueberlegung hatte der Reisende sich für den Weg über die Schimbakette entschieden, welche von Süden her bis an die Bucht von Mombasa reicht. Nach vierstündigem Marsche wurde auf einem freien Platze im Wanikadorfe Bombo Halt gemacht und dann das erste Mal im Freien übernachtet.

Am 30. Juni erklomm die Karawane den höchsten Punkt der Schmbaküstenkette und kam nach einigen Stunden in ein großes Dorf der Wakamba, vor dessen Thoren Rindvieh, Schafe und Esel in ansehnlicher Zahl weideten.

Am ersten Tage des Juli ging die Wanderung durch ausgedehnte Flächen mit üppiggrünem Grase. Dazwischen zeigten sich Gruppen von Gebüsch oder Wäldchen von schönen Bäumen. Nach mehreren Stunden gelangte man nach dem Dorfe Moamandi.

Der Nachmittagsmarsch am andern Tage führte bald über schöne Grasflächen, bald durch dichtes Gehölz, bald durch anmutige, von Antilopenherden und Straußen belebte Landschaften. Am Morgen des 4. Juli wurde der Fuß des Kilibassi, gegen Mittag die Rukingakette erreicht. Weiter ging es dann über roten, sandigen Boden nach dem Fuße des 1600 m hohen Kadiaro, wo die Zelte aufgeschlagen wurden. Nunmehr konnte man auf eine neuntägige Reise zurückblicken.

Schon am frühen Morgen erschienen hunderte von den Wataita, die zwar Nahrungsmittel anboten, diese aber nur zu unverschämt hohen Preisen abgeben wollten.

Als von der Decken am 8. Juli, nach einem unliebsamen Aufenthalte von vier Tagen den Marsch fortsetzen hieß, nahmen die Eingeborenen eine feindliche Haltung an; nur seinem geschickten und sicheren Auftreten war es zu danken, daß es nicht zu einem ernstlichen Zusammenstoß mit ihnen kam.

Tagelang ging es, einen großen Bogen gegen Süden beschreibend, auf Wildpfaden dem Berglande Pare zu; oftmals ohne Weg; oftmals ohne eine Spur von Wasser anzutreffen. Inmitten der Wildnis, unter einigen Dornbüschen, mußte übernachtet werden. Da, am 14. Juli, bekamen die Reisenden zum ersten Male den Kilima-Ndscharo, den „König von Afrikas Bergen" zu Gesichte. Welch überwältigender, ja fast rührender Anblick! Der gewaltige Riesenberg, von blendend weißem Schnee bedeckt, strebte, gleich einem mächtigen Dome, aus der Ebene empor. Wie kläglich mußte nun dem Reisenden die wirklich graue Theorie des englischen Gelehrten Cooley vorkommen, der ja behauptet hatte, es gäbe in Afrika keine Schneeberge!

In Kisuani, einem häufig von Karawanen der Pangani- und Tangaleute besuchten Platze, wurde Quartier genommen.

Durch dürre Landschaft ziehend, ging es nunmehr dem schroff aus der Ebene emporsteigenden Gebirgszuge, dem Ugenostocke zu. Endlich kam auch der Djipesee in Sicht. In nördlicher Richtung, an dem schilfumkränzten und waldreichen Ostufer des Sees, wo Decken Gelegenheit fand, mehrere prächtige Löwen ganz in der Nähe zu beobachten, ging es dann weiter.

Der am Lumiflusse gelegene Karawanenplatz Taweta bot bald den Reisenden einen erwünschten Rastpunkt auf mehrere Tage. Die Häuptlinge erschienen namentlich zum Zweck Geschenke zu erbetteln. Unter der Bedingung, daß man ihm keine Schwierigkeiten bei seinem Weitermarsche nach Dschagga mache, ihm vielmehr nützlich zur Hand gehe, ließ ihnen der Baron buntes Zeug, Spiegel, Messingdraht, Glasperlen u. a. m. verabreichen.

Mit reichlichen Lebensmitteln versehen, verließ die Expedition die Ebene und marschierte nach der überaus schönen Landschaft Kilema. Den mit ewigem Schnee bedeckten „Berg der Größe" hatten die Reisenden nunmehr dicht vor sich, der aus einer etwa zehn deutsche Meilen breiten Grundfläche mehr als 5000 m hoch über der Ebene und 6000 m über der Meeresfläche emporragt, die sich nach Süden sehr sanft und allmählich, nach Südwesten sehr jäh herabsenkt. Zwei Gipfel krönen die Gebirgsmasse: im Westen eine prächtig gerundete, mit blendend weißem Schnee bedeckte

Kuppe, der Kibo oder der Weiße genannt; im Osten eine etwas niedrige, schroffe Masse jäh abfallender Riesenpfeiler oder Säulen, der Mawensi oder der Dunkle genannt. Beide sind durch einen etwa drei bis vier Stunden weiten Sattel verbunden. Das Gebirge ernährt durch die Schneemassen eine Menge Bäche, die rundum, aber am meisten nach Süden zu abfließen; es ist außerdem ein beständiger Regenerzeuger; denn selbst nach den wolkenfreien Nächten der Trockenzeit bedeckt sich die Spitze beim Aufsteigen der Sonne mit Nebel, die sich gegen Mittag zu düsteren Wolken verdichtet, worauf nachmittags Regen oder Gewitter folgen.

Der Weg führt am Rande von Schluchten hin, in deren Tiefe wilde Bergwasser rauschen. Hier, wo das Lebenselement, das Wasser, in reichster Fülle geboten ist, entwickelt sich die Pflanzenwelt zu üppigster Pracht. Zwischen ungeheuren Laubbäumen des Urwaldes und zwischen schlanken, zierlichen Palmen findet sich grünender Rasen, in dem die herrlichsten Blumen ihre Blüten entfalten.

Nur zwischen 3500 bis 5000 Fuß Meereshöhe sind die südlichen Abhänge des Kilima-Ndscharo bewohnt. Der schmale, bewohnte Gürtel, allgemein Dschagga genannt, zerfällt in mehrere, sagen wir Negerkönigreiche, die von Westen nach Osten zählend, Madschame, Lambungu, Uru, Pokomo, Kirua, Kilema, Maranga und Rombo heißen. Unter diesen sind Madschame und das am weitesten nach Süden herabreichende Kilema die bedeutendsten; beide zeichnen sich durch wechselvolle Bodengestaltung, durch tiefe Thäler und zahlreiche kleinere Berge besonders aus.

Nachdem der stattliche, rasch strömende Goniflusß von der Karawane durchschritten war, wurde vor Kilema das Lager aufgeschlagen. Decken ließ dem Häuptling von Kilema seine Ankunft melden und erhielt eine für die Expedition günstige Antwort. Mambo, der Sultan von Kilema, zog darauf dem Forscher entgegen und schickte nach seiner Rückkehr zwei Kühe als Geschenk. Am andern Tage holte er sich die Geschenke, welche der Baron für ihn als Gegengabe bereitgelegt hatte, womit er aber den habgierigen Neger nicht zufriedenstellen konnte. Bald fand sich Mambo wieder ein, diesmal, um den eigentlichen Zweck der Reise zu erfahren. Decken setzte ihm auseinander, es sei seine Absicht, den Schneeberg zu besteigen. Anfangs habe er dies von Madschame aus versuchen wollen; weil er aber gehört habe, daß Rebmann von Masaki, dem früheren Sultan von Kilema, freundlich behandelt und sogar zur Rückkehr aufgefordert worden wäre, habe er sich entschlossen, zuerst hierher zu kommen. Mambo, angenehm davon berührt, bemerkte schließlich, von Kilema aus sei auch die Besteigung des Berges viel leichter zu bewerkstelligen; sein schließliches Anerbieten, sofort zwei Leute auszuschicken, um den besten Weg zu erkunden, nahm Decken dankend an.

Es sollten aber mehrere Tage vergehen, ohne daß sich der Häuptling ernstlich mit den Vorbereitungen zur Bergbesteigung beschäftigte; dagegen wurde er mehr denn je durch seine aufdringliche Bettelei lästig und verweigerte sogar zu guterletzt seine Unterstützung. Der Entschiedenheit Deckens war es zu danken, daß den Weigerungen Mambos ein Ziel gesetzt wurde und das längst ersehnte Ziel, die Besteigung des Kilima-Ndscharo, nahe heranrückte. Die nötigen Vorbereitungen dazu wurden eifrigst betrieben und unter den widerspenstigen Führern und Trägern die nötigen Kräfte zur Begleitung ausgesucht. Koralli blieb mit dem Auftrag, das Lager zu schützen, zurück.

Am 8. August führte der Weg nordwärts, zumeist durch unbebautes Land oder über grünende Matten, auf denen Rindviehherden weideten. Nachmittags wurden inmitten ausgedehnter Bananenhaine mehrere Hütten der Eingeborenen erreicht und das Zelt aufgeschlagen. Nachts regnete es in Strömen, so daß sich am andern Morgen die Führer dem Weitermarsche wegen der Ungunst des Wetters widersetzten. Erst nach vielen Bemühungen zeigten sie sich zum Weitergehen bereit. Die Wege waren durch den Regen in einen fast unpassierbaren Zustand versetzt worden; Führer und Träger klagten bald wieder laut über die Beschwerden des Marsches; bereits um 2 Uhr ließ daher Decken halten und schlug mit Thornton sein kleines Zelt auf. Beide halfen den Trägern beim Bau einer Hütte. Der Regen, der den ganzen Abend und einen Teil der Nacht über ununterbrochen fiel, erhöhte die Unbehaglichkeit im Lager nicht wenig. Erst nach langen Verhandlungen ging es am nächsten Morgen mit den klagenden Leuten weiter. In traurigster Weise verging der Tag, und am folgenden Morgen stellte es sich sogar heraus, daß die Führer das Lager verlassen hatten. Was sollte Decken nun thun? Ohne Führer auf unbekannten Wegen weiter zu gehen, wäre widersinnig gewesen. Außerdem würden die Träger ihm sicherlich den Gehorsam verweigert haben. Er bequemte sich also, so schwer ihm auch der Entschluß fiel, zur Rückkehr.

Unangenehme Nachrichten erwarteten ihn im Lager. Der hitzköpfige Koralli, der für Ordnung daselbst hatte Sorge tragen sollen, hatte sich zu übereilten Handlungen hinreißen lassen, zuerst einen berauschten Mann geschlagen und alsdann die Hauptfrau des Häuptlings hart angefahren und sie aus dem Lager unter Schelten und Drohworten hinweggedrängt.

Einige Zeit mußte vergehen, bevor der Häuptling ob dieser Vorfälle beschwichtigt und die feindliche Haltung der Eingeborenen beseitigt werden konnte. Mambo zeigte sich nicht im Lager, und Decken, des langen Wartens müde, beschloß, nach Madschame aufzubrechen in der Hoffnung, von dort aus mit besserem Gelingen die Besteigung des Kilima-Ndscharo ausführen zu können.

Nach einer mehrtägigen Wanderung auf unbekannten, schwer passierbaren Wegen, nach Ueberschreitung mehrerer reißender Gebirgsbäche, gelangte die Karawane an den von hohen Ufern eingesäumten, schönen Weriwerifluß, der die Ostgrenze von der fruchtbaren, an dem unteren Teil des südlichen Abhanges des Kilima-Ndscharo gelegenen Landschaft Madschame bildet. Durch Felder und Bananenhaine, über einige Bäche und kleine Flüsse hin ging es in das trefflich bebaute, üppig grünende Land hinein, bis zum Lagerplatz, einer hochgelegenen Grasebene mit schöner Aussicht auf den Kilima-Ndscharo.

Führer wurden ausgeschickt, um den Sultan von der Ankunft zu unterrichten. Bald erschienen einige seiner Räte und Brüder, Tags darauf sein Oheim, selbstverständlich kamen alle nur, um ihre unerhörte Bettelgier zu befriedigen. Dann kam auch der Häuptling, dem Decken ebenfalls seine Absichten auseinandersetzte mit dem Ersuchen, ihm Unterstützung zu gewähren, sich friedlich zu zeigen und Führer zu stellen, denn andernfalls werde er sich wehren, ihn und eine Menge seiner Krieger töten lassen. Der Häuptling versprach, wie ja alle andern es auch gethan, dem mächtigen weißen Manne gefällig zu sein und ihn zum Berge führen zu lassen — bis zur Schneegrenze, aber keineswegs weiter; denn „es würde sonst keiner wieder lebend nach unten kommen!"

Das lügnerische Wesen des Häuptlings kam bald an den Tag. Führer stellte er nicht; wohl aber unverschämte Geschenkforderungen. Mancherlei Verhandlungen führten auch zu keinem Resultat. Und so gelangte Decken mehr und mehr zu der Ueberzeugung, daß in Madschame alles umsonst sei. Er ließ zum Aufbruch die nötigen Anstalten treffen. In der Zwischenzeit machte er noch mit Thornton Ausflüge und stellte wissenschaftliche Beobachtungen an. Einmal hatte er Gelegenheit, einen Markt der Wadschagga kennen zu lernen. Auf einem freien, von einigen Bäumen umstandenen Platze, bewegten sich feilschend und schwatzend etwa vier= bis fünfhundert Dschaggaweiber. Sie verkauften im regsten Verkehr irdene Töpfe, Holzgefäße, Bananen, Bohnen, Erbsen, süße Kartoffeln, Milch, Fett, Bananenwein und Bananenmehl, rote Erde zum Färben und Emballa, eine salzhaltige und als Salz dienende Erde. Auf dem Markt herrschte die beste Ordnung, wenn schon, wie begreiflich, der Lärm der hunderte von Stimmen weithin vernehmbar war. Kein einziger Mann befand sich unter den Verkaufenden; Decken erfuhr, daß es Männern aufs Strengste verboten sei, am Markte teilzunehmen, vermutlich, weil früher blutige Streitigkeiten unter den Handelnden stattgefunden hatten.

Nunmehr entschloß sich der Reisende, sein Glück nochmals in Kilema zu versuchen, zuvor aber nach Taweta zurückzukehren, um hier nach seinen Sachen zu sehen. Heimlich, in der Nacht zum 5. September, verließ die Expedition den Lagerplatz, um mit den argwöhnischen Negern nicht in Konflikt zu geraten. Die Karawane hielt sich mehr längs der Nordseite der kleinen Aruscha-Berge. Nach einem beschwerlichen Marsche, über mehrere Flüsse und Bäche, zuletzt durch verbranntes Land, wo weder Gras noch Busch mehr zu sehen war, zog man am 8. September in Taweta ein.

Seinen Entschluß, Kilema nochmals aufzusuchen, konnte der Reisende bald verwirklichen. Am 12. September ging es auf bekannten Wegen nach Kilema. Die Erfahrungen aber, welche unser Forscher hier von neuem sammelte, das Gebahren des Häuptlings, der sich immer mehr als Lügner und Trunkenbold entpuppte, zwangen ihn, abermals nach Taweta zurückzukehren, und von dort schließlich über Pare und Nord-Usambara den Rückmarsch nach der Küste anzutreten.

Rückkehr nach der Küste.

Durch öde, sonnenverbrannte, und was das Schlimmste war, wasserarme Gegenden führte die Route nach Kisuani. In dem alten Lager am Paregebirge hielt sich Decken bis zum 27. September auf. Thornton benutzte die Gelegenheit, bestieg einen entfernten, kegelförmigen Berg und vervollständigte seine bisher mit anerkennenswertem Fleiß gemachten topographischen Aufnahmen.

Beim Aufbruch, am Morgen des 28., fand sich wider Erwarten kein Führer ein; deshalb ging es aber doch, wenn auch auf gut Glück, in östlicher Richtung vorwärts, dem Platze Gondja zu. Der weitere Weg führte durch eine einförmige, rechter Hand von den Pare- und Usambarabergen begrenzte Ebene. Inmitten der Einöde, von einer Stelle, wo sie den herrlichen

Kilima-Ndscharo während dieser Reise zum letzten Male zu sehen bekamen, schlug die Expedition das Lager auf.

Der Karawanenhalteplatz Mbaramu wurde am andern Mittag erreicht. Die Eingeborenen sahen durchschnittlich gut aus und benahmen sich bescheiden und höflich.

Nach tagelangen Märschen, durch menschenleere Gegenden, erreichten die Reisenden am 5. Oktober ein nicht unbeträchtliches Dorf der Wadigo, und im nächsten Dorfe, in Jesa Mikueni, errichteten sie das Nachtlager.

Mit Beginn der Tageshelle setzten sie den Weg fort. Sie kamen durch ausgedehnte Pflanzungen von Bananen und Getreide. Nach einer Stunde langten sie am Rande des Hochlandes an und sahen zum ersten Male wieder auf das weite Meer hinaus. Rüstig ging es den steilen Weg bergab, in der Richtung auf den nahen Ort Wanga. Sobald die Reisenden die Häuser von Wanga erblickten, gaben sie Freudenschüsse ab. Viele Einwohner strömten heraus, freundlich grüßend und höchlich verwundert, daß die Karawane lebendig zurückgekommen; sie hatten von Mombasa aus gehört, daß die Teilnehmer der Expedition bis auf den letzten Mann von den Wataita getötet worden wären. Man staunte sie wie wilde Tiere an und bewunderte sie wie Kriegshelden. Mit süßen Schauern lauschten die vor Neugier fast Vergehenden den unglaublichen Aufschneidereien der Träger über den seltsamen Schneeberg Kilima-Ndscharo, und über die bestandenen Fährlichkeiten, kurz: die gesund und munter Zurückgekommenen waren die Löwen des Tages.

Inzwischen bereitete man sich zur Weiterreise nach Mombasa vor. Am 8. Oktober setzte sich der Zug wieder in Bewegung. Drei Stunden nach Mittag erreichten sie das Dorf Pongue. Eine Strecke lang wanderten sie auch dicht am Strande hin und freuten sich der herrlichen See. Ein langer, qualvoller Marsch brachte sie endlich nach dem ersehnten Mombasa und, nach dem Zusammentreffen mit den Angehörigen der Mission, wurde in feierlicher Weise der Einzug in die Stadt gehalten.

Am Morgen des 12. Oktober fand die Auszahlungsfeierlichkeit statt. Jeder Träger erhielt den ihm gebührenden Lohn. — Die Gesamtkosten der Reise beliefen sich auf rund 7000 Mark.

Mit den Resultaten der Reise konnte von der Decken immerhin zufrieden sein. Das Ergebnis derselben bestand in der vollkommenen Bestätigung der Angaben des Missionars Rebmann über die Natur des Riesenberges. Durch zahlreiche Messungen von verschiedenen Punkten aus hatte Thornton die Lage des berühmten Berges festgelegt und seine Höhe so genau bestimmt, daß auch die Bedenken des ärgsten Zweiflers verstummen mußten. Ein weiteres Ergebnis der Reise bestand in der Bestimmung der wahren Lage und Gestalt des Djipesees, ferner in der Erforschung des Oberlaufes des Panganiflusses und seiner Nebenflüsse. Außerdem hatten die Reisenden mehrere Volksstämme des Inneren und deren merkwürdige Sitten und Gebräuche kennen gelernt.

Vorläufig beabsichtigte der Baron, die gemachten Aufnahmen mit seinem Begleiter genauer zu Papier zu bringen, sonstige Beobachtungen zu prüfen und das Tagebuch in aller Ausführlichkeit niederzuschreiben. War diese Arbeit gethan, so wollte er eine größere Reise, etwa nach dem Tanganyika, unternehmen oder, nach Nordwesten durch das Gebiet der gefürchteten Massai, nach dem Victoria Nyansa und dann nach dem von dem Missionar Krapf zuerst gesehenen Schneeberg Kenia aufbrechen.

In den ersten Tagen des November besuchten die Reisenden die Küstenorte Takaungu und Malindi, sowie die Mündung des Sabakiflusses, um zu sehen, ob nicht ein Eindringen von hier aus nach Ukamba möglich wäre. Einige Tage später, nach beinahe halbjähriger Abwesenheit, trafen die Reisenden wieder in Sansibar ein, wo sie von allen Europäern auf das Herzlichste bewillkommnet wurden. Decken widmete einige Monate der Erholung und traf weiterhin Vorbereitungen für die nächste Reise. Thornton bereitete sich auf geologische Untersuchungen an der ostafrikanischen Küste entlang vor; Decken aber schrieb nach Europa, um einen andern tüchtigen Begleiter für die nächste Forschungsexpedition zu erhalten.

Neue, größere Expedition des Barons in Gemeinschaft mit Dr. O. Kersten.

Zweite Besteigung des Kilima-Ndscharo.

Fast ein Jahr mußte verfließen, bevor der Baron seine Absicht, eine zweite Expedition zur Erforschung Innerafrikas zu unternehmen, in eine That umsetzen konnte. Er beabsichtigte, durch die weiten Massaiebenen Ostafrikas vorzudringen, womöglich den Viktoriasee zu erreichen und über den Kenia-Schneeberg, den ja der Missionar Krapf auf seinen Reisen entdeckt hatte, zurückzukehren. Aber auch diesmal war Decken nicht vom Glück begünstigt; denn als er zum zweiten Male die Kilima-Ndscharoebene berührte und das noch bisher von keinem Europäer besuchte Aruscha erreicht hatte, da verwehrte ihm das wilde Nomadenvolk der Massai das weitere Eindringen in die fremden, geheimnisvollen Gebiete. Wohl oder übel mußte der opferfreudige Forscher seine Pläne einschränken und mit der weiteren Erforschung des Kilima-Ndscharo vorliebnehmen. Doch davon, sobald wir auf jene Schicksale näher einzugehen haben. Vorläufig sehen wir Decken noch mit Vorbereitungen zu dieser zweiten Forschungstour beschäftigt.

Auf sein Ersuchen hatte ihm der uns bereits bekannte Afrikaforscher Dr. Heinrich Barth in Berlin einen geeigneten und wissenschaftlich gebildeten Begleiter vermittelt. Dr. O. Kersten aus Altenburg (der spätere Herausgeber des Decken'schen Reisewerkes) war es, der sich ihm anschließen wollte und sollte. Er traf in der zweiten Hälfte des Jahres 1862 in Sansibar ein und mit seiner Hilfe konnten die in Mombasa betriebenen Vorbereitungen schneller zu Ende geführt werden. Ausgangs September war alles marschbereit, und in den ersten Tagen des Oktober verließ die aus drei Europäern (von der Decken, Kersten, Koralli), acht schwarzen Dienern, hundert Trägern nebst drei Eseln und drei Hunden bestehende Karawane die Küste.

Seinem früheren Rückweg folgend, erreichte von der Decken nach zwei Wochen den Djipesee, marschierte aber diesmal an der andern, ihm noch unbekannten Seite hinunter und von dort nach den südlichen Ausläufern des Ugunogebirges, der Landschaft Usangi.

Das bis 2000 m ansteigende eisenreiche Land Usangi bot den Forschern manches Interessante. Scharen von neugierigen Eingeborenen kamen in ihr Lager, zumeist athletisch gebaute, schön gewachsene Menschen, von denen viele über sechs Fuß maßen.

An einem günstigen Tage bestiegen die Reisenden den Kamm der Gebirgskette. Von hier wandten sie sich seitwärts nach einem von duftigen Höhen umgebenen Bergkessel, dessen Wände mit Bananenpflanzungen und einzelstehenden Hütten bedeckt waren. Von der andern Seite des Thales her brachten einige Weiber schwere Lasten; es war Eisensand, wie sie beim Näherkommen erfuhren. Eine hübsche junge Frau zeigte ihnen die Gewinnung des Erzes. Sie hob eine Schaufel voll Sand aus dem Bett eines Baches auf, schlemmte in einfachster Weise die leichteren Teile hinweg, bis nur noch die kleineren, glänzendschwarzen, schweren Kristalle übrig waren, eine Art Magneteisenstein, wie man ihn auch auf Sansibar am Strande findet.

Bald zog die Karawane weiter. Die Landschaft Arusch a, an der Grenze des Massaigebietes und der in Kilima-Ndscharoniederung gelegen, bildete das neue Ziel. Vorerst aber gedachten die Reisenden am Djipesee, der Jagd und der Messungen halber, einige Zeit zu verweilen. Sie setzten das in Hamburg gebaute, eiserne Boot zusammen und benutzten am andern Tage einige Stunden zu einer Fahrt auf dem noch vom gestrigen Regen geglätteten See. Nach fünfviertel Stunden erreichten sie das gegenüberliegende Ufer, an welchem sich mehrere Hügel aus einer leicht ansteigenden, mit einzelnen Bäumen und Büschen bestandenen Ebene erhoben. Kurz nach ihrer Ankunft begann es zu dämmern. Um die bei einer Nachtfahrt möglichen Fährlichkeiten, wie Anrennen an ein Flußpferd u. a. m. zu vermeiden, ruderten sie nach kurzem Aufenthalte zurück, und nach einer guten Stunde waren sie wieder im Lager. Der Himmel war völlig wolkenlos, und in hellem Glanze erstrahlte das Firmament. Hinter den Hügeln jenseits des Sees stieg langsam das prächtige Sternbild des Orion auf. Dr. Kersten hatte es seit der Seereise nicht wieder gesehen und begrüßte es mit lebhaftester Freude als Bekannten aus der Heimat. Er benutzte die günstige Gelegenheit, pflanzte seinen Meßkreis auf und beobachtete einige Stunden lang die Höhen der Gestirne, um die Lage des Platzes genau festzulegen. Währenddessen war der Baron mit Koralli auf den Anstand gegangen in der Hoffnung, der Karawane durch einen glücklichen Schuß frisches Fleisch zu verschaffen. Sie hatten ein Flußpferd in schußrechter Entfernung angetroffen; der Baron feuerte, das schwer verwundete Tier stürzte, freilich nur um alsbald wieder, wie das so häufig auf der Flußpferdjagd der Fall ist, im Wasser zu verschwinden und dann im günstigen Falle irgendwo angeschwemmt zu werden.

Am 29. Oktober zogen die Reisenden in nördlicher Richtung durch eine anmutige Landschaft dem Ende des Sees zu. Ueber den 30 Fuß breiten Panganifluß, durch den ausgedehnten, von dichtem Schilf umkränzten Papyrussumpf, ferner durch eine angenehme Landschaft und zwischen einzelstehenden Hügeln und Felsen hin, eilten sie weiter. Bald wurde die Aussicht etwas freier, und links vor ihnen kam der strahlende Kilima-Ndscharo zum Vorschein. Auf der weiten Ebene standen Büsche von Fettpflanzen mit cylindrischen Blättern. Später erschienen zum ersten Male wieder, seitdem sie die Küste verlassen, Gruppen von Dumpalmen und einzelne Affenbrotbäume. Dann gelangten die Reisenden in einen ausgedehnten Wald und zuletzt an trübe, mit haushohen Sumpfpalmen dicht umkränzte Wasserlachen. Sie überschritten mehrere Pfützen und Bäche und brachen sich öfters mit Hirschfängern und Beilen Bahn, ohne jedoch ein Ende ihrer Mühen zu sehen. Die Reisenden, sowohl als auch die Führer wußten schließlich nicht mehr wo aus, noch wo ein; deshalb machten sie am 31. nachmittags am trockenen Ufer eines Flüßchens Halt und schickten Leute aus, die den Tags darauf zu benutzenden Weg auskundschaften sollten.

Am nächsten Morgen hatte die Karawane noch lange in Sumpf und Wald umherzuirren, ehe sie in die offene, trockene Ebene gelangte. Die Uguenoberge zur Linken, den Kilima-Ndscharo zur Rechten, schritten sie in oftmals wechselnder Richtung einem im Westen auftauchenden Höhenzuge, dem Aruschagebirge, zu, an dessen Fuß ihr Reiseziel liegen mußte. Da hemmte der ansehnliche, südwärts strömende Pangani ihre Schritte. Ihn ohne längere Vorbereitungen zu überschreiten, war unmöglich; deshalb errichteten die Reisenden an seinem diesseitigen Ufer das Lager, um am andern Tage mit frischen Kräften marschieren und nach dem erwünschten Ziel gelangen zu können.

Wie Dr. Kersten berichtet, weckte ihn mehrere Stunden vor Tagesanbruch die wunderbare Helligkeit des Firmaments. Die Fixsterne strahlten, wie es auf den Anden und auf erhabenen Hochebenen beobachtet wird, in ruhigem, planetarischem Licht und leuchteten, daß man bei ihrem Glanze fast lesen konnte. Auch außerdem lag etwas in diesem Himmel, was ihn wesentlich von unserem nordischen unterschied. Es waren nicht fremde Sternbilder, welche durch ihren nie gesehenen Glanz ihn blendeten — im Gegenteil, alle die schönsten unter ihnen kannte er von der Heimat her — wohl aber standen hier die bestbeleuchteten Gruppen zu beiden Seiten des Himmelsgleichers grade über ihm, im durchsichtigsten Teile des Weltraums, nicht, wie bei uns, zur Hälfte im Dunstkreis der Erde. Und das, fährt Kersten fort, dünkt mich, ist das ganze Geheimnis des Tropenhimmels.

Um den Panganifluß nicht überschreiten zu müssen, gingen die Reisenden am nächsten Morgen rückwärts nach einem zweiten, etwa 30 Fuß breiten Flusse, der nicht weit von dem Lager in den andern mündete. Er war brusttief und so reißend, daß die ersten Leute nur schwimmend hinübergelangen konnten. Der Uebergang nahm nahezu vier Stunden in Anspruch. Zuerst wurde ein Baum gefällt, der zwar etwas ungeschickt fiel und deshalb nicht ganz bis an das jenseitige Ufer reichte, aber immerhin eine Art Brücke herstellte. Ein an beiden Ufern befestigter Strick stellte das Geländer dar. Dann bildeten die Leute eine laufende Kette, d. h. stellten sich einer in geringer Entfernung von dem andern auf den Baum und reichten sich das Gepäck zu, bis auch das letzte Stück hinüber befördert war.

Etliche hundert Schritt weiter hatte man über einen zweiten, aber nur drei Fuß tiefen Fluß zu setzen. Durch die weite, von mancherlei Wild belebte Ebene sich weiter schlängelnd, gewahrten die Reisenden am Nachmittage Gruppen von hohen, kokosähnlichen Palmen und später auch Bananenpflanzungen. In dem bebauten Lande zeigten sich drei Eingeborene, welche die fremden Ankömmlinge eine Zeit lang beobachteten. Dann pflückte jeder von ihnen ein Büschelchen Gras ab; näherte sich, als die Reisenden das Gleiche thaten, und führte dieselben an einen stattlichen Baum, unter dem sich bald noch mehrere Leute einfanden. Sie sprachen eine von dem Suaheli vollständig abweichende Sprache — es waren die ersten Massai, denen man begegnete.

Lange Unterhandlungen über die im Voraus zu erlegenden Abgaben entspannen sich mit den etwas ungeberdigen Leuten. Der Baron schnitt das nicht enden wollende Gerede dadurch ab, daß er die Abgabe selbst bestimmte. Die Leute fügten sich und gestatteten die Ueberschreitung des Grenzflusses, eines gegen 40 Fuß breiten, nur knietiefen, aber sehr reißenden Wassers. Bis gegen Dunkelwerden wanderte die Karawane nun bald zwischen Bananenpflanzungen, bald durch ein Gestrüpp von stachligen Solaneen, bald durch einen prächtigen, hohen Wald, bis sie auf eine inmitten desselben gelegenen Wiese gelangten. Von der Decken und Kersten wurden nicht müde, die Schönheit der frischen Waldwiese, die sie so sehr an heimatliche Landschaften erinnerte, zu bewundern; namentlich entzückten sie die herrlichen, mimosenähnlichen Bäume, denen die geschichtete Anordnung ihres Gezweiges und Laubes einen eigentümlichen Reiz verlieh. Scharen von schwarzen und hellfarbigen Affen tummelten sich auf den Aesten; hoch in der Luft schwebten Flüge krummschnäbliger Ibisse, oft nur durch ihr einförmiges Schreien kenntlich. Endlich, nach etwa einer Stunde, bot eine Waldwiese wie die vorige, aber mit freier Aussicht nach dem Kilima-Ndscharo, den ersehnten Ruheplatz. Das Lager wurde hergerichtet und eine kleine Festung nach Art der verschanzten Massaidörfer hergestellt, ein Kreis von dicht nebeneinander stehenden Hütten mit einem Eingange nur von der Seite her, in der Mitte die Zelte mit den Waren.

Bald erschienen mehrere Massai im Lager. Sie forderten mit bekannter Dreistigkeit Geschenke und Abgaben. Als diese ihnen nicht gewährt wurden, drohten sie, hochtrabende Reden führend, mit Krieg. Die mehr als ängstlichen Träger zitterten und baten flehentlich, das Verlangen der Schrecklichen zu befriedigen. Der prahlerische Auftritt imponierte aber dem Baron selbstverständlich nicht und ironisch erklärte er den Zudringlichen daß er entzückt wäre, sie, die vielgerühmten Helden, auch in Kriegstracht kennen zu lernen.

Neugierige Eingeborene erschienen am nächsten Morgen scharenweise im Lager. Viele Weiber brachten Mais, Bananen, Erbsen und Bohnen, und der Baron ließ davon einen Vorrat für eine Woche aufkaufen. Er wußte wohl, daß es in dem fremden Lande und unter solchen Menschen doppelt gefährlich gewesen wäre, durch Mangel an Lebensmitteln in Abhängigkeit von ihnen zu geraten.

Sehen wir uns das Volk der Massai einmal näher an. Sie sind Hirten und haben als solche keine festen Wohnsitze. Sie leben von Viehzucht, Jagd und Raubüberfällen. — Wie es sich bei oft umherziehenden, wenig seßhaften Völkern nicht anders vermuten läßt, ist die Art der Regierungsform im Allgemeinen eine patriarchalische, auf den Häuptern der einzelnen Familien ruhende. Der Aelteste oder Stammvater übt, im Frieden wenigstens und in den engen Grenzen der Gemeinde, die höchste Gewalt und das Richteramt aus. In unruhigen Zeiten jedoch, wenn es nötig ist, die ganze Kraft des Volkes zusammen zu halten, haben sie es für vorteilhaft gehalten, ein gemeinschaftliches Oberhaupt, einen Anführer oder Häuptling einzusetzen. Dieser wird nach Tüchtigkeit erwählt, wird abgesetzt, falls er sich seines Amtes unwürdig zeigt und sogar getötet, wenn er dreimal nacheinander eine Schlacht verloren.

Unbändiger Stolz und lebhaftes Gefühl für Freiheit und Unabhängigkeit beseelt dieses Volk. — Gegen Fremde sind sie mißtrauisch; kommen diese gar bewaffnet, — und unbewaffnet wagt sich niemand zu ihnen — gelten sie ihnen als Ilmagnati oder Feinde. Fremde ihres eigenen Volkes dagegen werden gastfreundlich aufgenommen und bewirtet.

Will bei den Massais ein junger Mann heiraten, so wendet er sich an die Eltern oder Verwandten seiner Auserwählten, welche in der Regel nicht jünger als zwanzig Jahre sein darf, und zahlt ihnen, falls sein Antrag genehmigt wird, eine Anzahl Kühe als Entgeld.

Von einem höheren Wesen mögen die Massais einen schwachen Begriff haben; Gott und Himmel soll bei ihnen gleichbedeutend sein.

Die Waarnscha schienen ihrem Wuchs und Körperbau nach weniger stattlich als die Bewohner des Pare- und Ugnenogebirges. Männer und Weiber hüllten sich fast ausschließlich in weiches Leder. Besonders die Frauen erschienen mit Drahtschmuck überladen. Viele Schmuckgegenstände der Waarnscha glichen denen der Wapare, Wataweta und Wadschagga. Hier und da waren Kopfputze aus aufrechtstehenden Straußenfedern zu bemerken. Außerdem sahen die Reisenden bei den Männern häufig eiserne, gewiß eine Spanne lange Schellen von Form unserer Kuhglocken oberhalb des Knies befestigt.

Wahrscheinlich ist diese Tracht, die sich im Allgemeinen der der Nachbarvölker so sehr nähert, nur bei den Grenzstämmen der Massai in Gebrauch. Ueber Tracht und Schmuck der Bewohner aus dem Innern des Massaigebietes wußten unsere Forscher nichts zu melden, da zu jener Zeit noch kein Europäer bis dorthin vorgedrungen war.

Anfangs konnten die Reisenden mit dem Verhalten der Waarunscha zufrieden sein; sie benahmen sich ruhig und anständig; man merkte nicht, daß man es mit den gefürchteten Massai zu thun hatte. Anders aber war es, beobachtete man die Männer in ihrem Benehmen bei Verhandlungen, wenn sie, die hölzernen Streitkolben schwingend, ihre Ansichten und Anforderungen stolz verteidigten, oder sah man Krieger, wie sie prahlerisch in vollem Waffenschmucke vor den Reisenden und ihren Trägern auf- und abgingen. Und dieses Selbstgefühl, das Bewußtsein ihrer gefürchteten Macht und Stärke, zeigt sich in Gesicht, Haltung und im ganzen Auftreten schon bei unmündigen Knaben, die das Vieh auf die Weide treiben. Freilich artet dieser Stolz oftmals bis zur Lächerlichkeit aus.

Im Lager war eine strenge Arbeitsteilung eingeführt worden. Der Baron besorgte die Einkäufe, die Verhandlungen und die große Jagd; Koralli hielt die Lagergeräte und Sammlungen in Ordnung und überwachte die Träger; Dr. Kersten aber beschäftigte sich mit allerlei wissenschaftlichen Messungen und mit dem Fangen solcher Tiere, die ohne Gebrauch des Schießgewehrs zu erlangen waren. Um die Träger dem Müßiggange zu entziehen, wurden sie mit Auffädeln von Perlen und ähnlichen Arbeiten beschäftigt.

Zwischendurch wurden Verhandlungen über Verhandlungen mit den umwohnenden Häuptlingen der Massai geführt. Aber alle Bemühungen führten zu keinem günstigen Resultat. So erklärte einmal der Bruder des Sultans Sebadi von Kisongo in abergläubischer Furcht und belehrt von einer „Weissagung", daß die Expedition unter keiner Bedingung weiterziehen dürfe; nur der Weg nach der Küste zurück solle ihr nicht verwehrt werden. Ein anderes Mal verlangte der Aelteste von Aruscha, die Forscher sollten sogleich das Massailand verlassen. Alle Gegenreden, alle dargebotenen Geschenke fruchteten nichts. Gewalt anzuwenden erschien durchaus unratsam, und so wurde die Wahrscheinlichkeit, nordwestwärts marschieren, unbekannte Länder entschleiern und das großartige, von dem Engländer Speke 1858 entdeckte Gewässer des Victoria Nyansa erreichen zu können, immer geringer! Als endlich, nach vielem Hin- und Herreden, auch die dem Häuptling Dschnaka von Sigrari gegebenen Versicherungen und Darbietungen ergebnislos geblieben, als wieder ein paar Wochen verflossen waren, da mußte freilich Decken von der Aussichtslosigkeit weiterer Bemühungen überzeugt sein. Sollte es doch überhaupt erst im Jahre 1883 dem bekannten deutschen Arzt Dr. Fischer gelingen, durch die Steppen der gefürchteten Massai glücklich hindurchzudringen.

Nach Dschagga zu gehen, war die einzige Möglichkeit, die unseren Forschern von der Decken und Kersten blieb, zumal da der größte Teil ihrer für den Geschmack der Massai berechneten Tauschartikel für eine Reise in andere Länder wertlos war und der Rest eben nur genügte, um mit einem kleinen Umwege nach der Küste zurück zu gelangen. Der Baron beschloß, diesmal nach Lambungu und Moschi heraufzuziehen; vielleicht ließ sich von dort aus eine Besteigung des Kilima-Ndscharo ermöglichen. Das frühere Verhalten der Häuptlinge von Madschame konnte ihn nicht ermutigen, seinen Besuch in diesen Gebieten zu wiederholen.

Am Morgen des 14. November war alles zum Aufbruch bereit. Drei Führer geleiteten die Karawane freiwillig auf einer guten Furt über den Aruschafluß bis in die Ebene. Ein großes, schweres Nashorn wurde erlegt und lieferte am Abend, als sie unter freiem Himmel lagerten, eine kräftige Suppe sowie gebratenes, überaus wohlschmeckendes und zartes Fleisch.

Nach etlichen Stunden Marsch ging es am 15. durch ziemlich offenes Land, später durch Schilf, Busch und Wald, zuletzt in gelinder Steigung bergauf. Dann aber stiegen sie immer steiler aufwärts längs einer Schlucht hin, in deren Tiefe ein ansehnlicher Bach rauschte, und immer höher wurde der Wald an ihrer Seite. Sie überschritten bald zwei kleine Flüsse und gelangten zufällig in das Gebiet des Sultans Saia von Uru. Tags darauf, bergauf und bergab wandernd, an hübschen Wasserleitungen und tiefen Schanzgräben vorüber, bald auf gutem, bald auf schlechtem Pfade, immer aber durch ein üppig grünendes Land, erreichten die Reisenden kurz vor Sonnenuntergang den ziemlich kleinen, doch reizend gelegenen Lagerplatz, eine von eingehegten und wohlbewässerten Bananenpflanzungen umgebene Grasfläche.

Die Reisenden wurden von den Einwohnern Urus freundlich aufgenommen; hier richtete man sich auch häuslich ein, baute eine Küche, ein Warenlager und ein Schauri- oder Versammlungshaus. Junge Frauen und Mädchen, die sich durch ungewöhnliches Ebenmaß des Wuchses, sowie durch anmutige und stolze Haltung bei weitem vor den bisher gesehenen Weibern auszeichneten, kamen ihnen dabei zu Hilfe und brachten das dazu nötige Holz und Bananenstroh in Menge herbei.

Häuptling Saia, ein neunzehnjähriger Mann, von schlankem Wuchse und angenehmem Aeußern, erschien im Gefolge seiner Familie und einer Anzahl Krieger. Decken verstand es, die Verhandlungen mit ihnen geschickt zu leiten. Der junge Häuptling schloß sich sofort sehr an unseren Forscher an und versprach, falls er bei ihnen bleiben und nicht nach Lambungu gehen wolle, Lebensmittel zu liefern und ihm zur Besteigung des gewaltigen Schneeberges die nötigen Führer zu beschaffen. Die Familie Saias aber, besonders die Brüder seines verstorbenen Vaters, eifersüchtig auf Deckens Einfluß, machten mit einem Teile der Krieger eine Verschwörung. Als Decken sie zur Lösung ihres ihm gegebenen Versprechens aufforderte, ihm Wegweiser nach dem Schneeberge zu geben, schlugen sie ihm dies nicht nur ab, sondern verhinderten sogar den Häuptling an einer persönlichen Verhandlung mit dem Forscher.

Der Häuptling und sein geringer Anhang erschien völlig eingeschüchtert, und der Baron hatte nicht Lust, mit der feindlichen Partei in weitere Verhandlungen einzutreten. Es war wieder einmal viel Mühe umsonst aufgewendet worden, und den Forschern blieb nichts weiter übrig, als ihr Glück anderweitig zu versuchen.

Die Reisenden verließen Uru, um sich nach Moschi zu begeben. Decken wußte, daß dort ebenfalls ein neunzehnjähriger Häuptling regierte, und daß sich zu gleicher Zeit eine Reisegesellschaft von dreißig Elephantenjägern von der Küste aufhielt, die ihm im Notfalle von Nutzen sein konnte.

In südsüdöstlicher Richtung, am südlichen Abhange des Kilima-Ndscharo, durch Wald, Busch, Dickicht und hohes Gras, zuletzt einige Stunden lang auf beschwerlichem Wege, stiegen sie aufwärts, Moschi zu.

Hier wußten die Reisenden den Häuptling Kimandara bald für sich zu gewinnen. Dagegen thaten dessen Verwandten alles, um ihnen zu schaden und eine Besteigung des Berges zu verhindern. Der Baron schloß mit dem Sultan Kimandara Blutsbrüderschaft, nachdem ihm derselbe die Zusicherung gegeben hatte, Führer nach dem Berge zu stellen. Zwar suchte der Häuptling, den Decken ja schon von seiner ersten Reise her kannte, den Aufbruch möglichst hinauszuschieben. Aber der Baron traf dagegen Vorsichtsmaßregeln. Als Kimandara, der noch nicht die versprochenen Führer gestellt hatte, an einem frühen Morgen im Lager erschien, empfing er ihn kalt und gemessen. Dadurch sehr betroffen, entfernte sich Kimandara mit den Worten, daß er sogleich Führer nach dem Kilima-Ndscharo beschaffen und sich dadurch das Herz seines Bruders wiedergewinnen wolle. Wirklich trafen bis zum Nachmittage des 27. November zwei Führer ein; auch der junge Häuptling erschien wieder und bat, schon am Abend aufzubrechen, um neuen Ränken zu entgehen. So waren also die Reisenden an demselben Punkte angelangt, wo der Baron vierzehn Monate zuvor in Kilema sich befunden hatte!

Natürlich nahm der Baron die günstige Gelegenheit wahr. Er befahl, schnell die Instrumente einzupacken und Lebensmittel für einige Tage herzurichten. Längs der Thalschlucht stiegen die Reisenden empor, gefolgt von mehreren Leuten aus Uru. Der Mond erhellte ihren Weg. Sie durcheilten ein Wäldchen von nicht sehr hohen Bäumen. Bald breitete sich vor ihnen eine allerliebste Grasfläche aus, die, da sie mit zahlreichen violetten Glockenblumen und mit Orchideen bestanden war, die Forscher lebhaft an die sommerlichen Wiesen der Heimat erinnerte. Bis gegen Morgen wanderte die kleine Kolonne weiter und ruhte sich dann auf einer offenen, mit dünnem Grase bedeckten Ebene ein paar Stunden aus. Nach einem dürftigen Frühstück setzten sie die Reise fort und kamen gegen Mittag in die Nähe eines Felsens, an dessen Fuße ein klares Wasser rann. Auf dem Weitermarsche kamen die Forscher nach einigen Stunden in die Nähe einer mit Regenwasser gefüllten Bodenvertiefung. Um der Kälte der Nacht besser zu begegnen, ließ Decken das für zwei Mann ausreichende Zelt aufstellen. Dann wurden die Leute ausgeschickt, um Holz für die Nacht zusammenzusuchen. Dr. Kersten aber bemühte sich, die geographische Lage des Platzes zu ermitteln.

Am Tage darauf, am 29. November, marschierte die kleine Schar drei Stunden lang weiter ohne Unterbrechung. Sie stieg nur langsam bergan, weil sie sich von der anstrengenden Bewegung in der verdünnten Luft angegriffen fühlte. Um besser und schneller vorwärts zu kommen, ließen die Reisenden die Träger, welche über Schwäche und Kopfschmerz klagten, zurück. Einzig begleitet von vier mit dem Theodoliten, Barometer und den Gewehren belasteten Leuten, wanderten sie dem Westgipfel des Kilima-Ndscharo, dem Kibo zu. Eine Bodenwelle nach der andern wurde erklommen, aber noch sahen sie nicht den Fuß des Domes vor sich, vielmehr thaten sich, sobald sie den nächsten Kamm erreicht hatten, immer neue Thäler und Landrücken auf. Dazu verhüllte ein dichter werdender Nebel die Aussicht. Das Holz wurde spärlich und hörte endlich ganz auf; Wasser fand sich gar nicht mehr, vermutlich, weil die vom Schnee getränkten

Rinnsale infolge der eigentümlichen Bodenbildung nach einer andern Seite hin Abfluß fanden.

Der Baron, sonst allen Strapazen gewachsen, und auch Dr. Kersten, fühlten sich unbehaglich. Die Grenze des Schnees lag nur noch 2—3000 Fuß über ihnen und diese wenigstens zu erreichen, erschien höchst wünschenswert; doch ließ sich auch die Dringlichkeit der Gründe nicht verkennen, welche sie zur Rückkehr mahnten: Einmal waren es ihre Schwarzen, die ernstlich litten, und bei längerem Verweilen, ohne Mittel, sich zu erwärmen, voraussichtlich den ungewohnten Verhältnissen erlegen wären; das andere Mal war es die Erwägung, daß bei ihrer mangelhaften Ausrüstung eine vollständige Besteigung des schneebedeckten Gipfels ohnehin unmöglich wäre, die entscheidend wurde und zur Rückkehr mahnte. Ueberdies verhehlten sich die Forscher nicht, daß eine bloße Wanderung durch die öden Steinflächen nur geringen Nutzen bringen könnte, nachdem sie durch einige sorgfältige Messungen von verschiedenen Standpunkten aus unumstößlich dargethan hatten, daß der Kilima-Ndscharo sein Haupt bis weit in die Region des ewigen Schnees hinein erstreckt. Nachdem Dr. Kersten die Höhe des höchsten von ihnen erreichten Punktes zu 4280 m berechnet und einen Winkel nach der einzigen sichtbaren Schneelinie am westlichen Berggipfel genommen hatte, konnten die Reisenden an den Rückweg denken.

Durch die Führer getäuscht, erreichten sie erst nach vielen Umwegen, und zwei Tage nach dem Abstieg das Lager, zumal da sie durch dichten Wald dem Distrikt Uru zugewandert waren und an einem Bach übernachtet hatten.

Für ihre Messungen war der langersehnte, mit so großen Opfern erkaufte Ausflug grade nicht von besonderem Nutzen gewesen. Daß sich ihnen großartige Aussichten auf bisher noch nicht gesehene Gebiete eröffnen würden, konnten sie freilich nicht erwarten, weil sie von Süden her kamen. Die Landschaft kannte man nach dieser Seite hin genügend. Hätten sie aber den Sattel des Kilima-Ndscharo erreichen können, so würden sie, vielleicht nach Norden und Westen zu, einen weiten Blick in ein unbekanntes Land genossen haben. Derartige Aussichten aber von so hoch gelegenen Punkten sind immer eine unsichere Sache und gewähren oftmals durchaus nicht die Vorteile, die man nach so viel Anstrengung zu erwarten berechtigt ist. Hatte auch die teilweise Besteigung des Kilima-Ndscharo weniger ein wissenschaftliches als ein touristisches Interesse gehabt, so berente der Baron doch nicht die überstandenen Mühen und dargebrachten Geldopfer.

Die Reisenden gönnten sich noch einige Tage Erholung und verließen erst am 4. Dezember das Land. Sie überschritten den Goni, Kilema- und den Mambafluß, um am andern Tage den Lumi, den östlichsten Quellfluß des Pangani, zu passieren. Sie betraten nunmehr reines Steppenland (Nyika) und lagerten am Nachmittage in der Nähe des Djipesees. Später, längs des Ostufers und südwärts wandernd, kamen sie auf den schon auf der ersten Reise benutzten Lagerplatz und richteten sich dort in einem 8—10 Fuß hohen Gestrüpp für einige Tage häuslich ein.

Am 14. Dezember verließen sie den See und stiegen nach einer langsam sich erhebenden, dünn bewachsenen Ebene empor, in welcher sie nach ziemlich neunstündigem Marsche Halt machten. Dank der Unkenntnis ihrer Karawanenführer, hatten sie unterwegs, auch am Tage darauf, nicht ein einziges Mal Wasser angetroffen. Der anstrengende Marsch nach Osten, nach den Burabergen, führte durch eine mit Busch und Wald durchsetzte Wildnis. Ein Karawanenlagerplatz, ausgezeichnet durch einen ungeheuren, schattenspendenden Baum, gewährte eine angenehme Unterkunft für diese Nacht.

Mit Bedacht wurden Verbindungen mit den umwohnenden Negern angeknüpft, aber es gelang nicht, irgendwelche Lebensmittel zu erhandeln. Schon am 18. Dezember ließen die Reisenden den ungastlichen Platz im Rücken und folgten einem Pfade nach dem Kadiaroberge. Aus einem feuchten Bachthal gelangten sie ins Freie, in die gewöhnliche afrikanische Landschaft, in die öde, mit einzelnen Dornbüschen und Bäumen bestandene Ebene. Dann gingen sie in östlicher Richtung auf die Ndaraberge zu. Am andern Tage hatten sie noch einen Sumpf zu durchwaten, ehe sie in die schönen Mtama- und Maispflanzungen der Eingeborenen und dahinter in das von Hügeln und Felskegeln eingeschlossene Karawanenlager von Ndara kamen. Die hier ansässigen Eingeborenen verweigerten in abergläubischer Furcht die Auslieferung von Lebensmitteln und daher zogen die Forscher schon am Morgen des 21. Dezember mit rüstigen Schritten ostwärts weiter durch die öde Steppenlandschaft. Bald erreichten sie den Fuß des Maungubergeś, trafen aber erst nach drei Tagen auf das erste Wanikadorf. Hier wurden die Leute zusammenberufen und ermahnt, unter Hinweisung auf das baldige Ende der Beschwerden, nur tüchtig auszuschreiten und Ordnung zu halten.

Nach etlichen Stunden veränderte sich die Landschaft merklich, der Pflanzenwuchs ward frischer und dichter, hohe, zu großen Gruppen vereinigte Bäume traten an Stelle der vereinzelten Büsche und endlich zeigten sich auch stolze Palmenhäupter über den Wipfeln ferner Wäldchen. Bald traf die Karawane auf einige Eingeborene und kam, von ihnen geleitet, in das Wanikadorf Mamangaro. Da Mombasa, der Endpunkt der Landreise, so nahe lag, ließ sich der Baron auf keinen längeren Aufenthalt ein.

Mittlerweile war der Vorabend des Weihnachtsfestes herangekommen. Die Karawane war schon früh unterwegs und die Träger benahmen sich wie trunken vor Freude, daß sie der geliebten Heimat so nahe waren; sie schrieen und lärmten, wichen in ihrem Uebermute bald rechts und bald links vom Wege und konnten nur durch laute Zurufe und zeitweilige Ermahnung mit dem Stocke zusammengehalten werden. Trotzdem legte die Expedition in kurzer Zeit ein tüchtiges Stück Weg zurück und kam schon am Vormittage in die Nähe von Rebmanns Missionshaus, nach der Schamba eines Beludschen. Der Beludsche versorgte die Karawane freundlich mit allem, was das Herz begehrte.

Der Baron besuchte mittlerweile den Missionar Rebmann, der ihm, den unermüdlichen Forscher, ein herzliches Willkommen zurief und seinen Landsmann aufs gastfreundlichste bewirtete.

Später setzte ein Fahrzeug die Karawane nach der bekanntlich auf einer Insel gelegenen Stadt über. Die Forscher zogen mit den Trägern, begleitet von einer zahlreichen Volksmenge, wie im Triumphe in Mombasa ein. Die Träger erhielten ihren wohlverdienten Lohn; die Reisenden aber segelten nach Sansibar, um dort neue Pläne für die Zukunft zu schmieden.

Fahrten nach den Seichellen, den Maskarenen und Komoren.

Für die Folge nahm sich der Baron vor, die bisherige Art und Weise des Reisens aufzugeben. Decken glaubte, daß sich die Aussichten günstiger und die Erfolge größer gestalten müßten, wenn er auf einem der Flüsse Ostafrikas mit einem Dampfer bis zu der Grenze der Schiffbarkeit vordringen und erst von diesem äußersten, zu Wasser erreichbaren Punkte aus die Fußwanderung beginnen würde. Da inzwischen sein sehr ansehnliches Vermögen noch durch eine bedeutende Erbschaft vergrößert worden war, so wollte er außergewöhnliche Mittel für die nächste, vierte Expedition in das Innere des schwarzen Erdteils verwenden. Er bestellte deshalb in Europa einen geeigneten Dampfer und nahm eine beträchtliche Verstärkung der Reisegesellschaft in Aussicht.

Um die Zeit bis zu der Ankunft des Flußdampfers und der vollständigen Ausrüstung der Expedition nützlich und angenehm auszufüllen, beabsichtigte Baron von der Decken, sich einstweilen nach Madagaskar zu wenden. Bereits 1862, nach der ersten Dschagga-Reise, hatte er auf kurze Zeit in einer Küstenstadt auf dieser drittgrößten Insel unseres Planeten geweilt; diesmal aber hoffte er, von der leicht zugänglichen Hauptstadt Tananarivo aus nach der Westküste Madagaskars vordringen und so auch der Wissenschaft einigen Nutzen bringen zu können.

Die Reisenden sehnten sich von Sansibar wegzukommen. Sie litten noch alle an den Folgen der letzten Reise und fühlten, daß schon allein die Luftveränderung Körper und Geist erfrischen und kräftigen würde.

Der kleine Schraubendampfer „Pleiad" brachte die Reisenden bald nach den Seschellen. In dem milden und gleichmäßigen Klima erholten sie sich während eines vierwöchentlichen Aufenthaltes; nur Koralli litt noch an Dysenterie und gab zu einiger Besorgnis Anlaß. Auf der überaus gesunden Insel Réunion, ihrem nächsten Ziel, meinte der zu Rate gezogene englische Arzt, würde er sich schneller erholen.

Die Reisenden benutzten denn auch das fällige Dampf-Postschiff „Nepaul", das sie schnell nach dem paradiesisch schönen Réunion oder Bourbon und somit einen Schritt näher an das wunderreiche Madagaskar brachte. Am Bord des Postschiffes, auf dem bereits alle Plätze besetzt waren, hatte der Baron für jeden Platz der ersten Kajüte die Kleinigkeit von 25 Pfd. Sterling = 500 Mk. für die fünftägige Ueberfahrt zahlen müssen. Am fünften Tage tauchte am fernen Horizonte die Insel Mauritius auf, die sich durch anmutige Bergformen und weite Ebenen, freundliche Wohnhäuser und schöne Pflanzungen auszeichnet. Nach kurzem Aufenthalte lichtete der „Nepaul" den Anker und dampfte dem Nachbarlande, der stattlich aus dem Meer emporragenden französischen Insel Réunion zu. Diese Insel ist mit mächtigen Vulkanen, zahlreichen Flüssen, warmen Quellen und mit großartigen Naturschönheiten ausgestattet.

In der Hauptstadt St. Denis wurden die Reisenden überaus freundlich aufgenommen und in angenehme Gesellschaft eingeführt. Aber hier sollten sie, kurz nach ihrer Ankunft, einen herben Verlust erfahren. Korallis Zustand hatte sich in den letzten Tagen zusehends verschlimmert. Es war somit das Beste, ihn ordentlicher Pflege anzuvertrauen und in das Hospital der Kolonie aufnehmen zu lassen. Aber trotz der liebevollsten Pflege trat in seinem Befinden keine Besserung ein; vielmehr verschlechterte es sich von Tag zu Tag. Ein Gehirnfieber stellte sich ein, eine Lungen- und Leberentzündung kam dazu, und einige Tage später, am 5. Juni, war er seinen Leiden erlegen. Die Reisenden waren erschüttert und auf das Schmerzlichste betrübt über das Schicksal ihres treuen Gefährten. In fremder Erde, auf dem fern von der Heimat gelegenen Réunion, hat der treue Diener des Barons die letzte Ruhe gefunden. —

Als von der Decken hörte, daß König Radama II. ermordet und ganz Madagaskar in Aufruhr wäre, verzichtete er auf den Besuch der schönen, großen afrikanischen Insel. Rasch entschloß er sich, nach Europa zurückzukehren, um durch seine Anwesenheit die Ausrüstung der neuen Expedition thunlichst zu beschleunigen.

Anfangs August 1863 verließen die Reisenden Réunion und fuhren mit dem „Nepaul" wieder nach den Seschellen zurück. Hier erwartete den Baron eine zweite Trauerkunde. Sein ehemaliger Begleiter auf der ersten Dschaggareise, der englische Geologe Thornton, war an Bord des Livingstone'schen Dampfers „Pionier" einem bösartigen Fieber erlegen. War dies auch der dritte Todesfall, der unseren Reisenden seit seiner Ankunft in Afrika näher berührte, so sollten doch die Namen Roscher, Koralli und Thornton nur den Anfang einer längeren Liste bilden!

Auf den Seschellen verabschiedeten sich die Reisenden. Der Baron fuhr mit dem Dampfer „Nepaul" weiter nach Aden und von da in die Heimat, um die Vorbereitungen zu seiner nächsten großen Reise zu leiten, den Bau eines geeigneten Flußdampfers zu besorgen, neue Gefährten zu gewinnen und sich mit den nötigen Vorräten auszurüsten. Kersten kehrte nach Sansibar zurück, um dort durch Beobachtungen, Sammlungen und Ausflüge dem bisher verfolgten Ziele weiter zu dienen.

Ende Februar des Jahres 1864 verwirklichte Dr. Kersten einen längst gehegten Plan. Mit der Absicht, die südsüdöstlich von Sansibar und zwischen der Küste um Mosambique und

Madagaskar gelegenen Insel Angasija oder Groß-Komoro zu besuchen, bestieg er ein geeignetes Fahrzeug, wurde aber durch die Nachlässigkeit des Schiffers nach der Insel Nossibé, die dicht an der Nordwestseite von Madagaskar gelegen ist, verschlagen. Hier verweilte Kersten einige Zeit lang, besuchte Mitte April den südwestlich auf Madagaskar gelegenen Hafenort Murunsanga und erreichte, nordwestwärts an der französischen Insel Majotta vorbeisegelnd, die Insel Moali. Endlich kam auch das Ziel in Sicht, das er seit zwei Monaten zu erreichen sich vergeblich bemüht hatte. Angasija oder Groß-Komoro tauchte am fernen Horizonte auf, und bald konnte der Reisende die freundliche Stadt Kitanda-Mdjini betreten. Abwechselnd sich mit Ausflügen und häuslichen Arbeiten beschäftigend, konnte er auch bald dem Hauptzweck seiner Reise nachgehen und den thätigen Vulkan Karadala besteigen.

Mittlerweile aber war mehr als ein viertel Jahr seit seiner Abreise vergangen; Dr. Kersten sehnte sich nach Sansibar zurück. Mitte Juni fand er endlich ein Schiff, das ihn nach der so wichtigen ostafrikanischen Inselstadt bringen wollte. An der Ostküste Afrikas nach Norden entlang segelnd, den Mafia-Kanal passierend, erreichte er, nach einer Abwesenheit von mehr als vier Monaten, am 4. Juli, dem Tage der amerikanischen Unabhängigkeitsfeier, das festlich beflaggte Sansibar.

Reisen in die Galla- und Somaliländer.

Wie wir wissen, hatte Baron von der Decken Anfang August 1863 Réunion verlassen. Nach einer vierwöchentlichen Reise traf er wiederum in Europa ein. Natürlich suchte er zuerst seine Familienangehörigen auf und widmete ihnen einige Tage. Dann aber ging er unverzüglich an die Ausführung seiner Pläne und reiste in Deutschland, England und Frankreich umher, zuerst die Angelegenheiten des Schiffsbaues besorgend. Darauf gelang es ihm bald, tüchtige Begleiter für die geplante neue Forschungs-

Expedition zu gewinnen. Denn bekanntlich fehlt es ja unter unseren Landsleuten nie an Reiselustigen, und so bekam denn auch der Baron verhältnismäßig schnell mehrere Gefährten. Ein bekannter Sportsmann aus Breslau, Graf Götzen, bat, sich ihm anschließen zu dürfen, und von den sonstigen Meldungen berücksichtigte der Baron die der folgenden Personen: K. K. Linien-Schiffsleutnant Ritter Karl von Schickh aus Wien, Dr. med. Hermann Link aus Danzig, Maler Eduard Trenn aus Görlitz, Maschinenmeister der K. K. österreichischen Marine Nicolaus Kanter aus Wien, Forstmann Richard Brenner aus Merseburg, Feuerwerker Albert Deppe aus Göttingen, Koch Karl Theiß aus Oldenburg, Maschinist Hitzmann aus Hannover und schließlich Tischler Bringmann aus Zellerfeld im Harz.

Herr von Schickh eilte alsbald nach Hamburg, besuchte täglich die „Reiherstieg-Schiffs-Werfte" und überwachte den Bau des Schiffes. Er lernte jeden Teil desselben genau kennen und war somit imstande, später in Sansibar den Wiederaufbau ohne große Schwierigkeiten ausführen zu können. Das eiserne Räderdampfschiff, das die genannte Hamburger Firma zu bauen übernommen hatte, sollte eine Länge von 119 englischen Fuß, 15 Fuß Breite und 3 Fuß Tiefgang haben und mit einer Niederdruckmaschine von 45 Pferdekraft versehen sein. Da aber zu befürchten war, daß der Dampfer für die Befahrung nicht allzu großer Flüsse doch etwas zu groß sein könnte, faßte man schnell den Entschluß, noch ein zweites, kleineres Dampfboot ausführen zu lassen. Das größere Dampfschiff erhielt den Namen „Welf", der kleinere Dampfer dagegen, der weiter dringen sollte, „wenn der Welf den Dienst versagte", wurde auf den Namen „Passepartout" getauft. Um die sämtlichen Ausrüstungsgegenstände bequem nach Ostafrika schaffen zu können, charterte man das neue Hamburger Barkschiff „New-Orleans" von der bekannten Hamburger Firma O'Swald & Co. zu dem Preise von 20000 Mk. Der Wert der Gesamtausrüstungen überstieg den Betrag von 120000 Mk.

Mittlerweile war der Baron, wie gesagt, in Deutschland, England und Frankreich umhergereist. Dabei hatte er sich auch der Unterstützung der Regierungen für sein Unternehmen zu versichern gesucht. Ueberall, wohin er kam, wurde er mit aller Hochachtung aufgenommen und mit ausgesuchtester Höflichkeit behandelt. Sehr entgegenkommend zeigte man sich in England. Die oberste Behörde der englischen Admiralität erteilte den in den ostafrikanischen Gewässern kreuzenden Kriegsschiffen die Ordre, den Reisenden thatkräftig zu unterstützen. Die Geographische Gesellschaft zu London verlieh dem deutschen Forscher die große goldene Medaille „für den geführten Beweis der Existenz von schneebedeckten Bergen in Ostafrika". Auch Frankreich zeigte Entgegenkommen. Napoleon III. interessierte sich für die Angelegenheit und ließ den Vertretern Frankreichs in jenen Gegenden die Bestimmung übermitteln, das Unternehmen des Reisenden thunlichst zu fördern. Der Kaiser von Oesterreich nahm ebenfalls thätigen Anteil und ließ den beiden Seeoffizieren, die sich der Expedition anschließen wollten, einen dreijährigen Urlaub gewähren mit der Bestimmung, daß ihnen während ihrer Abwesenheit ihr volles Gehalt ausgezahlt werden solle. Preußen genehmigte ebenfalls dem Mitglied der Expedition, Dr. Link, der Assistenzarzt im zweiten Garde-Regiment zu Fuß war, auf sein Ansuchen einen dreijährigen Urlaub. König Georg von Hannover, der unseren verdienstvollen Forscher von Jugend an gekannt und dessen Unternehmungen stets warme Teilnahme entgegengebracht hatte, ließ ihm den Welfenorden überreichen, erteilte ihm die Erlaubnis, auf dem Dampfer der Expedition die Kriegsflagge Hannovers zu führen und befahl, ihm unter sehr billigen Bedingungen ein sechspfündiges bronzenes Geschütz, Pistolen, Säbel und ähnliche Gegenstände zu überlassen. Ueberdies hatte den Forscher die Geographische Gesellschaft zu Wien, das freie deutsche Hochstift zu Frankfurt a. M. und die Zoologische Gesellschaft zu Hamburg zu ihrem Ehrenmitgliede ernannt.

Erst im Sommer 1864 war alles zur Abreise fertig. Ende Juli dampfte die „New-Orleans" mit mehreren Mitgliedern der

Expedition aus dem Hafen von Hamburg. Vorher war der Baron mit dem Grafen Götzen über Triest nach Sansibar abgereist, und einige Tage darauf folgte ihnen Herr von Schickh nach. Der Versuch, in Alexandria von dem Vizekönig eine Anzahl brauchbarer ägyptischer Soldaten zu erhalten, schlug fehl.

Die Reisenden mußten sich bequemen, auf dem Postdampfer, der zu dieser Jahreszeit hinwärts nicht auf den Seschellen anlegte, bis zu der Insel Mauritius mitzufahren; von dort aber fuhren sie über die Seschellen nach Sansibar, wo sie am Sonntag, den 1. September, eintrafen. Wie Dr. Kersten schreibt, war er hocherfreut, seinen vortrefflichen Chef nach so langer Trennung wiederzusehen, und zugleich die ersten seiner künftigen Gefährten begrüßen zu können.

Woche um Woche verstrich, Tag für Tag wurden die Fernröhre nach Süden gerichtet, aber unter den auftauchenden Segeln befand sich das erhoffte nicht. Die gewöhnlichen neunzig Reisetage, die man für ein gutsegelndes Hamburger Schiff ansetzen mußte, waren längst verstrichen und die „New-Orleans" blieb noch immer aus. Endlich, am 30. November, trafen die sehnlichst erwarteten Gefährten bei bestem Wohlsein ein. Widrige Winde hatten die übermäßig lange Dauer der Reise verursacht. Unter anderem brachten die neuen Expeditionsmitglieder auch noch mehrere schöne Hunde mit. So auch Graf Götzen eine große bairische Dogge und zwei schöne Windspiele. Dem Grafen kostete das Vergnügen der Ueberführung dieser, sich an das Klima noch dazu im Allgemeinen wenigstens schlecht anpassenden Tiere nach Sansibar beinahe 2000 Mark!

Nicht weniger als vierundzwanzig Tage brauchte man zu der Ausladung der Schiffsgüter, und erst am 18. Dezember ging man an die Aufstellung des „Welf". Ein geeigneter Platz wurde für seinen Aufbau hergerichtet und Maschinisten und Zimmerleute waren von früh bis spät an der Arbeit, den Dampfer zusammenzusetzen. Volle Anerkennung dabei hatte der Baron für den künftigen Führer des Dampfers, Herrn von Schickh, der „Goldes wert sei, und ohne den das Schiff nicht fertig geworden wäre".

Fahrt auf dem „Passepartout" nach dem Osi und Tanafluß.

Die Zusammensetzung des „Passepartout" dagegen ging verhältnismäßig mühelos vor sich. Man konnte ihn bereits kurz nach der Ankunft zu einer kleinen Forschungsfahrt nach dem Osi- und Tanafluß benutzen. Die französische Korvette „Loiret" hatte eine Fahrt nach Norden, nach der Insel Lamu zu machen, und ihr Kapitän erklärte sich gern bereit, den „Passepartout" nebst einer kleineren Reisegesellschaft nach der Formosa-Bai mitzunehmen und auf der Rückfahrt von Lamu wieder abzuholen. Mit dem Dr. Link und dem Forstmann Brenner schiffte sich der Baron ein und nach einer dreitägigen Fahrt gingen sie bei Ras Schakka vor Anker, in der Absicht, die Lage der Flußmündung, die nicht sichtbar war, aufzusuchen. Durch Eingeborene wurde ihnen die Kunde, daß die Mündung ein wenig südwärts liege, und der „Passepartout" versuchte nun, eine geeignete Stelle für die Einfahrt zu gewinnen. Mit einiger Schwierigkeit wurde die scharfe Brandung passiert und bald, nach einer scharfen Biegung des Flusses, war nichts mehr von der See zu sehen. Das Tosen der Brandung ward immer schwächer und bald umgab geheimnisvolle Stille die Reisenden. Die Majestät des Urwaldes verfehlte ihren Eindruck nicht auf die schweigsam Dahinfahrenden. Es war ein wunderbarer Wechsel zwischen den wilden Naturscenen, die sie hinter sich gelassen hatten und dem lieblichen Bilde hier innen. Fünf Stunden lang ging es stroman, bis zu dem Dorfe Kau, das, von Wald umgeben, an der Einmündung des Magogoniflusses in den Osi liegt, unter der Hoheit des Sultans von Sansibar steht und von Wapokomos bewohnt wurde.

Der „Passepartout" ging vor Anker. Dem Aeltesten des Ortes wurden die Briefe des Sultans von Sansibar überbracht und bald darauf erschienen die Angesehenen des Dorfes zur Begrüßung der Fremden.

Als die Reisenden erfahren hatten, daß der Fluß noch drei Tagereisen weit aufwärts befahren werden könne, setzten sie am folgenden Tage zeitig die Forschung fort. Auf dem stillen Fluß nahm sich der Morgen unbeschreiblich schön aus und versetzte alle in gehobene Stimmung; die Sonne stieg empor, muntere Vögel zwitscherten, Hundsaffen lärmten auf den Bäumen, hier und da flog ein Reiher oder ein Ibis auf, und scheußliche Krokodile stürzten sich beim Nahen des Bootes in die schmutziggelbe Flut.

Der Osi hatte immer noch eine Breite von 150 Schritt und eine beträchtliche Tiefe. Jedoch verursachte das schnell dahinströmende Wasser nicht nur ein langsames Fortkommen des „Passepartout", sondern auch, trotz hoher Dampfspannung ein Rückwärtstreiben desselben. Infolgedessen wurde beschlossen, für heute das Dorf wieder aufzusuchen, den Dampfer gründlich zu reinigen und dann von neuem die Fahrt stromaufwärts zu versuchen.

Nach einem Rasttage ging es wieder nach Norden, nachdem tüchtig Holz unter den Kessel gelegt und eine höhere Dampfspannung erzielt worden war, nach einem weiter oben gelegenen Dorfe. In einer kleinen Schilfbucht warf der „Passepartout" Anker und Decken stieg ans Land, um den Gallahäuptling, den er von früherher kannte, von seinem Unternehmen zu unterrichten und ihn um mannigfache Unterstützung zu ersuchen. Erst nach vier Stunden kehrte der Baron zurück. Seinen Hauptzweck, die Unterstützung des Gallahäuptlings für sein Reiseunternehmen zu erlangen, war ihm nicht geglückt; jedoch hatte er nebenbei westwärts einen Fluß entdeckt, der noch bedeutender zu sein schien als der Osi.

Schnell ging es wieder nach Kau zurück; dort übernachteten die Reisenden. Am andern Tage fuhren sie weiter auf dem Flusse, dem Meere zu. Ein Nebenfluß des Osi, der sich nicht allzu fern von der Küste in ihn ergießt, wurde zu gleicher Zeit von dem Baron untersucht, dann aber steuerten die Reisenden in die See hinaus.

Den Schleier, der über die Flüsse Osi und Tana ausgebreitet lag, wollte der Baron endgültig lüften, er fuhr deshalb längs der Küste hin und entdeckte in 2° 45' südlicher Breite die Mündung des Tana. Bald darauf traf der „Loiret“ von Lamu ein und brachte den „Passepartout“ in vier Tagen nach Sansibar.

Nach dem Djuba.

Untersuchung der Flüsse Durnford, Tula und Schamba. Ein Ausflug. Die Verderben bringende Krankheit. Untergang des „Passepartout“ und Tod des Maschinisten Hitzmann.

Der Aufbau des „Welf“ in Sansibar kostete viel Zeit. Erst Anfang Juni konnten einige Probefahrten mit diesem größeren Dampfer gemacht werden. Leider mußten inzwischen zwei Mitglieder der Expedition auf Anrathen des Arztes in die nordische Heimat zurückkehren, nämlich Graf Götzen und Dr. Kersten.

Der 15. Juni war herangekommen. Der „Welf“ war reisefertig. In Begleitung des französischen Dampfers „Lyra“ und gefördert durch eine angenehme, frische Brise, fuhr der Baron mit sämtlichen Teilnehmern nach der Insel Lamu. Sein Plan ging dahin, nach gelungener Erforschung des Djubaflusses nordwärts nach Abessinien oder Aegypten zu reisen, anstatt wieder über Sansibar zurückzukehren.

In Lamu angekommen, stieg Decken mit seinen Begleitern ans Land, tauschte mit dem Statthalter die üblichen Höflichkeiten aus und ließ Lebensmittel an Bord schaffen. Später lichteten beide Schiffe den Anker, verließen den Hafen und steuerten, nach einer regnerischen und sehr unruhigen Nacht, dem nächsten Reiseziel, der etwa drei Seemeilen langen und eine Meile breiten von Riffen umgebenen Insel Tula zu.

Der Baron besuchte die sogenannte Stadt an der Westküste der Insel, die nur ein Lehmhaus, dreißig Hütten und einen geringen Viehstand aufweisen konnte. Auf der Insel traf der

Baron zu seiner Freude den ihm schon von Sansibar her bekannten Mischling Auwesi ben Hamadi, einen gut unterrichteten und weitgereisten, aber auch sehr durchtriebenen Mann, der für das Weiterkommen der Expedition vielleicht von Nutzen werden konnte und deshalb für die Expedition gewonnen wurde.

Nächst den Verhandlungen mit Auwesi wurde die Zeit mit der Untersuchung der in der Nähe mündenden Flüsse Durnford, Tula und Schamba ausgefüllt. Der Tula- und Schambafluß war bis dahin noch völlig unbekannt und der bedeutendere Durnford oder Wubuschi nur in seinem unteren Laufe von den Engländern vermessen worden. Von der Decken, Dr. Link, Trenn, Brenner, Hitzmann und drei Neger begaben sich auf dem „Passepartout" nach dem Tula und gelangten glücklich in den Fluß hinein. Aber schon nach einigen Stunden geriet der kleine Dampfer auf den Grund, und mit Mühe und Not gelang es, ihn wieder flott zu machen. Zu Mittag erblickten sie das Dorf Ngomani, dessen Bewohner freundlich und zuvorkommend Lebensmittel überbrachten.

Nach kurzer Rast dampfte man nach dem Dorfe Kisiboni. Hier blieb man über Nacht. Kapitän Parr von der „Lyra", der sich den Reisenden angeschlossen hatte, mußte nach der See zurückkehren, um noch verschiedenes für seine bevorstehende Abreise nach Sansibar vorzubereiten. Die andren dagegen fuhren weiter und erreichten das aus acht Hütten bestehende Dorf Kumbo, nachdem unterwegs der „Passepartout" wieder mehrmals auf den Grund geraten war.

Die geringe Tiefe des Flusses vermehrte die Sorge des Barons, sein kleiner Dampfer möchte Schaden nehmen; er sah deshalb von einer weiteren Befahrung des Tula ab. Nach einer erfolgreichen Jagd auf Büffel und von ihrem ausgezeichneten Führer geleitet, kehrten sie nach dem Dorfe zurück, fuhren noch nach Kisiboni, und am folgenden Tage trafen sie an Bord des „Welf" wieder ein.

War schon die Untersuchung des Tulaflusses wenig befriedigend verlaufen, so sollte die des Schambaflusses noch weniger Früchte zeitigen. Herr von Schickh hatte sich an die Befahrung des durch weite Krümmungen charakteristischen Flusses gemacht, aber vierzehn Seemeilen von der Küste fand er den Fluß hinter einer Sandbank dermaßen verengt, daß die Möglichkeit des Weiterkommens ausgeschlossen erschien. Wenigstens eins hatte der „Passepartout“ durch diese Fahrt festgestellt, daß nämlich der sogenannte Schambafluß eine bloße Salzwasserader und kein wirklicher Fluß war. Nach einem recht unbehaglichen Nachtlager auf dem linken Ufer des Flusses eilte der „Passepartout“ wieder dem Meere zu.

Die Thätigkeit der Expedition sollte sich nicht nur auf mühevolle Forschung beschränken, man wollte auch der Erholung und dem Vergnügen einige Stunden widmen. Ein Jagdausflug nach der Küste wurde verabredet und eine Jagd auf Giraffen und Antilopen, wenn auch ohne Erfolg, unternommen.

Kapitän Barr von der „Lyra“ mußte schon am 28. Juni nach Sansibar zurückkehren, zumal da er den Befehl erhalten hatte, nunmehr in den südafrikanischen Gewässern zu kreuzen. In anerkennenswerter Weise hatte er bisher die Reisenden mit Rat und That unterstützt und ungern sah man ihn scheiden. Die Mitglieder der Expedition sahen sich nunmehr auf ihre eigenen Kräfte angewiesen, aber es leuchtete ihnen, wie wir bald sehen werden, fernerhin kein glücklicher Stern. Ein harmlos erscheinender Ausflug sollte verhängnisvoll werden und zu Krankheit, Not und Tod für einen nicht grade kleinen Teil der Reisegesellschaft den Anlaß geben.

Am 4. Juli fuhr von der Decken und Brenner, begleitet von zwei Führern aus Tula und drei Leuten von der Mannschaft des „Welf“, nach der Mündung des Tulaflusses und erreichten nach anderthalb Stunden ein kleines Dorf namens Mondoju. Nach weiteren zwei Stunden kamen sie in das Fischerdorf Scheje, welches das Gewerbe seiner Bewohner schon von weitem durch einen abscheulichen Geruch kennzeichnete. Da man die nächsten vierundzwanzig Stunden kein Wasser zu erwarten hatte, sah man sich genötigt, in diesem Neste zu halten und mit dem brackigen Trinkwasser vorlieb zu nehmen. Obgleich der Aufenthalt in Scheje von kurzer Dauer war, so hatte er doch genügt, den Reisenden die Keime des Todes zuzuführen, denn in dem Dorfe weilte ein unheilbringender Gast, die gefürchtete Cholera, jene furchtbare Seuche, die damals, von Indien und Arabien ausgehend, halb Europa in Angst und Schrecken versetzte. Nicht im mindesten waren sich die Reisenden ihrer gefährlichen Lage bewußt; deshalb maßen sie auch den Klagen eines Führers über Leibweh keine Beachtung bei.

Sechs Stunden von Scheje erreichten sie einen bewaldeten Höhenzug, der die trostlose Ebene begrenzte und sich, wie der Baron mit Hilfe des Siedethermometers fand, 500 Fuß über der Meeresfläche erhob. Hier konnten sich die Reisenden eines schönen Ausblicks in eine minder trockene, von einer zweiten Hügelkette abgeschlossenen Ebene erfreuen, wo frische Grasflächen mit Busch und Wald wechselten und dementsprechend auch das Tierleben größere Mannigfaltigkeit zeigte.

Von der Decken hatte einen sogenannten See aufsuchen wollen, und fühlte sich nicht wenig enttäuscht, als er nur eine unbedeutende Wasserfläche sah, die aus einer langen Reihe von einzelnen Teichen und Lachen bestand und in deren Nähe keine menschliche Wohnung zu sehen war. Zuerst wollte Decken noch einen Tag an diesem See zubringen, da aber das Unwohlsein des Führers nicht nachließ, brach er ohne Zögern am Morgen des 6. Juni auf. Der Rückmarsch ging schnell von statten. Man passierte nochmals das Dorf Scheje und lagerte nicht weit davon am Strande. Am andern Tage kehrten die Führer nach Tula, die andern aber an Bord des „Welf“ zurück.

Nunmehr, als die Beschwerlichkeiten der letzten Tour kaum überstanden waren, kam die Verderben bringende Krankheit, die man aus dem Fischerdorfe mitgebracht hatte, zum Ausbruch. Am Nachmittage legte sich einer der drei Träger nieder; um Mitternacht hatte die Cholera bereits das erste Opfer gefordert. Allen Vorsichtsmaßregeln zum Trotz verbreitete sich die Seuche weiter; am folgenden Morgen wurde der zweite der Träger von ihr befallen und gegen Abend hatte auch er ausgelitten. Inzwischen war der Baron gleichfalls von der bösartigen Krankheit heimgesucht und auf das Krankenlager geworfen worden. Decken wehrte sich tapfer, aber die furchtbare Krankheit brach bald auch seine Kraft; nur das Bewußtsein war ihm noch geblieben, und er schrieb, an einen baldigen Tod denkend, mit größter Anstrengung seinen letzten Willen nieder. Der Arzt, Dr. Link, hatte erklärt, daß er nicht das geringste mehr für den Kranken hoffen könne. Erfreulicherweise besserte sich aber doch das Befinden des Barons, und er konnte alsbald den Befehl erteilen, nach Norden zu fahren und sich vor der Insel Kiama zu verankern.

Auf dem Festlande, von frischer Seeluft besser durchweht, erholten sich die übrigen Kranken. Auch der Baron, der an Bord des „Welf" geblieben war, der sich nach einer schlimmen Krisis überaus schnell erholt hatte, konnte sich schon nach einigen Tagen eine leichte Beschäftigung erlauben. Seine große Willensstärke hatte ihn gerettet.

Um dem eigentlichen Ziel, der Djubamündung, die wenig südlich vom Aequator liegt, näher zu kommen, fuhr man nordwärts nach Kismaju; doch brach schon in der ersten Nacht ein neues Ungemach über die Expedition herein. Die Flut hatte den Dampfer mit der Breitseite flach auf den Strand gesetzt und unter erschütterndem Tosen hatte die Brandung das leichte Schiff immer höher hinauf geworfen. Am andern Morgen, nachdem man den Ernst der Lage vollauf erkannt, arbeitete jeder mit Aufbietung aller seiner Kräfte an dem Flottmachen des Schiffes und bei steigender Flut gelang es endlich, die festgefahrene Masse wieder in die See hinaus zu schieben.

Jetzt unterrichtete sich der Baron von der Beschaffenheit der Mündung des Djubaflusses. Der Versuch, in den Fluß einzudringen, sollte gewagt werden. Es war eine ernste Probe, die der „Welf" zu bestehen hatte, und es kostete nicht wenig Anstrengung, ihn glücklich in den Fluß hinein zu bugsieren und durch die mächtige Brandung und über die Barre ohne Schaden zu führen. Mit dem „Passepartout" ging es viel weniger gut; diese kleine Dampfschaluppe, die mit zwei starken Tauen hinter dem „Welf" befestigt war, prallte mit Ungestüm gegen den großen Dampfer, die Schlepptaue brachen mit gewaltigem Ruck, sie ward widerstandslos zurückgeschleudert, trieb in die offene See hinaus und verschwand. Der Maschinist Hitzmann, der mit zwei Negern die Maschine bedient hatte, verlor dabei sein Leben. Das Namensbrett und einige Planken von dem „Passepartout" — das war alles, was die schäumende See wieder herausgab! Bewegten Herzens gedachten die Reisenden ihrer unglücklichen Gefährten, und besorgt um ihre eigene Zukunft, nahmen sie von der Unglücksstätte Abschied.

Fahrten auf dem Djuba.

Von Jumbo bis Bardera.

Am 30. Juli erreichte der „Welf" den etwa 3 km von der Mündung gelegenen Ort Jumbo und ging oberhalb der Stadt vor Anker. Die Stadt beherbergte höchstens 300 Somalis und Mischlinge, die hauptsächlich von dem Ertrage der Jagd und der Viehzucht leben.

Anfangs weigerten sich die Einwohner, mit den Fremden in irgend welche Verbindungen zu treten und Lebensmittel abzugeben. Sie drohten sogar, jeden Europäer, der ihre Stadt betreten würde, zu erschlagen. Amwesi erreichte nach langen Verhandlungen wenigstens so viel, daß dem „Msungu" die Erlaubnis, in der Stadt zu bleiben und die Verhandlungen selbst zu führen, gewährt wurde. Decken wußte die Aeltesten geschickt zu packen und den frechsten Lärmmachern gehörig heimzuleuchten. Der Bestimmtheit des Barons und seinem energischen Auftreten war es zu danken, daß die Einwohner bald liebenswürdig wurden und die üblichen „Freundschaftsgeschenke" herbeibrachten. —

Der große und schöne Djubafluß bildet die natürliche Grenze zwischen dem Galla- und Somalistamm. Beide Völker betrachten ihn mehr als trennende und schützende Abgrenzung, denn als verbindende Straße

Mehr noch als der Osi ist der Djuba von gefräßigen Krokodilen heimgesucht. Diese scheußlichen Ungeheuer, nicht selten 14 bis 16 Fuß lang, sind der Schrecken der Bevölkerung. Diese kennen die Gefährlichkeit der heimtückischen, schmutzigen und ungestalteten Bestien sehr genau, deshalb nähern sie sich auch dem Flusse nur mit äußerster Behutsamkeit, gehen niemals ohne dringende Not in den Fluß. Die Neger der Expedition zeigten noch größere Furcht und thaten recht daran, sich möglichst in Acht zu nehmen; denn leider fielen im Laufe der Weiterfahrt mehrere von ihnen, die notwendigerweise durch den Fluß schwimmen mußten, den eklen Lurchen zum Opfer. —

Während das linke oder östliche Ufer des Djuba von den Somalis bewohnt wird, haben die Gallas auf dem rechten Ufer ihre Wohnsitze. Schon im November 1861, kurz nach der Rückkehr von seiner ersten Dschagga-Reise, hatte Decken auf einer Fahrt nordwärts längs der Küste, in Takaungu und Malindi, die Gallas ein wenig kennen gelernt. Von stattlichem Wuchse und schlank gebaut, hatten sie einen günstigen Eindruck auf ihn gemacht und waren ihm als Urbilder von männlicher Kraft erschienen.

Das Land der Gallas bezeichnet Brenner, der später Gelegenheit hatte, es näher kennen zu lernen, als das bestbebaute und fruchtbarste, das er auf seinen Reisen gesehen.

Die südlichen Gallas sind ein willensstarkes und freiheitsliebendes Volk. Es soll bei ihnen nicht selten vorkommen, daß gefangene Krieger lieber den Tod, als die Sklaverei wählen. An Sittenstrenge stellt man sie über die Völker des südlichen Afrikas. Sonst mag hier noch erwähnt werden, daß die südlichen Gallas, mit wenigen Ausnahmen, Nomaden sind und mit Stolz auf ihren Besitz, die zahlreichen Herden von Rindern, Fettschwanzschafen, Ziegen und Kamelen, blicken.

Unser Forscher berichtete von Jumbo aus nach Sansibar und Europa über die bisherigen Begebenheiten. Dann ließ er schleunigst dem Häuptling von Brawa einen Brief überbringen, in dem er, wenigstens um der Form zu genügen, höflich um die Erlaubnis zur Weiterfahrt auf dem Djuba ersuchte und zugleich die Unschuld der Bewohner von Jumbo an seinem Vordringen in den Fluß konstatierte. Darauf ging der Forscher daran, die Mündung des Flusses zu vermessen. Dabei gewann er ein erheblich anderes und besseres Bild, als es bis dahin die Karten geboten hatten.

Da es erfahrungsgemäß ebenso zweckmäßig als wünschenswert erscheinen mußte, mit dem Verlauf des Flusses im voraus bekannt zu werden, ließ sich von der Decken am 6. August stromaufwärts nach dem Somalidorf Dschungoni fahren. Ueberall fand sich bei beträchtlicher Breite hinreichende Wassertiefe und die Reisenden konnten unbesorgt an die Weiterfahrt denken. Der Baron suchte den Aeltesten von Dschungoni, den er schon in Jumbo gesprochen hatte, für sich zu gewinnen. Dieser aber wollte die Erlaubnis zur Weiterfahrt nicht geben, bevor nicht die Antwort von Brawa eingetroffen wäre, die, nebenbei bemerkt, niemals eintraf. Mit Hilfe einiger Eingeborenen vervollständigte Decken ein Galla-Wörterbuch, das er in Erwartung öfterer Berührung mit diesem großen Volksstamme bereits am Osi angelegt hatte.

Zum Nachteil der Reisenden war es in Jumbo nicht leicht, eine geeignete und zuverlässige Person als Führer zu bekommen. Die Gallas, Somalis und Wasegnas, die sich bisher gemeldet hatten, waren teils ihrer übermäßigen Ansprüche, teils ihrer geringen Kenntnis von dem weiteren Verlauf des Flusses wegen als unbrauchbar befunden worden.

Noch schwieriger stellte sich die Gewinnung eines Dolmetschers. Es war überaus wichtig, in diese Stelle einen zuverlässigen und gewandten Mann zu bringen, der auch die Somalisprache genügend beherrschte. Glücklicherweise gelang es schließlich, einen Sklaven,

Namens Kero, für dieses Amt zu bekommen, der der drei Hauptsprachen, des Suaheli, des Somali und des Galla vollkommen mächtig war. Darauf wurde Baraka, ein freier Mann, zum Führer ausersehen und jetzt blieb nur noch übrig, einen Abani, d. i. Schutz- und Geleitsmann, aufzufinden.

In letzter Stunde, als alles zur Weiterfahrt nach Bardera bereit war, erschien unerwartet, von Lamu kommend, einer der fünf Aeltesten von Brawa. Er brachte einen Mann von seiner Verwandtschaft mit, den er für diesen Posten in Vorschlag brachte; es war Abdio ben Abd el Nur, ein ruhiger, aber stolzer und anspruchsvoller Mann, von nicht unangenehmem Aeußern. Abdio wurde angenommen, schien aber mehr den Aufpasser als den Freund spielen und den Baron verhindern zu wollen, allzu genau in die Verhältnisse des Landes hineinzublicken oder gar die Reisegelegenheit zu Handelszwecken zu benützen.

Am 15. August dampfte der „Welf" stromaufwärts und erreichte bald die Dörfer Dschungoni und Mangomo; doch bald zeigten sich die Schwierigkeiten einer Fahrt auf unerforschtem Gebiet und bei ungewöhnlichen Verhältnissen von neuem, denn auf dem Wege nach dem nächsten Dorfe Gosch stieß der „Welf" wiederholt auf den Grund und jedesmal dauerte es eine geraume Zeit, ihn wieder frei zu machen.

Am nächsten Tage kam man nach der Ansiedelung Hindi, deren Einwohner herbeiströmten und das noch nie gesehene Wunderschiff mit Jauchzen und Lärmen begrüßten. Während der nächsten Tage passierte man mehrere Ortschaften, die von Waseguas bewohnt wurden, kam nach Manamfunde und am 26. nach Wegere. Aber kaum hatte der Dampfer diese Ortschaft verlassen, so geriet er abermals in nicht geringe Gefahr und stieß mit Gewalt auf den Grund. Da alle Bemühungen nichts fruchteten, ihn wieder frei zu machen, so mußte man sich entschließen, auch die Kohlen zu löschen und erst am nächsten Tage, als das Schiff vollständig ausgeräumt war, kam der Dampfer wieder frei. Währenddessen hatte Decken die Ortschaft Wegere besucht, in der er schon vorher durch ausgesandte Boten hatte Erkundigungen einziehen lassen. Am 31. kam man nach der ziemlich ausgedehnten Ansiedelung Schonde, fuhr bis zum Nachmittag weiter und ging sodann bis zu einem freien Platze vor Anker, der sich trefflich für astronomische Beobachtungen eignete und zu Jagdausflügen Gelegenheit gab.

Die Reisenden hielten sich hier längere Zeit auf und eines Tages verließen der Feuerwerker Deppe und der Koch Theiß die Station, um sich das Land ein wenig näher anzusehen. Hatten sie auch ursprünglich nicht die Absicht, auf die Jagd zu gehen, so ließen sie sich doch dazu hinreißen, eine angeschossene Antilope zu verfolgen. Da sie aber keinen Kompaß bei sich führten und somit nicht einmal die Wegerichtung bestimmen konnten, verirrten sie sich und kamen erst nach vielen Umwegen und Mühen wieder an den Fluß, ohne aber von dem „Welf" eine Spur zu entdecken. Da ihnen das von dichten hohen Bäumen bekleidete Ufer völlig unbekannt erschien, lenkten sie ihre Schritte nach Süden. Erst nach drei langen Tagen glückte es den Verirrten und Halbverhungerten, die Leute anzutreffen, die der um ihr Schicksal besorgte Baron nach ihnen ausgesandt hatte. Gegen Mittag erreichten sie das Schiff, wo sie von allen mit der lebhaftesten Freude begrüßt wurden. Ihr Ausbleiben hatte selbstverständlich alle stark beunruhigt, und nichts war versäumt worden, um sie zu retten. Deppe aber hat die Moral aus dieser Geschichte gezogen und in sein Tagebuch vermerkt: „Gehe in Afrika nicht ohne Kompaß ins Land, du läufst sonst Gefahr, in sechzig Stunden nicht mehr als eine halbe Ente zu essen zu haben, wenns nicht noch schlimmer wird".

Einige Tage nach dem Eintreffen der Verirrten, am 5. September, wurde die Station abgebrochen, die Fahrt stromaufwärts wieder fortgesetzt und die kleine Anpflanzung Sorori berührt. Da der Fluß oft nicht mehr als 3—3½ Fuß tief war, passierte es nicht selten, daß der „Welf" auffuhr und es manchmal Mühe kostete, ihn wieder flott zu machen. Um dergleichen möglichst zu umgehen, sondierten die Reisenden den Fluß im voraus. Das half aber nicht viel, denn kaum war man einige Seemeilen weiter gekommen, so saß der „Welf" von neuem auf.

Die aus Schonde mitgenommenen Führer suchten den Baron zur Umkehr zu bewegen, da er, so meinten sie, mit seinem Fahrzeug doch nicht die Stadt Bardera erreichen würde. Decken aber ließ sich nicht irre machen, ihm erschien die Umkehr ebenso mißlich als die Weiterfahrt und er beschloß daher, unverzagt bis zur äußersten Grenze der Schiffbarkeit vorzudringen. Am nächsten Tage kamen die Reisenden glücklich mehrere Stunden weiter, ohne auf irgend ein Hindernis zu stoßen. Am 12. fuhren sie an dem Somalidorfe Anole vorüber, einem Dorfe von höchstens 50 Hütten.

Mittlerweile hatten sich die Ufer des Flusses wesentlich verändert; während vorher die Ufer des Flusses fast ausschließlich mit dichtem Wald bekleidet waren, trat jetzt mehr und mehr die Grasebene bis dicht an den Fluß heran, auch Hügel zeigten sich zuweilen in unmittelbarer Nähe des Wassers, und in zwei Grad nördlicher Breite konnten die Reisenden von einem etwa 170 Fuß hohen Hügel über ziemlich unebenes Land hinausblicken; weiterhin, einige sechzig Meilen nach Nordwesten, gewahrten sie überdies ziemlich hohe Berge. Dies sowohl, als auch die größere Seichtigkeit des Fahrwassers, zeigte an, daß man bereits den Unterlauf des Flusses hinter sich hatte.

Nach einigen Tagen, nachdem wieder eine ansehnliche Anzahl von Seemeilen durchmessen worden war, kam endlich, am Vormittage des 19. September, das berühmte Bardera in Sicht.

Die Stadt Bardera liegt auf dem linken Ufer des Djubaflusses und etwa 300 km oberhalb von seiner Mündung. Eine 15 Fuß hohe, halbkreisförmige Mauer umschloß den Raum, der kaum 130 Hütten, von bienenkorbförmiger Gestalt, aufweisen konnte. Bardera war einst von einem mohammedanischen Scheich, der vermutlich seiner strengen Glaubensgrundsätze wegen von seinen Landsleuten geschieden, sich hier angebaut und eine An-

12*

zahl Somalis für seinen düsteren Glauben oder vielmehr Aberglauben gewonnen hatte, errichtet worden. Die anfänglich geringe Zahl von Hütten wuchs sehr ansehnlich, aus dem Dorfe wurde bald eine Stadt. Der Scheich sah seine Macht zunehmen, und der eitle Wunsch nach Ausbreitung seiner Lehre wurde in ihm immer lebhafter. Er versuchte, wenn auch vergeblich, die Gallas sozusagen mit Feuer und Schwert zu bekehren. Als er starb, wurde Scheich Ibrahim sein Nachfolger, der ihm zwar an Eifer nicht nachstand, der aber seine Bestrebungen mehr auf die Küste ausdehnte. Deshalb ließ dieser „Gläubige" auch eines Tages einen Boten nach dem nordöstlich von Jumbo oder Djuba gelegenen Küstenorte Brawa abgehen und die Einwohner desselben auffordern, fortan nach seinen Satzungen zu leben. Die Bewohner von Brawa, die einer mehr heiteren Lebensauffassung zuneigten, wurden unwillig ob solcher Forderungen und erschlugen den Boten des Fanatikers. Da es einem zweiten Gesandten nicht besser erging, zog Scheich Ibrahim zornentbrannt mit einem Heere gegen Brawa, raubte den Einwohnern die Kamele, Schafe und Kühe, schlug einen Angriff der Bedrohten erfolgreich ab, plünderte die Stadt und tötete die Zurückgebliebenen. Es gelang ihm sogar, auf dem Rückwege nach Bardera vielleicht 20000 Somalis, die ihm entgegengetreten waren, in die Flucht zu schlagen. Durch solche Erfolge gewann sein Ansehen und sein Einfluß nicht wenig. Seine Anmaßung und Strenge in Sachen seines Glaubens wurde jedoch zu weit getrieben. Es kam dahin, daß Somalis damit umgingen, seiner Sekte den Garaus zu machen. Und 1843 erschien Scheich Jussuf von Geleli mit einem 40000 Mann starken Heere vor Bardera, umschloß die Stadt so, daß niemand entrinnen konnte, zerstörte sie, tötete die Männer und ließ Weiber und Kinder in die Sklaverei abführen. Allmählich fanden sich bei den Ruinen von Bardera wieder Ansiedler ein, allmählich reihte sich wieder eine Hütte an die andere und der Flecken konnte nunmehr, beim Eintreffen der deutschen Expedition, wenigstens den Schatten einstiger Größe aufweisen.

Brenner schreibt den Barderanern einen verbissenen, fanatischen Charakter zu. Ihr längliches, mageres Gesicht, mit dünnen Lippen, spitzigem, fast bartlosem Kinn und stechenden Fuchsaugen sei nicht ohne Geist, habe aber einen Ausdruck von Wildheit, Haß und Tücke, oft auch von Trübsinn und erwecke unheimliche Gefühle, wozu der wirre Aufbau des Haares nicht wenig beitragen möge. Für gewöhnlich lagere ein finsterer, brütender Ernst auf ihren Mienen und was in ihrem Innern vorgehe, verrate ihr Gesichtsausdruck im Beisein Fremder nicht.

Betrachten wir die Somalis ein wenig näher.

Durch ein finsteres, verschlossenes Wesen unterscheiden sich die Somalis von Bardera auffällig von ihren Landsleuten in Jumbo und an der Küste überhaupt. Hieran mag teils ihre abgesonderte und entbehrungsreiche Lebensweise Schuld sein, teils aber auch ihre strenge Glaubensrichtung, die sie die harmlosen Lustbarkeiten der Küstenbewohner verabscheuen läßt. In ihrer Tracht weichen sie nicht minder ab, schon deshalb, weil sie nicht reich genug sind, sich so anständig wie jene, mit Amerikano (Baumwollenstoff) zu bekleiden. Besonders auffällig ist ihre Haartracht; ein glattgeschorener Kopf kommt selten vor; man läßt gewöhnlich das dichte, steife Haar als eine 6—8 Zoll lange Wollperrücke vom Kopfe abstehen; einige Leute flechten es in zahlreiche fettgetränkte Stränge. Bei feierlichen Gelegenheiten giebt man sich die größte Mühe, diesen Haarwust auf dem Kopfe so umfangreich als möglich zu machen. Die Bewaffnung der Somalis besteht aus Speeren und hübsch gearbeiteten Schilden von Rhinozerosfell; Bogen und Pfeile sah man selten, Gewehre gar nicht.

Die Rasse der Somalis scheint, wenigstens teilweise, gemischten Ursprungs zu sein. Ihre Sprache ist eine einheitliche, weicht jedoch bei den verschiedenen Stämmen nicht unwesentlich von einander ab. Man hält sie bei uns für raubgierig, europäerfeindlich, mordlustig, treulos und verschlagen.

Eine hervorstechende Eigentümlichkeit des Somali ist sein Stolz. Dieser Stolz prägt sich in seinem Gesichte aus und verliert sich sobald nicht, selbst wenn er sich entschließt, seinen Aufenthalt in der zivilisierten Welt zu nehmen, oder das regere Treiben einer Stadt zu seinem Vorteil auszunützen.

Die Somalis beobachten, an Orten wenigstens, die in geringer Verbindung mit der Außenwelt stehen, den Fremden mit mißtrauischen Blicken, weil sie meinen, er könne ihre Freiheit gefährden. Viele Stämme dulden nicht einmal einen eingeborenen Herrscher über sich und antworten, wenn man sie nach ihrem Sultan fragt: „Wir haben keinen Gebieter, jeder von uns ist Sultan und dem Mohammed gleich".

Ziemlich allgemein findet man die Somalis sehr neugierig und zudringlich. Man kann sich durch angemessenes Auftreten ihrer meistenteils erwehren, zumal bei ansässigen Stämmen, die an und für sich viel bescheidener sind, als die gesetzlosen, alle gesellschaftliche Ordnung mißachtenden Beduinen. Bettelei ist bei ihnen nicht minder verbreitet als bei den andern Afrikanern; doch lassen sie sich mit Kleinigkeiten leicht zufriedenstellen. Mit Worthalten und Wahrheitsprechen nehmen es die meisten nicht genau, nicht wenige gelten als freche, ausgemachte Lügner.

Die meisten Somalis verabscheuen den Genuß von Fischen und Vögeln und befolgen auch außerdem eine Menge der strengsten Speisegesetze gewissenhaft. Geistige Getränke sind ihnen ein Greuel, das Tabakrauchen ist ihnen unbekannt, dagegen kauen sie häufig Blättertabak, dem sie ein wenig Holzasche beimischen, um den Geschmack etwas kräftiger zu machen und schnupfen auch wohl.

In seiner freien Zeit unterhält sich der Somali, im Norden und an der Küste, gern mit Schach und andern Spielen; im Sommer mit Musik und Tanz. Hier und da lieben die Männer auch Waffenspiele, doch sind sie nicht so geschickte Fechter wie die Araber. Eine rege Gewerbsthätigkeit fehlt; Eisen- und Lederarbeiten werden indessen recht hübsch gefertigt, Weberei wird in einigen Küstenstädten betrieben. Die Frauen sind im Mattenflechten geschickt.

Die Somalis des Innern beschäftigen sich mit Jagd und Krieg oder mit der Ernte der Gummiarten, an denen ihr Land so reich ist, stellen Umzäunungen für ihr Vieh her und hüten die Kamele; alle andern Arbeiten, wie Wassertragen, Holzfällen und Hüttenbauen nicht ausgenommen, ruhen bezeichnender Weise auf den Schultern der Frauen.

Im Somalilande verheiratet man sich in sehr jugendlichem Alter. Der Verheiratung geht eine geschäftliche Verhandlung voraus. Der Bräutigam und der Brautvater verständigen sich, was der eine Teil als Kaufpreis, der andere an Aussteuer giebt. Die Höhe dieser Summe richtet sich nach Rang und Vermögen der beiden Familien. Ein Bräutigam vom Stande hat nicht selten bis 150 Thaler zu zahlen, zum Teil in Geld, zum Teil in Vieh und andern Wertsachen. Gehört er zur Familie des Sultans, so steigt der beim Abschluß der Heirat zu erlegende Preis selbst bis zu 1000 Thalern. Weit geringer stellt sich der Betrag der Mitgift, von der man indessen im Norden nichts weiß; der Vater giebt sie seiner Tochter nach der Hochzeit als unveräußerliches Eigentum, sie kann darüber nach Belieben verfügen, muß es indessen zurückstellen, wenn sie durch ihr Benehmen eine Ehescheidung veranlaßt hat. Dem neugeborenen Kinde giebt der Vater einen Namen und die Erziehung besteht im Auswendiglernen einiger Koranverse und der gebräuchlichsten arabischen Wörter. Nur wenige, wohl nur die Kinder des Scheichs und der reichen Leute, lernen lesen. Das Verhältnis zwischen Eltern und Kindern ist ein sehr lockeres.

Jeder Stamm hat einen Kadi, der mit der Gerechtigkeitspflege betraut ist.

In Sachen ihres Glaubens nehmen es einige Stämme der Somalis, wie gesagt, ziemlich streng. Im allgemeinen aber hängt dem Somali der Mohammedanismus lose auf den Schultern und sein Allahdienst besteht nur in Formen oder Aeußerlichkeiten. Die in fruchtbaren Gebieten wohnenden Somalis sind viel zu heiter und lebenslustig, als daß sie sich die strenge Vorschrift des Islam gutwillig aufbürden lassen sollten. —

Nachdem sich der Baron über die Verhältnisse und die weitere Beschaffenheit des Djuba einigermaßen hatte unterrichten lassen, machte er dem Sultan oder Scheich von Bardera, Namens Hamadi ben Kero, seinen Besuch.

Danach besuchte Decken die auf dem jenseitigen Ufer gelegene kleinere Ortschaft Lala.

Nicht geringe Mühe verursachte in Bardera die Beschaffung von Nahrungsmitteln; die Barderaner forderten für ihre Waren horrende Preise, und Decken erklärte den Verkäufern unumwunden, solche Preise zu fordern sei ebenso gut wie Stehlen. Um aber nicht für geizig zu gelten, ließ er den beiden Aeltesten der Stadt je ein Stück Zeug überreichen. Mit Mühe und Not kamen die Reisenden in den Besitz von einigen Schafen und mehreren Säcken Korn, zumal da der heuchlerische Hamadi ben Kero befohlen hatte, den Europäern nichts zu verabfolgen. Auch war dieser Scheich so bodenlos unverschämt, dem Baron eines Tages „glückliche Reise" wünschen zu lassen, d. h. er warf ihn mit einer gewissen Höflichkeit, oder vielmehr Frechheit zur Stadt hinaus.

Danach sah sich Decken gezwungen, die Lage der Expedition mit dem Kapitän von Schickh zu erörtern. Schickh hielt es für das Beste, nach Norden weiter zu dampfen, zumal da man vielleicht bald andere Dörfer träfe, in denen der Handel minder schwierig wäre. Der Baron aber war anderer Ansicht und fürchtete, im Hinblick auf die nur noch auf drei Tage ausreichenden Lebensmittel, in große Unannehmlichkeiten zu geraten; es schien ihm die Gefahr im Verzuge, weiter oben auch keinen besseren Markt zu finden. Ließen sich die Barderaner nicht gutwillig herbei, gegen angemessenes Entgelt den Lebensbedarf abzugeben, so bliebe nichts weiter übrig, als mit Gewalt, so unangenehm dies auch sei, gegen sie vorzugehen.

Zum Glück lief noch alles gut ab. Ameio, einer der Aeltesten der Stadt, erschien auf Wunsch des Barons auf dem „Welf", sprach sich gegen den boshaften Befehl des Hamadi ben Kero aus und machte sich anheischig, die gewünschten Nahrungsmittel zu beschaffen.

Nunmehr gestaltete sich die Lage der Reisenden etwas günstiger. Als Decken später wieder das Land betrat, brachte man ihm einen Schsen zum Geschenk; ferner konnten zwei andere zum Preise von je vier Thalern und drei Schafe für je einen Thaler gekauft werden. Außerdem gelang es, im gegenüberliegenden Dorfe Lala noch hundert Maß Mtama (eine Art Hirse), sowie eine Menge Eier und Hühner zu erhandeln. Somit war die Mannschaft für zwölf Tage versorgt. Zu guterletzt bat Hamadi ben Kero den Baron um Verzeihung; seine Entschuldigung ging dahin, daß der Teufel in ihn gefahren wäre. Der Baron, noch empört von dem Verhalten des Scheichs, ging an ihm vorüber und wandte sich zu seinem Begleiter Ameio mit der Bemerkung, daß er mit Hamadi ben Kero nichts mehr zu thun haben wolle. Zum Zeichen, daß er nicht feindlich gesinnt sei, schickte er ihm ein Geschenk von 80 Yards Amerikano und fünf Thalern; eine gleiche Summe, aber die doppelte Menge Baumwollenzeug, erhielt Ameio.

Unglückliches Ende der Expedition.

Ernsteres Unglück mit dem „Welf".

Alles war zur Abreise fertig. Das bedenkliche Hindernis der Weiterfahrt bildete ein etwa fünf Stunden oberhalb von Bardera gelegener Wasserfall. Hier ließ Decken ein Boot zum Sondieren aussetzen und die Wasserstraße untersuchen. Die Möglichkeit, die Stromschnellen zu überwinden, erschien nicht völlig ausgeschlossen und so wurde am 26. September von neuem aufgebrochen, aber unmittelbar vor der Stromschnelle wurde die Expedition von einem weittragenden, verhängnisvollen Unglücksfall ereilt. Der „Welf" stieß plötzlich auf einen Stein und dann gleich darauf rückwärts wiederum auf einen solchen. Die Meldung des Maschinenmeisters Kanter, daß ein Leck entstanden und daß das Wasser mit Macht in den Raum dränge, besagte genug. Den Baron verließ auch diesmal seine große und unerschütterliche Ruhe und Besonnenheit nicht. Er ließ den größten Teil der Sachen ans Land bringen und einen kleinen, ringsum von Wald begrenzten Platz zum Lager herrichten und darauf die Lecke näher untersuchen. Der Schaden erwies sich als beträchtlich und ließ der Hoffnung wenig Raum, den Dampfer wieder flott zu bekommen. Dieser saß auf vier ganz spitzigen Steinen wie festgenagelt. Andern Tags wußte der Baron, daß der „Welf“ ein unbrauchbares Wrack geworden war; nur insofern als ein Floß davon gebaut werden konnte, schien er noch von Nutzen.

Nach reiflicher Ueberlegung und Rücksprache mit seinen Gefährten, beschloß der von seinem „treuen Unglück“ schon so oft heimgesuchte Forscher, am nächsten Morgen in Begleitung von Dr. Link, Abdio, den Führern bezw. Dolmetschern Baraka und Kero, nebst mehreren, anscheinend zuverlässigen Negern, in seinem Ruderboote nach Bardera zu eilen. Dort war die freilich irrtümliche Kunde angelangt, daß der Engländer Livingstone mit seiner „Lady Nassa“ den Fluß herauf käme. Es schien Hilfe in der Not zu kommen. Mit Hilfe des englischen Missionars und Forschers hätte Decken noch einmal sein Glück mit dem „Welf“ versuchen können; andern und ungünstigeren Falls aber sollte Marine-Leutnant von Schickh ein Boot aus dem Wrack bauen. Von Bardera aus wollte Decken dann Proviant nach der Stromschnelle schicken und zu Fuß nach Norden, nach dem Orte Ganane marschieren, um zu sehen, ob ohne Dampfboot sich die erneuerte Reise auf dem Djuba noch lohne. Dann, nach der Stromschnelle zurückkehrend, würde er mit dem Boote nach Jumbo an der Mündung zurückfahren, von dort Mombasa aufsuchen oder aber die Leute nach Ganane vorausschicken und allein von Jumbo Hilfe holen. Er verließ seine Gefährten mit den Worten: „Leben Sie wohl, ich denke in vierzehn Tagen sehen wir uns wieder;“ doch keiner der zurückbleibenden Europäer sollte ihn je wiedersehen!

Man fuhr fort, Kohlen auszuschiffen und den Schaden auszubessern. Nach zwei Tagen war die Ausschiffung, sowie die Dichtung der Lecke beendet. Mittlerweile fiel das Wasser im Flusse über 2½ Fuß, so daß die Zurückgebliebenen, um das Dampfboot wieder flott zu bekommen, jedenfalls auf einen höheren Wasserstand warten mußten.

Heimtückischer Ueberfall des Lagers. Ermordung von Trenn und Kanter.

Der 1. Oktober, ein Sonntag, war herangekommen. Herr von Schickh, der die Oberleitung hatte, gönnte den Leuten den Ruhetag. Die versprochenen Führer von Bardera waren noch immer nicht zurückgekehrt. Da, nach dem Mittag, erschien eine größere Anzahl Neger auf dem andern Ufer. In der Annahme, es seien die erwarteten Führer in Begleitung von einigen Leuten mit dem Proviant, schickte er ein Boot mit Sereng, einem mit dem Landungsdienste betrauten arabischen Mischling, mit dem Befehl nach dem andern Ufer, zu fragen, was die Leute wollten. Da Sereng allzulange ausblieb, rief man ihn zurück. Die bewaffneten Neger auf dem jenseitigen Ufer, wohl 200 an der Zahl, hatten ihm gesagt, sie kämen von dem Sultan von Bardera mit der Botschaft, sie, die Reisenden, möchten ihre Sachen auf das linke Ufer bringen, da sie am rechten einem Angriff ausgesetzt wären; von dem Baron jedoch hatten sie ihm keine Auskunft gegeben.

Das klang recht seltsam, zumal da der Baron, wenn er noch in Bardera weilte, zweifelsohne gleichzeitig irgend welche Mitteilungen gemacht, anderenfalls aber doch die sehnlichst erwarteten Führer mit Nachrichten und Proviant mindestens jetzt mitgekommen sein mußten. Die Situation war nicht klar und Vorsicht schien geboten. Daher schickte der Kapitän auch nichts auf das andere Ufer, sondern instruierte Brenner, gleich nach der Ruhezeit von der Mannschaft einen Verhau um das Lager anlegen zu lassen.

Die Somalis sahen, daß die Reisenden ihrem eigentümlichen Ansinnen keine Folge leisteten. Einige von ihnen wateten daher oberhalb des „Welf“ nach der zwischen diesem und dem rechten Ufer gelegenen Sandbank und riefen wiederholt von dort nach dem Boote, um, wie sich später herausstellte, bequemer ihre auf dem linken Ufer versteckte Partei verstärken zu können.

Noch einmal wurde Sereng von dem Kapitän mit dem Auftrage hinübergeschickt, einige der Leute, aber höchstens sechs, herüber zu bringen, damit er sich näher über den Zweck ihrer Ankunft unterrichten könne. Aber kaum hatte er diese Worte gesprochen, so ließen die Barderaleute am linken Ufer ein Hornsignal erklingen, und eine zwanzig bis dreißig Mann starke, wütende Somalischar stürzte mit geschwungenen Lanzen von der südlichen Seite zwischen Busch und Zelten ins Lager. Auf einen solchen Angriff waren die Reisenden natürlich nicht gefaßt und alle, auf dieser Seite des Ufers von den Waffen abgeschnitten, liefen gegen das Ufer. Schickh rief nach dem Boote; aber die Somalis auf der Bank trieben seine Leute aus dem Boote in den Fluß. Deppe, der sich in einer günstigen Position befand, rief mehrmals mit weithin vernehmbarer Stimme: „Zu den Waffen“. Doch sein Gefährte Trenn, der begabte Maler der Expedition, ohne solche und beim ersten Angriff eingeholt, sank, von einem Somali mit dem Speer tötlich verwundet, zu Boden. Brenner, der das Unglück mit ansah, wurde von einer namenlosen Wut ergriffen. Er rächte auf der Stelle seinen lieben Kameraden; der Mörder, ein baumlanger Somali, fiel, von seiner glücklichen Kugel getroffen. Durch seinen Schuß aufmerksam gemacht, suchten die Räuber und blutgierigen Eindringlinge seiner habhaft zu werden; doch mit bewundernswerter Schnelligkeit schob Brenner Patrone um Patrone in den abgeschossenen Lauf seines Gewehrs und schoß die nächsten Angreifer über den Haufen. Der Maschinenmeister Kanter war zu gleicher Zeit, anscheinend schwer verwundet, nach dem Fluß geflüchtet, dann von einem Somali angegriffen und ermordet worden. Darüber aufs Neue erbittert, machte Brenner auch diesem Somali rechtzeitig den Garaus. Unterdessen sicherten auch Theiß und Deppe, auf der nördlichen Seite des Lagers postiert, den Platz unter lebhaftem Feuern und bald war die Angreiferrotte in die Gebüsche zurückgeschlagen.

Kapitän von Schickh war inzwischen in sein Zelt geeilt, holte sein Gewehr und zugehörige Munition. Einige von dem Negergesindel suchten aus den Büschen ihm zuvorzukommen, verschwanden aber wieder, als er sie aufs Korn nahm. Schickh betrat darauf den Kampfplatz und half ihn säubern.

Kaum zehn Minuten waren seit dem ersten Angriff vergangen, der die Lage der Reisenden so plötzlich geändert hatte, und nun, nachdem der Feind mit starkem Verlust davon gejagt war, traten die übriggebliebenen fünf Europäer und acht Neger zusammen und gingen an den Strand. Die Leute auf der Bank flüchteten auf das linke Ufer, einer aber sprang ins Boot und ließ sich langsam den Strom hinab treiben. Dies Boot, das letzte Rettungsmittel der Reisenden, schien somit unwiederbringlich verloren. Schnell entschlossen, sprang Brenner mit einem Neger in den Fluß und schwamm nach dem „Welf“, um die kleine Jolle, die an dem Dampfer befestigt war, zu holen. Das gewagte Unternehmen glückte; die Europäer und die Neger bestiegen die Jolle, ruderten stromabwärts und kamen nach einigen Bemühungen zu ihrer Freude wieder in den Besitz des Großbootes. Mit dem geretteten Boot ruderten sie vor das Lager; Brenner wurde dazu ausersehen, mit drei Negern an Land zu gehen, um Munition herbeizuschaffen; die andern deckten ihn vom Boote aus mit den Gewehren, da sich noch immer nicht das Negergesindel völlig zurückgezogen hatte. Danach konnten sie nach dem „Welf“ rudern; Deppe sammelte und barg die Papiere, das Tagebuch und die Wertsachen des Barons, Brenner Gewehre und Munition, Theiß die Lebensmittel.

Jetzt bedachten die Bedrängten, was weiter zu thun wäre. Sie gedachten der Lage des Barons und des Dr. Link, die offenbar in der größten Gefahr, wenn nicht schon angegriffen und getötet waren. Denn es war ja sonst gar nicht zu erklären, warum ihnen der Baron bisher keine Nachricht gegeben hatte; es erschien ihnen auch darum als das Beste, das Lager gänzlich aufzugeben. Ueberdies lag die Gefahr eines erneuten Angriffs auf der Hand, und gegen eine mehr als zweihundert Mann starke Somalirotte mußten selbst mehr als fünf gutbewaffnete Europäer und acht Neger, von denen die letzteren nicht einmal die Schußwaffen zu handhaben wußten, ohnmächtig sein. Ferner hielten sie es für unratsam und wenig klug, auf dem Wrack des „Welf" zu bleiben.

Die Angreifer waren Leute aus Bardera gewesen, das war festgestellt worden. Nun überlegte man schnell, ob einige Tage gewartet werden sollte, um vielleicht über das Schicksal des Barons Näheres zu erfahren, oder, ob sofort aufgebrochen werden sollte; an ein Flottmachen des Dampfers war ja bei der geringen Mannschaft und unter so ungünstigen Verhältnissen gar nicht zu denken. Es war auch selbstverständlich, daß bei einem Aufenthalt, sollte er auch nur ein paar Tage währen, die Kunde ihres Mißgeschicks ihnen vorauseilen mußte und sie daher auf dem Fluß überall Hindernisse zu erwarten hätten. Selbst abgesehen von ihrer eigenen Erhaltung, war das Schicksal ihres Chefs, des Barons, wenn er noch am Leben war, von ihrer Freiheit abhängig. „Wußten aber die Leute," so berichtete von Schickh, „daß sie geborgen, so mußten sie durch Schonung des Barons sich Straflosigkeit zu erhalten trachten; waren sie vernichtet, so war es ihnen ein Leichtes, zu erklären, daß nicht sie, sondern die Gallas die Expedition vernichtet hätten. Ein Versuch, mit Gewalt das Schicksal des Barons zu erfahren und ihm möglicherweise zu helfen, war der Ueberzahl gegenüber unmöglich."

Rückkehr der Uebriggebliebenen nach Sansibar.

Gemeinsam mit seinen Gefährten beschloß nunmehr Marine-Leutnant von Schickh, sobald als möglich stromab und nach Sansibar zu eilen, um Hilfe für den Baron oder wenigstens Gewißheit über sein Schicksal zu erlangen. Am Nachmittage des 1. Oktober verließen die Reisenden die Unglücksstätte; Tag und Nacht ruderten sie stromabwärts. Am 6. Oktober, nach einer mehr als hundert Stunden langen Fahrt, erreichten die Abgespannten in der Nacht die Djubamündung. Die Brandung machte es unmöglich, in See zu gehen; man ließ deshalb das Boot zurück und ging zu Fuß, in der Absicht, Kiama zu erreichen. Von dort gedachten die Reisenden mit einem Fahrzeug weiter zu fahren. Glücklicherweise fanden sie bereits nach vier Stunden Weges eine mit vier Negern bemannte Dau. Diese brachte sie nach Lamu. Von dort erreichte man auf einer andern Dau wohlbehalten Sansibar.

Dort war man nicht wenig erstaunt, die Reisenden ohne den Baron zurückkehren zu sehen. Als aber das traurige Schicksal der Expedition bekannt wurde, da fehlte es nicht an der lebhaftesten Teilnahme, und man suchte alle Bemühungen der Reisenden thatkräftig zu fördern. Leider lag kein englisches oder französisches Kriegsschiff im Hafen, das sie am besten nach Norden hätte bringen können, deshalb nahmen sie in aller Schnelle mit einem Küstenfahrzeug vorlieb, fuhren am 29. Oktober nach Lamu und von dort nach Tula.

Zuerst hatten die Reisenden nach Brawa gehen wollen, um dort über die Karawanenstraße Erkundigungen aus Bardera zu holen. Anwesi, Scheich von Tula und Begleiter des Barons auf dessen Fahrten von Tula bis zum Djuba, der hier an Bord gerufen wurde, hatte bisher noch nichts von dem Unglück der Expedition gehört und ließ sich für eine Entschädigung von 900 Mk. bereit finden, weiter nach dem Schicksal des Barons und seines Begleiters zu forschen, da die Reisenden wegen großen

Aufruhrs an der Küste nicht nach Jumbo weiter ziehen konnten. Anwesi begab sich am 9. November auf die Reise; nach kaum drei Tagen kehrte er zurück und behauptete, bis Kismaju, dicht vor Jumbo, gekommen zu sein. Hier wäre man schon über alle Einzelheiten des Falles unterrichtet und in einer solchen Aufregung gewesen, daß er es für notwendig gehalten hätte, schleunigst umzukehren; denn wenn gar die Somalis hören würden, daß Europäer hier in Tula weilten, dann getraue er sich nicht einmal mehr für seine eigenen Unterthanen einzustehen. Er riet sogleich den Reisenden, nach Lamu zurückzukehren und sich dort unter den Schutz des Statthalters zu begeben. Inzwischen wolle er zuverlässige Nachrichten einziehen, die an der Djubamündung versenkten Gegenstände beschaffen und ferner den Abdio Abd el ben Nur, der nach den Vermutungen aller das Unglück verschuldet hatte, festnehmen und binnen zehn Tagen abliefern.

Herrn von Schickh genügte diese Erklärung, und er fuhr mit seinen Begleitern nach Lamu zurück und kam, von einem scharfen Winde begünstigt, am 14. November dort an.

Ganz unerwartet lief dort am andern Tage eine arabische Dau ein, auf der sich Mabruk Speke befand, einer der Begleiter des Barons und Dr. Links. Diesen erfreulichen Zufall machten sich die Reisenden zu Nutzen; von diesem Neger mußten sie zweifelsohne Näheres über den Baron und sein Verbleiben erfahren können. Ihre vorgefaßten ernsten und trüben Mutmaßungen sollten sie leider auf das Schlimmste bestätigt finden.

Mabruk Speke kam und mit ihm die erschütternde Trauerkunde, daß der Baron, von der Stromschnelle nach Bardera zurückgekehrt, dort nach einigen Tagen heimtückisch überfallen, gefesselt an das Ufer des Djuba geführt, dort erstochen und seiner Kleidung beraubt, in den Fluß geworfen worden wäre; seinem Begleiter Dr. Link sei ein ähnliches grausames Schicksal widerfahren.

Der schwarze Begleiter hatte jetzt in ausführlicher Weise auch die näheren Umstände geschildert; sein Bericht erschien untrüglich und wenigstens in den Hauptpunkten zuverlässig.

Dem überaus traurigen Bericht zufolge hielt Herr von Schickh weitere Nachforschungen für überflüssig. Er bat den Zollpächter, die Sachen, die Anwesi bringen würde, sofort nachzuschicken. Dann ersuchte er noch den Statthalter, den Schutz- und Geleitsmann der Expedition, den wir unter dem Namen Abdio kennen, und der nach den Aussagen Mabruk Spekes die Ermordung des deutschen Forschers mitverschuldet und überhaupt ganz verräterisch gehandelt hatte, sowie andere etwa gefangene Schuldige unter starker Bedeckung in das Fort von Sansibar zu liefern. Danach reisten die Unglücksgenossen nach Mombasa, später nach Sansibar weiter.

Drei Tage später, nachdem sie wieder in Sansibar waren, kam das englische Kriegsschiff „Vigilant", das mit einem Sekretär des Sultans nach Brawa geeilt war, um Nachrichten über das Schicksal des Barons einzuziehen, zurück, mit einer Anzahl Neger von der Expedition. Diese wurden sofort in scharfes Verhör genommen. Ihre Aussagen, wenn auch in manchen Punkten widersprechend, deckten sich darin, daß man den Baron sowohl als auch Dr. Link in Bardera überfallen und erstochen hätte.

Nunmehr verweilten die Reisenden nicht länger in Sansibar. Die Abreise des Hamburger Segelschiffes „Kantor" stand bevor und am 12. Januar 1866 verließen sie den Hafen, fuhren, da bekanntlich der Suez-Kanal um jene Zeit noch nicht dem Verkehr übergeben worden war, um das Kap der guten Hoffnung, an St. Helena vorbei, nach Hamburg. Dort trafen sie am 4. April wohlbehalten ein, wurden von einem Beauftragten der von der Decken'schen Familie empfangen und ihrer Pflicht entbunden.

Schluß.

War auch über das entsetzliche Schicksal des Barons und seines Begleiters kaum noch ein Zweifel geblieben, so konnten und wollten die Familienangehörigen von der Deckens sich doch nicht mit den bisherigen Feststellungen begnügen. So sehen wir denn im Herbst 1865 Theodor Kinzelbach, der damals schon durch seine Reisen mit Heuglin vorteilhaft bekannt war, im Auftrage der Mutter des Ermordeten, der Fürstin von Pleß, von neuem nach dem ehemaligen Arbeitsfelde der so jählings vernichteten Expedition aufbrechen, um zuverlässige Gewißheit über das Los der in Bardera ermordeten Reisenden zu erhalten. In Aden traf er auch Richard Brenner, einen der überlebenden Fünf von der Djuba-Expedition. Dieser hatte dieselbe Absicht wie Kinzelbach, war aber vom Bruder unseres Forschers zu Ermittelungen über dessen Ende beauftragt. Beide erhielten einen Platz auf einem nach Sansibar bestimmten englischen Kriegsschiff und erreichten auf diesem Barawa. Hier trennte sich Kinzelbach von Brenner, um über die Seschellen nach Sansibar weiter zu reisen.

In Barawa mußte es Brenner durchsetzen, daß die Aeltesten des Ortes einen Boten an den Häuptling von Bardera mit dem Befehl sandten, alles, was das Schicksal der beiden Deutschen betreffe, aufzuzeichnen, die Wahrheit dessen feierlich zu beschwören und ferner die Bücher und Papiere des Barons, sowie die noch zurückbehaltenen Sklaven sofort nach Barawa zu senden und endlich zu gestatten, daß der weiße Mann in Barawa nach Bardera käme und nach der Sitte seines Volkes ein Gebet an der Stelle spräche, wo jene beiden zu Tode kamen.

Inzwischen kam unerwartet der frühere Geleitsmann der Expedition, Abdio ben Nur, der den Anblick eines schuldbewußten Sünders darbot, zu Brenner und gab ihm einen leidlichen, aber nicht immer wahrheitsgetreuen Bericht von den Begebenheiten vor und nach der Ermordung der Forscher. Ebenfalls zufällig erschien auch der Neger Hamadi, einer der besten Leute der Schiffsmannschaft des „Welf“. Brenner war überrascht, diesen Mann hier zu sehen; er hatte ihn für tot gehalten. Hamadi aber war mit dem Führer Baraka nach der Sklavenkolonie Manamfunde geflüchtet, von dort nach Hindi und Jumbo gekommen, wo er sich als Matrose auf einer Dau vermietete. In

Barawa angekommen, hörte er von der Anwesenheit eines Europäers von der Djuba-Expedition: diesen suchte er sofort auf, um sich eines Auftrages zu entledigen, den ihm der Baron in dem Augenblicke gegeben, wo ihn die Somalis gebunden fortführten. „Wenn Du einst nach Sansibar kommst," hatte sein gefangener Herr ihm geboten, „so geh' zum Konsul Witt oder zum Sultan und sage, daß Abdio ben Nur unser Unglück veranlaßt hat; kannst Du es aber nicht, so sage es einem von den Weißen."

Am 27. November trafen die Boten von Bardera wieder in Barawa ein. Sie meldeten, daß in und um Bardera 10000 Krieger versammelt wären, bereit, unter Führung von Hadsch Ali ben Kero einen Hauptschlag gegen die Gallas zu unternehmen. Diese Macht sollte aber auch zugleich als Schutz gegen den gefürchteten Rachezug der Europäer, — der nie unternommen wurde, — dienen. Am zweiten Tage nach ihrer Ankunft in dem Bardera gegenüberliegenden Dorfe Lala wäre Hadsch Ali über den Fluß gekommen, hätte sie hart angefahren und gefragt, warum sie eine Botschaft der Weißen übernommen hätten, und was er davon denken solle, daß die Brawaner sich überhaupt noch mit Weißen einließen und schließlich, ob man Krieg haben wolle.

Mit einem Schreiben, das von Anfang bis zu Ende unverschämt gehalten war, hatte er die Boten nach Hause geschickt. Von einer Auslieferung der Papiere des Barons war darin keine Rede, auch Brenners Anfrage wegen eines Besuchs in Bardera hatte dieser Herr klüglich ignoriert. Brenner ging nun einstweilen nach Jumbo, wo sich unter anderem auch Deckens Tagebuch befinden sollte. Von dort begab er sich nach Manamfunde.

Da ihm unterwegs die Kunde geworden war, daß der Führer Baraka in Hindi weile, so ließ er ihn schnellstens durch einen Boten zur Stelle schaffen. Baraka meldete ihm, daß der Sultan von Bardera, als ein Schauri über das Schicksal der beiden Europäer gehalten wurde, zum Guten geredet und den

13*

Tod der Europäer nicht gewollt habe. Aber Abdio und Ameio hätten mit Wut für Krieg und Tod gestimmt. Um 2 Uhr wäre Decken in das Haus Ameios zum Schauri gerufen worden. Als er dann mit ihm nach kurzer Zeit in sein Haus zurückkehrte, waren die Gewehre weggenommen. Der „Bana Mkuba" habe dann nach Abdio geschickt und ihn zu sich rufen lassen. Abdio aber wollte mit dem Weißen nichts zu schaffen haben. Als Decken dies vernahm, verfertigte er ein Schreiben, steckte es in die linke Tasche und sagte: „Ich glaube, ich werde sterben müssen; wenn ich ermordet werde, dann sucht diesen Brief und gebt ihn Said Madjid oder Herrn Witt in Sansibar und sagt ihnen, daß Abdio allein meinen Tod veranlaßt hat". Und so wurde denn, schloß er seinen Bericht, am 2. Oktober um 3 Uhr nachmittags, unser Herr ermordet.

Nunmehr hielt Brenner es für geboten, mit Baraka nach Sansibar zu eilen, wo dieser seine Aussagen vor dem Konsulat wiederholen mußte. Hiermit durfte Brenner seine Aufgabe als gelöst betrachten.

Allein er wollte noch den Versuch machen, bis nach Bardera vorzudringen und fuhr wieder nach Norden bis zur Wubuschi-Mündung. Aber auch von hier aus konnte er seine Absicht, nach Bardera vorzudringen, nicht verwirklichen und bereiste statt dessen das noch unerschlossene Witu- und südliche Gallaland. Erst Mitte 1867 war er wieder in Europa.

Was nun die Nachforschungen Kinzelbachs anbelangt, so hatte er in Sansibar die freundlichste Unterstützung gefunden und zahlreiche Empfehlungsschreiben an die Hauptpersonen in Barawa und Bardera erhalten. Bevor er aber die Reise nach Norden antrat, verhörte er noch einmal alle in Sansibar anwesenden siebzehn Neger der ehemaligen Decken'schen Expedition, deren Aussagen in den Hauptthatsachen sich mit den uns bereits bekannt gewordenen deckten. Dann begab er sich nach Barawa, wo man seine Abreise durch Lügen und Ränke sehr verzögerte. Aber auch von Merka aus, wohin er dann kam, vermochte er nicht in das Innere des Landes zu gelangen, und als er bald darauf die Somalistadt Geledi betrat, starb er dort unverhofft Ende Januar 1867.

Werfen wir nun noch einen Blick auf die Erfolge, die Decken trotz alles Unglücks errungen, so können wir getrost sagen, daß er nicht umsonst Gut und Blut eingesetzt und daran gegeben hat. Zwar hat sich dies erst nach Jahren deutlich gezeigt, erst als die deutsche Fahne lustig an der Küste flatterte, in deren Nähe er so eifrig rüstete und von wo aus er mit mehr oder weniger Glück auch zweimal nach jenem Bergriesen wanderte, der noch glücklich unser geworden ist. Wir sagen, noch glücklich; denn hart um ihn windet sich die Grenze herum, die die deutsche von der englischen Interessensphäre scheidet. Aber dann! Grade dort, wo Decken alles hingegeben, und wo er so abscheulich umgebracht wurde, ist kein deutscher Kolonialbesitz erstanden. Den großen Bissen, das Witu- und Somaliland, haben uns ja bekanntlich nach dem für uns nicht allzu rühmlichen deutsch-englischen Vertrage von 1890 die Herren Engländer weggeschnappt, und somit ist die Hoffnung unseres unglücklichen Landsmanns, jene Gebiete dem deutschen Unternehmungsgeist zu eröffnen, leider in nichts zerflossen.

Mindestens eins kann man Decken nachrühmen, und das ist das energische Bestreben, dem deutschen Vaterlande ein neues Wirtschaftsgebiet zuzuführen, und dankbar können wir des wackeren Mannes gedenken, der so opferfreudig und hingebend an unserer großen nationalen Sache mitgearbeitet.

III.

Theodor von Heuglin.

Theodor von Heuglin.

Hat von der Decken im äquatorialen Ostafrika nach Kräften versucht, unbekannte Landschaften und Flüsse zu entschleiern, so hat auch Theodor von Heuglin, der sich aber Nordostafrika zum Arbeitsfeld erkor, ungefähr ein Gleiches gethan. Er unternahm, abgesehen von größeren und kleineren Unterbrechungen und besonders in den sechziger Jahren, mehrere ausgedehnte wissenschaftliche Forschungsreisen, um Aegypten, Kordofan, Abessinien und das Gebiet des Weißen Nils zu Gunsten der Erd- und Tierkunde eingehend zu untersuchen. Diese Gebiete, die bereits seit Jahrhunderten die Aufmerksamkeit der Reisenden aller Länder auf sich gezogen hatten, durchforschte er mit vielem Eifer, und manch neues Gelände durchziehen seine Routen in Nubien, Abessinien und dem ägyptischen Sudan. Heuglin hat nicht sowohl die Karte der Nilländer ansehnlich vervollständigt, als vielmehr das ganze Gebiet des Gazellenflusses, das wohl schon von mehreren Europäern bereist, aber nicht erforscht war, wissenschaftlich beleuchtet und darf auch deshalb unter den Namen derer, die in der Entdeckungsgeschichte Afrikas etwas Dauerndes geleistet haben, nicht vergessen werden.

Als Sohn eines Pfarrers wurde Theodor von Heuglin am 20. März 1824 zu Hirschlanden in Württemberg geboren. Den ersten Unterricht erhielt er in einer Erziehungsanstalt; später, vom zwölften Jahre an, unterrichtete ihn jedoch sein Vater. Nach der Konfirmation sollte er sich dem Baufache widmen, zunächst praktisch arbeiten und nebenbei das Gymnasium besuchen.

Da er aber dafür wenig Neigung bekundete, schickte man ihn schließlich auf die polytechnische Schule zu Stuttgart. Dort bildete er sich für das Berg- und Hüttenfach aus und erhielt bereits nach zweijährigem Kursus eine Stellung als Assistent auf der Fürstenbergischen Amalienhütte. Aber auch dieser Beruf sagte ihm wenig zu; denn es trieb ihn mit Ungestüm in die weite Welt. Auch in seinen Mußestunden hatte er sich mit dem Studium der Naturwissenschaften, den neueren Sprachen und dem Lesen mancher Reiseberichte beschäftigt und wollte nun selbst fremde Länder schauen und ihre Pflanzen- und Tierwelt studieren.

Da traf es sich, daß im Jahre 1849 der Naturforscher J. W. von Müller von seiner Reise nach Algerien, Marokko und dem Nilgebiet nach Stuttgart zurückkehrte und ihm Heuglin bei der Ordnung seiner reichen zoologischen Sammlung behilflich sein konnte. Heuglin bekundete dabei viel Interesse und gab auch seiner Begeisterung zur Erforschung neuer Länder unverhohlen Ausdruck. Der junge Mann schien in der That Mut und Geschick zum Reisen in Länder, deren Natur und Bewohner den Fremdling mit beständigen Gefahren bedrohen, zu haben, und da er überdies über eine ansehnliche wissenschaftliche Bildung verfügte, schlug ihm Müller eine Reise nach Aegypten vor. Heuglin zögerte nicht lange und bereits Ausgangs 1850 verließ er seine Heimat.

Zunächst schiffte er sich nach Alexandria ein. Dort erlernte er die arabische Sprache und fand bei dem österreichischen Generalkonsul Unterstützung zu Ausflügen in das Gebirge zwischen dem Roten Meere und dem Nil und in das peträische Arabien.

Im Jahre 1852 wurde er in Chartum bei dem österreichischen Generalkonsul Dr. C. Reitz Sekretär und bald sollte er seine erste eigentliche Forschungsreise beginnen, deren Ausgangspunkt auch Chartum bildete.

Diese Stadt, in der Landschaft Sennar und am Zusammenfluß des Bahr el Abiad (des Weißen Flusses) und des Bahr el Asrak (des Blauen Flusses) gelegen, war aus einem kleinen und armseligen Fischerdorf im Verlauf eines Vierteljahrhunderts zu einer verhältnismäßig ansehnlichen Handelsstadt emporgeblüht und bildete schon 1892 den Stützpunkt der ägyptischen, sich immer weiter ausbreitenden Macht am oberen Nil. Sie ist aber ungesund und bestand auch damals nur aus einem Haufen von niedrigen Lehmhäusern mit engen, krummen und schmutzigen Straßen und wenigen öffentlichen Plätzen. Damals zählte sie ca. 40000 Einwohner: Berber, Araber, Aegypter, Griechen, Neger, Abessinier, Türken, Perser, Armenier und Juden, die hier einträgliche Handelsgeschäftchen betreiben. Denn Chartum bildet den Stapelplatz für den Süden und die Länder am oberen Nil, sowie den Durch- und Ausgangspunkt der Karawanen und der Schiffahrt auf dem Weißen Nil.

Die schon lang ersehnte Gelegenheit zu einer Reise nach dem Innern und besonders nach dem östlichen Afrika fand sich also bald. Denn kurz nach dem Eintritt Heuglins in das Konsulat unternahm der Vorstand desselben, Dr. Reitz, eine Expedition nach Abessinien behufs Anknüpfung von Handelsbeziehungen. Heuglin durfte sich ihm anschließen.

Am 9. Dezember 1852 ließ man Chartum im Rücken und fuhr den Nil stromaufwärts bis Abu-Haras. Von dort ging es in östlicher Richtung mit dreiundachtzig Kamelen und einigen Pferden durch Steppenland. Man passierte mehrere Höhenzüge und gelangte in belebte Gegenden, wo Toguldörfer aus weiten Durrahfeldern emporragten. Vorbei an den Ortschaften der Miktinab-Araber gelangten unsere Reisenden nach Kanara, dem Hauptorte des Distrikts Kedaref. Von Kanara wandten sie sich direkt nach Süden und zogen über mehr und mehr ansteigendes Gelände und durch üppige Waldregionen.

Der Zug erreichte auch bald den Ort Doka und verweilte dort mehrere Tage. Am 30. Dezember zog er aber in südöstlicher Richtung weiter bis an die Gegend des Athara. Hinter dem Brunnen von Abu-Seid wurde die Grenze von Galabat überschritten, von wo ein sanftes Steigen des Terrains zu bemerken war und wo im Süden das Gebirge von Ras-el-Fil (Vorgebirge der Elephanten) und die Blauen Berge von Habesch oder Abessinien am Horizont auftauchten.

Den Hauptort von Galabat, Methemmen verlassend, zog man in südöstlicher Richtung in zwei Tagereisen bis zum Atbara, der von dort ab stromaufwärts den Namen Goang erhält. Mit dem Auftreten des Gebirges, in das der Zug beim Vorwärtsdringen eintrat, begann die eigentliche Heimat des Bambusrohres. Nach mühevoller Uebersteigung einer steilen Felskette ward der Ort Wochni erreicht und später das Plateau von Wali Dabba bestiegen, von wo aus man nicht nur den großen schönen Tanasee, sondern auch die reichen Provinzen Dembea und Tschelga, die an dessen Nordufer liegen, überblicken konnte.

Hinter dem ansehnlichen Ort Tschelga wurde der kleine Zug von Leuten Kasas, des damaligen Beherrschers von Westabessinien, erwartet und mit dem üblichen Lärm und einer Art Musik nach der Hauptstadt des Landes geleitet, wo der Fürst die Ankommenden erwartete und aufs Beste bewirtete. Durch die reichlichen Geschenke sehr wohlwollend gestimmt, zeigte sich dieser dem Verlangen nach Handelsverträgen mit seinem Lande bald zugänglich und legte überhaupt großes Interesse für europäische Verhältnisse an den Tag.

Nachdem Heuglin von Gondar aus den herrlichen Tanasee besucht hatte, wurde die Reise nach dem nordöstlich von Gondar gelegenen Hochland Simen angetreten. Das fast baumlose und unbewohnte Plateau von Woggara überschreitend, passierten die Reisenden den Grenzort Tsak Dever, zogen dahinter an einem flachen, sumpfigen Hochmoore vorbei und sahen dann in der nebeligen Ferne die Gipfel von Simen auftauchen. Ueber Debra Sima, am Rande des Hochplateaus von Woggara gelegen, erreichte man bald die Residenz Debr Eski.

Der Häuptling von Tigre konnte jedoch krankheitshalber eine Audienz nicht erteilen. Daher wurden die Geschäfte mit ihm auf indirektem Wege erledigt, und seine Ortschaft wie auch die kalten Berge überhaupt verlassen. Unsere Reisenden begaben sich wieder auf den Heimweg.

Noch einmal besuchte Heuglin den schönen Tanasee und durchzog dann in westlicher Richtung die Landschaften Dagossa und Saroga, die nie vorher von einem wissenschaftlichen Reisenden berührt waren. Erst bei Methemmen wurde wieder die alte Straße betreten. Beide Reisenden wurden aber von Dysenterie und klimatischem Fieber befallen, und ein widriges Schicksal wollte es, daß Heuglin seinem wackeren Chef Dr. Reitz in Doka die letzte Ruhestätte graben mußte.

Allein und ermattet von den Strapazen der Reise, wenn auch beladen mit mancherlei Schätzen für die Wissenschaft, verfolgte der vereinsamte Heuglin den Rückweg und langte auf dem alten Wege über Abu-Haras am 17. Juni, nach einer Abwesenheit von über sechs Monaten, wohlbehalten in Chartum an.

Bald nach dieser ersten größeren Reise wurde ihm die Leitung des Konsulates in Chartum übertragen. Dadurch kam er in die Lage, wiederholt größere und kleinere Reisen zu unternehmen. Und kaum hatte er in Chartum einige Monate ausgeruht, so machte er sich wieder auf die Fahrt, um das Gebiet des unteren Weißen Nils zu untersuchen. Von dieser Reise brachte er eine Menge interessanter Tiere, sowohl lebende, als ausgestopfte, mit nach Europa und machte sie teils dem Tiergarten in Schönbrunn bei Wien, teils dem Naturalienkabinet zu Stuttgart zum Geschenk. Als Anerkennung für letzteres Geschenk wurde ihm 1855 der württembergische Kronorden und zugleich der persönliche Adel verliehen.

Nachdem Heuglin wieder nach Chartum zurückgekehrt war und die Bajudalandschaft, zwischen dem 16. und 18.⁰ nördlicher Breite besucht hatte, erhielt er Ende Januar 1857 auf seiner damaligen Station als K. K. Oesterr. Konsul zu Chartum die amtliche Verfügung, sich nach Kairo zu begeben. Zu Anfang Mai waren seine dortigen Geschäfte beendet. Nachdem er seine durch heftige Wechselfieberanfälle erschütterte Gesundheit wieder einigermaßen gekräftigt, entschloß er sich, da er die Reise längs des Nils und durch die Wüsten von Korosko und Bajuda schon gemacht, den Rückweg nach Chartum längs des Roten Meeres zu unternehmen und seinen Weg soweit als möglich nach Süden auszudehnen. Sein Weg führte ihn zuerst den Nil aufwärts. Am 18. Mai fuhr er auf einer Nilbarke nach Siut, der Hauptstadt Mittelägyptens. In Keneh, wohin der Reisende dann gelangte, wurden die Ausrüstung und die Kamele für die Wüstenpartie beschafft und am 17. Juni vom Nil und seinen grünen Ufern Abschied genommen. Glücklich in Koser am Roten Meer angelangt, mietete er ein Schiff nach Massaua und besuchte unterwegs die Ruinen von Leucos-hortus, Nechesia und Berenice und gelangte am 15. Juli in den Hafen von Sauakin. Hier verweilte er mehrere Tage, schiffte sich dann wieder ein und erreichte am 2. August die Inselstadt Massaua, den Hauptort für das der Pforte untergeordnete abessinische Küstenland.

Nachdem er die nächste Umgebung dieses wichtigen Küstenortes mit Muße angesehen, unternahm er eine kleine Partie in die Berge.

Erst am 27. August begab er sich wieder auf die Reise und steuerte dem Golf von Aulis zu. An der Samharaküste entlangfahrend, streifte er die Bucht von Abiles, den Archipel von Dahlak, die Danakilküste, besuchte die Stadt Moha und ankerte endlich in dem schönen Hafen von Perim, mitten in der hier nur vierzehn Meilen breiten Straße von Bab el Mandeb. Endlich langte er auch auf der Rhede von Tedjura an. In Tedjura, der Hauptstadt von Adail und deren Umgebung brachte er vier Wochen zu und besuchte auch den Assalsee. Dann führte ihn ein anderes Fahrzeug nach Südosten längs der Küste weiter und über Seila und Berbera bis Bender Gasem. Hier sah er sich aber genötigt, aus Gesundheitsrücksichten direkt nach Aden und Kairo zurückzukehren. Erst nach mehreren Monaten konnte er auch wieder auf europäischem Boden landen, um seiner schwer zerrütteten Gesundheit die gewiß wohlverdiente nötige Pflege angedeihen lassen zu können. Da er auch seine Stellung in Chartum hatte aufgeben müssen, verblieb er bis zum Frühjahr 1861 in Stuttgart, um alsdann von neuem und mit einer großen Expedition den schwarzen Erdteil wieder zu besuchen.

Theodor von Heuglin hatte nämlich den ehrenvollen Auftrag erhalten, sich an die Spitze einer Expedition zur Nachforschung über den Verbleib des verschollenen Afrikareisenden Eduard Vogel zu stellen.

Alle bisherigen Nachrichten über das Schicksal Vogels stimmten nämlich darin überein, daß er bis nach Wadai vorgedrungen und dessen Hauptstadt Wara erreicht habe und daß er daselbst von dem Sultan des Landes enthauptet sei. Ein sehr entfernter, schwacher Schimmer der Hoffnung, daß er trotzdem noch am Leben sein könne, war die Annahme, daß er in Fesseln geworfen und gefangen gehalten werde. War es doch nicht das erste Mal, daß Reisende mehrere Male verschollen waren und dennoch wieder auftauchten! So hatte man doch z. B. Dr. Barth zwei Jahre für tot gehalten. Wenn man indes als ganz bestimmt annahm, daß Vogel nicht mehr am Leben sei, so war doch über sein Schicksal vom Januar 1856 bis zu seinem mutmaßlichen Tode gar nichts Sicheres bekannt geworden. Galt es daher auch vielleicht nicht mehr zur Rettung seines Lebens, so galt es doch den dunklen Schleier zu zerreißen, der seine letzten Tage umhüllte und die letzten Aufzeichnungen seiner Hand, die Resultate seiner mühevollen Arbeit, den Preis seines Opfers, zu retten.

Bereits am 26. Januar 1861 verließ Heuglin Stuttgart. Ueber Triest wandte er sich zunächst nach Konstantinopel, um vor allem einen Firman der türkischen Regierung behufs Unterstützung seiner Reisen im Orient zu erhalten. Von dort fuhr er längs der asiatischen Küste nach Alexandria, wo er mit seinen künftigen Reisegefährten, Dr. Steudner und Kinzelbach, zusammentraf, von denen ersterer als Botaniker, letzterer als Astronom und Physiker die Expedition mitzumachen bereit war. Nachdem man auch vom Vizekönig Said Pascha Empfehlungsschreiben an die Behörden des Sudan und an den Sultan von Darfur erhalten hatte, wurde der Aufenthalt nach Kairo verlegt.

Erst am 25. Mai konnten die Reisenden Kairo verlassen und mit der Eisenbahn nach Suez eilen, von wo aus die Schifffahrt nach Djedah, an der arabischen Küste, angetreten wurde. Letztere Stadt, die Hafenstadt von Mekka, passierte man am 6. Juni und gelangte von dort, durch die zahlreichen Koralleninseln des Roten Meeres fahrend, nach dem Hafen von Massaua.

In Massaua, einem Ort, dessen Gründung aus der Zeit der Ptolemäer datiert, wurde Aufenthalt genommen. Die Straßen sind eng, krumm und schmutzig, und die Bevölkerung ist bunt zusammengewürfelt aus ursprünglichen Küstenbewohnern, naturalisierten Türken und mohammedanischen Abessiniern. Nur durch einen schmalen Meeresarm wird die Stadt getrennt vom Ras Querar, einer Landzunge des Samhar- oder Küstenlandes von Abessinien, mit dem die Bewohner im regsten Handelsverkehr stehen. Oestlich der Stadt erstrecken sich die Klippen und Inseln des Archipels von Dahlak, und unser Forscher ließ die Gelegenheit, denselben einen Besuch abzustatten, nicht unbenützt. Scharen von Delphinen, von Hammer- und bunten Kofferfischen durchstreifen die vielfarbigen Korallenbänke, während Dutzende von Löffelreihern mit gellendem Geschrei die Felsen umkreisten und der seltene Tropikvogel in engen Felslöchern seine Nester baut.

Die wenigen Bewohner der Dahlakinseln betreiben vor allem die Perlenfischerei, und der Ertrag von Perlen, Perlmutterschalen und Schildpatt ist ein ganz außerordentlicher. Von Tieren findet man Schakale, Hyänen und besonders Antilopen auf den größeren Eilanden, während Scharen von Adlern und Geiern die Lüfte beleben.

Inzwischen war die Zeit zur Abreise in die Bogosländer, die nördlichen Grenzländer von Abessinien, in denen von Heuglin die Regenzeit verbringen wollte, herangekommen. Er verließ daher Mitte Juni Massaua, in nordwestlicher Richtung dem Küstenlande von Seb und Samhar sich zuwendend. Je mehr man sich dem nördlichen Ausläufer des abessinischen Hochlandes näherte, um so belebter wurde die Gegend, um so reichlicher die Vegetation. Gewaltige Tamarhinden und zierliche Tamarhisken ragen neben Sykomoren und knorrigen Abansonbäumen empor, und Scharen von Affen, die zur Tränke von den Felsen herabsteigen, flüchten bellend in die Berge. Auch größere Flüsse, wie der 80 Fuß breite Amba und die schnell strömende Lebka, werden passiert, und zwischen steilen Felswänden und auf rauhen Wildpfaden wird die Ebene der Bedjuk sowie die von Gabena erreicht. Erst hier traf man kultiviertes Land, und nachdem eine südwestliche Richtung eingeschlagen war, wurde der Hauptort der Bogos, Keren, erreicht.

Das Ben-Amerland, zwischen dem Barkafluß und dem Roten Meer gelegen, dessen Mitte die Bogos einnehmen, wird von den verschiedensten Volksstämmen bewohnt, und ist auch politisch völlig geteilt, indem ein Teil Abessinien, ein anderer der ägyptischen Herrschaft, ein dritter dem Statthalter des Sambar-Gebietes unterthan ist. Auch in landschaftlicher Beziehung fanden unsere Forscher die reichste Mannigfaltigkeit, und die Tier- und Pflanzenwelt bot selbst dem weitgereisten Henglin vieles des ganz Neuen und noch nicht Beobachteten. Kronleuchter-Euphorbien, abessinische Oelbäume, wilde Rosen und die liebliche Caillea, Eisenholz, wechseln mit Feigen- und Akazienarten ab, während Herden von Pavianen die Felswände beleben und die graue Meerkatze die Waldpartien durchstreift.

Der Hauptort Keren hat eine recht anmutige Lage, und imposant ragt zwischen den Strohhütten die steinerne Kirche der 1856 gegründeten Mission empor. Behufs geographischer Messungen und Untersuchungen unternahm Henglin mit Steudner einen Ausflug nach dem Kloster Sina und dem weit in das Barkaland nach Westen hinschauenden Tsad-Amba, von denen jenes östlich liegt, dieser südwestlich der Stadt seine gewaltigen Gipfel erhebt. Der wunderbare Fernblick von jenen Bergriesen und die reiche Ausbeute auf allen Gebieten entschädigten reichlich für die

Mühe des Aufstieges, bei dem selbst auf den höchsten Klippen von 900—1000 m Spuren von Leoparden sich zeigten und Fährten von Löwen wiederholt angetroffen wurden.

Reise von Keren über Hamasen, Serawi und den Mareb nach Adowa und Axum.

Ende Oktober 1861 verließ die Expedition, welcher in Keren sich der Schweizer Munzinger, ein wirklich intelligenter Mann anschloß, der bei der katholischen Mission daselbst etabliert war, die Stadt, um von den Bogosländern aus den Weg über Hamasen und die Ostprovinzen Abessiniens nach dem Ostsudan anzutreten. Anfangs verfolgten die Reisenden eine südliche Richtung, meist dem Laufe des Ansebaflusses stromaufwärts, der später zur Linken liegen gelassen, erst wieder nahe der Grenze von Hamasen erreicht ward, wo das Terrain nicht unbeträchtlich zu steigen begann. Zu einer steilen Terrasse aufsteigend, wurde bald das erste Dorf auf abessinischem Boden Beid- oder Az-Maman erreicht, dessen Aeußeres schon von den Ortschaften der Bogos sehr beträchtlich abwich. Meist viereckige Häuser mit flachen Dächern aus Schieferplatten lagen zerstreut unter gewaltigen Feigenbäumen, überragt von der mit koptischem Kreuz geschmückten Kirche. Euphorbien und Oliven erschienen in Menge neben der weißblütigen Cordia habessinica, und weite Felder mit Büschelmais, Gerste und Hafer zogen sich an den Gebirgsterrassen hinauf. Auch traten bereits Spuren von Eisenthon auf, dessen Bänke durch ganz Abessinien verlaufen, während in der Gegend von Keren nur Urgebirgmassen, Granit und Glimmerschiefer zu bemerken waren.

Eine Meile hinter dem Rande des Hochplateaus liegt die Hauptstadt von Hamasen, Tsazega, die Residenz des Statthalters, in deren Nähe auch die ersten cederartigen Dod-Bäume auftraten. Die Lage des Ortes, der sich etwas über 2000 m erhebt, ist

15° 23' nördlicher Breite; die Bewohner leben hauptsächlich von Maultierzucht und Handel mit dem westlichen Abessinien. Aus der Thaleinsenkung im Süden der Stadt entnimmt der Anseba-fluß aus kleinen Gewässern seine Quellen, um von dort in nordwestlicher Richtung seinen langen und wechselnden Lauf bis zum Chor Barka im Ben-Amerlande anzutreten.

Da die Kamele für die geplante weite Gebirgsreise nicht geeignet erschienen, hatte von Heuglin bereits von Keren an Packochsen mieten müssen, die in Tsazega wieder mit Mauleseln vertauscht wurden. So konnte der Weitermarsch am 4. November in etwas schnellerem Tempo erfolgen, und nach vierstündigem Marsche wurde das Quellgebiet des Mareb erreicht, der bald zu einem bedeutenden Bergstrom angeschwollen in südlicher Richtung durch Süd-Hamasen hineilt, um westwärts das Land der Kunama zu durchziehen und in Takah zu versumpfen. Bei dem Dorfe Ad-Saul, wo der Zug am Abend rastete, erhielten unsere Forscher die Aufforderung zu einem Besuche der Frau des Detschas Imam, die in Az-Gebrai Hof hielt; Imam selbst war vom Kaiser Theodor, dem Negus von Abessinien, zu einem Fürstenkongreß berufen, und die hohe Frau war daher allein anwesend.

Nach den üblichen Begrüßungen nahmen die vier Europäer erwartungsvoll auf dem Teppich vor dem Ruhebett (Alga) Platz, und bald begann ein lebhaftes Pokulieren mit Hydromel (Tetsch) und dem abessinischen Bier (Tala), dem die hohe Dame mit ihren Kammerfrauen übrigens mit einiger Uebung zusprach. Das Diner bestand aus weißen Tefbroten mit roter Pfeffersauce und fein gehacktem Fleisch, ein zweifelhafter Genuß, in seinem zweiten Gange aus der rohen Hinterkeule einer Kuh, dem der Tibs, die großen Rippenstücke desselben Tieres als Leckerbissen folgten, halbgar mit Fett und Galle betreufelt, dem wieder das gehörige Quantum Hydromel nachgeschickt wurde.

Beim Weitermarsch durch die Südprovinz von Hamasen erschienen zur Rechten tafelförmige Hügel mit dem Krater Calderu, dessen pyramidaler Eruptionskegel weithin sichtbar aufsteigt,

14*

während im Süden die vulkanischen Gipfel um Adoa und in Ckule Kusei am Horizont auftauchten. Nahe lag hier das Kloster Enta=Abuna, zu dem der Zutritt, wie zu einigen andern abessinischen Heiligtümern, Frauen verwehrt ist.

Ueber einige Hügelrücken fortziehend, wurde am 7. November der Hauptort von Serawi, Gudofelasie, ein namhafter Marktflecken, erreicht und von dort ein Bote nach Adoa zu dem dort lebenden Dr. Schimper vorausgesandt. In Mai Scheka, im Distrikt von Mai -Tsade, am Südrande der Hochebene von Seraui, verließen Kinzelbach und Munzinger die Expedition, um nach dem unteren Mareb vorzudringen, zumal da Heuglin inzwischen von der Führung der deutschen Expedition zurückgetreten, und den Plan, nach Wadai vorzudringen, aus irgend welchen Gründen aufgegeben hatte, während er mit Steudner seinen Weg in südlicher Richtung nach dem Plateau von Gunded zu fortsetzte. Da zwischen letzterem Ort und Adoa häufig Räuberhorden die Gegend unsicher machen sollen, wurde die Ebene Hamedo, die mit dem benachbarten Marebthal ein wahres Eldorado für den Zoologen und Botaniker bildet, in raschem Tempo durcheilt; allenthalben am Wege breiteten sich weitläufige Büschelmaisfelder aus, während Hunderte von bunten Malaconotus und seltenen Falkenarten das dichte Laubdach von Feigen und Akazien belebten.

Am 14. November wurde endlich der Nordrand der Provinz Tigreh im engeren Sinne erklommen, dessen Plateau wohl 2400 m steil emporragt. In buntem Gewirr steigt von dort aus gesehen die endlose Zahl der malerischen Bergkegel Tigrehs auf, namentlich der Soloda bei Adoa und der domförmige, 2900 m hohe Semaiata; dem Asamthale folgend und vorbeiziehend bei den Ruinen der Jesuitenresidenz Fremona, traf der Zug Heuglins den von Adoa entgegeneilenden Dr. Schimper, der bereits seit sechsundzwanzig Jahren in Tigreh und Semien lebte und durch seine reichen Erfahrungen auf allen Gebieten dem Freunde die beste Unterstützung gewähren konnte.

Die alte Residenz von Tigreh, Adoa oder Adova, liegt in 14° 14' und 1800 m über dem Meere und besteht meist aus Steinbauten, von denen einige sogar zwei Stockwerke tragen. Seit dem Verfall von Axum ist Adoa die Haupt- und erste Handelsstadt von ganz Tigreh und Station für allen Verkehr zwischen dem Meere und Gondar geworden. Die Bewohner, wohl 6000 an Zahl, sind fast alle Christen, und zahlreiche Kirchen erheben sich in und um Adoa; nicht weit von der Stadt liegt auch das bereits erwähnte Fremona, deren Ruinen Heuglin mit seinem Freunde schon in den ersten Tagen seines Aufenthaltes einen Besuch abstattete.

An den Bächen um Adoa bot sich Gelegenheit zu zahlreichen botanischen und zoologischen Studien. Antilopen und Stachelschweine und zwei Arten von Hyänen wurden beobachtet, während aus der Vogelwelt verschiedene größere Buschsängerarten, Eisvögel, Störche und andere Stelzvögel zu Gesicht kamen.

Westlich von Adoa liegt die alte Hauptstadt der Aethiopen und Humeriten, Axum, die in Gesellschaft Schimpers und unter seiner fachkundigen Führung besucht wurde. Bis zum Plateau von Axum führte der Weg meist durch sumpfigen Wiesengrund, während später vulkanische Gesteine, trachytische Laven und Basalte auftraten. Bei Adi Jesus, einem in dichtem Oelbaumwald gelegenen Dorfe emporklimmend, gelangte der Zug nach mühevoller Steigung endlich zur alten Königsstadt selbst, die aus kolossalen Feigenbäumen und einem Walde von Juniperus majestätisch emporragt. Aber ihre alte Pracht ist dahin, ihre Obelisken und Säulen gestürzt, ihre Burgen verfallen. Die Krönungskirche der Nachkommen Salomos und der Königin von Saba ist bereits im sechzehnten Jahrhundert durch den Eroberer Mohammed Granjeh dem Erdboden gleich gemacht worden.

Viele der Säulen tragen äthiopische, andere griechische Inschriften aus uralter Zeit, doch sind diese im Laufe der Jahrhunderte fast völlig verwischt; nur wenige sind noch erhalten. Oberhalb des geräumigen Marktplatzes liegt das eigentliche Obeliskenfeld, mit wohl fünfzig bis sechzig Obelisken, die aus verschiedenen Perioden zu stammen scheinen, und neben denen die armseligen Hütten der jetzigen Bewohner Arums traurig emporragen. Die Bevölkerung lebt fast ausschließlich von den zahlreichen Wallfahrten und kirchlichen Festen, die in der Stadt abgehalten werden; auch ein politisches Asyl befindet sich in ihr. Dieses zeigt in seinem Hofe eine Reihe von zehn bis zwölf Opfersteinen, deren durchschnittliche Höhe 6 Fuß beträgt und die von je vier Säulen umgeben werden. Die dicht daneben liegende Kirche ist im sechzehnten Jahrhundert wieder erbaut und bildet ein Rechteck, vor dessen Eingang ein Portikus von vier Pfeilern getragen wird. Nordöstlich der Stadt liegen auf einem Hügel die Königsgräber, auch Ouonaiel (Fuchsbau) genannt, die in den natürlichen Felsen eingemauert sind. Vom Eingang aus gelangt man schräg abwärts zu einem Gemach, hinter dem drei weitere Kammern liegen, in deren Boden die steinernen Sarkophage eingelassen sind; die Inschriften der Säulen enthalten zum Teil und so weit sie noch zu enträtseln sind, wichtige Angaben für die Geographie Abessiniens und dessen Königsgeschichte, und sind die darin vorkommenden Ortsnamen teilweise identisch mit den auf der im Jahre 535 von Kosmas in Adulis gefundenen Gedenktafeln von Ptolemäus Euergetes.

Zwei Tage verlebten unsere Forscher in Arum, viel zu kurze Zeit, um die reichen Schätze dieses wunderbaren Ortes auch nur annähernd genau zu durchforschen.

Reise über den Takazeh und Semien nach Gondar. Aufenthalt daselbst.

Von Adoa brach Heuglin und Steudner in den letzten Tagen des Dezember in südwestlicher Richtung nach Gondar zu auf, geleitet von einem Abgesandten des Negus von Abessinien, den Heuglin bereits im Jahre 1853 auf seiner Reise in Abessinien kennen gelernt hatte, wo er noch unter dem Namen Kasa als Detschas im Westen Abessiniens herrschte. Ueber steinige Hochebenen und Stoppelfelder hinweg wurde am 27. Dezember der Distrikt Seraga erreicht, dessen Bewohner vornehmlich Eisenproduktion betreiben und dieses Metall zu Pflugscharen und feineren Schmiedearbeiten verwenden. Zu Ehren der Durchziehenden wurde ein Scheinkampf aufgeführt, bei dem anstatt der Lanzen Rohrstöcke und Büschelmaisstengel Verwendung fanden, und der also nicht grade blutig verlief.

Die Abende in dieser Gegend waren übrigens, je mehr man sich dem Hochlande von Semien näherte, sehr kalt und windig, und in den Schluchten lag der Reif bis nach Sonnenaufgang. Des Abends waren meist nicht mehr als 7—8° Reaumur, und bei Sonnenaufgang 1—3° Reaumur. Immer über tiefe Bergkrater und das Plateau von Adet und Tschibago hinwegkletternd, vorbei an strauchartigen Cassiaarten und einzelnen wunderbar schönen Exemplaren der Adansonia (Affenbrotbaum), wurde am Schluß des Jahres 1861 bei magerem Souper der Sylvesterabend gefeiert, in der Erinnerung an die Lieben in der fernen Heimat.

Am 1. Januar 1862 wurde der Takazehfluß erreicht, der von grünen Tamarisken umsäumt, in nordwestlicher Richtung durch das Thal brausend dahinschäumt. Eine Nilpferdfamilie unterhielt sich soeben mit Tauchen in der tieferen Mitte des Wassers und mußte erst durch einige Schüsse vertrieben werden, bevor der Uebergang teils watend, teils schwimmend durch eine Furt bewerkstelligt werden konnte. Von Vegetation war im Thale nicht viel zu bemerken, zumal die Regenzeit schon fast drei Monate beendet war; nur hier und da ragten einige besenartige Baumwollensträucher oder kahle Adansonien neben immergrünen Capprideen empor. Weiter unten jedoch am Strom zeigte sich Sacharum (Rohrzucker), dessen weißseidenglänzende Blüten auf 15 Fuß hohem Halm sich wiegten neben Trifolien mit purpurnen Blüten. Im Flusse selbst zeigten sich großschuppige Cyprinen (Karpfen) und eine Heterobranchusart von enormer Größe, welche die Eingeborenen mit Fischgift betäuben und in Menge erbeuten. Unter der Vogelwelt fällt vor allem der prächtige rotschnäblige Eisvogel auf, der neben buntfarbigen Bienenfressern schreiend dahinstreicht oder hoch in der Luft auf seine schuppige Beute im Flusse lauert, während der Tschitrea mühsam seinen langen Schweif durch die Büsche schleppt. Des Morgens und Abends erscheinen vorsichtig spähend und die Gegend zuerst von einem hohen Baume aus rekognoszierend Scharen graugrüner Meerkatzen am Fluß, um mit drolligem Spiel und tollen Grimassen die kühlende Flut zu schlürfen. Rudel von Hundskopfpavianen, mitunter zu Hunderten sich zusammenthuend, steigen die fast senkrechten Felskanten herab und fliehen beim geringsten Geräusch unter der Führung eines weißmähnigen Männchens schleunigst nach ihren Wohnplätzen zurück.

Am 5. Januar 1862 wurde das Takazethal verlassen und ein Eisensteinplateau, auf dem der Distrikt Tursegi lag, erreicht. Auf dem immer nach Semien zu ansteigenden Plateau wurde nach beschwerlichem Marsche die Thalschlucht der Fiel Woha erreicht, dessen Wasser dem Gebirgsstrom Ataba zuströmt, und dessem Thale beim Vorwärtsdringen gefolgt wurde. So erreichte der Zug den Distrikt Abena, wo man der entzückenden Gegend wegen fast zwei Tage rastete. Der Reichtum an Pflanzen und die Pracht der Blüten erreichte selbst für den weitgereisten Heuglin das Schönste dessen, was er bisher gesehen, und alles, was das tropische Klima an Farben und Formen hervorzuzaubern vermag, war in diesem Eden vertreten. Prachtvolle Mistelgewächse umranken mit purpurnen Blüten die Aeste der Feigen und Sykomoren, reichblühende Rosenbüsche verbreiten ihren wunderbaren Duft, während immergrüne Kapernsträucher von cyanenblauen Kammelinen umstrickt neben frischgrünen Tamarinden und saftigen Aloen von gelbköpfigen Papageien und Dutzenden von Meerkatzen bevölkert werden. Nicht minder entzückend breiten sich die Boina-Dega-Wälder um die Mündung des Beredsch Woha aus, der durch eine enge Felspforte sich zu

Thale stürzt. Von dort aus über steile Gehänge aufsteigend, gelangte der Zug, in der immergrünen Bergregion vordringend, vorbei an stattlichen Kusobäumen und den ersten Dschibaren (Rhynchopetalum) bis zur Höhe von mehr als 2700 m, so daß der Einfluß der dünnen Luft bald unangenehm bemerkbar wurde.

Am 10. Januar wurde das Hochland von Semien erreicht, und ganz Tigreh lag zu den Füßen der entzückten Männer. Dies ist auch die eigentliche Heimat des Königs der Alpenwelt, des Lämmergeiers, der übrigens selbst von diesen Höhen sich noch zu Punkten aufschwingt, von wo aus er dem spähenden Auge kaum sichtbar ist. Auf schwierigen Pfaden, oft durch schmale Felsschluchten hindurch und hinweg über weite Eisfelder und abschüssige Klippen, ward endlich die Grenze von Semien und Wogara erreicht, und im Marktflecken Faras-Saber kampiert, wo das Fest der Taufe Christi, einer der höchsten Feiertage der abessinischen Kirche, soeben unter Gesang und infernalischer Musik begangen wurde.

Vorbei an einem der bedeutendsten Orte der Provinz Wogara, dem Markt Doqua Kitane Malirit, wurde der Weg nach Südwesten verfolgt und allmählich die Plätze erreicht, auf denen Heuglin einst mit Dr. Reitz, von Gondar nach Semien aufsteigend, geweilt hatte; so Jsaq Deber und die Gegend Bambulo, die vom rauschenden Magetsch durchbraust und von dem eigentümlichen Volksstamm Qamant bewohnt wird. Ein Bergvorsprung gewährte bereits den ersten Blick auf Gondar und nach dem weißen Spiegel des Tanasees. Ueber die 40 Schritt lange Brücke und das mächtige Thal des Magetsch gelangten unsere Forscher in den letzten Tagen des Januar nach Gondar, wo in Heuglin viele Erinnerungen an seinen verstorbenen Freund Reitz, mit dem er vor neun Jahren an diesem Orte geweilt hatte, wieder lebendig wurden.

Die Gründung der Stadt reicht bis in den Anfang des siebzehnten Jahrhunderts zurück, unter die Regierung des Negus Fasilidas, und der eigentümlich mittelalterlich-portugiesische Stil des Königspalastes neben den Kirchen mit großen konischen Dächern gewährt von den Höhen einen ganz seltsamen Anblick. Das nördlichste Quartier der Stadt ist das Abun-Bed mit der Wohnung des Bischofs und der politischen Freistätte, dem Etiege-Bed und dem Sitz des Vorstandes der Geistlichkeit. Südöstlich schließt sich der Schloßbezirk an, in dem sich das majestätische, doch leider dem Untergang geweihte Schloß, der Gemp, erhebt mit seinen vielen Türmen, Warten, hohen Bogenfenstern und weiten Höfen. Die Bewohner von Gondar zerfallen in Mohammedaner, Juden und abessinische Christen, die alle getrennt in verschiedenen Quartieren wohnen, und deren Zahl (6—7000) gegenüber früheren Jahren bedeutend herabgegangen ist; doch giebt es noch 1200 Geistliche!

Von Hauptprodukten Abessiniens sind in erster Linie Gerste, Weizen und Büschelmais zu nennen, während der Kaffee eigentlich nur in den Gallaländern gedeiht und die von Dr. Schimper eingeführte Kartoffel erst in den letzten Jahren in größerer Menge gebaut wird.

Unter den Haustieren ist das Pferd und das Rindvieh zu nennen, und auch Schafe werden in allen Klimaten dieses merkwürdigen Landes gezüchtet. Von den wildlebenden Tieren Abessiniens seien vor allem die Affen genannt, von denen einige Arten bis hinauf zum Hochland von 7000 Fuß vorkommen. Auch Leoparden bewohnen die höchsten Gipfel der Gebirge, während der Löwe sich meist nur im wilden Tiefland aufhält. Als die schönste Art der letzteren gilt übrigens die der Gallaländer, doch gehört das Fell eines jeden Löwen dem Könige. Als Bewohner der Ebene tritt ferner die Giraffe auf, die meist zu Pferde gehetzt und mit dem Lasso gefangen wird. Von Antilopen giebt es viele Arten, und in früheren Zeiten wurde die Jagd auf diese Tiere oft mittelst gezähmter Leoparden betrieben. In den Waldungen des Tieflandes von Abessinien tritt ferner der Büffel auf, und längs der Flußläufe und vor allem im Tanasee das Nilpferd. In den tieferen Gegenden trifft man auch das Nashorn, während der Elephant, zumal zur trockenen Jahreszeit, bis hoch ins Gebirge hinaufwandert.

Von den drei Religionen, die in Abessinien Anhänger haben, ist die jüdische die älteste und soll durch die Königin von Saba nach ihrem Besuche bei David eingeführt worden sein. Die überwiegendste Zahl aller Abessinier sind übrigens Christen und zwar wie die Kopten in Aegypten, Monophysiten, eine Sekte, die nur eine (göttliche) Natur in Christo anerkennt und nach ihrer Trennung von der katholischen Kirche auf dem Konzil zu Chalcedon im Jahre 451 eine besondere Gemeinschaft bildet. Ihr Oberhaupt ist ein koptischer Bischof aus Aegypten, gewöhnlich Abuna (d. i. unser Vater) genannt, und der wie die höhere Geistlichkeit im Cölibat lebt, während die niederen Geistlichen eine Frau haben, nach deren Tode jedoch nicht wieder heiraten dürfen. Mönchsorden giebt es eine große Zahl, auch Nonnen; übrigens sollen auch jüdische Mönche in Abessinien vorkommen.

Was die Geschichte von Habesch oder Abessinien anbetrifft, so war grade zur Zeit der Reise Heuglins eine große Umwälzung im Gange. Kasa von Goara, einer der westlichen Provinzen Abessiniens, hatte Ras=Ali von Gondar und Detsch Ubie von Semien nach langem und blutigem Kampfe niedergeworfen und sich als Theodor II. zum Negus von Abessinien aufgeschwungen und als solcher bereits seinen feierlichen Einzug in Gondar und in die alte Kaiserburg gehalten. Mit ihm war Heuglin von früher her von seiner Reise im Jahre 1853 wohlbekannt und stand mit ihm schon während des ganzen Zuges durch Habesch durch Boten und Briefe in freundschaftlicher Verbindung.

Dembea und der Tanasee. Der Feldzug in die Gallaländer. Kologebirge. Besteigung des Guna, Tselga, Woh'ni und Qalabat.

Der Bote des Negus, der den Zug bereits von Adoa aus geleitete, drängte inzwischen zur Abreise von Gondar, da sein Herr die Europäer zu empfangen bereit sei. Heuglin jedoch, dem an einem Besuch bei Hofe zur Zeit nicht sonderlich viel lag, zog für den Augenblick eine Reise nach der Provinz Dembea und dem Nordufer des Tanasees vor, und so wurde am 17. Februar in südlicher Richtung der Weg wieder aufgenommen.

Ueber mehrere dem See zueilende Bäche und Chors hinweg, durch den Distrikt Djendar hindurch, wurde die Missionsstation von Fendja erreicht, und bei deren Vorsteher, dem Württemberger Flad, zwei Tage gerastet. Da auch dieser riet, daß Heuglin sich direkt zum Negus begeben solle, wurde das meiste Gepäck daselbst zurückgelassen und Erkundigungen über den Weg durch die unwirtlichen Berge im Osten Abessiniens, wo der Negus zur Zeit sich aufhielt, eingezogen. Jedoch wollte Heuglin einen Besuch von Gondar, der früheren Residenz des jetzigen Beherrschers von Abessinien, nicht versäumen. Er brach daher in nördlicher Richtung dorthin auf.

Zurückgekehrt, unternahm er einen Ausflug nach der Halbinsel Gorgara im Tanasee, berühmt als einstiger Königssitz und Niederlassung der Jesuiten. Das dichte Ufergebüsch und das Hügelland der Insel zeigte sich von Wildschweinen und Antilopen reich belebt, und zahlreiche Nilpferde belebten den See selbst, während Tausende von Schwänen und Gänsen bei Sonnenuntergang unter betäubendem Geschrei im Schilfe am Ufer ihre Nachtstände aufsuchten. Die Grotte Dewasa wurde ebenfalls besucht, neben der unterirdische Kammern, die in den Felsen eingehauen sind, sich weithin erstrecken, und von denen die größere unzweifelhaft in früheren Zeiten zu einer Kirche gedient haben mochte.

Von der Insel aus wurde der Weg am Norduser des Sees längs der Bucht von Tagusa verfolgt, und in südlicher Richtung immer in der Nähe des Sees der Marsch fortgesetzt. So gelangte man bis zur Hügelkette Dankurle und der schmalen Insel Matrahe, wo das Gestade verlassen und der Weg südostwärts durch das Thal Armo-Qarno fortgesetzt wurde; bald näherte man sich dem Marktplatz Emfras, dessen Umgegend noch bis vor kurzem durch die wohl schon von den Portugiesen eingeführte Rebenkultur und wahrhaft kolossale Weinstöcke berühmt war, die aber alle durch die Folgen der Traubenkrankheit im Jahre 1855 zu Grunde gerichtet wurden.

In gleicher Richtung weiterziehend, ward in den letzten Tagen des Februar die Missionsstation Qafat, dreiviertel Stunden östlich von Debra Tabor gelegen, erreicht, welch letzterer Ort die frühere Residenz des durch Theodor II. gestürzten Ras-Ali war. In Qafat befand sich eine Kolonie von mehreren Europäern, die für Seine Majestät als Waffenschmiede, Kanonengießer und Ingenieure verwendet werden, die aber unter ziemlich strenger Aufsicht eines Beamten stehen und ohne dessen Erlaubnis den Bezirk nicht verlassen dürfen.

In Qafat traf die Nachricht vom Hofe ein, daß der Negus, der augenblicklich auf einem Kriegszuge gegen die Gallavölker im Osten seines Reiches sich befand, Heuglin und seine Freunde zu empfangen wünsche, so daß man, falls man mit ihm persönlich in Verbindung treten wollte, den beschwerlichen Weg bis zu seinem Lager antreten mußte.

Bei meist sehr ungünstigem Wetter und oft unter bitterer Kälte wurde der Weg über die Abhänge des Guna hin verfolgt, wo in den Gürtel des eigentlichen Hochlandes eingetreten ward. Rosenbüsche, zwei Arten Erika, Aloen und Klee traten auf, während blauflügelige Gänse und schwarzköpfige Kiebitze paarweise dahinstrichen. Je mehr man emporstieg, um so empfindlicher wurde die Kälte, um so bodenloser die Pfade. Bei 11 000 Fuß Höhe zeigte das Thermometer bei Sonnenaufgang meist nur

7° Reaumur, und nach einem Gewitter, das den Zug häufig überraschte, lagen die dicken Hagelkörner fußhoch angehäuft, und waren die Pfade selbst für die Maultiere kaum zu passieren. Beim Distrikt Tjetseho, dem Quellenlande des Takazie, war man daher froh, die Ansiedelung eines Herrn Bender, eines geborenen Badensers, zu erreichen, der im Auftrage des Negus Straßen nach Magdala und dem Tanasee erbaute. Während unsere Freunde am prasselnden Feuer die erstarrten Glieder wärmten, heulten draußen der Wind und Hyänen um die Wette.

Die Vorberge des Hochlandes von Wadla emporklimmend wurde bald eine Höhe von fast 12 000 Fuß erreicht, doch nach Süden zu sah man die Spitze des Kologebirges, der Grenzmarke der Galläländer, sich noch viel höher erheben. Zum Glück senkte sich nun der Weg, und steil ging es hinab in das Osidathal, welches das Hochland von Wadla von dem von Talanta trennt. Allenthalben begegnete man bei diesem halsbrecherischen Abstieg den Ueberresten gestürzter Packtiere, um die Lämmergeier in Scharen sich rauften.

Nach fast vierwöchentlichen Mühsalen ward endlich das über 3000 Fuß tiefe Thal des Beslo, der natürlichen Grenze zwischen Habesch und den Galläländern, erreicht, von wo aus es in rüstigem Zuge der Bergfestung Magdala zuging, dem Hauptort der Provinz Woro-Haimano, wo Negus Theodor die künstliche Festung in letzter Zeit verstärkte.

Da Theodor II. auch hier nicht anwesend war, sondern in das Gallagebiet selbst einen Einfall gemacht hatte, setzte sich Heuglin mit dem Kommandanten des nahen Tenta in Verbindung, von dessen Plateau aus die im Südwesten emporsteigenden Gipfel des Kolo zu sehen waren. Scharen von Erdpavianen bevölkerten diese Höhen, die oft in Hunderten vereint stundenlange Wanderungen unternehmen. Die Hauptfeinde dieser Tiere sind der Lämmergeier und der Leopard, da die Jäger die fast unzugänglichen Schluchten, wo diese Tiere hausen, kaum zu erklimmen vermögen. Höchstens kann es gelingen, daß Rudel bei der

Tränke beschlichen werden, doch ist auch dies der ausgestellten Schildwachen wegen recht schwierig; naht Gefahr, so geben die alten Männchen durch Bellen das Zeichen, und die ganze Schar eilt dem sicheren Felsen zu; verfolgt, werfen und rollen diese Affen übrigens nicht selten Steine nach ihren Feinden herab. Von andern Säugern sind hauptsächlich als Bewohner der Klippen der Ichneumon, die Gennetkatze und der Klippdachs zu nennen, von denen die ersteren selbst in die Gehöfte einbrechen und dem Hausgeflügel empfindlichen Schaden zufügen.

Nach zwecklosen Unterhandlungen mit dem Ras sollte es am 28. März endlich mit dem zugesagten Besuch beim Könige Ernst werden, und der Zug brach daher in südlicher Richtung wieder auf. Zwischen engen Felsmauern hindurch, dem Daqlasfluß entlang, ging es in dessen tiefer Thalsohle dahin, wo die ersten Abteilungen des Lagers getroffen wurden, während das Gros und das Centrum wohl über vier englische Quadratmeilen sich ausdehnend, erst weiterhin erreicht wurde. Doch auch jetzt fanden unsere Forscher noch nicht die ersehnte Ruhe; denn schon am nächsten Morgen wurde das Lager abgebrochen und in südwestlicher Richtung in die weite und prachtvolle Ebene von Dschimba hinabgestiegen, vorbei an den grausigen Spuren der Kämpfe der letzten Zeit, um die Züge von Geiern und weißnackigen Raben sich stritten. Das rote Lagerzelt des Königs, der übrigens dem Heere vorausgeeilt war, blieb auf dem Marsche immer in der Mitte des riesigen Zuges, dicht daneben das Kirchenzelt mit dem Tabot (dem Nationalheiligtum), so wie dem Kirchenzelt des Erzbischofs Abuna-Salama, des Hauptes der abessinischen Christenheit. Doch erst nachdem die Wasserscheide zwischen Beslo und Djama überschritten war, und man weit in das Gallagebiet vorwärts gedrungen, wurde das Lager des Königs selbst erreicht. Noch am selben Abend hatten die Europäer bei Sr. Majestät Negus Negest za Aethiopia, Theodor II., Audienz. Heuglin kannte ihn ja bereits von seiner Reise in Abessinien im Jahre 1853 her und wurde daher mit besonderem Wohlwollen empfangen. Theodor, ein gerechter, großmütiger und weiser Fürst, besorgte alle Regierungsgeschäfte selbst und vertrat mit eisernem Zepter eine unumschränkte monarchische Verfassung. Huldvollst wurde Heuglin mit seinen Freunden empfangen und ihm sicheres Geleit durch ganz Abessinien zugesichert. Anfangs verkehrte Seine Majestät nur vermittelst eines Dragoman, wie es die abessinische Hofsitte seit uralter Zeit verlangt, mit den Fremden, doch unterhielt er sich später auch direkt mit ihnen und bewirtete sie mit Tef-Broten, roter Pfeffersauce in Fülle und Schimberagemüse, während Fleischspeisen der strengen Osterfasten wegen nicht serviert wurden.

Wie groß der Einfluß der abessinischen Geistlichkeit, die den König in Scharen umgiebt, auf ihn war, vermochte Heuglin bei seinem kurzen Aufenthalt am Hofe nicht zu erkennen; doch da die Einwirkung der Kirche auf das Land selbst so ungünstig wie möglich zu sein schien, so ließ sich ein veredelnder Einfluß auf den König von dieser Seite her wohl kaum annehmen.

Am 10. April setzte sich endlich der ungeheuere Zug, der wohl aus hunderttausend Köpfen bestand, von denen freilich zwei Drittel Nichtkombattanten waren, Weiber und Geistliche, und der mehr als eine Meile breit und zwei bis drei Meilen lang war, wieder in Bewegung, und berührte im Ganzen denselben Weg, auf dem Heuglin hergekommen war. Hungersnot, Kälte, Nässe und Krankheiten aller Art forderten zahlreiche Opfer, und Hunderte von Toten blieben längs des Weges zurück. Auf glatten Ziegenpfaden ging es oft dahin, auf schwindelnder Höhe fort, meist stundenlang unter strömendem Regen und Hagelschlag, und grenzenlos wurde die Not. Zudem durfte der Fasten wegen kein Vieh geschlachtet werden, wiewohl 3000 Stück Rinder mitgeführt wurden. Während des Marsches bemerkte Heuglin das Fehlen zweier der besten Maultiere, welche einige Pfaffen sich angeeignet hatten, und die man nur mit Mühe von ihnen zurückerhalten konnte. Der Abun, von diesem Vorfall benachrichtigt, sagte lachend: „Habeschi!“ (es sind eben Abessinier). Erst mit

Ende der Fasten und der Feier des Osterfestes am 20. April wurde im Heere der Fleischgenuß gestattet, und alles schwelgte bei diesem und Honigbranntwein, bei dessen Vertilgung die Geistlichen ganz besondere Leistungen aufweisen konnten. Am folgenden Tage wurde Heuglin in Abschiedsaudienz vom Könige empfangen und mit reichlichen Geschenken entlassen; sogleich brach er vom Heere auf, passierte die Festung Magdala, das trockene Thal zwischen diesem Orte und Tenta, eilte über die Hochebenen von Wendla dahin und erreichte am 29. April Sebit wieder, wo Proviant eingenommen wurde.

Die Vegetation begann hier bereits kräftiger zu werden, und die Spuren der allmählich beginnenden Regenzeit zeigten sich bereits in frischem Grün der Grasflächen und dem allenthalben hervorsprossenden Laub. Prachtvolle weiße Liliaceen, deren wunderbarer Blütenduft die Forscher entzückte, sprossen neben Rosen, Orchideen und goldgelben Santolinen (Cypressen), während weiße Ranunkeln und roter Portulak neben lilablühenden Cruciferen die Matten zierten, und die höheren Firsten von rosafarbenem Klee und feuerblütigen Aloideen prangten. Von Sebit aus begann der Aufstieg auf die Gunahöhen, die wohl 12000 Fuß emporragen, und deren Heiden oft von Krummholz mit mächtigen Stämmen bedeckt werden. Mannshohe Erikagebüsche kommen selbst in der Höhe von 11000 Fuß noch vor, und goldgelbblühende Cypressenarten steigen bis dicht unter die Gipfel empor.

Nach zehn anstrengenden Tagemärschen ward endlich Koafat wieder erreicht, wo der überstandenen Entbehrungen wegen acht Tage verweilt ward. Die Abhänge um diese Stadt werden besonders durch schönblühende Orchideen und wohlriechende Jasminen belebt, neben denen feuerrotblühende Leguminosen von nie gesehener Schönheit die Forscher entzückten.

Von Qafat ab wurde die Ebene von Fogara, die vom Reb durchströmt wird, durcheilt, deren paradiesische Natur leider zu wenig durchforscht werden konnte. Schillernde Equitesschmetterlinge umgaukelten in reißendem Flug die Schlinggewächse, während der azurblaue Eisvogel über die Wasserfläche hinstreicht und die Senegalschwalbe hoch in den Lüften flötet.

Bei dem Dörfchen Lergera vorbei wurde endlich am 15. Mai der Tanasee erreicht, und durch die fruchtbare Ebene von Dembea ging es rüstig auf Djenda zu, von der Hoffnung belebt, nun bald ganz Abessinien im Rücken zu haben. Nach mehrtägigem Aufenthalt in Dembea, wo das vom Negus mitgegebene Geleit die Forscher nicht weiter führen wollte, ward der Weg in nordöstlicher Richtung allein fortgesetzt und der Gong überschritten, der als Atbara die Steppen von Ostsenar und Taka durcheilt und bei Damer in den Nil fällt. Das Terrain ist dort meist vulkanischer Natur, und Chalcedone und Zeolithen werden häufig gefunden.

Nachdem die Berge von Tschelga überschritten und dieser bedeutende Ort selbst passiert war, ward der Weg nach Qalabat verfolgt und die Höhen von Wali Daba überschritten. Von dort fällt das Terrain stark nach Südwesten ab und nimmt schnell den Qola- oder Tieflandcharakter an. Dichte Bambuswälder, die Heimat der Büffel und Rhinozerosse, riesenhafte Sykomoren von den Bewohnern jener Gegend, Gamanten, für heilig gehalten, ragen zwischen 20—30 Fuß hohen Bauhinien empor, während die Euphorbien sich mehr und mehr zu verlieren beginnen. Das Hügelland blieb nun mehr und mehr zurück, und nach fünfzehn bis sechzehn Meilen (vom Gondoafluß aus) wurde Metemeh in den ersten Tagen des Juni erreicht. Dieser Ort, die Hauptstadt der Provinz Qalabat, ist meist von Mohammedanern bewohnt und als Handelsplatz für Abessinien von der größten Bedeutung. Eine protestantische Mission, die vor einigen Jahren am Orte begründet ward, dürfte wohl schwerlich Eroberungen auf geistlichem Gebiet zu verzeichnen haben.

Qalabat, Qedaref. Von Abu-Haras auf dem Blauen Nil bis Chartum.

Der Weg von Metemeh aus wurde zuerst in südlicher Richtung begonnen, während man sich erst später westlich wandte. Zur Linken traten die Berge von Ras-el-Fil hervor, während der Weg durch die Qabah (waldige Steppe) bald auf die Spuren der in dieser Gegend bereits nahenden Regenzeit stieß und allenthalben schon die für diese Orte charakteristische Sterculia (Stinkbaum) auftrat. Hinter Konina, einem großen Takruridorfe, ging es zwischen Baumwollenfelder hindurch, vorbei an Strohhüttendörfern, und über die nördliche Grenze von Qalabat aufs ägyptische Gebiet hinüber. Von den Dabaina-Arabern, deren Gebiet bald erreicht ward, und welches sich östlich bis zum Atbara erstreckt, konnte Heuglin viel Interessantes über die Quellgebiete des Dender- und Rahatflusses erfahren, die aus den Westländern Abessiniens kommen.

Am 14. Juni wurde bereits Dokah im Gebiet Qedaref erreicht, und von dort durch baumlose Savannen der Weg nach Asar verfolgt. Westlich ging es nun rastlos dem Blauen Nil und Abu-Haras zu, über den Rahadfluß hinweg, der in dieser Gegend schon 70—80 Fuß breit und 30 Fuß tief ist. Wiederholt wurden auf diesem Wege Millionen von Kernbeißer-Flügen gesehen, die aus dem Süden einwandernd wolkenartig über die Karawane hinstrichen. Oft stiegen auch Luftspiegelungen über dem glühenden Sande empor, und gegen den Horizont flimmerte die ausgebrannte Ebene in stärkstem Reflex. Doch wollte die Wüste die Forscher nicht entlassen, bevor sie ihnen noch einmal alle ihre Schrecken und ihre Gewalten gezeigt. Ein schweres Gewitter, das sich in allen Himmelsgegenden zusammenzieht, gießt ein wahres Feuermeer über die gelbe Steppe aus, und taghell erleuchten zuckende Blitze das undurchdringliche Dunkel der Nacht. Vollständig durchnäßt und vor Kälte zitternd,

15*

drückte alles sich um das Feuer zusammen, das jedoch durch die Gewalt des Windes immer wieder gelöscht wurde.

Am 28. Juni kamen endlich die hohen Ufer des Blauen Nil in Sicht und freudig hielten Heuglin und Steudner ihren Einzug in Abu-Haras. Durch Vermittelung des Bezirksbeamten Ibrahim ward bald ein kleines Transportschiff gemietet, und vorbei an Ruinenresten aus meroitischer und christlicher Zeit wurde die Fahrt stromaufwärts angetreten. Durch die vielfachen Windungen des Stromes und seine Sandbänke hindurch, die vom heiligen Ibis und vom Pfauenkranich, vom Schlangenhalsvogel und vom Nimmersatt hundertfältig belebt waren, vorbeisegelnd bei großen Baumwollenfeldern und bei längst verfallenen Ruinen, tauchten endlich am 7. Juli die Palmgärten Chartums, seine Moscheen und bunten Minarets vor unseren Forschern auf und unter zahlreichen Schiffen wurde an der Mündung des Bahr el Asrak in den Bahr el Abiad Anker geworfen.

Aufenthalt in Chartum.

Während der nassen Jahreszeit, die bis zum September anhält, war an weitere Reiseunternehmungen nicht zu denken. Zudem gewährte den Reisenden das Ordnen ihrer wissenschaftlichen Sammlungen, der Kartenaufnahmen und Tagebücher mehr als reichliche Beschäftigung. Aus Gesundheitsrücksichten verließen sie aber Ende September die ungesunde Stadt und unternahmen einen lohnenden Ausflug nach Ostkordofan, von dem sie am 20. Oktober wohlbehalten heimkehrten. Dann verweilten sie wieder drei volle Monate in Chartum, bevor sich ihnen eine passende Gelegenheit zur Fortsetzung ihrer Forschungsreisen bot.

Expedition nach dem Bahr el Ghasal.

Den Weißen Nil stromaufwärts.

Ausgangs November 1862 lernten unsere Reisenden drei sehr vermögende holländische Damen kennen: Madame Tinne und Tochter nebst ihrer Schwester Fräulein von Capellen. Diese Damen waren schon früher in Syrien und Aegypten gewesen und waren soeben von einer größeren Tour auf dem Abiad und Bahr el Djebel zurückgekommen. Ihre Reiselust war aber damit noch nicht befriedigt und sie wollten nun auch den großen westlichen Arm des Weißen Nil, den Bahr el Ghasal und seine Quellenländer aufsuchen. Von Heuglin und Dr. Steudner wurden von ihnen zur Teilnahme an dieser neuen Reise aufgefordert und gingen dankbar auf dieses Anerbieten ein. Die neue Expedition sollte im großen Maßstabe ausgerüstet werden und man beabsichtigte, den Quellsee des Ghasal mit Hilfe des Dampfers zu erreichen und von dort aus zu Land wenigstens bis zu den Niam-Niamvölkern vorzudringen. Mit Dienern und Soldaten ward nach und nach ein Trupp von hundertfünfzig Menschen zusammengebracht, die über sechs Schiffe verfügten. Trotz des beständigen Drängens Heuglins verzögerte sich aber der Aufbruch des Ganzen mehr und mehr, und von Ungeduld getrieben, brach daher unser Forscher mit seinem Gefährten und mit sämtlichen Transportschiffen am 24. Januar 1863 von Chartum auf, während die Damen baldigst nachzufolgen versprachen.

Im allgemeinen fuhr man in südlicher Richtung, wiewohl bei den zahlreichen Krümmungen des gewaltigen Flusses ein beständiges Kreuzen im Verfolg seines Laufes notwendig war. Gleichsam als letzte Station ward oberhalb der Stadt der Schetr Moha Bek passiert, eine den Schiffern und Eingeborenen wohlbekannte Riesenakazie, wo nach altem Schifferbrauch die Barken auf kurze Zeit anzulegen pflegten, um die letzten Nachzügler an Bord zu nehmen. Auch Heuglin legte hier für kurze Zeit an, um noch einige seiner Leute aufzunehmen, die von Chartum auf dem Landwege direkt hierher geeilt waren.

Die Ufer wurden nun immer grüner, der Strom erschien auf beiden Ufern von Waldpartien eingesäumt. Allenthalben tauchen in ihm eine Menge kleiner Inseln auf, deren Zahl und Größe während der ganzen Fahrt abwechselnd ab- und zunimmt. Ein Aufrennen auf diesen Sandbänken war daher besonders zur

Nachtzeit oft kaum zu vermeiden. Wo die Ufer für kurze Zeit einen freien Blick gestatten, taucht hier und dort ein Berg oder eine Hügelkette am Horizont auf; zuerst wird der Djebel Auli bemerkt, der bei den einzelnen Krümmungen des Stromes oft quer über diesem zu stehen scheint. Später erscheint der Djebel Beremen, eine kahle Felsmasse hart am Westufer und mehrere Stunden landeinwärts, der beträchtliche Tafelberg Mandera. Hier und da steigen dicke Rauchsäulen aus der Ebene empor, ein Zeichen der Steppenbrände, die meist von den Eingeborenen absichtlich angelegt werden, um den Graswuchs zu fördern, oder um das Wild aus den undurchdringlichen Grasmeeren zu vertreiben, sowie, um den Askanit zu zerstören. Die Vegetation längs der Ufer wird beim Vorwärtsdringen immer großartiger; hin und wieder erscheinen auch Mattenhütten und Gehöfte der Baqnara im Gebüsch. Die verschiedensten Vogelarten beleben aller Orten die Gebüsche, und vielstimmiger Gesang ertönt über die fast spiegelglatte Wasserfläche.

Das buntfarbige Gefieder der mannigfaltigsten Vogelarten giebt ein äußerst prächtiges Bild. Hier das blendend weiße Gefieder des Abu-Tok, des afrikanischen Singadlers, der sich unter lautem Geschrei auf den Zweigen wiegt, da und dort das silberne Kleid des kleinen Reihers, der auf halb zerfallenen Baumstämmen auf seine Beute lauert. Auf einem überhängenden Ast sitzt der behende und scheue Schlangenhalsvogel, der Ghatas, mit feuriggrünen Augen auf der Lauer, oft mit plötzlichem Ruck sich ins Wasser stürzend und erst nach geraumer Zeit mit seinem langen Hals wieder auftauchend. Tief ertönt der Lockton des rotbäuchigen Würgers, pfeifend der Ruf des munteren Glanzstaares. Hochgelbe Webervögel wiegen sich auf schwankendem Zweige, leise ertönt das bekannte Rucksen der Turteltaube, stumm und starr pflegt dort das Krokodil seiner Ruhe, während am andern Ufer Behemoths riesiger Kopf aus den Fluten taucht — allenthalben ein Bild, wie es nur der ewige Urwald zu geben vermag. Die Durchmesser der Bäume sind gradezu gewaltig, und weithin ragen die wagerechten Aeste, ein fast undurchdringliches Laubdach tragend. Zauberhaft ist die Ruhe, die des Nachts über diesem Paradies lagert, und nur selten ertönt die Stimme eines Vogels, oder der Schrei eines Affen aus dem undurchdringlichen Dickicht. An andern Stellen bemerkten die Reisenden kleine Trupps von Antilopen, sowie ganze Rudel von grauen Meerkatzen, die neugierig ihr Gesicht in den langsam dahinrollenden Fluten beschauen.

Je weiter die Schiffe stromaufwärts vorwärts drangen, um so dichter wurden die Schilffelder am Ufer, welche unzähligen Webervögeln zur Nachtherberge dienen, die, aufgeschreckt, mit donnerähnlichem Lärm in die Höhe steigen. Als große Plage tritt an solchen Stellen die Bauda auf, die gefürchtetste Mosquitoart, deren spitzer langer Rüssel selbst die gewaltigen Nilpferde nicht zur Ruhe kommen läßt, und gegen welche den Reisenden selbst die feinsten Fliegennetze keinen Schutz zu gewähren vermögen.

Die Temperatur blieb übrigens trotz des Vordringens der Schiffe nach Süden noch recht erträglich. Mit Tagesanbruch waren nicht mehr als 15—16° Reaumur, des Mittags 24°, des Abends 20—22°.

Ein wunderbares Bild bieten beim Einbrechen der Nacht die zahlreichen Leuchtkäfer, die das Dunkel mit ihrem intensiven Licht auf weite Strecken unterbrechen; um diese Zeit werden auch die Nilpferde in den benachbarten Sümpfen lebendig.

Am fünften Tage gelangten unsere Reisenden in das Gebiet der Dinkaneger, eines sehr volkreichen Stammes, der sich jedoch infolge des beständigen Sklavenraubes und der Einfälle der benachbarten kriegerischen Schilluks mehr und mehr nach dem Innern zurückzuziehen begonnen hatte. Sie gehen völlig ohne Kleidung, und auch ihre Weiber tragen erst von ihrer Verheiratung an kleine Lederschürzen. Die Waffen dieses Stammes sind Lanze und Schild; Pferde, Kamele und Esel hält er nicht, wohl aber große Herden von Rindvieh und Ziegen.

Während bei den Dinkanegern eine Art Plutokratie oder Geldherrschaft besteht, hat der Stamm der Schilluks erbliche

Sultane. Auch bei ihnen gehen die Männer völlig nackt, selbst der Sultan, der den putzig klingenden Titel „Mek“ führt. Bemerkenswert ist übrigens an diesem Stamm die peinliche Sauberkeit ihrer Hütten und ihre Gewohnheit, der Stechfliegen wegen in der Asche zu schlafen. Merkwürdigerweise haben die Schilluks trotz des regelmäßigen Verkehrs mit den mohammedanischen Nachbarn den Islam nicht angenommen. Sie erscheinen sogar gegen jede Art religiösen Gefühls gleichgültig.

In dieser Gegend lag auch eine größere Niederlassung der Schilluks, die von dem gefürchteten Mohammed Cher vor etwa sechs Jahren zerstört wurde. Letzterer, ein geborener Berberiner, gründete im Lande der Schilluks einen befestigten Ort, von wo aus er im Bündnis mit befreundeten Stämmen, besonders mit den räuberischen Bakuaras, die Sklavenjagden im Großen betrieb und auch mit Europäern Chartums in Freundschafts- und Handelsbeziehungen trat. So erlangte dieser Mann einen weithin gefürchteten Namen, bis der General-Gouverneur von Chartum auf ihn aufmerksam wurde und ihn vor sich beschied. Diese Aufmerksamkeit war aber Mohammed Cher keineswegs genehm, und zu der Zeit, zu der Heuglin diesen Platz passierte, hatte jener sich bereits mehr nach dem Innern zurückgezogen.

Eine Tagereise weiter stromaufwärts wurde die Sobatmündung passiert und nun mit dem Nil nach Westen umgeschwenkt. Wildbüffel zeigten sich wiederholt in größerer Menge und eine Gruppe von nicht weniger als fünfzehn Giraffen trat einmal sogar bis nahe an das Ufer heran. Bald waren auch die drei Spitzen des Berges Seraf klar zu sehen, die jedoch als unbedeutende Hügel und ganz mit Baumwuchs bedeckt erschienen. Bald wurde auch die Mündung des aus Südwesten kommenden Bahr Seraf passiert. Am 4. Februar bekamen die Reisenden in Nordwesten die kühnen Felszacken des Djebel Tekem zu Gesicht. Nur langsam vermochten die Schiffe zwischen dem außerordentlich hohen Schilf und zwischen den Gruppen von Papyrus vorzudringen. Kein Wunder, daß die Nächte Scharen von den so gefürchteten Mosquitos herbeiführten und überdies ein fast ohrenzerreißender Lärm von Fröschen und Grillen den Schlaf fast unmöglich machte.

Auf dem Gazellenflusse.

Bereits am 5. Februar erreichte unser Forscher die Vereinigung des oberen Weißen Nils (Bahr el Djebel) mit dem Bahr el Ghasal, eine breite Fläche, die wohl eine Stunde lang und von Osten nach Westen ca. zwanzig Minuten breit ist und die allgemein Meqn'en el boh'ur (die Mündung der Flüsse) genannt wird. Unter dem Gesang der Matrosen und dem Klang der Tarabuqa wurde der schilfbewachsene No-See, wie diese Vereinigung auf den Karten genannt wird, passiert. Vier Meilen weiter oberhalb kam die Mündung des mächtigen Chor zum Vorschein, auf dem einst der Französe Brun Rollet vergeblich vorwärts zu dringen versucht hatte. Hier wurden auch schon die spitzen Strohdächer der Nuers bemerkt, deren Dörfer bald in größerer Ausdehnung hervortraten.

Die Bevölkerung begrüßte die nahenden Schiffe von den Termitenbauten aus, ihren Warten. Uebrigens waren alle völlig nackt, wenngleich dies kaum auffiel, da die Asche, in der auch dieser Stamm zu schlafen pflegt, dem Körper noch überall anhaftete. Die Nuers sind Sumpfmenschen, die nach Heuglin vielleicht noch eine Andeutung von Schwimmhäuten zwischen den Zehen haben können; sie zeigten auch die eigentümliche Gewohnheit, sumpfvogelartig auf einem Beine zu stehen und das andere auf das Knie aufzusetzen. Ihre Sprache ist selbst von der der Dinkas völlig verschieden. Ihre Hütten bestehen aus einer cylindrischen Mauer, auf der ein konisches Dach ruht, das häufig bis zur Erde herabläuft. Ein kreisrundes Loch stellt die Thür vor, die zugleich Fenster und Rauchfang vertritt und groß genug ist, um einen Menschen hindurchkriechen zu lassen.

Da der Weqil, der Aufseher über die Diener und die sogenannten Soldaten des Zuges, in dieser Gegend die nachkommenden Damen Tinne erwarteten und unsere Reisenden aber unbedingt keine Zeit verlieren wollten, so segelten sie mit zwei Transportschiffen weiter nach Südwesten. Aber bald gelangte man in ein Labyrinth von Windungen, in denen bei der fast völligen Windstille das Vorwärtsdringen nur äußerst langsam von Statten ging. Am 8. Februar war das seeartige Becken Maiet Omer Efendi erreicht: eine große Flußmündung, auf der einst die Mannschaft eines Elfenbeinjägers Omer Efendi von den Nuers niedergemacht wurde. Wegen der völligen Windstille sahen die Reisenden sich schließlich genötigt, einen Versuch zu machen, zu Lande vorwärts zu kommen, doch ward dies wegen des Morastes und Schilfes völlig unmöglich. Dagegen gelang es ihnen, reiche Ausbeute sowohl an Vögeln als auch an Pflanzen heimzubringen.

So gut es eben gehen wollte, fuhren nun Heuglin und Steudner zu Schiffe weiter. Die verschilfte Mündung des Bahr el Arab wurde erreicht, den der erste Beschiffer des Bahr el Ghasal, der Kaufmann Habeschi aus Chartum im Jahre 1862 vergeblich zu befahren versucht hatte.

In dieser Gegend ward ein verendeter, auf dem Wasser treibender Elephant aufgefischt und nach langer, vierundzwanzigstündiger Mühe des Elfenbeins beraubt, nachdem der gewaltige Leichnam ans Ufer geschleift war.

Der Windstille und noch mehr des fast undurchdringlichen Schilfes wegen, das den Fluß völlig überwucherte, mußten die Schiffe an vielen Stellen mit Ruderstangen und durch Ziehen am Schiff vorwärts bugsiert werden. Neben dem Schilf sah man allenthalben die verschiedensten Pflanzen, Zuckerrohr und Akazien; wilder Reis und die feuerroten Beeren der Cordia müxa wechselten mit den purpurnen Früchten des Ipomea ab.

Um die noch immer nicht eingetroffenen Damen zu erwarten und in der Hoffnung, viel Wild anzutreffen, verblieben unsere Reisenden hier volle acht Tage. Eifrig durchstreiften sie während dieser Zeit die Sumpfwälder, von allen Arten von Tieren in Massen bevölkert. Hunderte von Elephanten waten über die grundlosen Ebenen, auf ihrem Rücken ihre Freunde, die Kuhreiher tragend, während Herden von Büffeln an buschigen Stellen weiden und ein gewaltiger Hippopotamus im dichten Rohre der Ruhe pflegt. Doch ist die Jagd, ja selbst das Vorwärtskommen in diesem Dickicht fast unmöglich, zumal da die hackigen Dornen einer Capparidee allenthalben den Fuß zurückhalten. Selbst Löwen und Hyänen verirren sich in diesen feuchten Hochwald. Reich ist auch die Vogelwelt vertreten. Der Singadler und der Schlangenadler lauern hier auf ihre Beute, während die geschwätzigen Halsbandpapageien die Tamarindenbäume plündern und der weißstirnige Kernwebervogel die Früchte der Gardenien verschlingt. Brillen- und Riesenschlangen machen die Gegend unsicher und Myriaden von Mosquitos umschwirren die vordringenden Wanderer.

Da selbst am 22. Februar das sehnlichst erwartete Dampfboot noch nicht eintraf, beschloß von Heuglin, die Fahrt fortzusetzen. Zum Unglück für das mohammedanische Schiffsvolk begann soeben der Ramadan oder Fastenmonat, doch gaben sich die meisten der Soldaten selbst Dispens. Zuerst westlich, dann südwestlich, drang man weiter Ein wenig Wind kam glücklicherweise zu Hilfe.

Der Gazellenfluß nahm in dieser Gegend das Aussehen eines weiten mit Schilf erfüllten Sees von unbedeutender Tiefe an; noch vier Meilen vermochte von Heuglin weiter vorwärts zu dringen, doch ward schließlich der Fluß durch schier undurchdringliche Schilfwälder geschlossen und das Ende der Schiffbarkeit schien nahe zu sein. In diesen Schilfflächen bemerkte unser Forscher die ersten merkwürdigen und seltenen Schuhvögel, von den Arabern Abu Markub genannt, von denen damals nur zwei Bälge nach Europa gelangt waren und die nur an vollkommen unzugänglichen Stellen und in den undurchdringlichen Morästen des Gazellenflusses anzutreffen sein dürften.

Mittlerweile hat sich der Ghasal sehr verengert. Jedes weitere Vordringen zu Schiff erschien fast unmöglich und doch führt unsere Reisenden eine schmale Wasserstraße noch ein gutes Stück ins Innere. Nach Süden zu erblickt man selbst vom Maste des Schiffes aus nichts als einen unübersehbaren Ambadji- und Papyruswald, nur am fernsten Horizont zeigen sich dunkle Linien von Hochwald. Bald aber erscheint am südlichen Horizont das langersehnte Festland und endlich, am 25. Februar, gelangte man zur Meschra-el-Rek, einer Station, wo Schiffe vor Anker gehen. Nur mit Mühe konnten hier die Schiffe der Expedition in die kleine Bucht einlaufen, die schon einige zwanzig Handelsfahrzeuge aufgenommen hatte.

Froh, wieder festen Grund und Boden unter den Füßen zu haben, ließen unsere Reisenden auf der Insel Kit ein Lager aufschlagen und Pferd und Esel aus den engen Schiffsräumen befreien. „Es war eine wahre Lust, zu sehen, wie die ganze Gesellschaft sich im Grünen wälzte und in munterem Trab den Weiden zueilte.“

Die erste Sorge unseres Forschers war, seinen Leuten etwas bessere Nahrung zu verschaffen und von den umwohnenden Dinkas einen Ochsen und einige Ziegen für kupferne Armbänder einzutauschen. Alsdann widmete er sich der Jagd und versuchte die geographische Lage des Platzes durch astronomische Mittel festzustellen.

Von Säugetieren zeigten sich in der Umgegend kaum etwas anderes als Nilpferde. Die Vogelwelt wurde durch zahlreiche Arten vertreten: Geier und Milane und fahnenschwänzige Ziegenmelker, Eisvögel und der liebliche Macronyx croseus, in buntem Gewirr mit europäischen Sumpfvögeln, der Heersumpfschnepfe und dem Regenpfeifer. Die heimtückischen Krokodile (arabisch Temsah) sind längs des ganzen Gazellenflusses nicht selten, wenngleich sie häufiger im Bahr el Djebel vorkommen, aber nicht von der ungeheuren Länge wie im Blauen Nil sein sollen. Unter den zahlreichen Fischen ist der etwa drei Fuß lange, aalartige

Protepterus der merkwürdigste, da er sowohl im Trockenen als im Wasser leben und, wie nur wenige Fischarten, einen Ton von sich geben kann, der dem Zischen der Schlangen ähnelt.

Das Klima ist hier nicht eben günstig. Fieber und Dysenterie fordern besonders im Beginn der heißen Jahreszeit zahlreiche Opfer und von den eingeschleppten Krankheiten hat vor allem die Syphilis auch unter den Eingeborenen sehr überhand genommen.

Am 9. März erschienen endlich die erwarteten Nachzügler, denen sich in Chartum Baron d'Ablaing, als Landsmann der Damen Tinne, angeschlossen hatte. Doch zeigte sich bald, daß die Ausrüstung der Gesellschaft zu einer weiteren Unternehmung und für ein längeres Verweilen im Inneren und die mitgebrachten Tauschartikel bei weitem nicht zweckentsprechend gewählt und auch nicht ausreichend waren. Es blieb daher nichts anderes übrig, als in Chartum neue Einkäufe zu machen. D'Ablaing wollte dies übernehmen und in möglichst kurzer Zeit nach Meschra-el-Rek zurückkehren, währenddessen die Damen in Meschra-el-Rek verbleiben und Heuglin und Steudner die Gegend und die Wege nach dem Kosangagebirge (etwa unter dem 8° 30′ nördlicher Breite und 26° 40′ östlich von Greenwich) hin erkunden sollten, um dann als Führer zu dem Niam-Niamlande dienen zu können.

Bis zum Bahr Dembo.

Am 25. März und nach vieler Mühe verließen Heuglin und Steudner Meschra-el-Rek. Nach Durchwaten des Morastes und der fast bodenlosen Sumpffelder gelangte ihr kleiner Zug auf festen Grund und Boden, und nun gings rüstig durch baumreiche Gegenden in südwestlicher Richtung einigen Gruppen von Strohhütten entgegen, deren Besitzerin, Madame Schol, eine alte, freundliche Dinkanegerin, unserer kleinen Karawane gern Unterkunft gewährte.

Nach einem Rasttage wurde wieder zum Aufbruch geblasen. In westlicher Richtung und durch offene Landschaft schritt man dahin durch lichten Wald mit manchen noch nie gesehenen Gewächsen. Man begegnete einem Dornenstrauch mit kleinen apfelartigen Früchten, Feigenbäumen, Gardenien u. a.; hin und wieder zeigt sich auch Wild: ein Rudel von Warzenschweinen und ein paar Giraffen laufen ganz harmlos in geringer Entfernung vorüber. Nach kaum zwei Stunden gelangte man zu einem Dinkadorfe, auf der Grenze der Lau und Afodj gelegen, und nach kurzer Ruhe wird zu Mittag bei 32° Hitze wieder weitermarschiert. Aber infolge eines sehr heftigen Fieberanfalls, begleitet von glühendem, unersättlichem Durst, ist Heuglin bald nicht mehr imstande, sich auf dem Pferde zu halten; sofort wird das Lager in einer dürren Niederung errichtet.

Am nächsten Tage war unser Reisende wieder einigermaßen hergestellt und er konnte mit seinem Zuge bis zu einem Viehpark und Brunnen, Schetter Abu Senun genannt, ziehen. Die Reisenden erhielten hier den Besuch des Scheichs des Bezirks, Abu Senun, auf Deutsch „Vater Raffzahn", wie er, seiner hervorstehenden Zähne wegen, von den Arabern getauft wurde. Dieser 7 Fuß lange Bengel war nicht wenig stolz darauf, ein Hemd zu besitzen, wenngleich es auch um die Hälfte zu kurz war; seine Begleiter freilich traten in völlig adamitischem Kostüm auf. Sie reichten den Reisenden brüderlich die Hand und umlungerten die Teppiche unserer Reisenden. Jeder erhielt ein kleines Geschenk, wofür sie etwas Milch lieferten, die aber ungenießbar war, da die Gefäße vor dem Melken der Kühe, wie dies wohl im Sudan allgemein üblich ist, erst mit Urin ausgespült werden.

Bald wurde die parkartige Gegend von Abu Senun verlassen. Der Zug bewegte sich durch Steppenlandschaft, in der sich ab und zu einzelne kleine Gehöfte zeigten, die angesichts der Regenzeit eben von ihren Bewohnern geflickt wurden. Allmählich gestaltete sich die Gegend etwas freundlicher. Zahlreich traten die Delebpalmen auf, meist über 70—80 Fuß hoch und mit glattem, fast wie gedrechselt erscheinendem Stamm, oft eng verwachsen mit den gewaltigen Sykomoren und von Scharen von senegambischen Elstern und rothalsigen Edelfalken belebt. Malerisch erscheint unter solchem Baumriesen hier und dort eine Hütte der Djurneger, die es verstehen, aus dem eisenhaltigen Thonboden Eisen zu gewinnen und die von hier bis zum Djurfluß meist mit den Dinkas oder Djengehs gemischt leben. Da viele von ihnen bereits in der Trockenheit mit ihren Herden an den Djurfluß gezogen waren, so war selbst in den größeren Dörfern kein Schlachtvieh aufzutreiben. Zudem ward die Hitze recht drückend, und auch die Expeditions-Soldaten und Träger litten schwer unter ihr.

Sehr merkwürdig erschien übrigens in dieser Gegend das sehr häufige Auftreten der Hydrocele (Wasserbruch). Dieses Uebel kann auch bei allen östlichen Negerstämmen häufig beobachtet werden; viele der männlichen Eingeborenen müssen sich ihr Leben lang damit herumschleppen. Denn sie wissen keine andere Hilfe, als Tragbänder um die Lenden zu befestigen.

Am 2. April ward der majestätische Djurstrom erreicht, dessen Richtung hier im allgemeinen eine nordöstliche war. Ueber sein Herkommen und das Gebiet seiner Quellen konnten die Reisenden von den Eingeborenen naturgemäß so gut wie nichts erfahren; diese sind viel zu stupide, um sich um mehr als um das Allernaheliegendste zu bekümmern.

Ohne Unfall passierte der kleine Trupp den Fluß und zog in südwestlicher Richtung weiter, wiederholt an einzelnen Gehöften oder auch Dörfern vorbei. Nachmittags gelangte man zu einem halbtrockenen, aber ziemlich tiefen Regenstrom und kurz darauf zu einer Niederlassung der Wans, auf einem lichten Platze gelegen. Hier mußte unser Forscher mehrere Tage rasten, teils um über den einzuschlagenden Weg Erkundigungen einzuziehen, teils um Menschen und Tieren notwendigerweise eine längere Ruhepause gewähren zu können.

Die Wans, zum Stamm der Dors gehörig, waren in dieser Zeit zu einem Kriegszuge gegen die Dorneger am Dembo oder

Kosangafluß ausgezogen, aufgeboten von dem Sklavenjäger Biseli, der seinem von den Dors angegriffenen Kumpan Ali Abu Amuri zu Hilfe kommen wollte. Beide Ehrenmänner betrieben das niederträchtige Handwerk des Sklavenhandels, jeder in seinem Gebiet gesondert, mit gleicher Gewissenlosigkeit, und übten von ihren Zeriben aus (festen Niederlassungen zwecks gründlicher Betreibung des Sklavenhandels) über die Eingeborenen eine unbeschränkte brutale Gewaltherrschaft aus. Getreide, Elfenbein, Vieh, kurz alles, was im Besitz der Neger sich befand, wurde von diesen Räubern als ihr legales Eigentum frech in Anspruch genommen, so daß Durchreisende Lebensmittel oder Tauschgegenstände nicht ohne Erlaubnis der Zeribenbesitzer zu erhalten vermögen. Auch Heuglin sah sich daher genötigt, mit diesen Patronen in Verbindung zu treten, wollte er überhaupt die Möglichkeit zur Fortsetzung seiner Reise erhalten.

Am 8. April kehrte die waffenfähige Mannschaft von dem Raubzuge unverhofft zurück, und Heuglin schildert dieses Ereignis wie folgt: „Es war bereits Abend und ziemlich stille um unser Lager geworden, als plötzlich aus der Dabah her ein Ruf vernommen wurde, ähnlich dem Lockton des Spechtes; dieser wiederholte sich in allen Richtungen, Weiber und Kinder stürzten aus ihren Hütten, erhoben ein fürchterliches Lululu-Geschrei und eilten den heimkehrenden Streitern entgegen, während die hoffnungsvolle Jugend aus Leibeskräften mehrere zwischen den Bäumen aufgehängte Nogarah (Trommeln) zu bearbeiten begann. Unter betäubendem Lärm zog jeder Krieger in seine Hütte ein, und am folgenden Abend wurde ein allgemeines Freuden- und Siegesfest gefeiert. Von den benachbarten Gehöften brachte jedermann eine kleine Gabe, bestehend in Merissa oder Ziegen. Nachdem die Sonne untergegangen, zündete man große Feuer an, und es begann ein allgemeiner Kriegertanz. Männer und Kinder ordneten sich in einen Kreis und umtanzten in kleinen Schritten unter Kriegsgesängen, Waffenschwingen, Nogarahlärm und dem Mark und Bein durchdringenden Geschrei der Weiber einen Baum; kühne Helden sprangen dabei aus den Reihen und führten mit vorgehaltenen, durch Eisenocker rotgefärbten Schilden Scheinkämpfe auf, die jedem Akrobaten Ehre gemacht hätten; viele der Tänzer schwangen auch brennende Aeste und hüpften mit teuflischen Sprüngen und Geberden und mit wüstem Geschrei in und außerhalb des Kreises umher, kurz, es war eine wahre Höllenscene, deren Glanzpunkt ich ohne Zweifel verschlief."

Konnte Heuglin einerseits froh sein, durch kleine Einkäufe an Mehl, Büschelmais, Hühnern und Ziegen für seine Leute sorgen zu können, so mußte er sich doch andererseits durch den Zustand seines treuen Gefährten, des Dr. Steudner, beunruhigt fühlen. Zwar waren viele seiner Leute krank in Wau angekommen, aber bei keinem nahmen die Fieberanfälle einen so bedenklichen Charakter an, als bei seinem europäischen Genossen. Dieser erkrankte am 6. April, befand sich nach ein paar Tagen scheinbar auf dem Wege der Besserung, so daß er sich am Abend, als Heuglin mit ziemlich reicher Jagdbeute nach Hause gekommen war, mit ihm am Wachtfeuer munter unterhalten konnte. Aber schon Tags darauf lag er schlaff auf seinem primitiven Lager und am Vormittag des 10. April hauchte er sein junges Leben aus. „Wir senkten die irdische Hülle meines Freundes auf einem erhabenen Platze zwischen riesigen Bäumen unfern des Flüßchens von Wau in die Erde ein, mitten in der großen Natur, deren treuer Jünger und Verehrer er gewesen. Um ihretwillen hatte er Heimat und Vaterland verlassen, unter saurer Arbeit und Entbehrungen nie sein großes Ziel außer Augen gesetzt, in ihrem Dienste ausgehalten bis zum Tode." —

Die Unterhandlungen mit Biseli und dem Agenten Ali Amuri führten zu einem befriedigenden Ergebnis und am 17. April zog Heuglin mit seiner Schar gen Westen, deren Seriben zu. Ein reizender Fußpfad führte nach zwei Wegestunden auf eine weite Lichtung mit einem Schmiededorfe, das sehr malerisch unter schattigen Baumgruppen lag; bald darauf gelangte man zur Seriba Biseli. Von hier bis zur Seriba

Ali Amuris hatte man fünf Meilen zurückzulegen. Ueber mehrere Gewässer und teils sandigen, teils mit Dammerde bedeckten Boden, an einem Schmiededorf führt der Weg dorthin. Selim, der Vertreter Amuris, zeigte sich über Land und Leute der Umgegend recht orientiert und riet Heuglin, sich nach dem Berge Mara zu wenden, der jenseits des Demboflusses dreißig Wegestunden entfernt läge. Dort sei die Gegend felsig und waldreich und das Klima sowohl für Menschen als auch für die Lasttiere zuträglich; dort seien auch Nahrungsmittel von den Bewohnern, den Djurs, leicht zu erwerben. Das Gebiet wäre besonders reich an Elephanten und überhaupt günstiger Jagdboden.

Die Eingeborenen der Seriba Amuris gehören dem Dorstamme an und beschäftigen sich außer mit Ackerbau und Jagd, auch mit dem Brennen von Thonwaren. An Amuri mußten sie eine gewisse Anzahl Lanzenspitzen und Spaten aus Eisen liefern, das aus dem eisenhaltigen Boden auf kunstfertige Weise gewonnen wird. Die Männer bemalen sich gern mit Ocker und Oel, und auch die Sklavinnen, die sich in der Seriba als Tänzerinnen zeigten, waren auf diese Weise verschönt.

Um seinem Versprechen nachzukommen, die Damen persönlich von der Meschra und ihren Schiffen abzuholen, machte Heuglin sich am 23. April dahin auf; mahnte doch auch die herannahende Regenzeit zur Eile; als deren Vorboten begegnete er bereits allenthalben Dutzenden von Marabus und dem heiligen Ibis. Auch waren die Eingeborenen bereits mit Bestellung ihrer Felder beschäftigt.

Bei der Ankunft in der Meschra war Ali Abu Amuri dort bereits eingetroffen, dessen Forderungen für Beschaffung der zur Reise nötigen Transportneger und des Getreides nach langem Zögern schließlich doch angenommen werden mußten, obgleich sie gradezu fabelhaft hoch waren.

Nachdem am 15. Mai Baron d'Ablaing von Chartum aus wieder angelangt war, begann der Aufbruch nach dem Innern.

Aber Heuglin wurde um diese Zeit so sehr vom Fieber geplagt, daß er vorerst zurückbleiben mußte, und erst nach drei Wochen auf einer Sänfte zu folgen vermochte. Am Schetter Abu Sennn (Viehpark und Brunnen) traf er erst wieder mit den Damen zusammen.

Mehrere heftige Regengüsse, Vorboten der kommenden Zeit, zauberten allerorten ein tausendfältiges Leben hervor und die überschwemmten Stellen waren schnell mit Störchen und Reihern, Enten und Gänsen bevölkert. Der Gesundheitszustand unter dem Troß von Sklaven und sogenannten Soldaten — 400 Neger und mehr als 150 Diener waren zusammengebracht worden — wurde dadurch freilich nicht gebessert und viele Tote mußten unterwegs zurückgelassen werden. Im Ganzen drang man nordwärts vor, grade in der Richtung der Seriba Amuris, passierte mit Mühe den Djurfluß, der durch die Regengüsse schon stark angeschwollen war und gelangte Ende Juni, feierlich begrüßt, zur Seriba Biseli.

Aber anstatt zur Ruhe zu kommen, fing die Unruhe nun erst recht an. Mit Selim, dem Vertreter Amuris, überwarfen sich die Damen Tinne bald, d'Ablaing erkrankte, die meisten der Leute lagen ebenfalls darnieder und von Heuglin selbst wurde das Fieber nicht los. Und dabei stand die Regenperiode unmittelbar bevor, wo die großen Ueberschwemmungen sodann sogleich alle Unternehmungen unmöglich machen mußten! Von Heuglin sah deshalb ein, daß er jetzt eingreifen mußte, falls nicht die ganze Gesellschaft dem Untergang entgegengehen sollte. Wiewohl selber krank, machte er sich also zu Pferde auf, um den Scheich von Kulanda — achtzehn Meilen westlich von der Seriba — aufzusuchen, und dessen Hilfe zum Bau einer eigenen Seriba anzurufen. Alles schien sich nun gut anzulassen; kaum aber hatte der regsame Heuglin sechs große Hütten und ein Getreidemagazin aufgeführt, — da rief ihn die Nachricht vom Tode der Madame Tinne zur Seriba Biseli zurück. Jetzt schien das Unglück über die Expedition völlig hereinzubrechen. Denn

16*

auch die beiden europäischen Kammerfrauen wurden bald von einem gleichen Schicksal betroffen; auch die Gesundheit Heuglins und d'Ablaings blieb erschüttert! Zudem brach die Regenzeit jetzt vollständig herein, mit ihr alle Widerwärtigkeiten dieser Periode, — und niemand dachte mehr daran, die Reise fortzusetzen!

Was die Eingeborenen der Gegend betrifft, die Djurs und Dors, so leben diese fast ausschließlich vom Feldbau und wohnen selten in größeren Ortschaften zusammen; früher standen sie unter erblichen Häuptlingen, doch bestimmen seit Beginn der Seribenwirtschaft deren Besitzer ihre Vorsteher. Sie und ihre Nachbarn, die Bongos und Fertits, sind große Freunde der Musik; ihren Gesang begleiten sie mit einer Art Mandoline, aber ihre ziemlich harmonischen Lieder sind meist schwermütiger Natur. Religiöse Begriffe scheinen sie nicht zu haben, doch stecken sie voller Aberglauben und geben viel auf das Wahrsagen der alten Weiber, die alle möglichen Taschenspielerkünste verstehen.

Die Weiber werden ihren Eltern von ihrem zukünftigen Gatten durch eine Anzahl im Lande gefertigter Lanzen abgekauft, die als Scheidemünze dienen. Viel wird im Lande das Schmiedehandwerk betrieben, da erzreicher Boden sich allenthalben befindet. Nirgends befindet sich jedoch Kochsalz, das nur selten aus Südkordofan und Dar-Fur eingeführt wird und das die Djurs und Dors durch die Aschen gewisser Pflanzen zu ersetzen suchen.

Unter den Feldfrüchten ist vor allen der Büschelmais zu nennen, neben Tabak, Gurken und Kürbissen. Eine Hauptrolle spielt der Butterbaum, Scheter-el-Lulu, der im Ganzen der Eiche gleicht, und dessen Früchte den Maronen nicht unähnlich sind. Sie liefern ein wohlschmeckendes Oel in reichlicher Menge. Auch Honig wird von den Eingeborenen gesammelt und nebst dem Wachs gegessen; in der Kost sind sie also nicht grade wählerisch und selbst Wanzenarten, fliegende Termiten und Heuschrecken werden nicht verschmäht! Unter Krankheiten haben sie im allgemeinen wenig zu leiden. Von eingeschleppten Krankheiten ist leider auch hier wieder die Syphilis zu nennen; man sagt auch, daß unter dem weiblichen Geschlecht die Unsittlichkeit in hohem Maße eingerissen wäre.

Von Heuglin und der noch überlebende Teil seiner Expedition versuchte inzwischen in den erbauten Hütten sich so gut einzurichten und die Zeit hinzubringen, wie es eben gehen konnte. Heuglin jagte in der Umgebung des Lagers, sammelte seltene Vögel und Pflanzen und zog genauere Erkundigungen über die im Westen wohnenden Niam-Niam ein, die er zu seinem Leidwesen aus Mangel an Reittieren und Trägern nicht persönlich kennen lernen konnte. Erst Schweinfurth glückte es, diesen Stamm in Augenschein nehmen zu können, und daher haben wir erst bei der Schilderung seiner Reisen über die Niam-Niam näheres zu berichten.

Bei Beginn der Regenperiode hatte auf den Feldern die Aussaat stattgefunden, und im Juli kann man bereits Bohnen und Kürbisse einernten; im September begann dann die Tabaksernte. Die Blätter dieser, übrigens von beiden Geschlechtern leidenschaftlich geliebten Pflanze soll, nebenbei gesagt, von den Negern mit Kuhdünger und Honig pikant versetzt werden. Büschelmais braucht wegen der langen Regenzeit sieben bis acht Monate zum Reifen; die Halme erreichen alsdann die Höhe von 18—20 Fuß, die Aehren das Gewicht von 6 Pfund.

Der Mangel an Lebensmitteln machte sich übrigens in der Seriba Heuglins sehr fühlbar, und dieser sah mehr und mehr ein, daß es ihm schon aus diesem Grunde unmöglich sei, nach dem Kosangafluß vorzudringen, selbst wenn er seinen Weg allein fortsetzen wollte. Glücklicherweise nahte das Ende der trostlosen Regenzeit, und alles schöpfte neuen Mut. Zudem kam ein Abgesandter des Niam-Niamsultans Mofio, der Geschenke seines Herrn überbrachte.

Wiewohl es inzwischen November und Dezember geworden war, traf die ersehnte Nachricht, daß die Schiffe aus Chartum in Meschra angelangt seien, immer noch nicht ein. Erst Mitte Januar, nachdem man bereits nach Wau übergesiedelt war, um den Boten näher zu sein, trafen die Soldaten, die man in Chartum ausgehoben hatte, bei Heuglin ein, und nun konnte endlich der Weg nach der Meschra angetreten werden.

Rückreise nach der Meschra und von da nach Chartum.

Nur langsam konnte der lange und schwerfällige Zug in Bewegung erhalten werden, zumal die zum Transport gepreßten Neger der Umgegend bei jeder Gelegenheit zu entrinnen versuchten. So gelangte man erst am 2. Februar zum Djur, den zu überschreiten es viel Zeit kostete, und endlich am Abend des 9. Februars nach dem offenen Platze gegenüber der Meschra-el-Rek.

Während das zahlreiche Gepäck von Fräulein Tinne zu den Schiffen hinüber transportiert wurde, durchstreifte der unermüdliche Heuglin die Gegend. Mit größtem Interesse konnte er hier eine ganze Kolonie von Umbervögeln beobachten, deren mächtige, 4—5 Fuß im Durchmesser große Nester drei getrennte Räume besitzen.

Am Abend des 14. Februar begannen die Schiffe den Rückweg nach Chartum den Ghasal stromaufwärts zu ziehen. Ein gewaltiges Gewitter überraschte die Gesellschaft, und bald drang das Wasser in alle Fugen der leicht gebauten Fahrzeuge ein. Trotz dessen stellten die Mosquitos ihre Angriffe nicht ein und bedeckten bald die Kerzen so massenhaft, daß diese verlöschten. Schon in dieser Gegend bemerkte Heuglin zahlreiche schwimmende Grasinseln, die oft weite Strecken bedeckten und das Vordringen mitunter lange Zeit unmöglich machten. Am schlimmsten gestaltete sich dieser Verschluß des Stromes gegen den No-See hin, wo eine Strecke von 500 Schritt so völlig verbarrikadiert war, daß man den Fluß fast trockenen Fußes begehen konnte. Zwei volle Tage bedurfte es, um die Schiffe über diese Stelle hinwegzuheben. Durch solchen Verschluß kann ein Strombett sogar völlig verlegt werden. Wiederholt begegnete man während der Fahrt Raubschiffen von Sklavenhändlern, die trotz des neu ernannten türkischen Mudir zur Steuerung dieses Gewerbes ihrem schamlosen Treiben nachgingen.

Nachdem auch die Sund-Inselgruppen passiert waren, gelangte man zu den schon mehr bewohnten Gegenden. Als Woad Schelai erreicht ward, fiel es sogleich auf, daß dieser sonst so bevölkerte Ort fast völlig verödet war; das drückende Steuersystem des neuen Generalgouverneurs hatte die Bevölkerung größtenteils nach dem Innern verscheucht, und das Aussehen dieses noch vor kurzem so blühenden Platzes konnte als Illustration zu dem Wort gelten: „Wo ein Türke den Fuß hinsetzt, wächst kein Gras mehr". Und so war es in ganz Nubien und Senar, allenthalben Verfall und Rückgang seit der türkischen Herrschaft.

Am 30. April, nach vierzehn Monaten seit ihrem Auszuge, zog die kleine Schar, die damals unter fröhlichem Gesang hinausgezogen war, trübe gestimmt in Chartum ein. Heuglin selbst war äußerst erschöpft, niedergedrückt zudem durch die Erinnerung an den Verlust seines Freundes, der fern im Herzen Afrikas ruhte.

Rückreise über Sauakin, Suez und Kairo nach Europa.

Chartum mit seinem glühenden Klima und seiner ertötenden Atmosphäre war zu langem Aufenthalt des leidenden Heuglin jedenfalls der ungeeignetste Ort, und er beschloß daher, über Sauakin nach Aegypten zu gehen und Fräulein Tinne, deren Tante inzwischen ebenfalls dem Fieber erlegen war, dorthin zu begleiten.

Am 5. Juli begann denn die Abfahrt, und leichten Herzens sagten die Reisenden Chartum Lebewohl. Die Gegend, durch die man nun gen Osten pilgerte, war nicht ohne Reiz. Nachdem man den stattlichen Djebel Roian und seinen Nachbarn Atschan passiert hatte, gelangte man nach der Gegend des alten Meroe, wo auf steinigen und kahlen Höhenrücken die Pyramiden emporragen in Gruppen von vier bis fünf, und meist über 80 Fuß hoch. Einige dieser gewaltigen Grabmale sind bereits zerstört oder zerfallen, die meisten aber noch gut erhalten, mit Wandzeichnungen und hieroglyphischen Inschriften bedeckt. Am Abend des 9. Juli wurde die Stadt Berber erreicht.

Wegen Beschaffung von Kamelen nach Sauakin unterhandelte Heuglin lange Zeit mit dem Mann, dem Unterbeamten der Verwaltung. Aber erst nach fünfzig Tagen konnte Berber verlassen werden. Auch bei Mohabek (Brunnen) hatte man wieder einen unfreiwilligen Aufenthalt von mehreren Tagen. Da in dieser Gegend der Sommerregen vor der Thür stand, so zeigten sich bereits des öfteren Gewitter mit strömendem Regen, der im Verlauf weniger Minuten die Gegend in eine weite Seefläche verwandelte. Die Hauptrichtung der ganzen Reise war nach Nordosten gerichtet. In der Gegend von Debab el Bak erschien krüppelhafter Baumschlag und auch Brunnengruben; auch werden einige Buscharinfamilien mit ihren Herden bemerkt und eine Sauakinkarawane mit zehn jungen Gagasklavinnen. Weiterhin gelangten die Reisenden zum Vorberge des O-Fiq, wo Durafluren und Selimakazien das Auge erfreuten. Leider wurde die Ruhe, der man sich in dieser lieblichen Gegend hingeben wollte, durch die Ankunft des Weqil (Stellvertreter) des Scheichs der Omarab gestört, der in barscher Weise den seinem Herrn zukommenden Durchgangszoll beanspruchte und mit dem es zu sehr erregten Auftritten kam. Nachdem auch die historischen Brunnen von Ranai passiert waren, gelangte man in dicht bevölkerte und mit fetten Weideplätzen bedeckte Gegenden, und in Ras-el-Wadi traf man einen belebten Handelsplatz an. Hier fand sich auch Gelegenheit, einige Schafe zu erstehen und Milch gegen Tabak einzutauschen.

Allmählich näherte man sich in großen Tagemärschen dem Fuß des Djebel Ajakeb, der die Wasserscheide zum Roten Meer bildet. Auch in diesem romantischen Felsthal war das Pflanzenleben überraschend schön, und Akazienarten wechselten mit Seifenbäumen ab. Unter der Vogelwelt war besonders der Webervogel zu bemerken, der soeben seine Nester baute. Nachdem das Hochland überwunden, ging es wieder thalwärts der Niederlassung Sinkat zu. Dieser Ort ist ständig bewohnt und genießt, seines herrlichen Klimas und seiner reinen Luft wegen, weithin den besten Ruf. Besonders im Juni und Juli pflegt dort großer Markt stattzufinden, auf dem Kaffee, Zucker, Baumwolle, Spezereien u. a. m. feilgeboten wurden.

Die Gegend zwischen dem Nil und dem Roten Meere wird seitwärts bis Takah von dem großen Stamm Bedjah bewohnt, die mit den Nubiern im allgemeinen sehr viel Aehnlichkeit haben. Sie zeigen auffallend den semitischen Typus; ihr Haar, in der Höhe der Stirn zu kleinen Zöpfchen geflochten und durch eine hölzerne Haarnadel gehalten, trieft von Talg und Oel. Der Charakter dieses Hirtenvolkes ist ein widerlich-heimtückischer. Ausdauernd gegen Entbehrungen aller Art, ertragen die Bedjahs Hunger und Durst oft tagelang und sind auf ihren schnellen Kamelen im Kriege gefürchtete Gegner. Ihre Religion ist der Islam. Daß im Gebiet der Bedjahgebirge edle Metalle und Steine lagern, ist schon lange bekannt, aber abergläubische Furcht vor bösen Geistern und Gnomen, die jene Schätze bewachen, hält die tapferen Krieger ab, nach ihnen zu graben.

Vier Straßen führen aus dieser Gegend nach Sauakin; von Henglin wählte die über Darb Aben in nordöstlicher Richtung. Der steile Ataba (d. i. Gebirgspaß) wurde nicht ohne Mühe für Kamele und Reiter überwunden, und am 23. September zeigte sich bereits als nebelhafter Streifen fern am Horizont das Rote Meer. Rastlos ging es nun weiter wieder ins Thal hinab und in die freie Ebene hinaus. An dem Brunnen von Debret vorbei, zur Linken die Kuppe des Waratab lassend, wurde endlich am 24. September Sauakin erreicht.

Erst nach einem Monat verließen Henglin und Fräulein Tinne diese Stadt und segelten längs der Küste nach Djedah, vorbei an dem schönen Hafen von Borghut und der Rhede von Zabadab el Roian. Nach vier Tagen erreichte man diese Hafenstadt, die von Henglin ebenfalls von früher her sehr wohl bekannt war. Dieser Ort, einer der reichsten und blühendsten am Roten Meer, verdankt den ersten Platz, den er einnimmt, allein dem Umstande, daß er der Hafenplatz von Mekka ist; denn der Hafen selbst ist schlecht und wegen zahlreicher Korallenriffe sogar gefährlich. Es leben daselbst fast nur mohammedanische Völker aus allen Ländern der Welt, fast keine Europäer. Vor dem Thor liegt das Grab der Erzmutter Eva, deren Grab von ungeheurer Länge und sechs Schritte breit ist.

Von Henglin und Fräulein Tinne nahmen Plätze auf dem Dampfer „Gladiator" und verließen am 10. November die Stadt, um Suez zu erreichen. Die Berginsel Sederdjid wurde passiert und der Leuchtturm von Abu el Dezan, und nach stürmischer Fahrt wurde am Mittag des 22. November Suez erreicht. Fünf Monate waren die Reisenden also von Chartum aus unterwegs. Von Suez aus reiste Henglin wenige Wochen später nach Kairo.

Im Mai 1865 kehrte unser Forscher wieder nach Europa zurück, das er seit mehr als vier Jahren nicht wiedergesehen hatte.

Neue Reise nach Nordostafrika.

Volle zehn Jahre vergingen, bevor sich unserem Reisenden wieder Gelegenheit bot, sein begonnenes Werk, die Durchforschung Afrikas, fortzusetzen. Erst Ende Dezember 1874 ward ihm durch einen Herrn Vieweg aus Braunschweig, der den Osten Afrikas als Jäger durchstreifen wollte, in dessen Begleitung eine Reise dorthin ermöglicht. Henglin verließ am 31. Dezember 1874 seine Heimat und reiste über den Brenner, Verona und Bologna, Brindisi nach Alexandrien.

Groß und zahlreich waren die Umwälzungen auf allen Gebieten, die zu jener Zeit in Aegypten sich vollzogen, und fast schien es, daß seit der Regierung Ismail Paschas (1863) eine neue Aera für dieses Land beginnen wolle. Durch Eroberung der Ostküsten des Roten Meeres, der Gegenden zwischen Sauakin, Massaua und Bab el Mandeb, ferner der Bogosgebiete, Qalabat und Dar-Fur waren die Grenzen des Reiches über fast ganz Nordostafrika ausgedehnt und eine von der Pforte faktisch unabhängige Stellung errungen worden. Die heillose Wirtschaft der Sklavenjäger war gebrochen, der Menschenhandel thatsächlich abgeschafft, Eisenbahnen und Telegraphenlinien wurden im weitesten Umfang errichtet, kurzum, allenthalben waren die Segnungen einer geordneten Regierung sichtbar. Zudem waren durch Erschließung der mehr zentral gelegenen Länder neue Hilfsquellen und Einkünfte erschlossen, und es schien, daß das gewaltige Reich zu einer wirklich dauernden Höhe emporsteigen werde.

In Kairo, wo Heuglin mit seinem vorausgeeilten Gefährten zusammentraf, erhielt er von dem Vizekönig behufs Förderung seiner Unternehmungen Empfehlungsschreiben an die Statthalter von Suez, Sauakin, Massaua und Takah. So trafen Heuglin und Vieweg am 11. Januar in Suez ein und setzten von dort die Fahrt durch das Rote Meer nach Sauakin fort, in Gemeinschaft des Grafen Zichy, der eine Reise nach Qalabat und den Gallagebieten vor hatte, im nächsten Jahre aber bereits bei diesem Unternehmen seinen Tod fand.

Nachdem man den Golf von Suez verlassen und die Küsten der sinaitischen Halbinsel aus den Augen verloren hatte, tauchte am Vormittag des 15. Januar, unfern der alten Hafenstadt Berenice, die Felsinsel Seberdjid mit ihren 700 Fuß hohen spitzigen Zacken empor, jene Seemarke für die Schiffer des Roten Meeres, die bereits den alten Geographen, wie Strabo, wegen ihres Reichtums an Smaragden und Beryllen bekannt war.

Am 17. Januar langten unsere Reisenden in Sauakin an, dessen blendend weiße Mauern schon weithin aus der gelben Ebene emporragten. Die Provinz wurde im Jahre 1866 zugleich mit Massaua von der Pforte dem Chedive von Aegypten abgetreten.

Der Plan Heuglins ging dahin, von der Stadt aus, in nichtallzu großer Entfernung von der Küste, nach dem Delta des Barkaflusses, bei Tokar, hinzuziehen, und von dort die nördlichen Ausläufer der abessinischen Gebirge zu erreichen.

Mit Unterstützung des Gouverneurs der Stadt gelang es denn auch verhältnismäßig schnell, die Ausrüstung für die Reise zusammen zu bringen; vor allem Kamelführer und Lasttiere; diese waren schwer zu bekommen, da den meisten die Gegend von Tokar und Aqiq nicht hinreichend bekannt war. Ueberhaupt waren die Gegenden, denen Heuglin und sein Begleiter einen Besuch abstatten wollten, nämlich der untere Ansebafluß und der mittlere Barkah, vornehmlich aber das Hagergebirge, noch recht wenig erforscht und bereist. Ludolf im Jahre 1681 und Munzinger in jüngster Zeit hatten diese Gegenden eigentlich zum ersten Male betreten, und Heuglin selbst Gelegenheit gehabt, in den Jahren 1852—53 die Flußgebiete jener Länder, namentlich die Quellen des Atbarah, wissenschaftlich zu bereisen.

To-Kar und das Gebiet des Beni Amer.

Am 25. Januar wurde Sauakin wieder verlassen und der Weg in südöstlicher Richtung eingeschlagen. In früheren Zeiten war dieser breite Gürtel der Strandgegend offenbar vom Meere bedeckt, und er trägt daher noch heute seine eigentümliche spärliche Flora. Da auch die Regen in diesen Gegenden sehr spärlich fallen, ist der ganze Küstenstrich fast unbewohnt, und nur selten siedeln sich vorübergehend einige Hirtenvölker mit ihren Herden daselbst an. Hat doch auch die ganze Westküste des Roten Meeres nur eine einzige Flußmündung aufzuweisen, die des Barkah, der von den nordwestlichen Abhängen von Habesch herkommend, aus dem Beniamer Lande den Ansebah aufnimmt und in seinem

Unterlaufe in der Gegend von To-Kar in einen meilenweiten undurchdringlichen Sumpf sich verwandelt. Der einzig bewohnte Ort war zur Zeit Neu-To-Kar, da die alte Stadt gleichen Namens ihrer ungünstigen Lage wegen nach und nach verlassen wurde. Südlich von jener Gegend tritt der Stamm der Artegahs auf, der die Bedjahsprache redet und ausschließlich Viehzucht treibt; denn trotz aller Bestrebungen der Regierung, auf die Vorteile der Bodenkultur des Barkah-Delta herum aufmerksam zu machen, sind praktische Erfolge nicht erreicht worden. So werden nur wenig Büschelmais, Negerhirse und Baumwolle angebaut. Als Hafenplatz dient Trinkatat, das von Neu-To-Kar gegen sechs Stunden entfernt ist.

Durch diese Gegend zog also unsere Karawane dahin, passierte einige ausgetrocknete Regenstrombette und begegnete hin und wieder Scharen nordischer Wandergäste, wie Wachteln und Kranichen. Die Nächte waren trotz der Hitze des Tages meist kühl; aber beim einsamen Lagerfeuer entzückte die unbeschreibliche Pracht des Zodiakallichtes neben den herrlichen Sternbildern des Schiffes und des südlichen Kreuzes. Hin und wieder erschallte das Geschrei einer Hyäne, die einsam das Lager umstrich, oder der eintönige Ruf des Ziegenmelkers, der über die kleine Schar dahin segelte.

Im Süden erschienen bald die Hügel von Aqiq und der Deqdera, die das Gebiet der Beli Amar ankündigten. So wurde am Mittag des 31. Januar Aqiq el sogheier erreicht, wo Heuglin, der in dieser Stadt bereits des öfteren geweilt hatte, freundschaftlichste Aufnahme fand. In der Nähe des Ortes, der übrigens seine Entstehung bis ins graue Altertum zurückverlegt, liegt die von Ptolemäus Philadelphus gegründete Jagdstation Ptolemais Theron und mehrere alte Gräber und Cisternen aus der Zeit der Sassaniden-Herrschaft. Die Bevölkerung lebt hauptsächlich vom Küstenhandel und vom Schiffsverkehr mit den gegenüberliegenden arabischen Ortschaften. Der Herkunft nach gehört die Bevölkerung zum Stamm der Beni Amer, die ihrer

Sprache nach wieder zum äthiopischen Volksstamm zu rechnen sind. Sie leben vermischt mit dem Teil des Araberstammes der Tibetich, Hetem genannt, der über das Rote Meer eingewandert ist. Ihr Großscheich (der Beni Amer) führt den äthiopischen Titel Teklel und residiert im oberen Barkahgebiet.

Die Bewohner des Küstenlandes (Sahel) waren zu jener Zeit frei von Steuerlasten an den Chedive von Aegypten, dem sie unterthan sind. Von Gebirgen, die bei jener Gegend sich der Küste nähern, ist der Gebirgsstock Hedarbeh zu nennen, der dem Golf von Agiq einen herrlichen Hintergrund verleiht, und dessen Gipfel bis zu 4000—5000 Fuß emporragen; in nordwestlicher Richtung erscheinen am Horizont die Berge von Heina, die von Labatbeduinen bewohnt sind.

Während das Reisegepäck von Agiq direkt nach Qarora und Wold Qan dirigiert wurde, beschloß Henglin mit seinem Begleiter, in die Gebirgslandschaft selbst einzudringen und erst in letzterer Stadt die Karawane wieder anzutreffen. Als kundiger Führer und Begleiter diente ihnen Ali, der Scheich von Agiq, der mit seinem roten Burnus auf seiner mutigen Kamelstute ein phantastisches Bild gewährte. Zuerst stieg der Weg leicht bergan, und bei Gruppen alter mohammedanischer Gräber vorbei gelangte man zum Fuß eines Felskegels, dem äußersten Vorsprung des Af Sanab; wiederholt mußten Wasserbäche durchschritten und kleine Lagunen überwunden werden, an denen allenthalben die Tier- und Pflanzenwelt sich aufs lebhafteste hervordrängte. Scharen munterer Perlhühner gaggerten ringsum im dichten Unterholz, während der gelbliche Webervogel und der rotnackige Würger in dicht verschlungenen Cucurbitaceen ihr munteres Lied ertönen ließen. Vornehmlich traten in der Pflanzenwelt die Dattelpalmen hervor, und je höher man emporstieg, desto üppiger wucherten kaktusartige Euphorbien mit ihren stacheligen Aesten bis zu Manneshöhe. Als später der Chor von Adomanah erreicht ward, fand man allenthalben hohe Musoagbüsche, neben denen Spuren von Nashörnern, Wildschweinen und Affen die Nähe dieser Bewohner der Wildnis anzeigten. Da der Ort ein geeignetes Jagdrevier zu sein schien, wurde dort gerastet, und Vieweg machte sich alsbald auf die Suche. Doch war der Ertrag nur gering, und außer einigen Antilopen wurde fast nichts erbeutet; die Nähe nomadisierender Hirten hatte das jagbare Wild nach einsameren Gegenden gescheucht. Doch hin und wieder sah man den gemütlichen Klippdachs und den vorsichtigen Ichneumon zwischen den Felsen herumschlüpfen, während am Rande der Gewässer Schildkröten sich sonnten und, aufgeschreckt, eiligst ins Wasser hinabsprangen.

Was die Formation des Gebirges anbetrifft, so besteht dasselbe hauptsächlich aus Urthonschiefer mit zahlreichen Quarzgängen durchsetzt; an einzelnen Stellen bildet derselbe pyramidale Hügel und oft so enge Felsgassen, daß die beladenen Kamele sich nur mit Mühe hindurchzwängen konnten. Je mehr man nach Süden vordrang, desto mehr näherte man sich den von Bergvölkern bewohnten Gegenden, und hinter Dar-Abut, einem weiten Thale, traf man Ziegenherden in großer Menge an. Zugleich wurden aber auch dichte Wolken von Wanderheuschrecken bemerkt, die sich südwärts bewegten, und die eine so große Plage jener Gegenden sind; nichts vermag den unermüdlichen Kauwerkzeugen dieser Tiere zu widerstehen, und das Getöse der Flügel und das Knittern der Blätter wird oft auf große Entfernungen hörbar. Scharenweise folgen diesen Insekten ihre Feinde, Raben, Milane und Turmfalken, und diese scheinen an den Orthopteren nicht geringeren Geschmack zu finden, als die Negervölker Innerafrikas und die Beduinen des Steppenlandes. Diese braten die Heuschrecken in ihrem eigenen Fett oder rösten sie und reiben sie zu Pulver, das zu pikanten Saucen verwendet wird.

Je höher man im Gebirge hinauf kam, desto mehr nahm der Charakter der Alpenlandschaft zu. So bemerkte Heuglin an den Wandungen der Felsen bereits die ersten wilden Feigenbäume, die majestätisch sich gegen den azurblauen Himmel abhoben.

Zu den Gehängen des Passes von Gareita aufsteigend, der bis zur Höhe von fast 400 m emporstrebt, mußte die Straße von Oerqer passiert werden, die direkt südlich nach Wold Oan führt. Auch näherte man sich bereits dem Orte Eidarbeh, wo das Oberhaupt der Beni Amer, Schech el Ounub, zur Zeit im Winterlager sich befand. Von ihm konnte Henglin viel des Interessanten und Wissenswerten über die Mündung des Anseba-stromes erfahren, die nach dem Bericht dieser Leute nur vier Tagereisen im Nordwest von Kerkebat sich befinden soll. Von Eidarbeh an zeigten sich bereits deutliche Spuren der letzten Regen, und die Chors, die allenthalben den Weg kreuzten, waren bereits zum Teil recht angeschwollen. Der wichtigste derselben ist der Oarora, der bei Mirsah Berisah das Meer erreicht, und längs dessen zahlreiche Herden von Kamelen, Rindvieh und Schafen der Beni Amer sich zur Tränke versammelten.

Die Karawane folgte im allgemeinen den Ufern des Wadi Oarora. Nachdem sie das Querthal, welches die Berge Arob und Wold Aderat scheidet, passiert hatte, langte sie auf einer kleinen Ebene an, auf der allenthalben die für jene Gegend so charakteristischen Bauten auftauchten. Es waren die Ruinen der Grabmonumente, die Schweinfurth in ähnlicher Weise am Fuße des Maman-Gebirges, und Munzinger in der Daher-Ebene antraf. Sie sollen von den Ureinwohnern des Landes, deren Reste als Bet Maleh noch in einzelnen Strecken wohnen, aufgeführt worden sein; die Bauten bestehen meist aus mehreren Stockwerken, deren Dimensionen nach oben hin sich allmählich verjüngen und terrassenförmig übereinander geschichtet sind. Sie bestehen aus Platten von Thon- und Glimmerschiefer, die übrigens ohne Bindemittel aneinandergefügt sind. Das Ganze krönt meist ein Würfel oder Kegel aus weißem Quarz, und an den Eingangsthüren, die bei einzelnen dieser Monumente noch erhalten sind, ragen rechteckige Säulen empor.

Nachdem die Schluchten des Querthales, welches die Berge Wold Aderat und Arob durchschneidet, passiert waren, dehnte sich vor unseren Wanderern kahles Flachland aus, das eigentliche Gebiet und die Heimat der Arabs-Trappen. Diese stattlichen Vögel halten sich meist in größeren Trupps zusammen und flüchten vor dem Jäger in straußähnlichem Lauf und mit großer Geschwindigkeit über die Steppen dahin. Nur ungern und nur bei großer Gefahr schwingen sie sich schwerfällig in die Lüfte empor, senken sich aber stets bald wieder auf die Ebene herab. Bei Steppenbränden sieht man diese gewaltigen Vögel oft mit großem Eifer der Heuschreckenjagd obliegen, so daß sie dabei ohne Schwierigkeit überrascht werden können. Die Sudan-Araber, die das Wildpret der Hubara sehr hoch schätzen, fangen übrigens diese Tiere meist mit Angeln, an denen Heuschrecken oder Mäuse als Köder befestigt werden.

Nachdem die Nähe des Falkatstromes erreicht war, tauchten auch bereits die Hügel von Wold Dan am Horizonte auf, und am 13. Februar wurde diese Ortschaft erreicht.

Durch das Gebiet der Habab bis nach Massaua.

Wold Dan liegt auf einer Fläche am Fuße des Hügelzuges Kelan, inmitten eines öden und unbewohnten Landstriches. Zur Zeit hielt sich der Scheich der Ats Hibtes, eines Zweiges der Bet Asgadie, in Wold Dan auf; diese bilden mit den Ats Temariam und den Ats Tekles den mächtigsten Stamm der Habab. Das Gebiet der Ats Hibtes umfaßt hauptsächlich die Landstriche südlich vom Falkat und Naqfa, und dieser Stamm wird zur Zeit von seinem Groß-Scheich selbständig regiert. Dieser wieder hat eine jährliche Abgabe von 10000 Thalern an die Regierung von Massaua zu entrichten. Die Würde des Scheichs vererbt sich bei den Habab, doch bedarf derselbe jedesmal der Bestätigung aus Massaua. Die Habab bekennen sich zum Islam, nachdem die Reste des abessinischen Christentums zum Glücke für den Stamm gänzlich gefallen sind.

Was die bürgerlichen und häuslichen Verhältnisse des Volkes betrifft, so konnte Heuglin darüber nicht viel in Erfahrung bringen. Jedenfalls sind die Habab keiner Art von Arbeit zugethan und leben nur von dem, was ihre Herden ihnen bringen. Männer und Frauen kleiden sich gleichmäßig in baumwollene Umhängetücher, doch wenden sie ihrem Kopfputz besondere Aufmerksamkeit zu, indem sie um die Seiten der Schläfe und des Hinterhauptes Zöpfe flechten und die Scheitelhaare toupeartig aufrichten, das Ganze wird dann mit reichlicher Butter und Fett getränkt.

Die Waffen der Habab bestehen aus dem arabischen zweischneidigen Schwert, mehreren Lanzen und einem Schild aus Rhinozeroshaut. Jeder Häuptling hat außerdem einige Lanzenträger um sich, wie denn überhaupt die weniger Bemittelten im Dienstverhältnis zu den Reicheren stehen. Eigentliche Sklaven giebt es aber nur wenige im Lande. — Wegen der Unlust zu jeder Arbeit wird Ackerbau so gut wie gar nicht betrieben, zumal diese Hirtenvölker eigentlich niemals stetige Wohnsitze haben, sondern je nach der Regenzeit bald hierhin, bald dorthin wandern. Uebrigens ist auch in jenen Gegenden der Tabaksgenuß eingebürgert, wie wohl man selten Tabakraucher sieht, sondern mehr solche, die das Kraut kauen oder schnupfen.

Nachdem Heuglin in Wold Dan eingetroffen war, erschien der Scheich in seinem Zelte, um nach den Zwecken der Reise zu forschen. Als er gehört, daß vor allem die Jagd von den Europäern betrieben werden solle, riet er sehr, nach den westlichen Gegenden, dem unteren Anseba, zu ziehen, da dort ein außerordentlicher Reichtum an Tieren sich fände; Elephanten, Rhinozerosse, Wildbüffel, Löwen und Leoparden seien dort sehr zahlreich und nur selten durch Hirten beunruhigt. Drei Tage hielten sich die Europäer bei dem freundlichen Scheich auf und wurden von ihm in jeder Weise unterstützt. Der Besuch, den Heuglin dem Herrscher in seinem Zelte abstattete, brachte ihm viel Neues und Interessantes, da dieser Hirtenstamm die Gegend jahraus, jahrein durchwandert und auch über die Gebiete nach dem Hager Abei Negrau zu Auskunft zu erteilen vermochte.

Das Zelt des Scheichs war in zwei Abteilungen geteilt, von denen das eine für die Damen des Harem bestimmt war. Auch diese Evastöchter konnten ihre Neugier nicht bezähmen, und oft kam ein Kopf mit hübschen schwarzen Augen durch die Lücken der Gardine schelmisch zum Vorschein.

Von Wold Dan wurde am 17. Februar der Weitermarsch fortgesetzt und zwar von nun an bis nach Naqa hin beständig im Laufe des Falkat gefolgt, dessen Hauptrichtung im allgemeinen eine nordöstliche ist. Das Flußbett ward, je mehr man sich dem Wasserplatz Meteme näherte, immer üppiger mit Uscher, Nabaq und Tamarisken bewachsen und nahm das Wasser mehrerer meist kleinerer Bäche und sogenannter Chors in sich auf. Ungeheure Scharen von Wüstenhühnern kamen dorthin zur Tränke, und ein Rudel von mehr als sechzig Hundskopf-Pavianen flüchteten vor der Karawane bellend den Felsen zu.

Auch in dieser Gegend wurden wiederholt Gruppen von alten Grabmälern angetroffen, die neben undurchdringlichen Dickichten von Aloen feierlich in die Lüfte ragten. Auch traten bereits einzelne Gruppen der Albuca auf, welch letztere viel Aehnlichkeit mit der Dracaena Ombet hat, und deren Fasern zu Stricken verarbeitet werden.

Die Spuren zahlreicher Heuschreckenschwärme zeigten sich leider nur zu oft, und wo diese unersättlichen Pflanzenfresser eingefallen waren, war inmitten dieser sonst paradiesischen Natur wüstes Heideland entstanden. Bald hinter Obelet, wo der Stamm der Bet Malch wohnt, bemerkte Heuglin die ersten Bartvögel, die sich paarweise im niedrigen Gebüsch umhertrieben, während schwarzschwänzige Steinschmätzer unter einer Kette gaggernder Perlhühner sich tummelten. Die bezeichnendste Pflanzenform für das Gebiet um Aqra bis nach dem Lebka hinüber ist die Euphorbia Schimperii der Botaniker, jene mannshohe stachellose Pflanze, welche der ganzen Gegend einen eigentümlichen Charakter verleiht.

Unterhalb der Mündung des großen Hochthals von Agra, jenem Punkte, von wo aus der Fluß Falkat diesen Namen bekommt, wurde einige Tage gerastet, weil die Ueberreste eines Elephanten erfolgreiche Jagd auf diesen Dickhäuter hoffen ließen; auch wollte Vieweg seinem Jagdeifer auf Paviane, die herdenweise die Felsen belebten, endlich einmal gründlich nachgehen.

Die Gegend, in der man sich befand, bildete zweifellos in früheren Zeiten einen großen Gebirgssee, und noch spricht mancherlei für diese Annahme. Fand doch auch Fraas im peträischen Arabien in gleicher Höhe noch deutliche Spuren einstiger Gletscher.

Thalaufwärts dem Falkat folgend, gelangte man in unbewohnte Gegenden, da die Hirtenvölker der Trockenheit wegen ihre Wohnsitze verändert hatten. Aber ein herrliches Bild that sich vor den Reisenden auf! Kühn strebten die Felsmassen der Delat im rötlichen Abendschimmer empor, gruppenweise dehnten sich die fremdartigsten Pflanzenformen, wunderbar gestaltete Kronleuchter-Euphorbien mit fußdicken Stämmen neben Cissus-Gewinden, und in blauer Ferne ragten die gewaltigen Formen des Gebirgsstockes von Naqfa bis zu 6000 Fuß Höhe zu den Wolken empor.

Die Schlucht, durch welche der Weg nach dem Paß von Naqfa hinaufführt, heißt Metabeleh, und oft verengte sich die Felsgasse derart, daß man sich möglichst beeilen mußte, um nicht grade an dieser Stelle mit Elephanten zusammenzutreffen, deren Spuren allerorten hervortraten. Die Höhe, in der man sich befand, betrug ungefähr 1600 m, und es erschienen bereits die Pflanzenformen der abessinischen Alpenflora. Am Morgen waren meist nur wenige Grad über dem Gefrierpunkt, und dieser Wechsel der Temperatur gegenüber der Hitze am Tage, machte sich besonders auf die Kamele schädlich bemerkbar.

Nachdem der letzte Teil des Passes Esmet Debelah in einer Höhe von 1781 m erklommen war, öffnete sich das Hochthal Abelu, welches allmählich nach Naqfa hinabführt. Letzteres ist ein zerrissenes Hügelland, das seinerseits wieder allseitig von Höhenzügen umschlossen wird und nur nach Süden hin frei ist.

Auf dieser Seite stieg unser Zug denn auch zum Grunde der Thalsohle hinab, und bald wurden die Brunnen von Tschewetu erreicht. Auch dort traf man wieder ältere Gräber mit Feldsteinen umschlossen an, und ein einsamer Haufen aus zahlreichen Steinen, der abseits am Wege lag, wurde von den ortskundigen Führern als die Grabstätte eines vornehmen Habab bezeichnet, dem wegen seiner Frevelthaten auch der vorüberziehende Wanderer noch flucht. Jeder, der die Stelle passiert, wirft mit einem Zeichen des Abscheues einen weiteren Stein, einen Knochen oder eine Aloewurzel auf den Tumulus hin.

Trotz der periodischen Ueberschwemmungen, denen das Thal alljährlich ausgesetzt ist, und die mannigfache Verheerungen nach sich ziehen, war der Pflanzenwuchs doch ein sehr reichhaltiger, und uralte Akazienstämme ragten neben Ricinus und Rumex aus zahlreichen Gramineen-Arten empor. Auch künstliche Anpflanzungen, oder wenigstens Spuren von Versuchen dazu, waren hier und dort zu sehen, wie denn Munzinger, der Freund Heuglins, als Statthalter der Gegend, einst den Versuch gemacht hatte, die Anwohner zum Landbau anzuhalten. Doch die eingewurzelte Abneigung der Ats Hibtes zum Feldbau, oder richtiger gesagt, überhaupt zur Arbeit, machte die redlichsten Bemühungen der Regierung zu nichte, wobei freilich in Betracht zu ziehen ist, daß die Gegend im Spätherbst fast gar keine Niederschläge erhält, und die Hirtenstämme es daher vorziehen, während dieser Zeit nach Osten auszuwandern. Nagfa ist dann eben so wenig bewohnt wie Agra. Auch kommt noch die Schwierigkeit hinzu, die etwa gewonnenen Bodenprodukte abzusetzen, ein Grund, weshalb auch im benachbarten glücklichen Abessinien der Feldbau nicht umfangreicher betrieben wird.

Oestlich von Nagfa ziehen die „Schwarzen Berge“ parallel dem Roten Meere, und im Westen in gleicher Richtung die Nora Asgadie dahin, welch letztere die Wasserscheide des Falkat- und

Ansebaflusses bildet. Westlich von der letztgenannten Gebirgskette ragt der Deber abi und etwas im Süden der Hager empor, dessen Gipfel bis zur Höhe von 8000 Fuß aufsteigen. Die Bewohner des Hager Abei Nedjran sind die Nachkommen der Ureinwohner des Landes, denen die so oft erwähnten Grabmonumente zugeschrieben werden, die selbst aber als Unterthanen der Beni Amer in aller Zurückgezogenheit ihr kümmerliches Dasein fristen.

Charakteristisch für das steinige Hügelland von Nagfa ist unter der Pflanzenwelt der Dolqual (Euphorbia habessinica) und eine verwandte Art, außerdem ein strauchartiger Sauerampfer neben Dickichten von Stechäpfeln und Wunderbäumen. Von Tieren wird des öfteren der Leopard angetroffen oder eine Hyäne vom Lagerfeuer aus gehört, während die hier als gefährlicher geltende Nachbarschaft des Löwen mehr im Falkatthale zu fürchten ist. Sehr häufig tritt hingegen die Kuduantilope auf, die oft in ganzen Rudeln die Gehänge bevölkert, mitunter erschreckt durch das plötzliche Auftauchen einer Herde von Hundskopf-Pavianen, die mit eigentümlichem Gebell über die Felsen wandern.

In der Nacht zum 22. Februar überraschte ein sehr ungebetener Gast die kleine Karawane, ein Leopard, der es auf die mitgeführten Ziegen abgesehen hatte und die Kühnheit besaß, sogar im Lagerplatz bis zum Zelt Heuglins vorzudringen. Neben diesem war die improvisierte Stallung für die wenigen noch übrigen Ziegen errichtet, und trotz aller Vorsichtsmaßregeln wurde eine derselben von dem Räuber getötet. Leider entkam er im Dunkel der Nacht den nachgesandten Schüssen.

Da die südlichen Ausläufer der Rora Asgadie den direkten Weg nach Keren hemmten, mußte man zunächst in südöstlicher Richtung weiterziehen und erst beim Atharaflusse eine westliche Krümmung einschlagen. So stieg man steil zum Hedaithale hinab, nachdem nahe des Randes des Hochlandes bei Digdig nochmals altertümliche Reste von Steinbauten passiert waren, die wohl auf eine christliche Kirche der Vorzeit hinwiesen: ein 60 Fuß im Durchmesser haltender Ringwall umschloß zwei massive Rundmauern aus rohen Steinen, und in der Nähe umgab ein Kreis roher Steinbänke eine Altarplatte.

Schnell ging es der Tiefe der Thalschlucht zu, in wenigen Stunden 1200 Fuß hinab. — Unter den Tieren erregte vor allem der Ochsenhacker das Interesse Heuglins; dieser eigentümliche Vogel hält sich ausschließlich in der Nähe von Weidevieh auf und stolziert auch mit größter Kühnheit auf dem Rücken der Wildbüffel und Rhinozerosse einher. Unter lebhaftem Geschrei stürzt sich dieser Vogel auf die Herden, und diese lassen sich die Dienste dieses zudringlichen Gesellen meist gerne gefallen; befreit er sie doch von ihren Parasiten, die er mit erstaunlicher Gewandtheit zwischen den Haaren und Falten zu finden weiß. Die Heimat des Ochsenvogels ist das ganze tropische und subtropische Afrika, und allerorten begegnet der Wanderer in den Steppen diesem merkwürdigen Reiter.

Indem man dem Laufe des Hedai folgte und zwischen den begrenzenden Gebirgszügen von Daber tsade und Roret dahinzog, gelangte man zu den Brunnengruben von Baian und zur Vereinigung des Mao mit dem Hedai. Die Gegend heißt Mohaber Af Schari und bedeutet mit den nahen Felsmassen das Ende des Ambagebirges. Beim Passe Aschorim wandte sich die Straße nach Westen und stieg nach dem Laufe des Atharathales hinab. Bald tauchten wieder Gruppen von Grabmonumenten aus der Ebene auf, von denen besonders das Daber Kreneh die Aufmerksamkeit der Reisenden auf sich zog. Es besitzt zwei niedrige Stockwerke, über denen sich ein konischer Turm erhebt; auch waren an ihm die Spuren seines hohen Alters deutlich zu erkennen.

Das Stromgebiet des Athara ward in jener Gegend erreicht, und sein wohl eine halbe Meile weites Bett überschritten. Auch jenseits desselben fanden sich besonders in der Thalebene von Af-Abed wiederholt Zeugen früherer Zeiten, unter denen das Grab des Oberhauptes der Ats Temariam weithin aus der Ebene emporragte. Hinter dem Gebirgspaß Ataba Eslul gelangte man zu den Gehängen des Lebkaflusses und schlug bei den Brunnengruben von Oetbah das Lager auf. Hier gedachte Henglin das nach Keren vorausgesandte Gepäck zu erwarten.

Die Umgegend bot einen ungemein malerischen und entzückenden Anblick; allenthalben war die tropische Vegetation in herrlichster Entwickelung. Frischgrüne Tamarinden neben stattlichen Sunt-Akazien und undurchdringlichen Dickichten von Aloe und Albea wurden von gewaltigen Adansonienstämmen, von 80 Fuß im Umfange, überragt, während an höheren Stellen des Thals Kronleuchter-Euphorbien neben Drachenbäumen aus dichten Büschen und Graminen emporstiegen.

Nicht minder mannigfaltig ist die Tierwelt, die das Lebkathal belebt. Löwen und Leoparden zeigen sich nicht selten, ebenso Hyänen, und ungemein zahlreich ist die Kuduantilope, von denen wohl zweihundert bis dreihundert Stück beobachtet wurden. Aber wie in allen Flußniederungen, so haben auch in diesem Thale alle Geschöpfe, besonders Antilopen, Pferde und Maultiere, unter den Fliegen und ähnlichem Geschmeiß entsetzlich zu leiden; denn Tausende von diesen zudringlichen Gästen stellen sich sofort bei jeder Karawane ein, und nicht selten gehen an ihren Stichen Pferde und Maultiere zu Grunde. Zur trockenen Jahreszeit erscheint auch der Elephant häufig in den Gebirgen nördlich von Mensa, und auch das zweihörnige Nashorn wird im Ansebathal häufig getroffen. Besonders aber ist die Vogelwelt lebhaft vertreten; Halsband-Fliegenschnäpper und bunte Honigsauger beleben neben europäischen Grasmücken und Rotschwänzen die Felsen, während rotschnäblige Nashornvögel und dickköpfige Papageien pfeifend und kreischend von Baum zu Baum schwirren. Besonders charakteristisch ist aber der Bartvogel und der goldglänzende Zwergkukuk, der zwischen Racken und Finken allenthalben seinen Ruf ertönen läßt.

Inzwischen traf die Gepäckkarawane ein und brachte die Nachricht, daß der nächste Postdampfer von Massaua nach Suez bereits in acht Tagen auslaufen werde, und Vieweg, der seine Jagdbegier genugsam befriedigt hatte, erklärte nun plötzlich, nach Massaua aufbrechen zu wollen und die ganze weitere Reise aufzugeben. Heuglin sah sich also von weiteren Unternehmungen, besonders der Erforschung des nahen Ansebagebietes, unvermutet abgehalten, und nur mit größtem Widerstreben gab er den Plan, die Bogosländer zu besuchen, auf. Hatte er sich doch auf eine Reise von fünf Monaten eingerichtet, und jetzt, wo man kaum acht Wochen unterwegs war, sollte es schon rückwärts gehen! Wie gern hätte er den Weg allein fortgesetzt, aber da stellte sich heraus, daß der so notwendige Schießbedarf auf unerklärliche Weise abhanden gekommen war. So blieb also unserem Forscher nichts anderes übrig, als sich schweren Herzens zur Rückkehr zu wenden und Gegenden zu verlassen, die ihm zur zweiten Heimat geworden waren. Hätte er geahnt, daß er nie wieder den Fuß auf diesen Boden setzen solle, so hätte er doch vielleicht noch Mittel und Wege gefunden, noch einmal nach Westen, dem steten Ziel seiner Wünsche, vorwärts zu dringen!

Der Weg wurde also anstatt westlich, in südöstlicher Richtung angetreten, und anstatt nach Keren, wurden die Köpfe der Tiere nach Massaua zu gewandt. Zahlreiche Karawanen belebten das Thal, dem man bis zum Bache von Ain folgte; einen recht eigentümlichen Anblick boten inmitten der afrikanischen Vegetation unter Tamarinden und Adansonien die Telegraphenleitungen, die Keren mit Massaua verbinden, und nach europäischem Muster auf tannenen Stangen dahinziehen. Uebrigens haben sie oft unter den Angriffen der Elephantenherden zu leiden, während die Eingeborenen diese wunderbare Einrichtung mit respektvoller Scheu betrachten und niemals zu schädigen wagen. — Hinter Ain ging der Marsch allmählich dem Küstenlande Sahel zu, aus welcher hin und wieder ein einsamer Grabhügel obeliskenförmig emporragte, oder eine Gruppe von Seifenbäumen oder Dattelpflaumen einigen Schatten gewährte.

Als charakteristischer Bewohner der Sahel tritt der Rosenwürger auf, der ausschließlich das südliche Küstengebiet des Roten

Meeres bevölkert, und mit seinem schillernden Kleid gegen den grauen Sand sich lebhaft abhebt. Hin und wieder wurden auch langschwänzige Whidamännchen bemerkt, die um den Besitz der schmucklosen Weibchen kämpften, oder eine Turteltaube, die einsam emporstieg, aber im allgemeinen lag das Leben der afrikanischen Wälder hinter den Reisenden.

So wurde endlich der Flecken Umkulu erreicht und am 5. März in die Inselstadt Massaua eingezogen. Heuglin kannte diese Gegenden bereits aus früheren Jahren genau und konnte nur einen Ausflug nach den zahlreichen Inseln des Golfes unternehmen, da der Dampfer nach Suez schon bereit lag. So schiffte man sich am 6. März auf der Hodeidah ein und trat den Rückweg von Massaua an.

Rückkehr.

Die Fahrt ging im Ganzen der Küste entlang, vorbei bei den Inseln der Dahlakgruppe und dem langgezogenen Eiland Harat, und am 7. März wurde in Sauakin eingelaufen. Dort ward außer einigen Aegyptern und andern Passagieren der deutsche Tierhändler Schmutzer mit seiner Menagerie an Bord genommen. Es kostete viel Mühe und Zeit, die dazu gehörigen Tiere zu verladen, vor allem drei Elephanten und sechs Giraffen nebst einer Anzahl größerer und kleinerer Antilopen. — Am 13. März kam jedoch nach beschleunigter Fahrt bereits die arabische Küste in Sicht, und zum letzten Mal wurde das Sternbild des südlichen Kreuzes bewundert, das alsdann für immer am Horizonte verschwand.

Der Handelsverkehr zwischen Suez und Massaua war übrigens in jener Zeit nicht eben bedeutend, da die Kriegsunruhen, die bereits seit Jahren in Habesch tobten, auch für die Küstenländer nicht ohne Einfluß blieben. Waren doch nach dem unglücklichen Ende des Königs Theodor II. und dem Emporkommen des Regus Johannes nur noch größere Verwicklungen in jenem unglücklichen Lande entstanden, und allenthalben wüthete der Bürgerkrieg. Sobald Johannes die Bogosländer überflutete, war die Gelegenheit zur Einmischung für Aegypten gegeben, die auch im Spätsommer desselben Jahres schon erfolgte.

Das Schiff passierte die Straße von Djobal und fuhr in den Golf von Suez ein. Von dort setzte Heuglin seine Reise nach Kairo am 20. März fort und traf dort mehrere Landsleute an, so Brugsch-Bey, Nachtigal und Schweinfurth. Ersterer hatte mit den Erzgroßherzögen von Mecklenburg und Oldenburg eine Exkursion nach Oberägypten und Nordnubien ausgeführt und viel Interessantes und Neues für seine Wissenschaft gewonnen. Schweinfurth war vom Chediv berufen worden, um eine ägyptische geographische Gesellschaft zu gründen. Ein Gastmahl beim Vizekönig vereinigte alle diese interessanten Männer, die ihre Erlebnisse aus fernen Ländern hier austauschen konnten.

Am 23. März reiste Heuglin nach Alexandria ab und betrat bei Triest wieder europäischen Boden.

Schluß.

Werfen wir nun noch einen Blick auf die früheren und späteren Bemühungen unseres Forschers, der nur zu bald die Augen für immer schließen sollte. Als er 1865 nach mehrjähriger Abwesenheit wieder in die Heimat zurückgekehrt war, begann er vor allem die Bearbeitung seines reichen wissenschaftlichen Materials. Weder Arbeit noch Opfer hatte er gescheut, im schwarzen Erdteil zoologische und vornehmlich ornithologische Beobachtungen und Sammlungen zu veranstalten. Nun ging er daran, seinen Vorsatz zu verwirklichen und eine systematische Uebersicht aller bis dahin in Nordostafrika und den angrenzenden Ländern beobachteten Vögel herauszugeben. Während der Jahre 1865—70 arbeitete Heuglin fast ausschließlich daran. Fast gleichzeitig mit seiner Schilderung „Reisen in das Gebiet des Weißen Nil" erschien der erste Band dieses auf vier Bände berechneten Werkes, betitelt „Ornithologie Nordostafrikas". Es bildet ein beredtes Zeugnis seines Fleißes und seiner Begabung für den Gegenstand und ist ihm zum Denkmal geworden.

Bevor Heuglin seine letzte Reise nach Nordostafrika unternahm, war er, was manchen unserer Leser besonders interessieren wird, auch im kalten Norden gewesen. In den Jahren 1870/71 hatte er zwei verdienstvolle Eismeerfahrten unternommen, über die er bald danach einen ausführlichen Bericht „Reisen nach dem Nordpolarmeer" lieferte. Auch in maßgebenden Kreisen fanden diese Exkursionen viel Anklang. Denn der unermüdliche Reisende brachte vom hohen Norden wesentlich Neues und Wertvolles sowohl für die Geographie als auch für die Zoologie heim.

Als Heuglin 1875 wieder von Afrika nach Stuttgart zurückgekehrt war, zeichnete er auch seine diesmaligen Beobachtungen und Erlebnisse auf und suchte sie dem Publikum näher zu bringen. Sobald dies geschehen, nahm er schon wieder eine neue Reise in Aussicht, diesmal nach der der afrikanischen Küste sehr naheliegenden Insel Sokotra. Plötzlich aber erkrankte er und verstarb am 5. November 1876. Mit ihm sank einer der eifrigsten deutschen Reisenden ins Grab, der uns manche wertvolle Kunde von bisher unbekannten Strecken Nordostafrikas und insbesondere von der dortigen Tierwelt gebracht hat.

IV.

Gerhard Rohlfs.

Gerhard Rohlfs.

Gewaltig waren die Erfolge Heinrich Barths, den wir wohl getrost den Nestor der deutschen Afrikareisenden nennen können, gewesen, und seine Verdienste um die Erforschung Nord- und Centralafrikas können nicht hoch genug angeschlagen werden. Aber in dem Bilde, das er uns von den Gegenden des Sudan, die bis dahin gänzlich in Dunkel gehüllt waren, geliefert hat, fehlten, wie es ja nicht anders sein konnte, noch manche Einzelheiten. So war es dem kühnen Reisenden nicht geglückt, das Reich Wadai zu entschleiern und tiefer in die Heidenstaaten von Bagirmi sowie in Borku einzudringen.

Auch Eduard Vogel, der, wie wir wissen, ihm nachgeschickt wurde, konnte diese Aufgabe nicht lösen. Dieser jugendliche Reisende hat zwar dankenswerte Aufschlüsse über die Geographie der Länder um den Tsadsee geben und durch zuverlässige Ortsbestimmungen die Gestaltung unserer Karten jener Regionen in ihren Grundlagen festlegen können — doch über die einem Barth verschlossenen Gegenden hat auch er der Wissenschaft nichts zu vermitteln vermocht; sein früher Tod verhinderte ihn daran. Und die Unternehmung, welche mit Theodor von Heuglin an der Spitze im Jahre 1861 nach Wadai marschieren, nach Vogel forschen und schlimmstenfalls wenigstens seine Aufzeichnungen, die in jenen Gegenden, wo kein Eingeborener etwas Geschriebenes vernichtet, sicherlich noch vorhanden sein mußten, herbeibringen sollte, kam nicht einmal dazu, in dieser Hinsicht etwas auszurichten. Denn Heuglin, sei es, daß er sich dieser Aufgabe nicht gewachsen fühlte und sein Leben nicht aufs Spiel setzen wollte, sei es, daß damals ein Vordringen nach Wadai völlig unratsam erschien — er verblieb in den Nilländern und richtete seinen Kurs nicht direkt nach Westen. Aber selbst Moritz von Beurmann, ein früherer preußischer Offizier, der ernstlich gewillt war, Vogels Spuren zu folgen, gelangte nur bis an die Grenze von Wadai, wo auch er das Schicksal Vogels teilen und auf dem Felde deutschen Forschungsdranges fallen mußte.

Nun ist es wirklich ein erfreuliches Zeichen, daß unsere Landsleute sich trotz all dieser mißlungenen Versuche nicht abschrecken ließen. Ihr Eifer, die unerforschten Gegenden Afrikas kennen zu lernen und der Kultur zu erschließen, scheute keine Hindernisse. Und der unerforschten Gebiete in Afrika gab es ja zu jener Zeit noch recht viele! So war z. B. anfangs der sechziger Jahre das Europa zunächst liegende Land jenes Erdteils, das nur durch eine wenige Kilometer breite Meeresstraße von Spanien getrennte Marokko, in seinem Innern noch eine terra incognita. Denn einem Europäer war es bis dahin wegen des jeder Beschreibung spottenden religiösen Fanatismus der Eingeborenen unmöglich gewesen, dieses Land auch nur leiblich kennen zu lernen. Da ist es nun eins der Verdienste von Gerhard Rohlfs, uns zuerst mit marokkanischen Verhältnissen bekannt gemacht und uns über die Geographie des Landes, besonders in seinem südlichen Teil, aufgeklärt zu haben.

Aber nicht nur dies haben wir ihm zu verdanken; er hat nicht nur von Nord nach West den nördlichen Teil Afrikas durchquert, er hat auch die libysche Wüste erforscht und Abessinien bereist. Und wenn ihm auch sein Lieblingsplan, die Lücken auszufüllen, die Barths ruhmreiche Erforschungen in unserem Wissen über den östlichen Teil des Sudan lassen mußten, nicht ganz gelungen ist, so ist er doch ein Mann, der unsere geographischen Kenntnisse vom nördlichen Afrika in hervorragender Weise erweitert hat und füglich für einen der bedeutendsten Afrikareisenden unseres Vaterlandes gilt.

Gerhard Rohlfs wurde am 14. April 1832 zu Vegesack geboren; in seine Jugend fielen die Kämpfe der Schleswig-Holsteiner um die Befreiung vom dänischen Joch. Er konnte es nicht unterlassen, sich daran zu beteiligen und zeichnete sich derart aus, daß er, — ein Jüngling noch — in der Schlacht bei Idstedt zum Offizier ernannt wurde. Dann studierte er in Heidelberg, Würzburg und Göttingen Medizin und machte in den folgenden Jahren Reisen durch die Schweiz, Italien und Frankreich. Ende der fünfziger Jahre finden wir den unternehmungslustigen Landsmann in der französischen Fremdenlegion. Auch hier wurde seine Energie und Tapferkeit anerkannt. Er brachte es bis zum Sergeanten, der höchsten Stufe auf der militärischen Rangleiter, die ein Nichtfranzose in der Legion erreichen kann; auch mit einigen Tapferkeitsmedaillen wurde er geschmückt. Aber wer kann nicht mit dem kühnen jungen Manne fühlen, wenn ihn in diesem Wirkungskreise sein Ehrgefühl nicht länger duldete? — So löste er denn sein Verhältnis im Dienste der Fremdenlegion und beschloß, sich nach dem Nachbarstaate Algiers, nach Marokko, zu begeben, um dort seine medizinischen Kenntnisse zu verwerten und sich eine Stellung zu erwerben.

Reisen in Marokko 1861—1864.

Die damalige Zeit (Anfang 1861) schien Rohlfs für seine Pläne sehr geeignet. Hieß es doch, der Sultan von Marokko habe nach dem Friedensschlusse mit Spanien vor, Reformen in seinem Lande einzuführen und seine Armee zu organisieren. Warum sollte es Rohlfs nicht glücken, sich eine angesehene Stellung in der Armee zu erobern? Er glaubte sich zu einem guten Fortkommen in Marokko umsomehr berechtigt halten zu dürfen, als er durch jahrelangen Aufenthalt in Algier sich an das Klima gewöhnt hatte und außerdem besonders bestrebt gewesen war, sich der arabischen Bevölkerung zu nähern und mit ihrer Sitte und Anschauungsweise, sowie der arabischen Sprache vertraut zu machen.

Mit nur geringen Geldmitteln hatte er sich nach Tanger eingeschifft. Schon hier stellten sich ihm die ersten Widerwärtigkeiten entgegen; er erfuhr von dem englischen Gesandten, Sir Drummond Hay, daß an Reformen und Reorganisation bei dem religiösen Fanatismus der Eingeborenen nicht zu denken sei, so gern der Sultan diese in einigen Dingen vielleicht auch wünsche. Wenn er jedoch trotzdem an seinem Entschlusse, in das Innere zu gehen, festhalten wolle, wäre es unbedingt erforderlich, wenigstens äußerlich den Islam anzunehmen. Thäte er dies und bewürbe sich dann um eine Anstellung als Arzt in der Armee des Sultans, so könne er sicher sein, daß er sich in der Hauptstadt Fes eines guten Empfangs erfreuen könnte, auch wäre ihm dadurch schließlich die Möglichkeit gegeben, sich anderwärts im Lande umzusehen.

Der Reiz des Neuen, das Lockende, völlig unbekannte Gegenden durchziehen zu können, sein Trieb zu Abenteuern, sein Hang, Gefahren zu bestehen, das alles war viel zu stark in Rohlfs, als daß er von dem Wagnis hätte abgebracht werden können. Er beschloß, es auszuführen und traf sofort die nötigen Vorbereitungen dazu, trotzdem alle andern Europäer ihm abrieten. Sofort brach er jeden Verkehr mit seinen europäischen Bekannten in Tanger ab, um nicht später der eingeborenen Bevölkerung als Spion zu erscheinen.

Nach acht Tagen schon verließ er dann Tanger in Begleitung eines Landbewohners, der es übernommen hatte, ihn wohlbehalten nach Fes zu bringen. Ein Bündelchen mit Wäsche, das er nach Landessitte, an einem Stock hängend, auf den Schultern trug, war alles, was er bei sich hatte. Und auch das war für einen marokkanischen Reisenden noch zu viel; kein Eingeborener, und sei es der Sultan selbst, wird sich auf Reisen in Marokko mit reiner Wäsche zum Wechseln schleppen! Eine weiße Djelala (d. i. ein langes, wollenes, mit Kapuze versehenes Hemd) war seine Wäsche; gelbe Pantoffeln, dann eine spanische Mütze, in die eine englische Fünfpfundnote, seine ganze Barschaft, genäht war; endlich ein schwarzer, weiter, europäischer

Ueberzug, der als Burnus dienen konnte, das war sein Anzug; ohne jegliche Waffen reiste er, war jedoch mit einem kleinen Buche und Bleistift versehen, um Notizen machen zu können. Die arabische Sprache, die so schwierig für einen Europäer zu erlernen ist, beherrschte er nur mangelhaft. Geläufig dagegen war ihm die Glaubensformel der Mohammedaner la Allah illa Allah wa Mohammed rassul Allah — es ist kein Gott außer Gott, und Mohammed ist sein Prophet — die, wie man kühnlich behaupten kann, der alleinige Schlüssel zum Oeffnen dieser von so fanatischer Bevölkerung bewohnten Gegenden ist.

Ueberall unter den Eingeborenen galt Rohlfs als Renegat, der unbedingt ein schweres Verbrechen begangen haben mußte und deshalb aus seinem Vaterlande entflohen sei. In dem ersten Dorfe, wo er mit seinem Begleiter übernachtete, wurde er dann in den Augen der Eingeborenen zum wirklichen Mohammedaner gestempelt. Diese rieten ihm nämlich, oder befahlen ihm eigentlich schon mehr, sein Kopfhaar glatt abzurasieren. Diese Prozedur nahm der Hausherr, dessen Gastfreundschaft er genoß, selbst mittelst eines ganz gewöhnlichen Messers an ihm vor und verursachte ihm dadurch natürlich große Qualen. Darauf wurde dann der Segen über ihn gesprochen. Selbstverständlich mußte Rohlfs auch alle Gebräuche, die der Islam erforderte, erlernen und mitmachen. So muß z. B. beim Essen der Bissen aus der irdenen Schüssel gefaßt und zum Munde geführt werden, was, da alle aus einer Schüssel essen und die Hände häufig nur recht mangelhaft gewaschen sind, nicht grade appetitlich ist oder zu den Annehmlichkeiten gehört. Sein Begleiter, der ihm den ganzen Tag über gute Lehren gab, leistete ihm nun treffliche Dienste. So machte er ihn z. B. darauf aufmerksam, daß er nie Frauen und junge Mädchen ansehen und als Fremder nicht mit ihnen sprechen dürfe, was Rohlfs in der ersten Zeit nicht befolgt hatte.

Bald sah Rohlfs ein, welchen ungemeinen Vorteil er aus der Maske des Islam ziehen würde, je mehr er sich in ihn ein=

lebte. Wenn er auf diese Art, unscheinbar und ohne alle Mittel, aber ganz nach der Gewohnheit der dortigen Bevölkerung, reiste, durfte er hoffen, genau die Sitten und Gebräuche der Eingeborenen kennen zu lernen; denn vor ihm gab es keine Scheu, keine Zurückhaltung. Ja, die Bewohner des Landes beeiferten sich, ihn mit allem bekannt zu machen, was ihm neu und unbekannt war. Sie interessierten sich offenbar für den Renegaten, der kaum mehr einen Augenblick Ruhe bekam, als bekannt wurde, daß er Arzt sei. Ueberall konnte er jetzt als solcher auftreten, und das war ein sehr glücklicher Umstand für ihn; denn selbst die Marokkaner wissen die Intelligenz und Geschicklichkeit eines europäischen Arztes den Quacksalbereien ihrer Heilkünstler gegenüber wohl zu schätzen.

Mehrere Tage war Rohlfs mit seinem Begleiter vorwärts gezogen. Da dieser ein Maultier zur Verfügung hatte, während er selbst zu Fuß ging, hatte er ihm das Bündel mit seiner Wäsche, sowie seine spanische Mütze mit der Fünfpfundnote auf das Maultier gegeben: hatte doch der Begleiter in der Zeit ihres Zusammenlebens einen guten, vertrauenerweckenden Eindruck auf ihn gemacht. Warum sollte er sich denn nicht dadurch, daß er ihm sein Gepäck übergab, eine große Erleichterung verschaffen? So dachte er. Seine Vertrauensseligkeit aber sollte er teuer bezahlen. Unweit der Stadt L'ror veranlaßte Si-Embark — so hieß sein Begleiter — unseren Reisenden, auf der Landstraße zu warten, bis er aus einem seitwärts gelegenen Dorfe einen Freund abgeholt hätte, mit dem sie dann gemeinschaftlich in L'ror einziehen wollten. Rohlfs widersprach nicht. So entfernte sich denn Si-Embark mit dem Maultiere. Rohlfs hatte ihn leider nicht, um nicht mißtrauisch zu erscheinen, um Zurückgabe des Bündels gebeten. Das war für ihn nun verloren; denn Si-Embark kehrte nicht wieder zurück. Auf einsamer Landstraße, — man darf sich darunter nicht etwa unsere Landwege vorstellen: die großen Straßen in Marokko bestehen nur in einer Menge nebeneinander herlaufender Fußwege —, aller seiner

Habe beraubt, dachte er schon daran, umzukehren, aber die Scham hinderte ihn. Vorwärts hieß die Losung, und vorwärts ging es nach Süden, nach L'xor.

Abend war es, als er dort ankam, und doch erregte sein eigentümlicher Anzug, der sich als halb europäisch, halb marokkanisch darstellte, das größte Aufsehen. Hunderte von Menschen umdrängten ihn; auch marokkanische Juden kamen hinzu. Das war sein Glück. Der Pöbelhaufe wollte nämlich nicht glauben, daß er ein Moslim sei; erst als die Juden ihnen erklärten, daß der Fremde allerdings Christ gewesen, aber jetzt die Religion der Gläubigen angenommen habe und beabsichtige, nach dem dar demana (Haus der Zuflucht, wie die Gläubigen Uesan nennen) zu pilgern, um später in die Dienste des Sultans zu treten, war jedermann zufrieden. Ein paar Reiter der Regierung, die zum Teil in den Städten den Polizeidienst versehen, kamen dazu. Einer von ihnen ergriff plötzlich Rohlfs Hand und bedeutete ihm, er solle mit ihm zum Stadtoberhaupt kommen. Den ganzen Weg hatte ihn der Polizist bei der Hand gehalten, während der andere hinterdrein ging. Erst als sie vor dem Stadtoberhaupte angekommen waren, wurde er losgelassen. Dies sonderbare Verhalten erklärt sich aus der marokkanischen Sitte, nach welcher der Rufer den Gerufenen bei der Hand herbeibringen läßt. Der Kaid (das Stadtoberhaupt) empfing den Ankömmling sehr freundlich, ließ ihm eine Tasse Thee reichen, fragte ihn, wer er sei, woher er käme, wohin er wolle und dergleichen mehr. Ein Jude, der Rohlfs begleitet hatte, diente bei der Unterredung als Dolmetsch. Auf das Eindringlichste warnte der Kaid unseren Reisenden, in das Innere weiter vorzudringen. Er erbot sich sogar, ihm ein Pferd zur Rückreise nach Tanger zu stellen und mehrere Maghaseni als Schutzwache mitzugeben. Als er sich aber von der Vergeblichkeit seiner Bemühungen überzeugt hatte, glaubte er den Entschluß Rohlfs, dennoch nach Fes zu wollen, sich nur dadurch erklären zu können, daß der Reisende gewiß gemordet oder sonst etwas verbrochen habe und zu den Christen nicht zurück dürfe.

Nach Beendigung des Verhörs fragte Rohlfs, noch unvertraut mit den Sitten des Landes, wie er war, nach dem „Funduk es Sultan“ (Gasthof zum Kaiser), während der Kaid es als selbstverständlich betrachtete, ihn als Gast bei sich zu haben. Dieser, ein sehr wohlwollender Mann, ließ es jedoch schließlich zu, daß Rohlfs in der Herberge verblieb. Er schickte ihm sogar Nahrungsmittel dahin.

Die Ungunst der Witterung — es regnete nämlich vier Tage hintereinander — verursachte einen längeren Aufenthalt in L'ror. Unangenehm war es unserem Reisenden hier, wie ein kleines Kind geschulmeistert zu werden, denn immer noch war er nicht mit den oft kleinlich lächerlichen Ceremonien ganz vertraut, und gar häufig ließ er sich Verstöße zu schulden kommen, die denn sofort von der recht zudringlichen Bevölkerung gerügt wurden. Andererseits aber konnte er sich nicht verhehlen, daß es nur dadurch möglich sei, rasch die Landessitten in ihren kleinsten Einzelheiten kennen zu lernen. Am peinlichsten war ihm immer die Eßstunde. Denn abgesehen davon, daß am Boden hockend aus einer einzigen Schüssel gegessen wird und jeder mit halb und gar nicht gewaschener Hand ins Essen fährt, haben alle Marokkaner die sehr unangenehme Gewohnheit, zwischen und gleich nach dem Essen laut aufzustoßen.

Als endlich das Wetter sich aufheiterte, trat er in Begleitung eines Bauern aus der Umgegend von Tetuan seine Reise nach Wesan an. Durch strotzende Gartenlandschaften zog er bis zum Wed Kus, setzte über diesen und durchwanderte dann auf den infolge des jüngsten Regens aufgeweichten, grundlosen Lehmwegen eine Gegend, die ihrer Unsicherheit wegen in sehr schlechtem Rufe stand. Schutz gewährte ihm nur der Umstand, daß sein Reiseziel Wesan war. Der Ruf des dortigen Großscherifs war in der That so groß, daß alle, die zu ihm pilgerten, unter einem allgemein anerkannten Schutz standen.

So erreichte er denn die heilige Stadt. Seine Ankunft in Wesan zog bald einen Haufen Neugieriger herbei. Auf die zudringlichste Art und Weise wurde er von den Leuten ausgefragt, und erst dann ließ man von ihm ab, als er erklärte, er wolle zum Großscherif. Dieser wird in ganz Marokko als Heiliger verehrt. Die Scherife gelten übrigens als direkte Nachkommen des Propheten Mohammed, während Leute, die aus einer sich seit Alters durch Frömmigkeit auszeichnenden Familie stammen, Marabuts genannt werden.

Der Großscherif befand sich in seinem fünf Minuten außerhalb der Stadt gelegenen Landsitze. Sofort begab sich Rohlfs dahin. Das Wohnhaus des Großscherifs, in halb italienischem, halb maurischem Stile gebaut, überraschte den Reisenden sehr, ebenso wie die Erscheinung des heiligen Mannes, dem er nun vorgeführt wurde. Denn obwohl der Koran den Mohammedanern verbietet, Gold und Seide auf den Kleidern zu tragen, hatte sich Sidi über dieses Gebot hinweggesetzt; er trug einen französischen Waffenrock mit Epauletten und vom Turban hing ihm eine schwere goldene Troddel herab. Der Empfang war höchst freundlich. Unter Darreichung von Thee wurden dann Gespräche über die verschiedensten Gegenstände geführt. Besonders schien sich der Hausherr für die politischen Zustände in Europa zu interessieren. Hierauf wurde der Garten mit seinen europäischen Einrichtungen besichtigt und noch ein sehr opulentes Mahl eingenommen, und sodann die Baulichkeiten und Räume betrachtet.

Rohlfs hatte sich der größten Zuneigung und Gastfreundschaft des Großscherifs während seines Aufenthaltes zu erfreuen; ja, Sidi Absalom wollte ihn überhaupt nicht mehr fortlassen. Doch zuletzt mußte er sich dem festen Entschlusse von Rohlfs fügen. Er entließ ihn denn schließlich mit den besten Empfehlungen an den Kaiser. So groß war seine Zuneigung zu Rohlfs gewesen, daß er ihm zur Fortsetzung seiner Reise mehrere gute Maultiere geschenkt hatte.

Nach dreitägigem Ritt kam Rohlfs vor Fes, der Hauptstadt des Landes, an. Hier fand er infolge der Empfehlungen des Sidi die beste Aufnahme. Ein glücklicher Umstand wollte, daß schon am nächsten Tage vor dem Kaiser große Parade stattfand, die er im Anschluß an die Offiziere mitmachte. Durch seine auffällige Kleidung lenkte er hierbei die Aufmerksamkeit des Kaisers auf sich. Dieser ließ sich sogleich nach ihm erkundigen, und als er von den Empfehlungen des Sidi gehört hatte und von den Wünschen des Fremdlings unterrichtet war, erfüllte er diese sofort. Schon am nächsten Tage war Rohlfs oberster Arzt der ganzen Armee des Sultans. Wenn auch das Gehalt nur klein war, etwa 3—4 Groschen täglich, so konnte er doch sehr gut existieren, zumal, da ihm volle Freiheit blieb, Privatpraxis zu treiben. So mietete er sich nun ein Zimmer und wartete der Dinge, die da kommen sollten. Aeußerlich kenntlich machte er seine Wohnung durch ein großes Aushängeschild: „Mustafa, der deutsche Wundarzt". Hierdurch erregte er die unglaublichste Aufmerksamkeit der Bevölkerung. Hatte man doch noch niemals ein solches Schild in Marokko gesehen! Die Krankenbesuche mehrten sich von Tag zu Tage. Dabei waren die von ihm verordneten Mittel die denkbar einfachsten; aber Glück hatte er mit seinen Kuren. So konnte es nicht fehlen, daß sein Ruf als Arzt bis zum Kaiser drang, der ihn bald darauf zu seinem Leibarzt ernannte.

Aber trotzdem nun Rohlfs Leibarzt des Sultans war, im Hause des ersten Ministers wohnte, alle Sitten und Gebräuche aufs genaueste mitmachte, wurde er noch immer von der Bevölkerung mit mißtrauischen Augen angesehen. Darum sehnte er sich fort. Glücklicherweise traf nach einigen Wochen der englische Gesandte an Rohlfs' Aufenthaltsort ein, und dessen Intervention gelang es, daß der Sultan ihm erlaubte, zu reisen, wohin er wolle. Mit zwei Verwandten des Großscherifs, die zufällig anwesend waren, kehrte er zunächst nach Wesan zurück, wo er nun ein volles Jahr in angenehmen Verhältnissen verlebte. Er benutzte die Zeit zu Ausflügen, suchte viel Verkehr mit den Eingeborenen, um sich mit ihren Eigentümlichkeiten vertraut zu machen und trieb fleißig seine Praxis.

Endlich glaubte er die uneigennützige Gastfreundschaft des

Großscherifs nicht länger in Anspruch nehmen zu dürfen. Da er auch fühlte, daß ihm das Arabische täglich geläufiger wurde, beschloß er seine Abreise. Er durfte natürlich nicht daran denken, daß ihm diese freiwillig vom Großscherif zugestanden wurde. Daher griff er zur List. Er gab vor, er wollte nur eine kleine Reise unternehmen und erhielt so die Erlaubnis, von dannen zu ziehen. Längs der Küste zog er nun über L'Araisch, wo er zu seinem Staunen eine alte holländische Inschrift am Stadtthor fand, und von Media nach Sla; und von da erreichte er die Mündung des Flusses Wed-el-Milha. Nach einem Abstecher nach der Stadt Merakesch — Marokko — zog er über Maiagan weiter an der Meeresküste entlang. Auf diesem Wege stieß ihm wieder ein Unglück zu. Sein Begleiter, ein Spanier, war in einer Nacht mit dem Packesel unseres Reisenden aufgebrochen und hatte das Weite gesucht; alles Gepäck war verloren. Nur ein kleines Geldtäschchen mit etwas Inhalt blieb gerettet. Zu diesem Unglücksfall gesellte sich nun noch Schüttelfrost und Fieber; das drückte Rohlfs' Kräfte naturgemäß sehr herab; und nun noch dazu zu Fuß marschieren! — Er mußte daher in Magador einige Tage rasten, um seine geschwächte Gesundheit wieder herzustellen, wobei ihm der englische Konsul durch Verabreichung von Chinin gute Dienste leistete. Dann zog er nach Süden weiter, damit der Civilisation Lebewohl sagend; denn weiterhin war kein Europäer mehr anzutreffen.

So gelangte er nach Agadir. Hier hatte er wieder seiner Kunst einen guten Aufenthalt zu danken. Er war so glücklich, dem kranken Kadi Linderung zu verschaffen, und von dem Augenblick an war er ein gern gesehener Gast, so daß es ihm möglich war, sich hier hinlänglich zu erholen. Von Agadir schloß er sich einer Karawane nach Tarudant an, denn allein weiter zu reisen, wäre tollkühn gewesen. Herrscht doch in jener Gegend das Faustrecht, und fremdes Eigentum wird gar nicht geachtet. Gleich am ersten Tage der Reise wurde nachts ein Kamel gestohlen. Man kann sich schon an diesem einen Vorfalle einen Begriff von den unverschämten Räubereien dieser Völker machen, wenn man bedenkt, daß die Kamele nachts mit fest zusammengebundenen Vorderbeinen im Kreise lagern. Mit der Karawane kam er nach dem durch seine Zuckerproduktion berühmten Tarudant. Aber das Wechselfieber packte ihn hier derart, daß er mehrere Wochen an diesem Orte verbleiben mußte. Noch halb krank, brach er als erster Europäer, der so weit vorgedrungen war, mit einer großen Karawane nach der ganz im Süden von Marokko gelegenen Oase Draa auf, die nach äußerst beschwerlichen Märschen erreicht wurde. Nach achttägigem Aufenthalte in Tanzetta ging Rohlfs noch weiter nach Süden, um den heiligen Ort Tamagrut zu besuchen. In Muam wurde er von dem Pöbel mit fanatischem Geheul empfangen. Alsdann untersuchte man seine Kleidung, und unglücklicherweise fand man darin einen alten Paß. Er glaubte, sein letztes Stündlein sei gekommen; denn der Paß stempelte ihn in den Augen der Menge zum Spion. Man schleppte ihn zum Kaid, der glücklicherweise schon einmal einen Paß gesehen hatte und wußte, was für eine Bewandtnis es damit habe; aber auch damit hätte er schwerlich den wutschnaubenden Volkshaufen besänftigen können, wäre nicht zu gleicher Zeit ein marokkanischer Prinz gekommen, der sich seiner angenommen hätte. Ja, dieser Prinz schloß sogar Freundschaft mit ihm, so daß er längere Zeit in dessen gastfreundlicher Familie bleiben konnte.

Mit einem Empfehlungsbrief von diesem Gönner versehen, wandte er sich nach der Oase Boanan, von deren Scheich er gastfreundschaftlich aufgenommen wurde. Zehn Tage lang aß er mit ihm aus einer Schüssel. Unvorsichtigerweise ließ aber Rohlfs eines Tages sein Geld, etwa 60 Thaler, sehen, das er sich in der Zwischenzeit durch seine Praxis erworben hatte. Von diesem Augenblicke an wechselte der Gastgeber sein Benehmen. Er mußte wohl, von Habgier gereizt, gleich beim Anblick des Geldes beschlossen haben, den Reisenden zu beseitigen. Vorher hatte er erklärt, ohne Anschluß an eine Karawane wäre ein Vordringen nach der Oase Knetsa nicht ratsam, jetzt aber sollten nach seiner

Aussage zwei zuverlässige Diener von ihm zur Begleitung genügen. Rohlfs ließ sich von dem schlauen Marokkaner täuschen; er nahm dieses Anerbieten an und zog gen Knetsa.

In der folgenden Nacht wachte er infolge eines brennenden Schmerzes auf. Da sah er, wie sein letzter Gastgeber die rauchende Mündung seiner Flinte auf seine Brust gerichtet hatte. Der Schuß war glücklicherweise nur in den linken Oberarm gegangen, hatte aber diesen zerschmettert. Während nun Rohlfs im Begriff war, mit der rechten Hand nach seiner Pistole zu langen, hieb der Scheich mit dem Säbel nach dieser und spaltete sie auseinander. Von diesem Augenblick sank Rohlfs wie tot zusammen. Sein Diener hatte sich durch die Flucht gerettet. Mit neun Wunden bedeckt, blieb er zwei Tage und zwei Nächte in dieser hilflosen Lage. Trotzdem er dicht an einem Brunnen lag, war es ihm nicht möglich, sich an das Wasser zu wälzen und dort seinen quälenden Durst zu löschen. Endlich fanden ihn zwei Leute aus der kleinen unfern gelegenen Sauya Hadjui. Diese brachten ihn nach der Wohnung des Scheichs der Oase, wo er erquickt und verbunden wurde. Die Bewohner nahmen sich seiner in der aufopferndsten Weise an und pflegten ihn besser, als es ihre sonst dürftigen Verhältnisse eigentlich erlaubten.

Nach langem Schmerzenslager konnte unser Forscher seine so übel begonnene Reise fortsetzen. Die Wunden am Körper, an der rechten Hand, der Schuß durchs rechte Bein waren geheilt; der zerschossene linke Arm hatte zwar Festigkeit gewonnen, aber die Wunden waren offen, und von Zeit zu Zeit eiterten Splitter heraus. Erst nach mehreren Jahren war er völlig geheilt, und von den freundlichen Bewohnern nach Knetsa geleitet, ging er nun von dort mit einer Karawane nach Figig und weiter in sauren, anstrengenden Märschen nach Gerville, der südwestlichsten von den Franzosen besetzten Stadt Algiers. Hier fanden seine Leiden ein Ende; denn ein Bruder des Forschers hatte für diesen Mittel geschickt, mit deren Hilfe er bald nach Algier gelangte.

Diese erste Reise unseres Gerhard Rohlfs hatte die Aufmerksamkeit der europäischen Geographen in höchstem Maße erregt. Von mehreren Seiten erhielt er bald Unterstützung, und so ging er kurz nach seiner Rückkehr nach Algier mit neuer Ausrüstung von hier gen Süden bis nach Abiod Sidi Scheich in der Hoffnung, von da nach Tuat vordringen zu können. Während er aber hier lange vergeblich auf eine Karawane wartete, denn allein zu reisen war zu gefährlich, erreichte ihn die Kunde, daß ihm von Bremen eine bedeutende Reiseunterstützung bewilligt sei. Er kehrte daher nach Oran zurück, um seine Ausrüstung zu vervollständigen und begab sich dann nach Tanger.

Trotz der traurigen Erfahrungen, die unser Reisender in Marokko gemacht hatte, schreckte er nicht zurück, eben dieses Land abermals zu durchwandern, und schon am 14. März 1864 war er bereit, in Begleitung seines Dieners Hamed von Tanger aufzubrechen, um über Tuat jetzt womöglich Timbuktu zu erreichen. Gleich am Anfang der Reise wurde er zweimal unterwegs von bewaffneten Leuten angehalten, die Weggeld auf die Pferde erheben wollten. Da dieselben aber ohne Firman vom Sultan waren, so zog er weiter, ohne auf ihre Vorstellungen zu hören, über Ashar Sbab, wo er, vermöge des Empfehlungsbriefes vom Großscherif, zuvorkommendste Aufnahme fand, nach Wesan; hier wurde er vom Großscherif und der Bevölkerung mit Freuden begrüßt. Man hatte ihn nach falschen Berichten, die der Wahrheit allerdings, wie wir gesehen, sehr nahe kamen, für tot gehalten. In Begleitung der Pilger von Beni-Mgill verließ er Wesan, um seine gefahrvolle Reise durch den Atlas anzutreten. Zunächst ging er über den Paß bab-el-forjath. In der Nähe des Dorfes Desfrut hatte er die Unannehmlichkeit, in eine Duarkolonne zu geraten. Die Leute erklärten ihn für einen Christen und wollten ihn zwingen, vom Pferde zu steigen. Einem, der sich handgreiflich zu werden erlaubte, drohte er schon mit dem Revolver; die Sache schien sich ernstlich gestalten zu wollen, als zur rechten Zeit ein Diener und Leute von seiner

Karawane herbeikamen und den Angreifern erklärten, Rohlfs sei ein Scherif von Wesan. Die Leute, die ihn eben noch mißhandeln, berauben oder gar töten wollten, wurden nun mit einem Schlage ganz verwandelt: sie baten jetzt um seinen Segen und küßten ihm die Kleider.

In südöstlicher Richtung weiter reisend, stieg dann Rohlfs über den Paß Chins-el-Hamer. Oft marschierte er des Nachts, da die Leute der Unsicherheit wegen am Tage nicht weiter wollten. Endlich erreichte er die Wüste. In der Nähe der Sania-djedida verstellten ihm plötzlich acht Männer den Weg, ergriffen die Zügel der Pferde und forderten ihn auf, die Waffen abzuliefern und vom Pferde zu steigen. Sein Diener hatte schon den Hahn des Gewehrs gespannt, als es noch gelang, den Angreifern auseinanderzusetzen, daß die Reisenden im Auftrage des Scherifs von Wesan das Land durchzögen. Sofort ließen die Räuber von dem Reisenden ab und baten um Verzeihung.

Glücklich erreichte Rohlfs endlich Abnam und hatte damit die gefährlichsten Gegenden des Atlas passiert, ohne daß ihm ein Haar gekrümmt worden wäre. Aber kaum hatte er diesen Ort verlassen, als ihm die üble Nachricht hinterbracht wurde, daß eine Räuberbande dem Reisezug auflaure. Sogleich wurden Boten ausgeschickt, die unter jenen das Gerücht aussprengen mußten, man wolle über Rhorfa nach dem l'Wed Gher ziehen. In dieser Gegend lauerte denn auch das Gesindel thatsächlich, wie später dem Forscher erzählt wurde.

Die Reisenden dagegen zogen nun in östlicher Richtung weiter. Aber mannigfache andere Gefahren und Widerwärtigkeiten stellten sich ein. So wurde Rohlfs auf dieser Reise nachts von einem Skorpion in den Zeigefinger gestochen. Durch den heftigen Schmerz wachte er auf, sog sofort die Wunde aus und konnte sie glücklicherweise mit Ammoniak auswaschen, so daß der Stich keine üblen Folgen hatte. Dann wieder bekam er Streit mit dem Führer, angeblich, weil er zu viel Wasser trank, und ihm ersterer deshalb weiteres Wasser verweigerte. Er hob sogar einen Stein auf, um damit zu werfen. Nur dadurch, daß der Forscher zu seinem Revolver griff, konnte jener eingeschüchtert werden. Es war wirklich kein beneidenswerter Zustand, bei den vielen Gefahren von außen, sich nun auch noch mit seinen eigenen Leuten derart auseinander setzen zu müssen.

Von dem Orte Karsas aus konnte Rohlfs sich nun einer kleinen Karawane anschließen und erreichte glücklich Timma, grade an demselben Tage, an dem er vor Jahresfrist die Reise von Algier aus angetreten hatte. Von da aus ging es nach der Oase Ain-Salah. Hier türmten sich nun wieder Hindernisse gegen die Weiterreise auf, die schier unüberwindlich schienen; denn erstens fehlte es dem Forscher an Geld, sodann aber mehrten sich die Anzeichen, daß man ihn nicht für einen Moslim hielt, sondern in ihm einen Christen vermutete, der das Land bereisen und ausspionieren wollte. Dem Einflusse des Scheichs Abd-el-Kader, der die Empfehlungsbriefe nochmals geprüft und sie für echt befunden hatte (es war auch der Sidis dabei und von diesem glaubte er, daß er einem Christen unmöglich einen Empfehlungsbrief geben würde), gelang es endlich, den Argwohn zu verscheuchen. Aber ein weiteres Vordringen, etwa bis nach Timbuktu, gab Rohlfs jetzt endgültig auf, beschloß vielmehr, mit einer Karawane, die grade zu der Zeit aufbrach, über Rhadames nach Tripolis zu gehen.

Am 29. Dezember kam er mit derselben dort glücklich an. Zunächst war es seine Absicht, in Tripolis zu bleiben; allein die größte Sehnsucht nach seinen Angehörigen in Europa und der Umstand, daß er dort durch persönliche Vorstellungen größeres Interesse für seine Reise erwecken konnte, als dies auf schriftlichem Wege möglich war, bewogen ihn schließlich, nach Europa zurückzukehren. Aber trotz der sorgsamsten Pflege verschlimmerte die Kälte in Deutschland den Zustand seiner Wunden derart, daß er, wollte er nicht bettlägerig werden, aufs schleunigste wieder ein wärmeres Klima aufsuchen mußte. So kehrte er denn bereits am 23. Februar 1865 von Bremen wieder nach Tripolis zurück.

Quer durch Afrika.

Noch krank, hatte er schon wieder den Plan zu seiner neuen Reise fertig. Von Tripolis, dem günstigsten Ausgangspunkte an der Nordküste Afrikas für eine Expedition in das Innere, wollte er jetzt Timbuktu zu erreichen suchen. Am 19. März traf er in Tripolis ein, um Vorbereitungen zu seiner großen Durchquerung Afrikas zu treffen. Als dies geschehen, unternahm er zunächst einen Uebungsmarsch nach den Oasen Mschia und Tadjura, der, abgesehen von einem Diebstahl, den er zu beklagen hatte, durchaus zufriedenstellend verlief. In der Nähe von Leptis war nämlich nachts ein Dieb an das eine Zelt geschlichen und hatte, unter diesem durchlangend, sich eines Revolvers, Säbels und anderer Gegenstände bemächtigt, ohne daß seine Verfolgung möglich war. Rohlfs brachte die Angelegenheit vor den Kaimmakam des Ortes, der nach Einsichtnahme von Rohlfs Papieren erkannte, daß er einen bei der Regierung hoch angesehenen Mann vor sich hatte und darum sofortige Untersuchung an Ort und Stelle anordnete. Diese verlief natürlich erfolglos. Als der Untersuchungsrichter jedoch unseren Reisenden fragte, was er an seiner Stelle nun thun würde, erwiderte er, in Erinnerungen an das summarische Verfahren, das er in Fes einmal vom Pascha anwenden sah: „die sämtlichen Leute einsperren und jeden zu einem Teile ersatzpflichtig machen, sie werden dann schon den Dieb unter sich ausfindig machen". Dem Kadi schien das Praktische dieses Vorschlages einzuleuchten, denn er befolgte denselben sofort.

So bedenklich besonders von einem Europäer diese Handlungsweise erscheinen dürfte, so muß doch dabei berücksichtigt werden, daß Rohlfs im Begriff stand, eine lange gefahrvolle Reise anzutreten, während der er ganz allein auf seine eigene Energie angewiesen war, noch dazu in einem Lande, wo alles, was dem einzelnen europäischen Reisenden begegnet, durch die Fama zehnfach vergrößert, schnell wie ein Lauffeuer von Mund zu Mund sich verbreitet, also auf Respektierung der Person und des Eigentums seitens der Eingeborenen mit äußerster Strenge Bedacht genommen werden muß, wenn nicht bald alles dem Reisenden abhanden kommen soll. Hätte der Forscher geduldet, daß man ihm hier im Bereiche der türkischen Herrschaft, unter den Augen des Kaimmakam unbestraft bestahl, was hätte dann in entlegenen Gegenden, die keinerlei gesetzlichen Schutz bieten, aus ihm werden sollen? Diese Erwägungen gaben ihm die Festigkeit, allen Versuchen an seine Großmut zu appellieren, ein striktes „Nein" entgegenzusetzen.

Aber selbst durch diese Maßnahme gelang es nicht, des Diebes habhaft zu werden, so begnügte er sich, um nicht die Sache auf die Spitze zu treiben, mit einer teilweisen Entschädigung, die ihm am andern Tage angeboten wurde.

Nach Tripolis zurückgekehrt, brach er am 20. Mai 1865 nach Rhadama auf, begleitet von seinen drei bewaffneten Dienern und drei Kamelführern. In der kleinen malerisch gelegenen Bergfestung Kasr Ghorian stattete er zunächst dem Pascha einen Besuch ab, zog dann weiter über Misdah, wo Anhänger des Senussi-Ordens wohnen, der sich durch strenge Vorschriften und besonders durch den Haß gegen das Christentum auszeichnet. Hier nun fingen schon die Händel an. Einer seiner Diener war an einen Brunnen vorausgelaufen, und dort hatte ihm ein in der ganzen Gegend berüchtigter Räuber das Doppelgewehr abgenommen. Obgleich die türkische Regierung auf den Kopf des Räubers einen Preis ausgesetzt hatte, wagten die Bewohner nicht, seinen Schlupfwinkel zu verraten, und so zog er auch jetzt unangefochten mit der gestohlenen Flinte in sein nahegelegenes Quartier. Auf die Kunde hiervon schickte Rohlfs sofort seinen Diener Hamed mit der Aufforderung zu ihm, unverzüglich das Gestohlene zurückzugeben, wozu sich der Räuber jedoch nur nach Erlegung eines Lösegeldes verstehen wollte. Der Forscher wendete sich hierauf an die Ratsversammlung mit der Erklärung, daß er sie für die Sicherheit seines Eigentums haftbar mache. Wenn die Flinte nicht schleunigst zurückgegeben würde, so müsse er Soldaten von

Kair Ghorian kommen lassen. Das hatte Erfolg. Aber der Räuber war frech genug, am nächsten Tage in Rohlfs' Zelt zu kommen und ihm gegen Zahlung sicheres Geleit bis Rhadames anzubieten. Der Reisende erwiderte auf diese Unverschämtheit gar nichts, sondern zeigte lediglich seine gut geladenen Waffen, die denn auch den beabsichtigten Eindruck auf den Räuber nicht verfehlten. Aber auch noch andere Unannehmlichkeiten waren in Misdah zu bestehen. Eine große Tuaregkarawane langte grade während Rohlfs' Aufenthalt daselbst an, nahm das Gastrecht von ihm in Anspruch und verursachte ein so großes Loch in seinen Vorräten, daß diese kaum noch auf drei Wochen ausreichten, während sie auf drei Monate berechnet waren. Dann aber wurde er bei dem hier nötigen Kamelwechsel so übervorteilt, daß er sich glücklich schätzte, endlich weiter zu kommen. Doch schon in der Oase Derdji stellte sich ein größeres Uebel ein. Er wurde in bedenklicher Weise unwohl und mußte nach Rhadames, wo er hoffen durfte sich erholen zu können, zurückkehren. Allerdings zog er auch aus andern Gründen nicht frohen Mutes dorthin. Denn erstens war es hoher Sommer, also die ungünstigste Zeit für einen Aufenthalt am Rande der Sahara, sodann war zu befürchten, daß die Einwohner in Erfahrung gebracht hatten, oder doch wenigstens Verdacht schöpften, daß sein Renegatentum nur geheuchelt sei.

Daß die Sorge von Widerwärtigkeiten nicht unbegründet war, zeigte sich gleich bei dem Besuche des Paschas. Dieser erklärte, er fühle sich zu gar nichts verpflichtet, da der Paß und die Empfehlung des Reisenden nur für Fessan lauteten. Ansehnliche Geschenke bewirkten glücklicherweise einen Umschwung in seiner Gesinnung, und bei dessen Wohlwollen schien sich das Verhältnis zu der Bevölkerung erträglich zu gestalten. Doch nun bekam Rohlfs' bereits stark angegriffene Gesundheit durch die erschlaffende Hitze, vielleicht auch durch unvorsichtigen Genuß von Melonen, wieder einen neuen Stoß, so daß einige Tage sogar ernste Lebensgefahr vorhanden war; ja, er selbst zweifelte an seinem Aufkommen. Durch große Dosen Opium brachte er zwar die entsetzlichen Darmblutungen zum Stillstand, gewöhnte sich aber schließlich an dessen Genuß so sehr, daß die Natur den Dienst versagte, wenn er davon lassen wollte. Endlich brachten einige Dutzend Flaschen guten Bordeaux, die er von Tripolis zugeschickt erhielt, Hilfe, so daß er bald wieder ausgehen konnte. Sehr häufig besuchte er nun die Moschee, um dadurch die Einwohner in dem Glauben, daß er ein Rechtgläubiger sei, zu bestärken. Durch seinen kleinen Spitz Mursuk, der ebenso bissig und wachsam war, hätte er hier bald in eine höchst bedenkliche Lage kommen können. Dieser biß nämlich beim Essen einen von drei bei ihm zu Gast weilenden Tuareg in die Schulter; die beiden andern sprangen darauf mit wütenden Geberden auf den Forscher zu, um ihren Kameraden an diesem zu rächen. Wer weiß, was geschehen wäre, hätte Rohlfs nicht den Revolver zur Hand gehabt und als ob nichts geschehen wäre, eine zweite, vermehrte Auflage Essen herbeibringen lassen. Dieses Besänftigungsmittel wirkte, und als am nächsten Tage nochmals die Bißwunde mit der Spendung von Brot, Oel und Melonen behandelt wurde, konnten die Tuaregs die Gastfreundschaft von Mustafa nicht laut genug rühmen, für den sie Gottes Segen fortwährend erflehten.

In dem zweimonatlichen Aufenthalte hatten die Bewohner von Rhadames sich an den Anblick des Reisenden gewöhnt und ihn sogar liebgewonnen. Dies zeigte sich recht deutlich bei der Abreise. Unter Händedrücken, umschwärmt von der Jugend, begleitet von den Segenswünschen zahlreicher Bekannter, verließ er am 31. August die Stadt, um wiederum nach Misdah zu ziehen und von da sich nach den Schwarzen Bergen zu wenden.

In dem toleranten Fessan, in Bornu, wo Europäer freundlich aufgenommen werden, hatte es nun keinen Zweck mehr, orientalische Tracht anzulegen. Sobald denn auch die Palmen von Misdah ihm aus den Augen geschwunden waren, warf Rohlfs seine Vermummung ab, kleidete sich in einen leichten europäischen Sommeranzug und zog nach Süden weiter über den Djebel Egenn durch das Thal Frofren. Hier wurde die Karawane von einer Bande von acht bis zehn Mann umschwärmt, die zwar einen offenen Angriff nicht wagten, weil die Mitgliederzahl der Karawane ihnen überlegen war, wohl aber unter dem Schutze der Nacht einen Ueberfall verüben wollten. Es wurde deshalb alle Vorsicht angewendet. Als Wächter legte Rohlfs seinen Spitz Mursuk vor die Kamele. Gegen Mitternacht fing der treue Hund an zu bellen, wie wenn er auf jemanden losginge; plötzlich fiel ein Schuß, der sofort alle aufscheuchte. Rohlfs sah seinen treuen Hund den fliehenden Räubern nachsetzen, die zu Fuß ihre in der Nähe liegenden Tiere erreichen wollten. Seine erste Befürchtung, sein treuer Hund sei durch den gefallenen Schuß getötet, war damit glücklicherweise beseitigt. Wie kräftig das treue Tier die Räuber angepackt, zeigte der am Boden liegende Fetzen eines Haik, den er dem einen Räuber mit dem Gebiß vom Leibe gerissen. Mursuk war der Held des Tages und fortan allgemein geschätzt. Von allen bekam er zu fressen; war er müde, so wurde er auf ein Kamel gesetzt, kurz, er nahm einen hervorragenden Platz in der Karawane ein.

Erst wenige Tagereisen hatte diese hinter sich, als ein sehr gefährlicher Feind in Sicht kam. Schon lange hatte sich ein Gebli, oder wie man in Europa sagt, ein Samum angekündigt. Immer roter wurde die Sonne, immer drückender die Hitze, so daß das Atmen kaum mehr möglich war; jetzt kam das Gespenst herangebraust: ohne Kommando machten die Kamele Kehrt und knieten nieder. Völlige Dunkelheit herrschte. Der mehrere Fuß hoch aufgewirbelte Staub verdunkelte die Sonne, die Menschen hockten oder legten sich an den Rücken der Kamele, Mundhöhle und Kehle wurden unerträglich trocken, Ohren, Augen und Nase mit feinem Sand erfüllt. Aber rasch, wie er gekommen, ging der Orkan vorüber. Das ganze Phänomen hatte kaum zwanzig Minuten gedauert, ohne Schaden angerichtet zu haben. Der Forscher stellte dabei übrigens die dem Araber wohlbekannte Erscheinung fest, daß nach einem heftigen Gebli alle Gegenstände mit Elektrizität geladen sind. Aus den wollenen Decken sprangen Funken, wenn er sie schüttelte, und auch den Haaren des Hundes entlockte er beim Streicheln knisternde Funken.

Ueber das Schwarze Gebirge, dessen Aussehen so unheimlich ist, wie man sich nur ein ödes, wild zerklüftetes Wüstengebirge denken kann, erreichte der Forscher endlich Fessan und dessen Hauptstadt Mursuk, wo er Geld aus Europa zu erwarten hatte und deshalb sich auf längeren Aufenthalt einrichtete. Zunächst stattete er den Spitzen der Behörden Besuche ab, worauf er deren Gegenbesuche erhielt. Er wurde dann in der Kaserne und dem Militärlazarett herumgeführt und war hier wieder so glücklich, durch erfolgreiche Behandlung eines kranken, reichen Sklavenhändlers sich den Ruf eines geschickten Arztes zu erwerben. Zur Belohnung schenkte ihm dieser einen achtjährigen Sklaven, der mit dem Namen Noël belegt wurde und der ihm mehrere Jahre hindurch ein treuer, aufopfernder Begleiter war. Einen weiteren und besonders wertvollen Zuwachs erhielt Rohlfs' Begleitung an dem ehemaligen Diener Barths, dem alten Mohammed, der sich nach Beendigung von Barths afrikanischer Reise an einem kleinen Orte in Fessan niedergelassen hatte und nun gekommen war, sich nach seinem früheren Herrn zu erkundigen; bei dieser Gelegenheit nahm er die Aufforderung Rohlfs', ihn nach Kuka zu begleiten, mit Vergnügen an. Bald lernte der Forscher seine unschätzbaren Eigenschaften in der praktischen Anordnung der Märsche und im Auffinden guter Lagerplätze persönlich kennen; zudem war seine Treue, Hingebung und Ehrlichkeit über jeden Zweifel erhaben.

Nach recht freundlichem Abschiede von den Bewohnern Mursuks zog die Karawane zunächst nach Catrûn, wo Rohlfs' Begleiter Mohammed herstammte, und wo Rohlfs auf das beste aufgenommen wurde. Die Bewohner zeichnen sich vor den übrigen Fessanern in der Tracht nicht aus, nur wird namentlich zur Kleidung der Frauen schon mehr Sudankattun als europäisches Fabrikat verwendet. Musik, Tanz und Spiele wurden zu Ehren der Reisenden vorgeführt. Von Qatrûn aus hatte der Forscher vor, nach Tibesti zu gehen, mußte jedoch diesen Plan aufgeben und mit der Karawane Maina Adems, des Bruders des Sultans von Kauâr, die Reise fortsetzen, in der Hoffnung, von Tedscherri aus sein Vorhaben ausführen zu können. Mit diesem Fürsten kam der Forscher unterwegs in Konflikt, als er seinen seidenen Sonnenschirm aufspannte. Denn hierzu sind in den Sudanländern, vorausgesetzt, daß sie einen solchen besitzen, die Sultane allein berechtigt. Der Reisende wollte dem Fürsten aber absichtlich bei dieser Gelegenheit zeigen, daß er sich von ihm in keiner Weise abhängig fühlte. Aeußerlich blieb der Verkehr zwischen ihnen freundschaftlich, doch hegten sie fortan eine gegenseitige Abneigung.

Auch in Tedscherri versuchte der Forscher vergebens, Kamele nach Tibesti zu bekommen, und so blieb ihm nichts übrig, als mit Maina Adem durch die Sahara weiter zu ziehen. Schon gleich hinter der Tedscherri-Oase an der Südgrenze von Fessan zeigt sich der Charakter der Sahara; ringsum Sand, Kies und einzelne zerstreute Sandsteinblöcke, ohne jede Vegetation; denn fast jeder Niederschlag, der die Grundbedingung zu jedem Leben giebt, fehlt in dieser Gegend. Da aber diese Niederschläge gänzlich nur in Teilen der Sahara mangeln, in andern aber mehr oder weniger häufig fallen, so folgt daraus, daß diese nicht durchaus den öden, leblosen Anblick zeigen, den man in Europa gewöhnlich mit dem Begriff Wüste verbindet, sondern je nach der Menge des Regens und des aus der Erde quellenden Wassers fruchtbare, wohlbebaute Strecken haben, die zahlreichen Menschen Existenzmittel verschaffen. Schrecklich berührt den zum ersten Male diese Straße Ziehenden dagegen die ungeheure Menge menschlicher Gebeine, die überall umherliegen und ein trauriges Bild von den Mühsalen und Qualen der Umgekommenen geben.

Unweit der Oase Jat hatte der Forscher das Unglück, daß der vordere Sattelgurt seines Kamels riß und er samt der aus zwei Kisten bestehenden Ladung zu Boden stürzte. Glücklicherweise fiel er mit dem Kopfe auf die mitherabgerutschte Matratze, so daß außer einigen Quetschungen keine Verletzungen weiter durch den Fall verursacht wurden. Unterwegs war der Reisende unterrichtet worden, daß der Sultan von Kauâr zur Zeit nicht in seiner Hauptstadt Bilma, sondern in dem eine halbe Stunde davon nordwestlich gelegenen Dorfe Kalala residiere; zur Begrüßung wurde nun der Weg dahin eingeschlagen. Der Empfang bei dem Könige war nichts weniger als freundlich. Er verhöhnte die Diener, die das übliche Geschenk der Reisenden, das nach seiner Ansicht zu gering war, überbrachten und erklärte, der Forscher dürfe weder in seinem Lande bleiben, noch werde er gestatten, daß ein Tubu die Karawane nach Bornu geleite, wenn ihm nicht ein ansehnlicheres Geschenk gegeben würde, welchen Anspruch zu erfüllen sich der Forscher genötigt sah. Mit Hilfe eines vom Reisenden selbst gemieteten Führers gelangte die Karawane sodann nach dem wegen seiner reichen Vegetation anziehenden Agadem, das aber andererseits wegen der herumschweifenden Tuareg und Tubu ein gefährlicher Aufenthalt ist. Ohne irgendwelche Belästigung konnte die Karawane von hier weiter ziehen und kam nun durch die große Steppe Tintumma; hier merkte der Forscher nach einigen beschwerlichen Tagemärschen, daß der Weg nicht der richtige war. Auch der Führer gestand dies auf Rohlfs' Drängen schließlich ein. Da der rechte Weg nicht gefunden werden konnte und die Leute sich nicht auf den Kompaß verlassen wollten, so mußte nach Agadem zurückgekehrt werden. Unter Leitung eines andern Führers, der versicherte, den Weg genau zu kennen, setzte sich die Karawane von neuem in Bewegung und erreichte dann nach einigen Tagemärschen eine kesselförmige Einsenkung; aber hier erklärte auch dieser Führer, der richtige Weg müsse verfehlt sein, die Gegend sei ihm fremd; er wolle aber vorauseilen, um den richtigen Weg, der nicht weit sein könne, zu suchen und dann hierher zurückkehren. Dem Forscher schien es im höchsten Grade unwahrscheinlich, daß ein Mann, der auf seinen

Jagdzügen die Steppe nach allen Richtungen durchstreifte, sich verirrt haben sollte; vielmehr bestärkte das ganze Benehmen dieses Mannes in ihm den Verdacht, daß er absichtlich vom Wege abgebogen sei, um die Karawane durch Wassermangel umkommen zu lassen, deren Hab und Gut dann als Beute in seine Hände und die seiner Spießgesellen fallen sollte. Infolge dieses Verdachtes widersetzte sich Rohlfs seiner Entfernung; er wurde jedoch von den andern überstimmt, und der Schurke ritt von dannen, ohne jemals wiederzukommen. In der sicheren Erwartung, bald den Brunnen Belgaschifari zu erreichen, hatte man nur sehr geringen Wasservorrat mitgenommen. Die Lage der Karawane war daher höchst gefährlich. Der Versuch, Wasser aus der Erde zu graben, blieb erfolglos; so wurde denn das letzte Wasser stark mit Citronensäure versetzt und ausgeteilt. Die sonst so gefühllosen Mohammedaner bestanden darauf, daß auch Mursuk, der wie tot dalag, den letzten Trunk mit ihnen teile, gewiß das beste Zeichen, wie sie dieses Tier schätzen gelernt hatten. Noch schreckliche Stunden vergingen, in denen der Forscher entsetzliche Qualen aushalten mußte; seine Eingeweide schmerzten ihn, er hatte das Gefühl, als träten ihm die Augen weit aus dem Kopfe. Bei all dem war es noch ein Glück, daß sich die Karawane bereits in der südlichen Zone der Sahara befand, in grader Richtung kaum mehr als achtzehn deutsche Meilen vom Tsade entfernt; denn die Luft enthält dort schon einige Grade Feuchtigkeit.

Als die Reisenden bereits an der Aussicht auf Hilfe verzweifelten, stiegen endlich im Süden schwarze Wolken auf. Nach einem heftigen Donnerschlage fielen einzelne Tropfen, und dann strömte ein förmlicher Platzregen herab. Eiligst wurde, was nur an Töpfen, Tassen und sonstigen Gefäßen vorhanden war, aufgestellt und der vom Himmel kommende Regen aufgefangen. Alle Pfützen wurden aufgeschlürft, alles konnte sich satt trinken, und außerdem wurden noch zwei große Schläuche mit Wasser gefüllt. Die Freude über die glückliche Rettung war groß, besonders, als nun auch der richtige Weg gefunden wurde, auf dem dann die Karawane den Brunnen Belgaschifari erreichte.

Damit war die Wüstenreise glücklich überstanden. Durch einen großen Mimosenwald, durch außerordentlich tierreiche Gegenden kam die Karawane am 14. Juli nach Ngimi, dem ersten bewohnten Orte an der Nordgrenze von Bornu, und damit an den Tsade. Wer sich diesen als einen blanken Wasserspiegel vorstellt, wird bei seinem Anblick sehr enttäuscht sein, denn nur stellenweise sieht man offenes Wasser in der unendlichen, mit Rohr und Schilf bedeckten Fläche. Ein See in der vollen Bedeutung des Wortes ist er eigentlich nur zur Zeit des Hochwassers. Von Ngimi aus eilte Rohlfs nun am Tsade entlang in südlicher grader Richtung und langte nach Ueberschreitung des Komadugu Joobe am 26. Juli vor dem Turm von Kuka, der Hauptstadt von Bornu, an.

Obwohl er nicht der erste Europäer war, der Bornu besuchte, so hatte doch die Kunde von seiner Ankunft eine große Menge Neugieriger vor das Thor gelockt, die den Christen, den Weißen mit den hellen Augen und dem blonden Haare, sich in der Nähe betrachten wollten. Seine Leute luden ihre Flinten mit dreifacher Ladung und ließen sie so tüchtig knallen, daß die Kukaner meinten, die Flinten der Christen knallten so stark wie Kanonen. Unter der für ihn bestimmten Ehren-Eskorte, gefolgt von dem ganzen Volkshaufen, der keineswegs feindlich gesinnt zu sein schien, ging der Einzug in die Stadt vor sich, der ihm bestimmten Wohnung zu. Hier stellte sich ein Beamter ein mit der Versicherung, daß der Sultan über Rohlfs' Ankunft sehr erfreut sei und ihn herzlich willkommen heiße. Diesem Gruße folgte dann die Zusendung von Lebensmitteln, wofür allerdings der Reisende so hohe Trinkgelder zahlen mußte, daß er fast besser weggekommen wäre, wenn er sich alles nach seiner Wahl selbst gekauft hätte. Der Sultan gewährte ihm bald eine Audienz, in welcher zunächst die gewöhnlichen Fragen nach der Gesundheit, wie das Reisen bekommen, und dergleichen gestellt wurden. Dann erkundigte sich der Sultan nach europäischen Verhältnissen, dabei auch, wie es Dr. Barth ginge. Mit einer majestätischen Handbewegung entließ er schließlich den Forscher. Hierauf folgten dann die Besuche bei den hohen Würdenträgern und den militärischen Befehlshabern.

Die Geschenke, die Rohlfs dem Sultan überreichen ließ, fanden nicht rechten Beifall; er schien etwas Besonderes von dem Reisenden erwartet zu haben, obwohl dieser immer betont hatte, daß er kein Gesandter des Königs von Preußen sei, sondern als einfacher Privatmann komme. Endlich gelang es ihm, den gewünschten Eindruck durch Ueberreichung eines etwas schadhaft gewordenen Aneroidbarometers hervorzurufen. Nach Erklärung des Gebrauchs dieses Instruments wurde der Sultan hiervon durchaus zufriedengestellt und schenkte Rohlfs dafür einen prächtigen Schimmelhengst aus seinem Marstalle.

Der Forscher blieb bis Anfang September in Kuka, weil die Regenzeit irgendwelches Weiterkommen verhinderte. Waren doch in der Stadt selbst wochenlang die Straßen unpassierbar. Dann aber wartete er auf Antwort vom Sultan von Wadai, an den er sich mit einem Empfehlungsschreiben des Sultans von Bornu gewandt hatte. Da diese nun sehr lange ausblieb, so unternahm der Forscher am 8. September eine Expedition nach Wandala, dessen Herrscher mit dem von Bornu verschwägert war, und an den er die besten Empfehlungen mitbekam. In südlicher Richtung durchzog er außerordentlich reich kultivierte Landstriche, in denen aber Menschen und Tiere von Insekten aller Art schrecklich geplagt werden, wandte sich dann südwärts nach der Provinz Udje, in der sich ein wunderbar prächtiger Baumwuchs zeigte, nach der Stadt Mai-dug-eri. Hier wurde er zwar von dem Stellvertreter des abwesenden Stadtoberhaupts äußerlich freundlich aufgenommen, doch ließ es dieser Herr völlig an jeder Verpflegung fehlen. Rohlfs sah sich daher genötigt, ihm zu drohen, er werde über sein Benehmen dem Sultan von Kuka berichten. Viel nützte auch das nicht, und so verließ die Karawane baldigst den ungastlichen Ort. In Mai-schig-eri, eine Tagereise südlicher dagegen, beeiferte sich die Bevölkerung, ihm entgegenzukommen, ja, man bezeigte ihm förmliche Ehrfurcht, indem die Weiber auf der Straße mit gesenktem Kopfe niederknieten, wenn er an ihnen vorüberging. Allerdings warf er hier wieder seine ärztliche Kunst in die Wagschale, die die Bewohner sehr in Anspruch nahmen. Nach Ueberschreitung des Flusses Zad-saram erreichte man glücklich über Bama die Hauptstadt Doloo, wo der Forscher in feierlichem Aufzuge eingeholt wurde. Als eine außerordentliche Vergünstigung hatte er es anzusehen, daß ihm hier der Sultan schon am nächsten Tage eine Audienz gewährte, was sonst der Sitte gemäß erst am dritten Tage zu geschehen pflegt. Hierbei hieß man ihm die Schuhe ausziehen, was er natürlich verweigerte; ebenso wie er sich dem Sultan mit dem Gesicht gegenübersetzte, während die übrigen diesem den Rücken zukehrten, wahrscheinlich, um nicht vom Glanze der Majestät geblendet zu werden.

Sein Aufenthalt in Doloo war nicht besonders angenehm. Zunächst ließ die Verpflegung viel zu wünschen übrig, dann stellte sich bei ihm heftiges Fieber ein, das zwar sofort durch eine starke Dosis Chinin aufgehalten wurde; seine Kräfte kehrten jedoch sehr langsam zurück. Allerdings ließ es der Sultan, als er von der Erkrankung hörte, an nichts fehlen, aber die Gemütsstimmung unseres Forschers blieb durch einen schmerzlichen Verlust sehr herabgedrückt: sein treuer Hund Mursuk verendete hier.

Am 12. Oktober kehrte Rohlfs nach Kuka zurück, wo seine Ankunft großes Aufsehen erregte, denn man hatte den Reisenden schon totgesagt. Die hier erhoffte Erholung stellte sich indes nicht ein, vielmehr trat nun das Fieber mit erneuter Heftigkeit auf und setzte ihm stark zu; doch seine gute Natur überstand die Krisis.

Fünf Monate hatte Rohlfs nun in Kuka geweilt, und die Stadt war ihm wirklich lieb geworden. Mit wirklichem Bedauern kehrte er ihr am 13. Dezember den Rücken, um seine Reise fortzusetzen. Auch seitens der Bewohner wurden ihm überall freundliche Abschiedsgrüße zugerufen. Nur selten ließen sich Stimmen vernehmen, wie: „Gottlob, daß er fortgeht, der Ungläubige, der Heide, der Christenhund".

Der Forscher wendete sich nun in südwestlicher Richtung über Magommeri, wo er außerordentlich freundlich bewirtet wurde und Gelegenheit hatte, große Straußenzüchtereien anzusehen. Am ersten Weihnachtsfeiertage ruhte er in Wassaram aus und erreichte bei dem Orte Gebe die Grenze der Reiche Bornu und Pullo. Letzteres besteht aus einer Menge kleinerer und größerer Sultanate, die alle dem Sultan von Sokoto unterthan sind. Gastfreundschaft ist bei den Pullo nicht, wie bei den mohammedanischen Völkern, vorgeschriebene Sitte; aber sie erwiesen sich darum nicht minder gefällig und hilfreich gegen die Fremden als diese. Nirgends genießt das Eigentum der Reisenden so vollkommene Sicherheit als in diesem Fellatastaate; die Bewohner huldigten überhaupt dem Grundsatze: „Was du nicht willst, daß man dir thu, das füg auch keinem andern zu".

In westlicher Richtung weiterziehend, erreichte er über die Stadt Duku den Fluß Gombe mit der gleichnamigen Stadt, wo indes, wegen Abwesenheit des Sultans von Gombe, nicht lange gerastet, sondern nach Jacoba, der Hauptstadt des Reiches Bautschi marschiert wurde. In dieser Gegend, die ihn lebhaft an Westfalen erinnerte, weilte er zwanzig Tage, um sich von den Beschwerden der vergangenen Reise zu erholen und eifrige Forschungen über Land und Leute anzustellen. Von hier aus besuchte er den Sultan von Djauro und gelangte in Begleitung von dessen zwei Söhnen über das Gebirge Goro nach Goa. Dank dieser prinzlichen Begleitung war das Verhalten und das Entgegenkommen der Bevölkerung in den durchzogenen Strecken tadellos; die baldige Verabschiedung der Begleiter wurde von der Karawane daher auf das lebhafteste bedauert.

Unweit des Ortes Suro wandte sich nun Rohlfs südwestlich, durchzog dann das Gebiet der Kadoneger, die die Fremden in höchst umständlicher Weise begrüßen, und schlug dann hinter

Garo-n-Kado eine ganz südliche Richtung ein. Den breiten nach Westen fließenden Arm der Kaduna überschreitend, kam er nach Madakia und dann nach dem von Kadje bewohnten Orte Konunkum. Hier entstand durch ein Mißverständnis eine für Rohlfs höchst gefährliche Situation. Es ließen sich in dem Orte zunächst nur Weiber sehen, die auf die Frage nach der Wohnung des Sultans keinen Bescheid geben wollten. Aufs Geratewohl wurde deshalb vor einem der größeren Gehöfte Halt gemacht und dort der übliche Salutschuß abgefeuert. Erschreckt durch den Knall, liefen die Weiber heulend und schreiend davon. Etwa zehn Minuten vergingen, als plötzlich eine Horde mit Keulen, Bogen und Spießen bewaffneter Männer dahergestürmt kam. Die Leute waren offenbar betrunken und, wie aus ihrem drohenden Gebrüll zu entnehmen, der Meinung, die Schüsse wären auf ihre Weiber abgegeben. Obgleich ihnen nun auseinandergesetzt wurde, daß mit den Schüssen der Sultan des Ortes hätte begrüßt werden sollen, und daß die Karawane aus friedlichen Reisenden bestände, gaben sie sich nicht zufrieden, sondern umringten Hamed, der abgestiegen war und suchten ihm die Flinte zu entreißen. Sobald der Forscher dies sah, gab er seinem Pferde die Sporen und sprengte mitten in den dichtesten Haufen, drei oder vier der Angreifer zu Boden werfend; dabei ließ er den Hahn seines Revolvers knacken. In diesem kritischen Augenblick hatte sich auch Hamed wieder aufs Pferd geschwungen und seine Doppelflinte zum Schuß erhoben, als der Sultan, den nur ein schmutziges Gewand vor seinen Unterthanen kenntlich machte, erschien. Nachdem ihm der Sachverhalt erklärt wurde, gab er als Zeichen des Friedens und der Freundschaft seinen Spieß an den Forscher und lud zum Absteigen ein. Der Einladung wurde denn auch Folge gegeben, doch blieben die Pferde gesattelt. Schien es doch nicht ratsam, unter der betrunkenen Bevölkerung die Nacht über zu bleiben. Nach einem kleinen Mahle, mit dem der Sultan die Reisenden bewirtete, stiegen sie wieder zu Pferde und trabten von dannen. Am 18. Februar erreichte der Forscher Keffi Abd-es-Senga.

Der achtzehntägige Ritt durch das Gebirge hatte ihn in hohem Maße angegriffen und so begrüßte er es mit Freuden, einige Tage der Ruhe und Erholung pflegen zu können; er wurde dann auch mit großer Freundlichkeit seitens des Sultans und der Einwohner aufgenommen. Während der ganzen Zeit war er und auch Hamed wieder vom Wechselfieber geplagt, nur der kleine Noël blieb davon frei, so daß er allein oft den ganzen Dienst versehen mußte. Ein Schluck importierten Branntweins, gab, so schlecht dieser auch war, den erschlafften Lebensgeistern bisweilen einige Anregung. Was hier aber dem Forscher vor allem frischen Mut verlieh, das war die Kunde von einer englischen Ansiedlung am Zusammenflusse des Benue und Niger. Kaufleute hatten ihm versichert, daß er den Benue von hier zu Fuß erreichen und dann mit einem Kanoe den Fluß hinabfahren könnte. Von der Sehnsucht getrieben, wieder mit gebildeten Menschen zu verkehren, europäische Laute zu vernehmen, beschleunigte er nach Möglichkeit seine Abreise, bei deren Vorbereitungen ihm vom Bruder des Sultans die beste Unterstützung zu teil wurde. Dieser mietete Träger für Rohlfs, gab ihm zwei Sklaven zum Fortschaffen des Gepäcks und stellte ihm sogar einen seiner Hausbeamten als Begleiter durch das Gebiet der götzendienerischen Afoneger zur Verfügung. So wurde denn die Fußreise nach dem Benue angetreten und am 19. März ohne Unfall dessen Ufer, der Insel Loko gegenüber, glücklich erreicht. Hier mietete Rohlfs nun ein Kanoe und fuhr auf dem Benue entlang bis Imaha, wo ihm der Sultan sein Transportschiff, das grade abgehen sollte, freundlichst anbot, auf diesem fuhr er dann glücklich in den Hafen von Lokoja am Niger ein.

Kaum hatte die Spitze des Bootes das Ufer berührt, so sprang er überglücklich ans Land; seine ganze Kraft und Elastizität waren auf einmal wieder vorhanden. Auf der thatsächlich vorhandenen Faktorei wurde ihm die glänzendste Aufnahme zu teil. Hatten doch deren Mitglieder seit Jahresfrist keinen Europäer gesehen, und nun kam gar einer vom Mittelmeer aus zu ihnen.

Groß war ihre Bewunderung. Nachdem Rohlfs sich in Lokoja erholt, trat er, mit reichlichen Mitteln versehen, seine Weiterreise auf dem Niger an; diesem folgte er bis Rabba und ging dann in südwestlicher Richtung durch das wald- und bergreiche, bis dahin völlig unbekannte Jorubaland nach Lagos zur Küste. Am 30. Mai 1867 kam er auf der Rhede in Lagos an. Der britische Gouverneur daselbst wollte nicht eher glauben, daß Rohlfs zu Lande von Lokoja gekommen wäre, als bis er ihm die von dort mitgebrachten Briefschaften übergeben hatte. Nach einem Aufenthalt von vierzehn Tagen schiffte er sich dann auf einem englischen Dampfer nach der Heimat ein.

Reisen in der Libyschen Wüste.

Schon am Ende desselben Jahres begab sich Rohlfs nach Aegypten, um sich im Auftrage des Königs von Preußen der englischen Expedition, die durch die Gefangennahme der englischen Konsuln und Gesandten durch König Theodor von Abessinien hervorgerufen war, anzuschließen. Diese Unternehmung endete mit der Einnahme von Magdala am 13. April 1868 durch die Engländer. Von hier aus verließ der Forscher die Armee und schlug am 19. April seinen eigenen Weg ein, um über Lalibala nach der Küste zurückzukehren, die er am 31. Mai bei Zulla erreichte; von dort schiffte er sich nach Europa ein.

Noch im Jahre 1868 erhielt er abermals einen Auftrag von Sr. Majestät dem König von Preußen, nämlich den, die Geschenke an den Sultan von Bornu zu übermitteln, in Anerkennung der großen Dienste, welche der Sultan deutschen Reisenden geleistet. Rohlfs aber übernahm nicht selbst diese Mission, sondern beauftragte damit Dr. Nachtigal. Er reiste dagegen von Tripolis nach Alexandrien über Bengasi und Cyrene nach Audjila und Djalo. Auf dem Wege nach Djalo belästigten ihn fortwährend Banden von Kindern, die die gemeinsten Schimpfworte ausriefen.

Ausdrücke wie „Christenhunde, ungläubige Schreier, Söhne des Teufels“ waren noch die gelindesten; aber auch die mohammedanischen Diener, die als Christensklaven verachtet wurden, bekamen diese Schmeichelnamen zu hören. Als diese Straßenjungen aber gar anfingen, mit Steinen zu werfen, wurde die Sache Rohlfs zu toll. Er beschloß, energisch vorzugehen, und es hätte wegen dieser Taugenichtse zu unangenehmen Verwickelungen kommen können, wenn nicht endlich die Eltern der Buben herbeigeeilt wären, um diese wegzubringen und so dem Unfuge zu steuern. Von dieser einen kleinen Episode abgesehen, verlief seine ganze Reise ohne jeden unangenehmen Zwischenfall seitens der Bevölkerung.

Hinter Djalo, das der Forscher am 17. April verließ, stellte sich ein Samum ein, der sich schon den Reisenden durch die blutrot gefärbte Sonne angekündigt hatte. Der heiße Staubwind fing mit solcher Heftigkeit an zu wehen, wie Rohlfs ihn selbst in der Sahara nicht erlebt hatte. Bei dieser Feueratmosphäre in vollkommener Unthätigkeit verlangte der Körper zwölf Liter Wasser innerhalb vierundzwanzig Stunden. Die Trockenheit war so groß, daß die ganze Feuchtigkeit des Menschen verdunstete; wenn aber diese nicht fortwährend durch Wasserzufuhr ergänzt werden kann, so muß der Mensch unfehlbar an Austrocknung sterben. Nur hierdurch ist es erklärlich, daß zu Fuß Reisende innerhalb eines halben Tages bei Wassermangel verdursten können. Glücklicherweise befand sich die Karawane während dieses schrecklichen Gebli in der Nähe von Wasserlöchern. Am dritten Tage war die Dürre so groß, daß eine Menge Gegenstände von selbst barsten; die Uhren blieben stehen, die innersten Fächer der Koffer wurden von feinem Staube durchdrungen und ebenso alle Eßvorräte mit Sand bedeckt. An ein Reinmachen, Waschen des Körpers und an Kochen war gar nicht zu denken. Am 20. April sprang der Wind nach Nordwest um, wehte aber den ganzen Tag über mit gleicher orkanartiger Heftigkeit. Erst an diesem Abende zeigte sich der Himmel wieder, der drei volle Tage durch die Sandwolke verdeckt gewesen war.

Am 6. Mai erreichte der Forscher die Jupiter Ammons-Oase, jenen Ort von so reicher geschichtlicher Erinnerung, an dem sich vor mehr als zweitausend Jahren die ganze gebildete Welt Rat bei dem Orakel holte. Der Forscher wurde mit großer Freundlichkeit aufgenommen. Man ließ es an nichts fehlen und unterstützte ihn bei seinen Forschungen und Besichtigungen der so interessanten Ruinen der Heiligtümer und Tempel auf das dankenswerteste. Durch reichliche Geschenke belohnte er die guten Gesinnungen der Bewohner dieser Oase. Am 11. Mai brach er von hier auf und erreichte, in nordöstlicher Richtung weiterziehend, am 25. Mai 1869 wieder glücklich Alexandrien.

Da durch diese Reise nur ein Teil der Libyschen Wüste erforscht war, so regte sich in Rohlfs der Wunsch, auch andere noch unbekannte Teile derselben bereisen zu können. Die Hauptschwierigkeit für solche Expedition lag in der Deckung der Kosten, zu der sich schließlich durch Vermittelung des deutschen Generalkonsuls in Aegypten, Dr. von Jasmund, der Chedive verstand. So war es denn möglich, daß Rohlfs am 27. November 1873 abermals in Alexandrien eintraf, um über Kairo in Begleitung der Professoren Zittel und Ascherson die Expedition anzutreten. Von da ging es nach Gizeh mit der Eisenbahn, sodann nach Siut auf dem Dampfschiff. Hier begann der beschwerliche Wüstenmarsch nach Tarafrah. Wie gewöhnlich in Afrika zeigten auch hier die Führer die Untugend, daß sie stets die Entfernung zu gering schätzten.

Die Bewohner von Tarafrah, die auf das Kommen der Karawane nicht vorbereitet waren, waren über deren plötzliches Erscheinen sehr erschreckt; sie meinten, es sei auf Raub und Plünderung abgesehen. Erst als sie von den friedlichen Absichten der Reisenden sich überzeugt hatten, kamen sie mit grünen, fliegenden Bannern, um ihnen einen feierlichen Empfang zu bereiten. Dies freundliche Benehmen der Bevölkerung sollte sich aber sehr bald ändern. Sobald sie nämlich erfuhren, daß ihre Gäste Christen seien, waren sie wie umgewandelt. Als z. B. am nächsten Tage Rohlfs sich anschickte, dem Chef der frommen Sekte der Senussi, die hauptsächlich in der Gegend von Kufra wohnen, wohin sich die Expedition von hier wenden sollte, einen Besuch abzustatten, kamen die Einwohner in hellen Haufen herbeigeströmt, um das Eindringen in die klösterliche Behausung zu verhindern. So leicht ließ sich natürlich unser Forscher nicht von seinem Beginnen abhalten; er drang vielmehr bis zur äußersten Mauer des Gebäudes vor und schickte von dort seinen mohammedanischen Diener an Seine Heiligkeit mit der Bitte, ihm zu gestatten, daß er ihm Geschenke überreichen dürfe. Seine Heiligkeit ließ darauf sagen, die Geschenke wolle er gern annehmen, doch sich und sein Haus möchte er durch den Besuch von Christen nicht verunreinigen lassen. Mittlerweile war die männliche Bevölkerung mit Flinten herbeigeeilt, so daß sich die Lage recht kritisch gestaltete. Mehrere Beduinen von der Karawane jedoch, die herbeikamen, sowie der Eindruck der vorzüglichen Bewaffnung der Reisenden, mochte wohl die Wendung zum schlimmsten abhalten. Die Aufregung legte sich aber nicht, und nur durch stete Bereitschaft mit dem Revolver in der Hand, gelang es, diese Fanatiker im Zaume zu halten.

Am 3. Januar 1875 setzte sich die Karawane wieder in Bewegung, erreichte die Stadt Gassr, wo ihr seitens der Behörden und Bewohner ein sehr freundlicher Empfang und Aufenthalt bereitet wurde. Allerdings nahmen die mitgebrachten Geschenke auch dafür sehr rasch ab, und Trinkgelder mußten in vorher ungeahntem Maße gezahlt werden. Die Sitte will es nun einmal so, und als Vertreter der deutschen Nation wollte Rohlfs sich nicht lumpen lassen.

Den nun von Gassr aus zurückgelegten Marsch bezeichnet Rohlfs als den abenteuerlichsten, den er je in der Wüste Sahara unternommen. Unter furchtbaren Mühsalen langte die Karawane glücklich in Siwah an. Sechsunddreißig Tage waren in der Wüste zugebracht, ohne daß man auf eine menschliche Wohnung gestoßen wäre, ohne daß man Brunnen oder sonst Wasser angetroffen, oder irgendwo eine ausgedehnte mit einigermaßen reichem Pflanzenwuchs bedeckte Gegend gefunden hätte. Mit zehn Mann und zwanzig Kamelen über einen Monat in der Sahara umherzuziehen, ohne einen Quell zu berühren, das hat noch keine Karawane vorher durchgemacht. Von Siwah erreichte der Forscher am 15. März wieder Dachel, wo ihn ein mit Palmen und blühenden Orangenzweigen sinnig dekoriertes Haus mit einem riesigen „Willkommen" aufnahm. Alle waren herzlich froh, daß die Expedition ohne größere Unfälle glücklich wieder zurückgekommen war. Von hier wurde dann die Reise nach Kairo angetreten. Ueber Galamun und Tenidah ging es nach Chargeh, wo Dr. Schweinfurth wohnte, der Rohlfs entgegenzog und ihn natürlich gastfrei bewirtete. Es war in der That gut, daß die Expedition ihrem Ende entgegenging. Die Kamele waren durch die anhaltenden Märsche so heruntergekommen, daß mit ihnen grade noch der Nil erreicht werden konnte; damit waren aber auch ihre Kräfte völlig verbraucht. In Esneh bestiegen die Reisenden ein Schiff und fuhren den Nil hinunter über Theben nach Siut, wo sie am 13. April landeten. „So lange die Fahrt auch dauerte, so viel wir von der Unsauberkeit der Schiffe, kleinen Widerwärtigkeiten und hoher Temperatur zu leiden hatten," so schreibt der Reisende in seinem Werke, „so gehört doch diese originelle Nilreise in ihrer Urwüchsigkeit zu den angenehmsten Erinnerungen unserer Expedition." Am 18. April erreichte man Kairo, wo sämtliche Mitglieder in feierlicher Audienz vom Chedive empfangen wurden.

Reise nach der Oase Kufra.

Nachdem Rohlfs nach Deutschland zurückgekehrt war, duldete es den unternehmungslustigen Mann nicht lange in der Heimat. Schon im Jahre 1878 erhielt er vom Vorstande der Afrikanischen Gesellschaft in Deutschland den Auftrag, den nördlichen Teil des Kongobeckens und der angrenzenden Gebiete zu erforschen, insbesondere aber die Wasserscheide des Schari und Ogowe, sowie beider Flüsse gegen den Kongo hin. Die Expedition sollte von Tripolis abgehen und über Wadai das Kongobecken zu erreichen suchen. Dem Könige von Wadai sollten zum Dank für die Nachtigal während seines dortigen Aufenthalts gewährte Unterstützung zugleich Geschenke des deutschen Kaisers überbracht werden. Dem Eindringen über die Oase Kufra gab Rohlfs den Vorzug. Der Forscher übernahm frohgemut den Auftrag und erhielt als europäische Begleiter den Botaniker Dr. Strecker aus Jung-Bunzlau in Böhmen, den Schlosser Franz Eckardt aus Apolda und den Uhrmacher Karl Hubmer aus Graz.

Am 18. Dezember 1878 brach die Expedition von Tripolis auf und erreichte bald die große Heerstraße, welche in das Innere des Kontinents führt. Da kam ein Bote herbeigeeilt, der einen Brief an die Adresse Dr. Nachtigals brachte; er erklärte aber, daß dieser für Rohlfs bestimmt sei. Nach vielen Schwierigkeiten konnte der Inhalt entziffert werden, der eine Warnung für den Reisenden enthielt, er solle nicht die Straße der Orfella ziehen, da dort ein Ueberfall geplant sei. Der Ueberbringer beteuerte noch, es lägen dort einige hundert Orfella auf der Lauer. Der Forscher ließ sich hierdurch nicht beirren, sondern marschierte ruhig weiter. Als er aber dann ein unheimliches Flüstern unter seinen Leuten bemerkte, und endlich verschiedene andere entgegenkommende Leute die Nachricht bestätigten und aufs bestimmteste aussagten, es lägen zweihundert Orfella am Wege, welche die Absicht hätten, die Reisenden „aufzufressen“, hielt er es doch für geraten, Halt zu machen. Einen Versuch, westlich abzuschwenken, um auf der großen Karawanenstraße den Ort Beni Ulid zu erreichen, mußte er aufgeben, da seine Leute erklärten, sie würden auch auf diesem Wege in die Hände der Orfella fallen. Da außer den deutschen Begleitern auf keinen seiner Leute Verlaß war, so gab er endlich mit schwerem Herzen Befehl zur Umkehr; denn er hielt es doch nicht für angängig, durch einen Versuch kämpfend den Durchzug zu erzwingen, die Existenz der

20*

Expedition gleich zu Anfang aufs Spiel zu setzen. Von Tripolis erbat er sich dann eine Eskorte, die ihm in Gestalt eines Kavallerie-Obersten mit sechzig Mann zu teil wurde; darauf begann denn am 7. Januar 1879 der Vormarsch.

In Beni Ulid erfuhr nun der Forscher, daß die Meldungen von einem beabsichtigten Ueberfall schändliche Verleumdung gewesen, die ganze Provinz völlig ruhig sei. Der Kaimmakam von Beni Ulid hatte nämlich Dr. Nachtigal seiner Zeit eine kleine Geldsumme geliehen und dieser hatte dafür 150 Prozent Zinsen zahlen müssen. In der Zwischenzeit mochte er wohl auf das Ungebührliche eines so hohen Prozentsatzes aufmerksam gemacht worden sein, und da er in Rohlfs den Dr. Nachtigal vermutete, hatte er sich nicht gescheut, durch das erste beste Mittel den Reisenden vom Wege abzulenken, um einer Begegnung mit seinem alten Bekannten aus dem Wege zu gehen.

Die Ankunft in Sokna gestaltete sich zu einer großen Festlichkeit, denn einmal nötigte die Kavallerie-Eskorte der Expedition den Einwohnern hohen Respekt vor dem Reisenden ab, andererseits war dieser selbst mit dem Titel eines Bei vom türkischen Sultane ausgezeichnet worden. Dieser Titel stand natürlich in allen Empfehlungsbriefen. Infolgedessen wurden ihm die üblichen Ehren eines hohen türkischen Beamten erwiesen. Der Aufenthalt in Sokna war für längere Zeit berechnet, weil hier das Eintreffen der kaiserlichen Geschenke abgewartet, sodann aber auch die nun einzuschlagende Route festgestellt und Führer angeworben werden sollten. Unter dem Zuwachs, den die Expedition erhielt, ist besonders Ali Ben Mohammed el Qatruni, ein Sohn jenes Qatruners, der schon Dr. Barth so treue Dienste geleistet hatte, zu nennen. Dieser zeigte sich als der würdige Sohn seines Vaters; in Not und Gefahr war er stets zur Stelle, und von den dreißig Dienern, die während der Expedition angeworben wurden, ist er der einzige gewesen, der treu bis zum letzten Augenblick aushielt.

Am Tage vor der Abreise drohte noch ein Bruch zwischen

dem Mutassarif — Statthalter — Ali Bei und dem Forscher auszubrechen. Jener hatte Rohlfs nämlich einen warmen Empfehlungsbrief für die Midjeles in Sella versprochen, schickte ihm aber ein in so zweifelhaften Ausdrücken abgefaßtes Schreiben, daß dieser es zerriß und dem Ueberbringer vor die Füße warf. Enthielt doch der Brief die indirekte Aufforderung, die Reisenden nicht gut zu empfangen. Die Folge war nun, daß der Mutassarif die Geschenke zurückschickte. Wer weiß, was es heißen soll, wenn ein Araber Geschenke zurückschickt, wird ermessen können, bis zu welchem Punkte der Zwist gekommen war. Der Mutassarif hatte jedenfalls durch diesen Brief bezweckt, die Expedition von dem Wege nach Sella abzuhalten. Als er nun aber sah, daß der Forscher bei seinem Vorhaben blieb und nach Sella aufbrach, schickte er nicht nur den versprochenen günstigen Empfehlungsbrief, sondern auch einige Bedeckungsmannschaften und schließlich kam er selbst, um sich zu verabschieden.

Am 11. Mai wurde in südöstlicher Richtung aufgebrochen, um nach einigen Tagemärschen ein Gebiet zu erreichen, das noch nie vorher von einem Europäer bereist war. Ueber Sella und Mudjila ging es, wo unserem Forscher trotz der mitgenommenen Empfehlungsbriefe ein höchst kühler Empfang bereitet wurde, so daß er sich genötigt sah, sofort weiter zu ziehen. Darauf erreichte die Karawane die Oase Djalo. Hier war der Sitz der türkischen Regierung, und hier durfte er auf freundliches Entgegenkommen hoffen. Aber wie gestaltete sich die Aufnahme! Aus dem Regen kam man in die Traufe. Schon beim anfänglichen Durchschreiten des Dorfes folgte bald eine Bande Straßenjungen, welche durch Johlen, Heulen und Schimpfen ihr Mißfallen darüber zu erkennen gaben, daß die „Christenhunde“ ihre Stadt betreten hatten.

Da der Forscher noch dazu sein kleines Hündchen, welches die Gassenbuben mit ihren Steinwürfen schon halbtot geängstigt hatten, auf den Arm nahm, um es so vor den rohen Mißhandlungen zu sichern, fingen diese an, ihn selbst mit Thonstücken und kleinen Steinen zu werfen. Als er aber zu gleicher Zeit zwei Steinwürfe bekam und von dem einen am Hinterkopfe sehr schmerzhaft verletzt wurde, konnte er sich nicht anders helfen, als daß er den Revolver zog und jeden zu erschießen drohte, der sich noch einmal mit einem Steine näherte. Einige ältere Leute, denen die Sache und ihre Folgen bedenklich erscheinen mochten, nahmen sich nun endlich der Reisenden an. Von den fanatischen Bewohnern etwa ein Haus zu mieten, war vergebliche Bemühung; nicht einmal den Platz für ein Lager räumte man gutwillig ein. Schließlich öffnete den Eingeborenen das blanke Geld den Verstand und die Herzen. Ein Geldgeschenk, dessen Wiederholung für den Abzug nochmals in Aussicht gestellt wurde, brachte unserem Forscher endlich die Freundschaft des „edlen" Grundbesitzers ein.

Von hier recht bald weiter zu kommen, lag im Interesse der Expedition; aber alle sogleich angeknüpften Verhandlungen über die Weiterreise nach dem Süden waren vergeblich. Es war kein Führer zu bekommen, und ohne solchen wollte keiner der Diener weiter. Weder Versprechungen noch Drohungen nützten etwas. Es war sicherlich gut, daß der Forscher seinen Vorsatz, nach Kufra allein aufzubrechen, nicht ausführen konnte; denn zweifellos hätte er diese Oase nie erreicht. Die Entfernung bis Kufra war selbst nach den besten Karten viel zu gering bemessen, wie sich später herausstellte, und mit dem geringen Wasservorrate, der natürlich nur auf diese Entfernung berechnet war, hätte die Karawane unmöglich dorthin kommen können. Sie wäre selbst bei normalen Verhältnissen, ohne den Eintritt sonstiger sehr leicht möglicher ungünstiger Zufälle, unfehlbar verschmachtet.

In Djalo, so unangenehm die Situation war, mußte also noch ausgehalten werden. Sein kleines von Weimar mitgenommenes Hündchen, das unseren Forscher ebenso wie auch Fremde durch seine possierlichen Einfälle erfreute, wurde hier wahrscheinlich von fanatischen Eingeborenen vergiftet. Diese glaubten nämlich, daß man dem Hunde das Stehen auf den Hinterbeinen nur deshalb beigebracht habe, um sie durch diese — wie sie annahmen — tierische Nachäffung ihrer Gebetsgymnastik zu verhöhnen. Um aber das Maß des Ungemachs fast voll zu machen, erhob sich am 12. April ein entsetzlicher Samum, der Dr. Streckers Zelt losriß und nebst einem Teile der darin befindlichen Gegenstände weit mit davon nahm. Glücklicherweise blieben Zelt und Gegenstände an einem Gebüsche hängen, so daß die Hauptsachen gerettet werden konnten. Bei dem hierdurch entstandenen Wirrwarr fiel plötzlich ein wahrer Platzregen, der alle bis auf die Haut durchnäßte. Die Lage wurde aber von Tag zu Tag durch die Belästigung seitens des Pöbels unerträglicher. Nicht selten verhöhnten Banden trunkener Gesellen beim Nachhausegange abends die Reisenden, und, hätte man diesen Beschimpfungen gegenüber nicht die größte Zurückhaltung und Lammesgeduld an den Tag gelegt, wer weiß, was geschehen wäre. Leicht hätte es zu blutigen Auftritten kommen können, die doch auf alle Fälle vermieden werden mußten.

Es blieb schließlich nichts übrig, als zur Rückkehr zu schreiten. Um aber den Eingeborenen nicht den Triumph zu gönnen, man hätte vor ihm das Feld räumen müssen, beschloß Rohlfs selbst zu bleiben, den Dr. Strecker aber mit der Karawane nach Bengasi zu schicken, um den Banditen zu zeigen, daß durch ihren bösen Willen zwar ein kleiner Aufschub, nicht aber eine Vereitelung der Reise erzielt werden könne. Rohlfs zog es vor, in dem nahen Audjila zu bleiben, wo er im Kastell Wohnung nahm.

Nachdem er nun wochenlang unter steter Belästigung seitens der Bevölkerung wie ein Verbannter an diesem Orte geweilt hatte, erhielt er von Dr. Strecker die Mitteilung, daß seine Anwesenheit in Bengasi durchaus nötig sei; die Regierung verweigere nämlich die erhoffte Unterstützung. So entschloß sich Rohlfs ebenfalls zur Rückkehr nach Bengasi, das er am 5. Juni glücklich erreichte.

Die Verhältnisse für Rohlfs und seinen beabsichtigten Zug nach Kufra waren grade in dieser Zeit sehr ungünstig. Zu der feindseligen Haltung der Bevölkerung gesellte sich der Uebelstand, daß eben jetzt ein neuer Pascha seinen Posten in Bengasi angetreten hatte, so daß es schien, als ob Rohlfs von Seiten der Regierung nichts erwarten dürfe. Er hielt es deshalb für das Beste, sich mit einigen in Bengasi wohnenden Suya-Arabern aus Kufra in Verbindung zu setzen, die ihn nach seinem so heiß ersehnten Ziele führen sollten. Diese lehnten es zwar selbst ab, die Reise zu unternehmen, sie vermittelten aber unserem Forscher die Bekanntschaft dreier anderer Suya-Scheichs, die sich bereit erklärten, mit Rohlfs die Reise zu machen. Sie stellten jedoch so unverschämte Anforderungen an den Reisenden, daß es diesem unmöglich war, darauf einzugehen.

Inzwischen war dem Pascha von Konstantinopel aus die Weisung zugegangen, die Expedition auf jede Weise zu fördern. Als dieser daher von der Sache hörte, bewies er unserem Forscher sein Entgegenkommen dadurch, daß er die drei Suya-Scheichs einfach einsperren ließ und diesen davon unterrichtete, mit dem Bemerken, daß er die Einsperrung der Scheichs als ein vorzügliches Unterpfand für die sichere Reise nach Kufra betrachte. Da unter den Arabern die Sitte, Geißeln zu stellen, allgemein ist, so war gegen diese Art der Unterstützung durch den Pascha nichts einzuwenden. Daß grade ein Scheich namens Bu Halleg sich unter den dreien befand, war sehr gut, denn dieser war nach Aussage der Suya einer der größten Schurken des ganzen Landes.

Das energische Auftreten des Paschas erregte im ganzen Lande die größte Aufmerksamkeit. Es hatte zur Folge, daß andere Scheichs kamen und sich zur Führung erboten. Nach langen Unterhandlungen kam denn auch ein Vertrag mit zweien dieser Scheichs, namens Kerim bu Rba und Bu Guetin zustande, wonach diese sich verpflichteten, die Expedition sogar bis nach Abeschr, der Hauptstadt von Wadai, zu geleiten, so daß unseres Forschers sehnlichster Wunsch, jenes Land zu betreten, sich seiner

Erfüllung zu nahen schien. Endlich, nachdem die Verhandlungen mit den Suya in täglichen Sitzungen volle zwei Wochen gedauert hatten, wurde in einer feierlichen Sitzung der Vertrag endgültig festgestellt, während die türkische Regierung durch den Pascha offiziell die Garantie für die Ausführung aller Bedingungen desselben übernahm.

Am 5. Juli 1879 konnte sich dann endlich die Karawane in Bewegung setzen, nachdem die Suya die ganze im Vertrage ausgemachte Summe im voraus ausgezahlt erhalten hatten. In Gewaltmärschen ging es über Audjila und Djalo, deren Bewohner sich jetzt viel anständiger als während des ersten Aufenthaltes unserer Reisenden benahmen, nach Battifal und von da durch einen ca. 400 km breiten Wüstengürtel nach Taiserbo, dem ersten Punkte der Oase von Kufra, den die Expedition erreichte. Täglich wurden auf diesen Märschen ca. 95 km zurückgelegt; Tag und Nacht war man auf den Beinen. Eine natürliche Folge dieser ungeheuren Anstrengungen war, daß schließlich Menschen und Tiere entkräftet und völlig ermattet wurden. Es war darum die höchste Zeit, daß man an einen Ruhepunkt gelangte, der am 2. August in Taiserbo erreicht ward. Die Reisenden wurden äußerlich zwar freundlich empfangen; Gastfreundschaft aber wurde von den Bewohnern kaum gegen sie geübt, denn alles mußte gegen bare Bezahlung gekauft werden.

Nachdem einige Tage der Pflege und Erholung gewidmet waren, brach die Karawane nach dem Hauptort der Oase, Kebabo, auf. Das Gerücht von der Ankunft der Christen hatte sich natürlich nach allen Richtungen verbreitet, und als die Karawane in Kebabo anlangte, waren eine Menge Suya unter Anführung von Chuans, d. i. Klosterbrüdern, herbeigeeilt, um sie zu sehen. Im Lager der Reisenden wurde nunmehr von jenen eine mehrstündige lebhafte Beratung gehalten, die sich zuweilen zu einem wüsten Lärm steigerte. Rohlfs glaubte damals, es handelte sich nur um interne Angelegenheiten; später erfuhr er aber, daß ein Teil jener Leute, die der Karawane entgegen gekommen waren, die Auslieferung der Reisenden verlangten, um sie zu töten, während ihr Hab und Gut dann geteilt werden sollte. Aber der Wille der besser Gesinnten siegte. Im Hirne Bu Guetins mochten aber schon bei dieser Beratung finstere Pläne eine bestimmte Gestalt angenommen haben, besonders nachdem er aus der Verhandlung ersehen hatte, daß er dabei auf viele Bundesgenossen zählen könne.

Das Ergebnis jener Sitzung war zunächst der Beschluß, daß die Karawane nicht bleiben sollte, wo sie jetzt wäre, sondern unter dem Geleit Bu Guetins nach Boema ziehen und da lagern sollte. Ohne diesen Beschluß wäre vielleicht manches Unglück vermieden worden.

Bei dem Scheich Bu Guetin schien der Haß gegen unseren Forscher mit jeder Stunde zu wachsen. Schon am Tage nach der Ankunft in Boema stürzte wahrscheinlich auf Veranlassung Bu Guetins, ein Haufe bis an die Zähne bewaffneter Suya-Araber in das Zeltlager und verlangte auf der Stelle den „Hak el drub“, d. h. den Wegezoll. Der Hauptbandit unter diesen war der Schwiegersohn Bu Guetins. Nur durch äußerste Ruhe und Kaltblütigkeit verhinderte Rohlfs an dem Tage eine Plünderung und vielleicht auch noch Schlimmeres. Mit diesem Augenblicke aber wurde ihm auch klar, was er von Bu Guetin zu erwarten habe; besaß dieser doch die Frechheit, sich hohnlächelnd auf eine Kiste zu setzen und dabei noch zu äußern, „jetzt habe er das Geld und die Schätze unter sich“.

Der Ueberfall der wegegeldlüsternen Suya war nur das Signal zu weiteren Erpressungen, die fast täglich in lärmenden Sitzungen beschlossen wurden. Dazu kam, daß man die Diener, welche, um Einkäufe zu machen, sich auf der Straße zeigten, zu beschimpfen und zu schlagen wagte; ja, man ging sogar soweit, dem Forscher vorzuwerfen, er äße Fleisch und sie, die Suya, hätten nur Datteln zur Nahrung. Jeder Respekt also, durch den sich allein der unter wilden Menschen befindliche Reisende schützen kann, wurde von den Leuten außer Acht gelassen. All dies ließ den Forscher von nun an das Schlimmste befürchten, ohne daß er etwas dagegen thun konnte.

Nach einer stürmischen Beratung am 24. August wurde den Reisenden erklärt, daß sie von nun an Gefangene seien und daß sie die gleiche Behandlung wie die Geißeln von Bengasi erfahren würden, die gerüchtweise in Ketten liegen sollten. Die Lage der Reisenden war verzweifelt; alle Bemühungen, nach Bengasi über ihre schrecklichen Verhältnisse Nachricht gelangen zu lassen, waren vergeblich. Die Leute ließen sich zwar den Botenlohn zahlen, zerrissen aber nachher die Briefe. Die mit so vieler Mühe gesammelten Naturalien nahmen sie einfach fort. Als nun noch gar ein Bruder des einen in Bengasi gefangenen Scheichs ankam, der einer der angesehensten Klosterbrüder war, sah Rohlfs den Untergang der Expedition vor Augen. Er hielt sich deshalb für verpflichtet, seinen Gefährten von der unrettbaren Lage Mitteilung zu machen. Bisher hatte er das Schwerste allein getragen. Wenn auch die andern Leidensgefährten das Unangenehme der Lage wohl bemerkten, so hatten sie doch keine Kenntnis davon, daß sie jede Stunde überfallen und ermordet werden könnten.

Sidi Apil, so hieß der Bruder des in Bengasi gefangen gehaltenen Scheichs, welcher anfangs jede persönliche Zusammenkunft mit Rohlfs und seinen Genossen mied, um sich durch den Verkehr mit den Christen nicht zu verunreinigen, hatte den Plan ausgeheckt, Rohlfs solle einen Brief nach Bengasi schreiben und darin um die Freilassung der Geißeln bitten. Dieser ging gern darauf ein in der Hoffnung, er könne eine geheime Nachricht in dem Briefe nach Bengasi gelangen lassen. Doch Sidi Apil zwang ihn, diesen nur arabisch abzufassen. Augenscheinlich beabsichtigte er, durch den Brief die Freilassung der Geißeln zu erzielen, in der Zwischenzeit aber den Forscher zu ermorden.

Inzwischen hatten sich die Verhältnisse so zugespitzt, daß Rohlfs mit Bu Guetin offen über seine Ermordung und deren eventuelle Folgen sprach. Am 11. September abends stürzte gar eine Bande bewaffneter Suya unter Anführung des frommen Sidi Apil in das Lager und verlangte unter drohenden Geberden 1000 Thaler, die sie als Lösegeld für die Freilassung der Geißeln in Bengasi verwenden wollten. Bei dem Ernst der Lage wurde ihnen das Geld ausgehändigt, das sie dann bei Fackelschein nachzählten. Der fromme Sidi Apil bezeichnete diese Erpressung nur als eine Anleihe, während Bu Guetin sich mit den Worten, „für diesmal haben wir genug", entfernte. Am nächsten Morgen stellte sich heraus, daß eine Kiste, in der wahrscheinlich Geld vermutet wurde, gestohlen war, ohne daß die Suya sich herbeiließen, den Dieb zur Rechenschaft zu ziehen. Sie glaubten eben schon, über das Eigentum der Reisenden frei verfügen zu können.

Nachdem durch dieses Vorgehen Aufregung und Gier in den Gemütern der Bewohner erweckt war, beschloß Bu Guetin, die Gelegenheit zu benutzen, um jetzt durch Ermordung der Christen ganz in den Besitz ihrer Habe zu kommen. Diesen Vorsatz teilte er dem Scheich Kezim Bu Abd el Rha mit, um ihn dafür zu gewinnen. Doch dieser war der einzige gute, rechtlich denkende Mensch unter der ganzen Bande, der einzige, der für die Reisenden freundliche Gesinnungen hegte. Nach Kenntnis des Vorhabens eilte er sofort zu Rohlfs und enthüllte diesem den Plan, denn schon in der folgenden Nacht sollte das Lager überfallen und der Reisende, wenn er schliefe, erstochen werden. Zu dem Ueberfalle, so erzählte der Scheich, hätten Bu Guetin und Sidi Apil mindestens siebzig Mann aufgeboten, so daß ein Widerstand völlig aussichtslos sei. Und wenn auch wirklich einige Suya von den Reisenden getötet würden, so würde deren Tod die sämtlichen Stämme gegen die Reisenden aufbringen. Denn dann heiße es nur, „der Christ hat den Moslim getötet", nicht aber „der Christ hat sich zur Wehr gesetzt".

Aber dieser brave Mann unterrichtete nicht allein den Bedrohten, sondern bot ihm auch seine Hilfe und seinen Schutz an, indem er Rohlfs aufforderte, mit nach seiner Wohnung zu kommen.

Für seine Gefährten brauche er nicht zu sorgen, man würde jenen nichts thun, sobald man ihn in Sicherheit wisse. Rohlfs wollte jedoch seine Landsleute nicht im Stiche lassen und erklärte, er würde nicht ohne sie gehen. Er war sogar so mißtrauisch geworden, daß er in Vorschlägen des Scheichs eine Falle zu erblicken glaubte. Endlich entschloß er sich, da er keinen andern Ausweg sah, darauf einzugehen. Es wurde nun vereinbart, daß der Schwiegersohn des Scheichs, Smeida, der genau von allem unterrichtet war, bis zur Dunkelheit im Lager bleiben sollte; unter dessen Führung sollte dann die Flucht vor sich gehen.

Sobald der Scheich sich entfernt hatte, rief Rohlfs seine Gefährten herbei, um sie von der drohenden Gefahr und dem Fluchtplane in seinen Einzelheiten zu verständigen. Als es dunkel geworden, entfernten sich dann Hubmer, Eckarot und Dr. Strecker aus dem Lager und gingen nach dem verabredeten Treffpunkt, während Smeida den Forscher selbst abholte, um sich mit jenen zu vereinigen. Alles ging gut. Sobald man sich in der Dunkelheit zusammengefunden, wurde schnell und geräuschlos aufgebrochen. Es war ein gefährlicher Marsch, um so entsetzlicher, als die Fliehenden aus der Richtung kamen und bald in einen Sumpf gerieten, bald wieder zwischen Gestrüpp und Binsen sich durcharbeiten mußten. Als die kleine Gruppe schließlich nach vielen Mühen schweißtriefend die großen Palmenbüsche von Surk, wo der Scheich wohnte, erreicht hatte, erklärte Smeida plötzlich, er könne die Hausch, d. i. die durch einen Palmenbusch bezeichnete Lagerstätte seines Schwiegervaters nicht finden; er wolle auf die Suche gehen und, wenn er ihn gefunden, zurückkehren. Jetzt glaubte Rohlfs sich und seine Gefährten verraten; sie mußten daher auf alles gefaßt sein. Sie nahmen sich also vor, wenigstens ihr Leben so teuer wie möglich zu verkaufen, wenn ein Angriff erfolgte. Da hörten sie Menschen nahen; schon wollten sie ihre Revolver in Bereitschaft setzen, als freundliche Rufe ertönten, und Smeida in Begleitung befreundeter Leute vor ihm stand. Mit leichterem Herzen wurde nun der Weg nach Kezim el Rhas Palmenbusch angetreten, den man glücklich erreichte. Gastliche Aufnahme, obgleich es Mitternacht war, entschädigte die Schwergeprüften für die überstandenen Beschwerden.

Unterdessen spielte sich im Lager der Geflohenen eine schreckliche Scene ab. Etwa zwei Stunden nach dem Verlassen des Lagers erschien Bu Guetin vor Rohlfs' Zelt und trat mit gezogenem Revolver in dasselbe ein. Der Diener Ali fügte sich der Aufforderung, seinen Herrn zu wecken, nicht. Die Wahrnehmung, die Bu Guetin gleich darauf machte, daß der Gesuchte geflohen, brachte ihn in furchtbare Wut. Inzwischen hatten seine Gefährten die andern Zelte durchsucht und deren Eigentümer ebenfalls nicht gefunden. Nach kurzer Beratung machte sich die Horde daran, die Koffer und Kisten zu erbrechen. Den Leuten dauerte aber das Schloßaufbrechen und das Abheben der Deckel mit Stemmeisen viel zu lange. Kisten und Koffer zerschlugen sie daher mit einem schweren Hammer, rissen dann die freigewordenen Gegenstände heraus, zertrümmerten die Instrumente und raubten oder zerstreuten, was ihnen grade in die Hände kam. Unter furchtbarem Lärm, unter Zanken und Streiten um die einzelnen Gegenstände, wurde das Hab und Gut der Expedition vollständig geplündert. Durch den gefundenen Cognac, den sie natürlich sofort genossen, wurde die Stimmung der Bande noch erhöht. Ihre Wut, wenig bares Geld gefunden zu haben, ließen sie an den fremden Gegenständen aus, indem sie alles in sinnlos blinder Wut vernichteten. Das Werk der Zerstörung der Zelte dauerte bis zum Tagesanbruch. Alles, die ganze Ausrüstung sowie die wissenschaftliche Ausbeute der Expedition, war dahin.

Nachdem die Wut und der Rausch vorüber, kam sehr bald über die Suya die Reue. Jetzt befürchteten sie, daß ihre Handlungsweise nach Bengasi berichtet werden würde. Die frühere Feindschaft verwandelte sich in Freundschaft. Eine Deputation kam und bat um Verzeihung und erklärte sich sogar zu geringen Entschädigungen bereit, wenn nichts von dem Vorfalle nach Bengasi berichtet würde. Selbst der Schurke Sidi Apil erschien persönlich. Rohlfs erklärte ihm jedoch, mit einem Räuberhauptmann und Wegelagerer wolle er nichts zu thun haben; er habe geglaubt, die Senussi wären da, die Leute zu belehren und zu bessern, nicht aber, sie zum Schlechten anzuhalten; mit einem solchen Senussi, wie der, der vor ihm stände, könne er nicht unter einem Dache bleiben; dieser verließ denn auch schleunigst die Hütte.

Unter den obwaltenden Umständen war natürlich nicht daran zu denken, die Reise nach Wadai fortzusetzen. Zwar wurde das, was von den Sachen sich nicht im Besitze von Bu Guetin befand, nach und nach wieder zurückgegeben. Die Geschenke des Kaisers aber, mit Ausnahme eines Schwertes, alle Privatsachen und bares Geld blieben in den Händen des Räubers. Auch die Instrumente waren fast alle vernichtet. Es wurde nun die Rückkehr beschlossen und unter sicherer Bedeckung aufgebrochen. Nochmals plante Bu Guetin einen Ueberfall auf diesem Wege, doch gelang es dem Einflusse einiger der angesehensten Senussi, ihn daran zu hindern. Sie sorgten sogar für die Herausgabe der kaiserlichen Geschenke und einer Menge anderer Sachen. Hätten die Senussi sich vorher der Expedition angenommen, so wäre der Ueberfall gar nicht möglich gewesen.

Am 7. Oktober wurde der nördlichste Punkt von Kufra, Drangedi, und am 25. Oktober wieder glücklich Bengasi erreicht. Für den Verlust seiner Ausrüstung wurde Rohlfs später durch die türkische Regierung entschädigt. War auch nicht das vorgesteckte Ziel der Expedition erreicht, so war doch nunmehr wenigstens die Erforschung der Libyschen Wüste mit der Erkundung der Oase Kufra als abgeschlossen zu betrachten. Die Lage der Oase selbst erwies sich nach Rohlfs' Forschungen erheblich südlicher und östlicher, als sie auf den bisherigen Karten verzeichnet war.

Reise nach Abessinien.

Schon im Jahre 1880 befindet sich Rohlfs wieder in Afrika, aber nicht um neue geographische Entdeckungen zu machen, sondern um Geschenke des deutschen Kaisers an den Kaiser Johannes von Abessinien zu überbringen. Von Massaua aus begab er sich gemeinsam mit Dr. Strecker nach Kasen und von da nach dem Orte Baderho, in dessen Nähe General Ras Alula ihn erwartete; bei diesem gedachte er zu bleiben, bis er vom Kaiser von Abessinien empfangen werden würde. So hatte es Rohlfs vorher brieflich vereinbart.

Ras Alula hatte wahrscheinlich den Befehl erhalten, die Ankommenden so rasch wie möglich weiter zu befördern; denn er zeigte zu der schleunigsten Abreise große Lust. Diese wurde denn auch sogleich angetreten. Ganz überrascht war Rohlfs, als er vor dem Thore sein Maultier besteigen wollte und statt dessen ein vorzügliches, prächtig gesatteltes Tier vorfand; eine Ehrengabe des abessinischen Ras. In Begleitung einer Bedeckung, unter dem Kommando des Hauptmanns Mariam, der die Reisenden sicher bis zum Negus Negesti führen und namentlich für die richtige Beitreibung der täglichen Lieferungen sorgen sollte, wurde dem Ziele zugesteuert. Als die Reisenden jedoch bis Adua gelangt waren, erhielten sie die Weisung, nicht dem nächsten Weg über Arum zu folgen, sondern weiter östlich den Weg über Sokoto einzuschlagen, weil der westlichere durch Rebellen oder Räuber versperrt sei.

In Sokoto angekommen, beschloß Rohlfs, den Hauptmann Mariam mit einem Brief an den Kaiser vorauszusenden, der ihn von der baldigen Ankunft in Kenntnis setzen sollte. Die Gerüchte von der Abreise des Negus nach dem Sudan hatten nämlich immer bestimmtere Fassung angenommen; die meisten gaben als sein Ziel Kaffa an. Hauptmann Mariam brach denn auch auf, allerdings schweren Herzens, denn ein prachtvolles Rind sollte noch am Abend desselben Tages geschlachtet werden, während er am Morgen bereits seine Reise antreten mußte. Jedoch das Versprechen eines Geschenkes stellte bei ihm das Gleichgewicht zwischen Wunsch und Pflicht wieder her.

Von Sokota aus hatten die Reisenden entsetzliche Wege zu passieren. Verschiedene von ihren Tieren fielen und mußten den Hyänen überlassen werden. Kein Maultier war mehr vollkommen heil; das war besonders zu bemerken, wenn man die eigentlichen Lasttiere ohne Sattel sah — welch ein Jammer! Die Rückenfläche bildete eine einzige große Wunde. Dazu war aller Hausrat, den Rohlfs mit sich führte, völlig zerschlagen und zertrümmert, nichts blieb ganz als ein Lehnstuhl. Kam nicht bald Hilfe, so hätte, wer weiß wie weit, bis nach Debra Tabor, danach geschickt werden müssen; denn in dieser Gegend konnten die Tiere selbst für Geld nicht ergänzt werden. Glücklicherweise erschien bald, in Agissa, Mariam und mit ihm ein Oberst samt hundert Mann Soldaten; eine vom Negus Negesti entgegengeschickte Ehrenwache. Nun hatte alle Not ein Ende. Wie durch Zauber kamen am nächsten Tage frische Träger und Maultiere, und weiter ging es, der Residenz zu, die denn auch nach einigen noch recht schwierigen Tagemärschen erreicht wurde.

Rohlfs und Strecker erhielten nun sofort Audienz und wurden vom Negus sehr freundlich empfangen. Er erkundigte sich nach der Gesundheit des Kaisers, des Fürsten Bismarck, des Heeres und dergleichen und entließ dann die Reisenden bald wieder, damit sie sich von den Anstrengungen der Reise erholen sollten. Inzwischen hatte er ihnen die Gastgeschenke an Lebensmitteln zugeschickt, die sich nun täglich wiederholten und zwar in so reichlichem Maße, daß sie kaum untergebracht werden konnten. In einer besonders feierlichen Audienz, während deren die Kanonen donnerten, übergab Rohlfs sodann den kaiserlichen Brief und die Geschenke. Fröhliches Entzücken malte sich auf dem Antlitz des Negus, als er den in einer rotsammeten, geschmackvoll dekorierten Mappe ruhenden Brief des deutschen Kaisers in die Hände bekam. Ebenso schienen das prachtvolle Schwert und der kostbare Sonnenschirm seine Freude und Genugthuung zu erregen. Nachdem ihm Rohlfs denn noch einige Erklärungen über die Herkunft der Geschenke gegeben, wurde er gnädig entlassen.

Bis zur Abreise des Negus, am 17. Februar, blieb auch Rohlfs bei ihm als Gast und brach dann nach dem Tanasee auf, während Strecker fieberkrank zurückbleiben mußte. Sein Zustand erforderte Ruhe, damit er sich für spätere Unternehmungen kräftigen könne. Ueber die prächtige Umgebung des Tanasees war Rohlfs ganz entzückt, seine tiefblauen Fluten und seine grünen Ufer zählte er zu den schönsten Gegenden von ganz Afrika. In nördlicher Richtung zog er dann in Begleitung der Bedeckungsmannschaft, die unter dem Kommando des Obersten stand, weiter. Dieser stellte sich bald mit seinen Leuten als eine rechte Plage für die Reisenden heraus. Fortwährend plünderten sie; die geschädigten Bewohner erwarteten dann von Rohlfs natürlich Entschädigung. Im Dorfe Belange kam es sogar zum Blutvergießen, bis sich endlich Rohlfs ins Mittel legte und durch Geschenke die Bewohner beruhigte. Ebenso gelang es ihm, in Gondar durch Geschenke die entstandenen Differenzen auszugleichen.

Da die Gegend frei von Rebellen und Räubern war, bedurfte Rohlfs des Obersten mit seiner Eskorte nun nicht mehr. Dieser machte ihm daher den Vorschlag, schon am Abu Zabri zum Negus zurückkehren zu dürfen. Mit Freuden ging Rohlfs darauf ein. Er hatte gedacht, in Frieden vom Oberst scheiden zu können; nicht nur für ihn selbst, sondern auch für jeden Soldaten hatte er ein bedeutendes Geldgeschenk bereit gehalten; doch schickte der Oberst, als ihm das Geschenk übersandt war, dieses mit dem Bemerken zurück, daß er es nach einem Befehl des Negus nicht annehmen dürfe. In der That aber wollte er dadurch nur ein größeres Geschenk herauspressen; denn das angebotene war ihm zu gering. Zu diesem Zwecke ließ er mehrere Leute der Karawane, deren Mitglieder unter Rohlfs' Schutz standen, in Fesseln legen mit der Motivierung, diese Leute seien aus Debra-Tabor entflohen. Rohlfs befand sich dem gegenüber in unangenehmer Lage; ob und inwieweit die Angaben thatsächlich auf Wahrheit beruhen konnten, war nicht festzustellen, aber die Leute reisten nun einmal unter seinem Schutze. Als er nun grade dabei war, sich mit dem Oberst über diesen Zwischenfall auseinander zu setzen, erschien zum Glück der Distriktsgouverneur, der ihm dann beisprang und den Oberst aufmerksam machte, daß sein Verhalten dem seinem Schutze Anvertrauten gegenüber vom Negus sehr übel aufgenommen werden würde. Seine Pflicht sei es, dem Negus sofort Bericht über diesen Fall zu erstatten. Das wirkte; die Gefesselten wurden befreit, doch blieb ihr Gepäck verloren; der Herr Oberst zog mit seinen Leuten darauf ab. Vorher ließ er jedoch das zuerst abgelehnte Geldgeschenk erbitten, obwohl er sich schon verabschiedet hatte. Die Reisenden atmeten auf, als diese unverschämte Begleitschaft sich endlich entfernt hatte.

In der Gegend vom Orte Kesadaro stieß eine Abteilung von zwanzig Soldaten, auf Befehl des Generals Mata Gebro, der in Abwesenheit Ras Alulas die Grenzarmee gegen die Aegypter kommandierte, zu Rohlfs. Oestlich von Teramne hatte sich nämlich ein Räuberhauptmann in die Marebschluchten geworfen und brandschatzte von hier aus das Land. Er plünderte in der Regel die durchziehenden fremden Karawanen; Kaufleute, die von Gondar kamen und von Massaua heimkehrten, mußten mit hohen Zöllen sich einen Durchzug erkaufen, oder wurden eingekerkert, geprügelt, unter Umständen auch getötet. Aus diesen Gründen schickte Mata Gebro die Bedeckung, um einen Angriff des Räubers zu verhindern, was damit auch gelang; denn die Karawane unseres Forschers blieb unbelästigt. Sie erreichte beim Dorfe Ad Saul die alte Straße wieder und, diese entlangziehend, Massaua, wo glücklicherweise sehr bald ein Dampfer eintraf. Diesen zunächst konnte der Forscher zur Rückreise nach der Heimat benutzen. Dieselbe erfolgte auf dem erwähnten Schiff bis Suez; hier begab sich Rohlfs an Bord eines anderen Dampfers, der ihn nach Neapel brachte, von wo aus er am 15. Mai 1881 in Berlin eintraf.

Schluß.

Nachdem unser Forscher nun seine Heimat erreicht hatte, setzte er seine frühere Beschäftigung, nämlich die Schilderung seiner Reisen, eifrig fort. Zahlreiche Bände sowie Aufsätze in geographischen Zeitschriften legen von seinem Fleiße beredtes Zeugnis ab. Doch er begnügte sich nicht nur mit der schriftlichen Darstellung seiner mannigfachen Touren, die ganz Nordafrika die Kreuz und Quer durchmessen hatten, sondern, eingedenk, daß das gesprochene Wort ganz anders wirkt, als es ein Buch vermag, durchreiste er nun sein deutsches Vaterland und suchte durch frische und begeisterte Vorträge das Interesse für die vaterländische Afrikaforschung zu erwecken. So mancher, der diese Zeilen liest, mag aufmerksam den fesselnden Worten des kühnen Reisenden, in dessen Aeußerem man schwerlich den Mann vermutete, der Jahre hindurch allen Gefahren des dunklen Erdteils getrotzt, gelauscht haben.

Aber es sollte Rohlfs noch beschieden sein, praktisch für die deutsche Sache in Afrika einzutreten. Im Jahre 1884, kurz nach der Begründung unserer ostafrikanischen Kolonie, wurde er auf den verantwortlichen und schweren Posten eines kaiserlich deutschen Generalkonsuls in Sansibar gestellt, den er allerdings schon im folgenden Jahre aufgab.

Seitdem lebte er in schriftstellerischer Muße zuerst in seinem behaglichen Heime in Weimar, bis er im Jahre 1890 seinen Wohnsitz nach Godesberg am Rhein verlegte. Möge ihm noch ein langer, glücklicher Lebensabend beschieden sein.

Werfen wir nun schließlich noch einen Blick auf das, was Rohlfs geleistet hat, so fällt uns sofort seine kühne und abenteuerliche Reise durch das im Innern zu jener Zeit so gut wie unbekannte Marokko in die Augen. Die Oasen Tafilet und Tuat, sowie den ganzen Süden dieses Landes, den vorher kein Europäer betreten hatte, hat er unserem Wissen näher gebracht. Sodann verdanken wir ihm unsere Kenntnis von zahlreichen andern Oasen, in der Sahara sowohl wie in den Atlasländern, sowie den endlichen Abschluß der Erforschung der Libyschen Wüste. Dabei können wir ganz von seiner Durchquerung des Kontinents von Nord nach West, der ersten, die von einem Deutschen unternommen ist, absehen, die ihn durch manche gänzlich unbekannte Landstriche führte, wie z. B. durch das Land der Joruba.

So kann man seine Reisen, auf denen er den ganzen nördlichen Teil Afrikas nach allen Richtungen gekreuzt hatte, wohl mit denen seines großen Vorgängers Barth vergleichen und sie gewissermaßen als Ergänzung jener Forschungen im Sudan für die Sahara und die Atlasländer betrachten. Er selbst aber nimmt unter der lebenden Generation den Platz des zuverlässigsten Kenners Nordafrikas ein.

V.

Georg Schweinfurth.

Georg Schweinfurth.

Unter den wissenschaftlichen Afrikareisenden der Gegenwart nimmt Dr. Georg Schweinfurth unstreitig einen der ersten Plätze ein. Was Heuglin für die Erforschung der Tierwelt jener Gegenden im Nordosten Afrikas gethan, das hat Schweinfurth für die wissenschaftliche Kenntnis der Pflanzenwelt in jenen Regionen vollbracht. Und abgesehen davon, daß es ihm gelungen war, noch erheblich weiter als Heuglin nach Westen vorzudringen, verdanken wir Schweinfurth, außer der Bereicherung unserer Kenntnis des Pflanzenlebens jener Gebiete, die ethnographisch wichtigsten Aufschlüsse. Denn es war ihm nicht nur vorbehalten, das seltsame Kannibalenvolk der Niam-Niam und die Monbuttu zum ersten Mal und gründlich kennen zu lernen, sondern auch die Frage der Existenz eines Zwergvolkes im Innern Afrikas, die seit geraumer Zeit die Gemüter der gelehrten Welt beschäftigt hatte, so gut wie zu lösen. Außerdem und in geographischer Beziehung gelang es ihm, die Wasserscheide zwischen dem Nil und Kongo zu überschreiten und uns die erste Kunde von dem Uelle zu bringen, dessen Zugehörigkeit zum Kongo oder Schari daraufhin lange Zeit eines der interessantesten geographischen Probleme gebildet hat.

Georg Schweinfurth wurde am 29. Dezember 1836 zu Riga geboren und entstammt einer der angesehensten Familien des dortigen Handelsstandes. Wie Heuglin, so erhielt auch er den ersten Unterricht in einer Erziehungsanstalt. Später schickte man ihn auf das Gymnasium zu Riga, wo er besonderes Interesse für Naturgeschichte und Geographie sowie ein ungewöhnliches Zeichentalent bekundete. Gewandt in körperlichen Uebungen und voll Ausdauer in anstrengenden Fußwanderungen, besuchte er bereits 1857 die Alpen. Dann begab er sich nach Heidelberg, um dort Naturwissenschaften zu studieren. Zwei Jahre danach siedelte er nach München über, und 1860 sehen wir ihn die Hochschule zu Berlin besuchen, wo er sich mit regem Eifer botanischen Studien widmete.

Der Aufenthalt in Berlin wurde für seine spätere Laufbahn teils durch die Bekanntschaft mit Heinrich Barth, teils durch die von ihm übernommene Bearbeitung einer Pflanzensammlung, die der am Blauen Nil verstorbene Freiherr von Barnim angelegt hatte, entscheidend. Seine Sehnsucht nach dem dunklen Erdteil, der Wunsch, zur botanischen Erforschung des Nilgebietes auch sein Teil beizutragen, wurde in ihm immer lebhafter, und er beschloß, fürs erste auf eigene Kosten eine ausschließlich botanischen Zwecken gewidmete mehrjährige Reise in die sonnigen Gefilde von Aegypten, Nubien und nach den oberen Nilländern anzutreten.

Im Spätherbst des Jahres 1863 machte er sich auf den Weg und betrat, wie Henglin zwölf Jahre früher, zum erstenmal in Alexandria afrikanischen Boden. Nun besuchte er das Nildelta und Unterägypten, fuhr stromaufwärts bis Keneh und zog gen Osten quer durch die Thäler der Felsenwüste bis Kosser am Roten Meer. Monatelang fuhr er auf eigener Barke an dessen glühenden Gestaden entlang, besuchte die Stadt Suakin, unternahm mehrfach Ausflüge ins Innere, gewann eine reiche Ausbeute seltener Gewächse und suchte auch die Lage der Küstengebirge genauer, als bisher geschehen, zu bestimmen und kartographisch festzulegen.

Besonders war es aber das Gebiet der unabhängigen Bischarin, das seine Wißbegierde reizte. Dieses Volk, das etwa zwischen Kosser und Suakin seine Sitze hat, zeichnet sich vor seinen Nachbarstämmen durch schöne Körperformen aus. Außer dem weißen Umschlagetuch kennen die Bischarin keine Kleidung.

Ihre Haut ist sehr rein, zeigt aber bei den verschiedenen Individuen alle Schattierungen vom tiefsten Schwarzbraun bis zum lichten Kupferrot. Obwohl ihr allgemeiner Gesichtsausdruck einen angenehmen Eindruck macht, so sind sie doch ihrem Charakter nach falsch, verschlossen und völlig unzuverlässig. Sie halten sich für strenggläubige Moslims, obgleich sie keine Gebete kennen, noch die Fastenzeit beachten. Ihr kriegerischer Geist ist durch Maßnahmen der ägyptischen Regierung so ziemlich zum Erlöschen gebracht, wenngleich sich diese übermütigen Wüstensöhne zur Zeit von Schweinfurths Besuch noch einer gänzlichen Unabhängigkeit erfreuten; sie zahlten weder an die Türkei noch an Aegypten Tribut.

Unser Reisender durchwanderte nun wiederholt das Land zwischen dem Nil und dem Roten Meer und gelangte schließlich, von Suakin aus in südwestlicher Richtung über Kassala und Kanara ziehend, an die unterste Terrasse des abessinischen Hochlandes bis nach Matamma. Im Hause der deutschen Missionare Bühler und Eiperle fand er gastliche Aufnahme und Pflege während schwerer Leiden am klimatischen Fieber.

Im Januar 1866 nahm Schweinfurth seinen Weg wieder noch Norden. Er betrat Chartum und später Berber. Von dort zog er gen Osten nach Suakin und erreichte auch wohlbehalten Alexandria. Im Juli landete er in Triest, um zunächst in seine Vaterstadt zurückzureisen und dann nach Berlin überfiedeln.

Die Zeit bis zu seiner großen und wichtigsten Reise, die uns hier hauptsächlich angeht, wurde mit der wissenschaftlichen Verwertung seiner prachtvollen Sammlungen und mit neuen Studien ausgefüllt. „Wer die harmlose Habgier des Pflanzenjägers kennt, wird begreifen, wie diese Studien in mir nur das Verlangen nach neuer Beute wachrufen mußten, harrte doch noch der bei weitem größte Teil des Nilgebietes, die geheimnisvolle Flora seiner südlichen Zuflüsse, der botanischen Erforschung, ein unwiderstehlich verlockendes Ziel meiner Wünsche.“

Hauptreise.

Bis in das Gebiet der Niam-Niam und Monbuttu.

Obwohl Schweinfurth mit den Resultaten und reichen Erfahrungen seiner ersten Reise wohl zufrieden sein konnte, drängte es ihn doch wieder hinaus nach jenen eigentümlichen Ländern, deren botanische Erforschung sich denn auch immermehr zur Aufgabe seines Lebens gestalten sollte. Vor allem wurde der günstige Ausgang der ersten Reise für die folgende große Unternehmung maßgebend. Hatte auch Dr. Schweinfurth nur an einigen Punkten unerforschtes Gebiet betreten, so hatten ihn doch seine Berichte, Sammlungen und Beobachtungen als wissenschaftlichen Reisenden von außergewöhnlicher Befähigung erkennen lassen. Und als er nun im Sommer 1868 der „Humboldt-Stiftung für Naturforschung und Reisen" einen Plan zu einer vornehmlich botanischen Erforschung der Länder westlich vom Bahr el Ghasal vorlegte, da fand dieser allgemeine Billigung. Schweinfurth war überdies kein Neuling mehr auf afrikanischem Boden und hatte die Lehrzeit in der Kunst des Reisens hinter sich. Um so eher ließ man sich daher bestimmen, ihm während der Dauer von fünf Jahren die disponiblen Fonds der Humboldt-Stiftung zuzuwenden.

Auf dem bekannten Wege über Suez und Suakin wanderte er nach Chartum, der Hauptstadt des ägyptischen Sudans. Dem Entgegenkommen des dortigen Generalgouverneurs war es zu danken, daß er bald einen sehr günstigen Kontrakt mit dem reichen Elfenbeinhändler Ghattas abschließen konnte, um der Lieferung von Lebensmitteln, von Trägern, von Bewaffneten und dergl. und um überhaupt eines erfolgreichen Vordringens bis zu den Niam-Niam sicher zu sein. Die Chartumer Großhändler besaßen nämlich in jenen Gegenden, die zum Teil das Ziel der Schweinfurth'schen Expedition waren, eine große Anzahl Niederlassungen (Seriben), wo unter der Obhut von Bewaffneten die erforderlichen Stapelplätze für Elfenbein, Lebensmittel und dergleichen unterhalten wurden. Von hier aus wurden dann Züge ins tiefe Innere unternommen. Der von dem Gouverneur aufgesetzte Kontrakt mit dem Großhändler Ghattas war daher von außerordentlicher Bedeutung für das ganze Unternehmen. Denn dieser war auch bereit, unserem Forscher für die Fahrt bis Meschra-el-Rek eine Barke zur Verfügung zu stellen und ihm auch Anschluß an alle Unternehmungen und Wanderungen seiner Leute zu gewähren.

Abreise nach dem Gazellenfluß und Marsch ins Innere.

Am 4. Januar 1869 war alles zur Abreise fertig und Schweinfurth hocherfreut, sich endlich unwiderruflich dem Ziel seiner Wünsche entgegen in die oberen Nilländer geführt zu sehen.

Da wir bei Heuglin die Fahrt nilaufwärts bis in den Ghasal wohl zur Genüge geschildert haben, so beschränken wir uns jetzt auf die Wiedergabe einiger besonderer Erlebnisse.

Bei einer kleinen interessanten Insel war Schweinfurth mit zweien seiner in Chartum angeworbenen Diener ans Land gestiegen und es ereignete sich, daß einer der Begleiter, Namens Mohammed Anim, an Schweinfurths Seite von einem Büffel überrannt wurde, den der Unglückliche durch Störung in seinem Mittagsschläfchen in äußerste Wut gebracht hatte. In einem Augenblicke war der Büffel aufgesprungen und hatte den Störenfried in die Lüfte gewirbelt. Die Situation wurde sehr ernst. Denn der Büffel schickte sich an, sein Opfer zu zerstampfen und Schweinfurth hatte kein Gewehr in der Hand. Der andere Begleiter hatte nun zwar sofort Schweinfurths Kugelbüchse angelegt, aber das Gewehr versagte. Die Zeit erlaubte nicht, ihm zuzurufen, „die Sicherung ist vor“. Doch schon schleuderte dieser auf eine Entfernung von kaum zwanzig Schritt ein kleines Handbeil aus Eisen dem Büffel an den Kopf, mit einem wilden Sprunge wandte sich der Büffel ins Röhricht, brüllend und den Boden mit seiner

Wucht erschütternd. Mohammed war glücklicherweise nicht tötlich verletzt worden; in drei Wochen war er wieder glücklich hergestellt.

Ein andermal wurde oberhalb eines Dinkadorfes die Barke von einem Bienenschwarm überfallen. Schweinfurth arbeitete grade, nichts Böses ahnend, an seinen Pflanzen in der Kabine, da vernahm er um sich herum ein Rennen und Springen, das er anfangs für tolle Ausgelassenheit des Schiffvolks hielt. Aber plötzlich stürzte einer mit dem Rufe: „Bienen, Bienen" in sein Gemach. Mit einem Mal sah sich Schweinfurth von tausenden dieser Tiere umsummt, die ihm Gesicht und Hände arg zurichteten, und je wütender er um sich schlug, mit um so größerer Hartnäckigkeit stachen. Schweinfurth, kaum seiner Sinne mächtig, stürzte sich voller Verzweiflung in den Fluß, ohne wesentlich von der Plage befreit zu sein. Schließlich gelang es, den Schwarm durch in Brand gestecktes Schilfgras zu vertreiben.

Ein Unfall, wie der eben geschilderte, ist selten auf dem Weißen Nil erlebt worden. Schweinfurth erzählt, er hätte sich am Abend des schmerzenreichen Tages gewünscht, lieber mit zwei Löwen und noch zehn Büffeln dazu als mit einem solchen Bienenschwarm zu thun zu haben, ein Wunsch, den die ganze Schiffsmannschaft teilte.

Am 24. Januar wurde in Faschoda, dem damaligen Endpunkt des ägyptischen Reiches, gelandet. Hier herrschte ein sehr reges Leben, da fast alle Barken zur Einnahme von Proviant und Revision der Schiffspapiere daselbst Aufenthalt zu nehmen pflegten. Den kurzen Aufenthalt in Faschoda benutzte Schweinfurth zu einem größeren Ausfluge, auf dem er auch mehrere Schillukdörfer besichtigte.

Am Abend des 1. Februar wurde Faschoda verlassen und kurz darauf die Sobatmündung passiert. Aber bald waren auch die letzten Schillukdörfer den Blicken entschwunden und nun gestaltete sich die Schiffahrt durch die bekannten Hindernisse nicht grade erquicklich. Doch gelangte man schließlich in den Bahr-el-Ghasal, an dessen schilfumkränzten Ufern hier und da Nuerdörfer auftauchten.

Im Distrikt Rieng, dem Mittelpunkt der Nuerbevölkerung, rastete man ein paar Tage, und unser Reisender hatte somit Gelegenheit, die kriegerischen Nuer näher kennen zu lernen. Dann ging es wieder weiter gen Süden und am Morgen des 22. Februar war man froh, den Halteplatz aller Bahr-el-Ghasalfahrer, Meschra-el-Rek, erreicht zu haben.

Bis Ende März mußte unser Forscher hier verweilen und auf die Ankunft der Träger warten, die ihn nach der Seriba Ghattas begleiten sollten. Mit Ausflügen in die Umgebung und Empfangen von Besuchen der Eingeborenen verstrichen ihm angenehm die Tage. Bald lernte Schweinfurth auch die alte Schol kennen, eine sehr einflußreiche Person des benachbarten Stammes der Laos, die uns schon bei Heuglin begegnet ist.

Endlich, am 25. März, konnte der Aufbruch nach dem Innern erfolgen. Dem Ghattas'schen Zuge hatten sich noch verschiedene Gesellschaften angeschlossen, so daß die Karawane an fünfhundert Köpfe zählte. Das Ganze war zur Aufrechterhaltung der Ordnung in mehrere Abteilungen gesondert, von der jede ihre eigene Fahne hatte.

In vorwaltend südsüdwestlicher Richtung wurde nun der westliche Flügel des ausgedehnten Gebiets der unbezwungenen Dinka durchzogen. Man rastete stets in Dörfern, welche die Eingeborenen aus Furcht vor der Karawane verlassen hatten: sind doch die Dinka durch den fortgesetzten Viehraub der Nubier die erbittertsten Feinde der fremden Eindringlinge! Darum können auch die Verbindungen zwischen den Niederlassungen im Bongo- und Djurlande nur unter Aufgebot einer ausreichend bewaffneten Macht zur Bedeckung der Träger unterhalten werden.

Nach dreitägigem Marsche gelangte man nach dem Dorfe Kudj, nachdem unterwegs der Fahnenträger Soliman sich auf einer Jagdexpedition, durch unvorsichtiges Umgehen mit dem Gewehr, getötet hatte. Schweinfurth fand hier schöne Gelegenheit, seine Studien über das Volk der Dinka, die er schon während des Aufenthalts in der Meschra betrieben, fortzusetzen und zu vervollständigen.

Auf dem Weitermarsche passierte die Karawane einen 20 Fuß tiefen Brunnen, das wald- und tierreiche Gebiet des Stammes der Al-Uadj und den Distrikt von Djuhar. Schließlich gelangte auch unser Reisender an das vorläufige Ziel der 3600 Meilen langen Reise von Berlin aus — die Hauptseriba des Ghattas, wo er für mehrere Monate sein Standquartier zu nehmen beabsichtigte.

Die große Seriba, — höchstens 100 Fuß über dem mittleren Niveau des Gazellenflusses — lag mitten auf der Grenze dreier Stämme, der Dinka, Djur und der Bongo. Ihre Besatzung bestand meist aus Bongolanern, etwa 250 Mann. Auch nubische Sklavenhändler hatten sich hier in geräumigen Gehöften angesiedelt, um bequem Sklaveneinkäufe machen zu können. Zwei Meilen im Umkreise der Seriba breiteten sich Aecker aus, die von den Eingeborenen bestellt, den Unterhalt der Besatzung größtenteils an Sorghum deckten.

Schweinfurth wurde hier mit aller Zuvorkommenheit empfangen und erhielt auch zwei hübsch aus Bambus und Stroh gebaute mittelgroße Hütten, innerhalb der Pallisaden, als Wohnung überwiesen.

Exkursionen in die Umgebung der Seriba Ghattas.

Unser Forscher unternahm nun täglich Streifzüge in die Umgegend. Mit der Ordnung des Eingesammelten verging die meiste Zeit. Bereits nach vierzehn Tagen wanderte er nach Südosten, wobei er auch den Tondjfluß kennen lernte, an dem die Seriba Addais errichtet war. Dann zog er bis zur Seriba Gir, die von Bambusdschungeln umgeben, in einer kornreichen Thalniederung gelegen und von Bongo bewohnt war.

Ausgangs April war die Vegetation soweit entwickelt, daß Schweinfurth sich von einer weiteren Tour im Lande großen Gewinn versprechen durfte. Mit seinen Dienern und mehreren Trägern zog er daher nach Westen, um die Seriben Kurschuk Alis und Agads zu besuchen und den Djurfluß in Augenschein zu nehmen. Der etwa 80 Fuß breite und 4 Fuß tiefe Djur wurde durchschritten und der Weg durch Buschwaldungen genommen, die zahlreiche Rudel von Hartebeest und Lensotisantilopen beherbergten. Nach einstündigem Marsche kam die von dichtbewaldeten Hügelwellen eingesäumte Hauptseriba Kurschuk Alis in Sicht. Der bejahrte Verwalter Chalil empfing unseren Reisenden mit großer Liebenswürdigkeit. Hier sah Schweinfurth zum ersten Mal mehrere Leute vom Stamme der Niam-Niam und machte ferner die interessante Bekanntschaft eines Sklavenhändlers aus Tunis, der über Dafur die weite Spekulationsreise hierher schon zum zweiten Male unternommen hatte. Schweinfurth berichtet über ihn: „Er sprach etwas französisch und las zum größten Erstaunen der Anwesenden die Namen auf meinen Karten ab. Der feinste und anständigste seines Gelichters, der mir je vorgekommen, tauchte er hier vor meinen erstaunten Blicken auf, wie ein Deus ex machina. So oft ich ihn sah, konnte ich mich des Gedankens nicht erwehren, einen verkappten Entdeckungsreisenden vor mir zu haben, eine Art Burton oder Rohlfs; Hautfarbe und Weltkenntnis ließen uns einander wie Landsleute betrachten, die sich in weiter Ferne begegnen. In einem unbewachten Moment griff ich ihn bei der Hand und führte ihn abseits, um ihn unter vier Augen dazu aufzufordern, mir die Wahrheit zu gestehen, wer er sei, wie sein Name, wo seine Heimat. Völlig unvorbereitet auf diese ihm unerklärliche Interpellation brach er in ein lautes Gelächter aus, und meine freudig gespannte Erwartung wich einer gründlichen Enttäuschung".

Nunmehr wurde die Wanderung gen Westen fortgesetzt und der Waufluß, der sich in mehr nördlicher Richtung mit dem Djurfluß vereinigt, tief aus dem Niam-Niamgebiet kommt und die Grenze zwischen den Djurstämmen Gonj und Wau zieht, überschritten. Kaum zwei Stunden Wegs vom Flusse lag die Hauptseriba des Agad, die schlechtweg Wau genannt wurde, in einer flachen Thalsenkung, von einem steilen Abfall von 100 Fuß Höhe nach Südwesten begrenzt und von einer erstaunlichen Fülle und Vielartigkeit des Laubwerks umgeben.

Bereits am ersten Tage nach der Ankunft in Wau hatte unser Reisender das Glück, mehrere Büffel, die östlich vom Djur fast ganz zu fehlen schienen, bei der Tränke zu überraschen; trotzdem gelang es aber nicht, eines der Tiere zu erlegen.

Schweinfurth hätte gern seinen Ausflug schon jetzt noch weiter westwärts zum Kosangaberge oder wenigstens bis zur Seriba Beseli, wo Heuglin vor mehreren Jahren so lange geweilt, ausgedehnt, aber die stark angewachsenen Sammlungen und die Erschöpfung seiner Papiervorräte nötigten ihn zum Rückzug. So kehrte er, nachdem er alles in der Umgebung von Wau besichtigt hatte, nach seinem Ausgangspunkt zurück.

In der Seriba Kurschuk Alis verweilte er ein paar Tage, machte dann einen kleinen Abstecher nach Norden und besuchte das Dorf des Djurältesten Okel, das östlich vom Djur an einem Bache lag, den prachtvolle Uferwälder lieblich beschatteten. Von hier aus zog er durch Dörfer und Weiler heimwärts, überall aufmerksam empfangen.

Auf diesem dreiwöchentlichen Streifzuge nach Westen hatte Schweinfurth auch das Volk der Djur gründlich kennen gelernt. Dieser Stamm, einst von Norden eingewandert, bewohnt nur ein kleines Areal, das kaum mehr als 20000 Bewohner hat. Im Durchschnitt sind die Djur nur um einen Schatten heller gefärbt, als die Dinka. Trotz ihres lebhaften Verkehrs mit diesen haben sie die Schilluksitten beibehalten. Beide Geschlechter erscheinen daher nicht tätowiert, verweigern hartnäckig jede Schambedeckung und bedecken nur die Gesäßpartie mit einer kleinen Schürze von Fell. Künstlich aufgebauter Haarputz scheint nicht wie bei den Schilluk und Dinka üblich zu sein; denn am liebsten tragen Männer wie Frauen das Haupthaar kurz geschoren. Ihr Lieblingsschmuck ist derselbe wie bei den Dinka: ein Beschlag von Eisenringen am Unterarm und massiver Elfenbeinringe am Oberarm. Die Frauen sind durch nichts in ihrer Erscheinung von den Dinkafrauen verschieden, sehr häufig findet sich bei ihnen indes ein großer Eisenring durch die Nase gezogen. Einen sehr beliebten Schmuck in Afrika, eine Schnur mit kleinen, nach Analogie der Glasperlen geschmiedeten Eisenkügelchen, sah Schweinfurth bei diesem Volke zuerst wieder in großer Menge.

Infolge der Eisenhaltigkeit ihres Felsbodens betreiben die Djur sehr intensiv Eisenindustrie; wohl jeder Djur ist Schmied von Profession. Ihre Arbeiten gehen in die Magazine nach Chartum. So verfertigen sie z. B. Lanzenspitzen von 60 bis 70 cm Länge, die ebenso wie Spaten am obern Nil Währungsqualität haben.

Kurz vor der Aussaat, im März, verlassen sie ihre Behausungen, um am Flusse zu fischen, oder im Walde Erz zu schmelzen. Weiber und Kinder mit samt der beweglichen Habe folgen ihnen.

Obwohl die Nubier schon fünfzehn Jahre im Lande hausten, hatten sie den Djur weder Ziegelbrennen noch rationelle Gewinnung von Holzkohlen gelehrt, und so gehen die von der Natur so freigebig gespendeten Schätze verloren.

Sowohl äußerlich als innerlich zeigen die Hütten der Djur ganz eigenartige Merkmale. Der Unterbau ist ein im Innern mit Thon beworfenes Geflecht von Holz oder Bambus, das Dach bildet ein einfacher breiter Strohkegel mit lang ausgezogener Spitze. Den größten Teil des Innern nehmen Kornreservoirs ein, welche Einrichtung von den Dinka entlehnt ist. Ein freier Platz vor der Hütte, bedeckt von geglättetem und gestampftem Thonboden, dient der Familie als Tisch für alle möglichen häuslichen Verrichtungen. Die Djur erfreuen sich eines reichen Kindersegens und Eltern- und Kindesliebe dürfte bei ihnen in höherem Grade vorhanden sein, als bei allen übrigen Völkern Centralafrikas.

Eine fast vierzehntägige Rundtour durch alle Filialseriben Ghattas brachte Abwechselung in das etwas einförmige Leben und Schweinfurth betrat auch das Bongogebiet, von deren Bewohner er die wesentlich charakteristischen Züge aufzeichnete. Diese wohnen am südwestlichen Rande des Tieflandes vom Bahr-el-Ghasalbecken zwischen dem 6. und 8. Grad nördlicher Breite; ihr Land, an Flächenraum so groß wie etwa das Königreich Belgien, trägt kaum elf Seelen auf der Quadratmeile, ist also entvölkerter als Sibirien.

Der Grundton in der Hautfarbe der Bongo erscheint als ein erdiges Rotbraun gegenüber dem Tiefschwarz der Dinka; besonders fallen die Frauen durch ihre lichte Hautfarbe auf. Auch hinsichtlich ihrer Körpergröße, die mittlerer Statur ist, unterscheiden sie sich von den Dinka. Der Bau der Gliedmaßen ist gedrungen; starke Muskulatur, breite Schädelbildung, ein langer Oberkörper sind die Rassenmerkmale der Bongo. Sie haben kurzes, krauses Wollhaar von kohlschwarzer Farbe, aber Bartwuchs findet sich nur selten bei ihnen. Sie treiben fast ausschließlich Ackerbau, und sowohl Männer wie Frauen geben sich mit großem Eifer der Bodenbearbeitung hin; besonders bauen sie gern Sorghum, und die Tabakpflanzen werden überall gepflegt. Statt des fehlenden Kochsalzes gewinnen die Bongo ihr Salz durch Auslangen einer gewissen Art Holzasche. An Haustieren halten sie Hühner, Hunde und Ziegen; Schafe und Rinder fehlen. Während ihre südlichen und südöstlichen Nachbaren Genuß von Hundefleisch nicht verschmähen, genießen sie solches nicht; denn an Hunde knüpft sich bei ihnen großer Aberglaube, so z. B. soll das Vergraben ihrer Kadaver Regenlosigkeit zur Folge haben.

Nach Beendigung der Regenzeit beschäftigen sich die Bongo auch mit Jagd und Fischerei. Ratten und Feldmäusen wird mit dem größten Eifer nachgestellt; letztere bereiten ihnen einen feisten Leckerbissen beim Mahle, wie sie überhaupt vor dem Genuß allerlei Ungeziefers nicht zurückschrecken.

Große Dörfer und Städte fehlten bei den Bongo: Schweinfurth sah nur zerstreute Weiler und kleine Hüttenkomplexe. Diese werden an bevorzugten Plätzen errichtet, wo dichte Baumkronen ein künstliches Sonnendach bilden. Weit im Umkreise wird dann der Boden von Unkraut gesäubert, dient er ihnen doch als Tisch, auf dem alle möglichen häuslichen Verrichtungen vollzogen werden! Besondere Sorgfalt wird auf den Bau der Hütten verwandt. Fast allgemein in Kegelform errichtet, zeigen sie doch eine bunte Mannigfaltigkeit des Stils. Die Hütten haben nur ein niedriges Eingangsloch, so daß man nur kriechend ins Innere gelangen kann. Zu jeder Wohnstätte gehört ein Kornspeicher, Gallotho genannt. Ein nationales Merkmal der Bongohütten ist, daß fast alle an der Spitze des Kegeldaches mit einem Strohpolster, Gonj genannt, versehen sind, um eine Fernsicht in das flache Land zu ermöglichen.

In der Eisenschmiedekunst übertreffen die Bongo sogar die Djur. Nach beendigter Ernte ist die Zeit für die Schmiedearbeiten gekommen. Die meisten Produkte der Eisenindustrie gehen als Handelsobjekte in die Ferne. Roheisen wird in dreierlei Gestalt abgesetzt: 1. als Wähi, d. h. als einfache 1—2 Fuß lange Lanzenspitzen, 2. als Loggo-Kullutti, d. h. schwarzer (roher) Spaten, 3. als Loggo, fertiger Spaten. Das Loggo-Kullutti ist Währungsmünze für Centralafrika. So dient es als Kaufmittel und Hochzeitsgabe, die allerdings nach afrikanischer Sitte vom Freier zu entrichten ist. Außerdem werden von den Bongo mancherlei Waffen, Geräte und Schmuckgegenstände verfertigt.

Auch die Holzschnitzerei ist bei den Bongo in Blüte, wozu der Göllbaum das beliebteste Material liefert. Namentlich werden kleine vierfüßige Sesselchen geformt, die in keinem Haushalt fehlen, obwohl der Mann ihren Gebrauch verschmäht: es gilt ihm als weichlich, einen erhöhten Sitz zu benutzen.

Außer den bereits angeführten gewerblichen Künsten wurden bei den Bongo auch Strohflechterei und Töpferei betrieben und Felle zur Anfertigung von Lederschürzen hergerichtet.

Nun noch einiges über Tracht und Sitten dieses uns von Schweinfurth geschilderten Stammes.

Die auch bei den Bongo beiderlei Geschlechts sehr spärliche Bekleidung läßt den großen Unterschied in der Körperkonstitution zwischen den Männern und Weibern deutlich erkennen; während die Weiber einen großen Grad von Wohlbeleibtheit erreichen, bleiben die Männer auffallend dünn. Schmuck aus Glasperlen um den Hals wird bei den Bongo allgemein getragen, allerdings nur von den Weibern, die Männer tragen an einander gereihte Hölzchen um den Hals, gleichsam als Amulette. Die Tätowierung ist bei den Bongofrauen mehr auf den Oberarm beschränkt, während sie bei den Männern äußerst verschieden ist und oft ganz fehlt. Zur Zeit von Schweinfurths Anwesenheit diente auch Kupfer zu Tauschzwecken, hatte also bereits Geldqualität. Messing stand bei den Bongo in keiner Gunst, im Gegensatz zu den Djur; Gold und Silber waren ihnen fast völlig unbekannt.

Die Waffen der Bongo sind Lanze, Pfeil und Bogen; wenn sich Schilde bei ihnen vorfinden, was nur selten der Fall ist, so rühren diese stets von den Nachbarvölkern her. Die Waffen erreichen bei ihnen große Dimensionen; die Pfeile beispielsweise sind selten unter 5 Fuß lang.

Im Gegensatz zu den übrigen Völkern, wo der Besitz allein über die Zahl der Frauen entscheidet, ist sie bei den Bongo auf drei beschränkt. Aber auch bei ihnen sind die Frauen nur gegen bare Münze zu erlangen und selbst der Aermste muß Eisenplatten und dergleichen für eine Heirat aufwenden.

Eigentümliche Gebräuche werden bei der Bestattung befolgt. Nachdem der Tote in kauernder Stellung in ein Grab gebettet ist, wird über ihm ein großer Steinhügel errichtet und auf diesen ein Wasserkrug gestellt; außerdem bezeichnet man jede Grabstätte durch eine Anzahl hoher, beschnitzter Holzpfähle und schließlich wird nach diesen Pfählen geschossen: die haftenden Pfeile bleiben stecken. Unsterblichkeitsglaube und religiöser Kultus fehlt den

Bongo ebenso wie auch allen Negervölkern dieser Gebiete; große Furcht wohnt ihnen inne vor bösen Geistern, deren Sitz sie in den finstern Wald verlegen. Zur Abwehr derselben dienen zauberkräftige Wurzeln, mit denen berufsmäßige Zauberer Handel treiben.

Nach einer allgemeinen Anschauung, die unter den Bongo herrscht, kann von Geistern nichts Gutes kommen. Des Verkehrs mit bösen Geistern werden bei den Bongo namentlich alte Weiber bezichtigt. So glauben sie, die letzteren durchstreiften nachts die Wälder, während sie vermöge ihrer Wurzeln scheinbar ruhig in ihrer Hütte schlafen; im nächtlichen Dunkel pflegen sie dann Rats mit den bösen Geistern, um der armen Menschheit Tod und Verderben zu bereiten. Denn von selbst könne ein kräftiger Mensch, der nicht Hunger leidet, doch nicht verderben! Das alles charakterisiert sich als echter, unverblümter Aberglaube, der im Bongolande in größerer Blüte steht, als sonst irgendwo.

Die Heilmethode bei den Bongo ist sehr einfach. Leute, die an inneren Krankheiten leiden, werden mit frischen Laubzweigen gepeitscht, die man in kochendes Wasser getaucht hat. Verrückte werden an Händen und Füßen gefesselt, angeblich zur Abkühlung ihrer Leidenschaft, dann in den Fluß geworfen und von kundigen Schwimmern gehörig untergetaucht.

Wie manche afrikanischen Völker, ist auch das Bongovölkchen im Absterben begriffen und diesen Prozeß wird ohne Zweifel die politische Entwickelung der Verhältnisse beschleunigen.

Bis zu den Niam-Niam.

Gleichförmig und ohne wesentliche Zwischenfälle verstrichen die Tage in der Seriba Ghattas. Schweinfurth mußte sich bei einer gewissen Gebundenheit an sein Standquartier mehr mit der fortgesetzten Erforschung seiner nächsten Umgebung begnügen. Endlich ging die Regenzeit zu Ende, nachdem Schweinfurth siebeneinhalb Monate in der Seriba Ghattas geweilt hatte. Ein Wechsel sollte jetzt in seiner bisher verhältnismäßig seßhaften Lebensweise eintreten und die Erforschung sich auf ein weit größeres Gebiet erstrecken. Da Abd-es-Sammat am weitesten von allen Händlern nach Süden vorgedrungen war, so war es für Schweinfurth verlockend, sich ihm anzuschließen.

Abd-es-Sammat nämlich passierte auf dem Marsche von der Meschra nach den Niam-Niamländern die Seriba Ghattas, und da Schweinfurth wiederholt von ihm aufgefordert worden war, ihm zu folgen, so entschloß er sich diesmal, sein sicheres Standquartier gegen das ungewisse Schicksal eines unsteten Wanderlebens zu vertauschen, das entgegenkommende Angebot des vertrauenswürdigen Händlers anzunehmen und mit ihm mitzuziehen. Vergeblich versuchten ihn Ghattas Leute mit der Schilderung von einer furchtbaren Hungersnot in Abd-es-Sammats Gebieten zurückzuhalten.

Nachdem sich Schweinfurth mit dem Gros der Karawane, die im Ganzen an Trägern und Bewaffneten zweihundertfünfzig Köpfe zählte, bei Kolongo vereinigt hatte und der Uebergang über den Fluß Tondj vorbereitet worden war, wurde am 17. November die eigentliche Reise nach Süden angetreten. Der Tondj wurde auf einer primitiven Fähre, die aus einem großen Bündel Stroh bestand, überschritten. Auf dem andern Ufer führte der Weg durch den Rest der Flußniederung zu einem steilen Abfall des felsigen Hochlandes. Von der Höhe desselben genoß unser Reisender eine reizende Fernsicht über die weite Niederung, durch die sich der Tondj in langgezogenen Krümmungen hindurchschlängelte.

Gegen Abend sammelte sich die Karawane in menschenleerer Wildnis; am nächsten Morgen folgte man einem ansehnlichen Bach stromaufwärts und zog dann südöstlich durch wildreichen Wald bis zu einer lichten Stelle, wo das Nachtlager errichtet wurde. „Wer hätte nicht von der Pracht des südlichen Himmels gelesen, welcher Reisende nicht geschwelgt im Anblick der großartigen Wolkenscenerie, die ihm die mondhellen Tropennächte vorführten? Nach einem starken und heißen Tagemarsch ist man indes nicht selten gar zu ermattet und abgespannt, um solche Reize gehörig in sich aufnehmen zu können. In passiver Gleichgültigkeit auf dem Rücken ausgestreckt, glotzt das staunende Auge unverwandt zum Himmel, bis der Schlaf es umschleiert, und so läßt man wie unbewußt den hochpoetischen Zauber über sich ergehen. Da bedeckt sich der Himmel mit endlosen Scharen von dichtgedrängten Lämmern, die sich wie Schollen von schmelzendem Eis gestalten, weiter und weiter sondern sie sich von einander ab, bis aus den Zwischenräumen die tiefe Schwärze des Firmaments hervortritt; die Lücken werden immer breiter und weiter, da erglänzt, wenn Mitternacht vorüber, am wolkenfreien Himmel die volle Pracht der Sterne, und von rötlich schimmerndem Hof umgeben, wirft der Mond auf die letzten Nachzügler sein Silberlicht. Tief unten in der Waldeinsamkeit hat sich inzwischen ein marktartiges Getümmel ausgebreitet, das laute Gesumme der Plaudernden wird ab und zu von einem kräftigen Kommandorufe unterbrochen, hin und wieder lodert ein neues Lagerfeuer hoch auf und das Dunkel des Waldes erstrahlt von zahlreichen Lichtern. Jeder einzelne Träger schützt sich, so gut er kann, gegen den kalten Tau der Nacht, und die Asche ist seine Decke. Rauchwolken umhüllen die ganze Lagerscene, ein brennendes Gefühl in den Augen verscheucht jeden Schlaf und fordert zur fortgesetzten Bewunderung der Vorgänge am Himmel auf. Umflossen von magischem Mondschimmer erscheint dem Reisenden alles wie von einem großen Theaterschleier verdeckt, der, nach und nach sich lüftend, im Hintergrunde die Hölle sichtbar werden läßt, mit Hunderten schwarzer Teufel, die auf ebensovielen Flammen braten. So beschaffen war mein tägliches Nachtlager, so oft ich von einer großen Trägerzahl begleitet reiste."

Nach einigen Tagemärschen erreichte die Karawane die Seriba Scherifis, Doggu und bald darauf die Seriba Duggudu. Die Vegetation war infolge der wiederholten Steppenbrände jetzt verödet und verarmt, die meisten Bäume und Blätter entlaubt.

Von großer Bedeutung für den Vegetationscharakter dieses Teils von Centralafrika sind die alljährlich wiederkehrenden und von der Zeit der Dürre begünstigten Steppenbrände. Es bildete sich hier eben nichts als Kohle und Asche, welche vom Wind in die Thaltiefen gefegt werden. Die Gewalt der Flammen wirkt auch unmittelbar auf die Gestaltung der Gewächse ein, daher der Mangel an dichten hochstämmigen Beständen, daher die Seltenheit alter, großer Bäume. Daher auch wohl der unregelmäßige Wuchs und der vorherrschende Buschwald.

Vier und eine halbe Stunde südlich von der kleinen Niederlassung Vaturli, wo das erste Nachtlager nach Passieren von Dugubdu aufgeschlagen wurde, lag Abd-es-Sammats Hauptseriba, die nach dem Chef seiner Bongo den Namen Sabbi führte. Nach siebentägiger Wanderung durch fast unbewohnte Gegenden befand sich Schweinfurth am 25. November in dem Hauptquartier seines Freundes und Beschützers, der ihm eine wahrhaft orientalische Gastfreundschaft zu teil werden ließ.

Da seit dem Ende der Regenzeit bei vollständigem Stillstand in der Vegetation sich botanische Studien nicht verlohnten, so beschloß Schweinfurth, den Dezember und Januar zu einer Rundtour durch das benachbarte Mittuland zu benutzen. Eine Anzahl neubegründeter Seriben wollte er besuchen, durch deren Anlage Abd-es-Sammat im vergangenen Jahr die Grenzen seines Gebiets weit nach Osten vorgeschoben hatte.

Der Weg führte zuerst nach dem nahen Boiko, das Abd-es-Sammats Harem beherbergte. Die erste Frau desselben, eine Tochter des Niam-Niamhäuptlings Uando, machte hier aus unsichtbarer Nähe die Honneurs, indem sie die Gäste mit Kaffee und einigen Speisen der Chartumer Küche bewirtete. Nun ging es weiter in östlicher Richtung. Das nächste Dorf war Gigji. Nach einem starken Tagemarsche wurde die Seriba Dokottu erreicht, welche die äußerste Ostgrenze des Bongogebietes bezeichnet. Von Dokottu wandte man sich nach Süden, der Roahfluß wurde überschritten und nach zehn Wegstunden gelangte man zu der

Seriba Ngama, die wichtigste Niederlassung im Abd-es-Sammatschen Gebiet der Mittu. Von Ngama ging es in nordöstlicher Richtung nach einer kleinen Niederlassung der Elephantenjäger, Dimmndo, wo man den Fluß Rohl zum zweiten Mal kreuzte. Nur anderthalb Stunde nordöstlich von Dimmndo lag Dangaddulu. Das Land weit gen Osten bis jenseits des Rohl und auch nach Süden zu führte den Kollektivnamen Boro. Stämme verschiedener Völkerschaften waren innerhalb dieses Gebiets seßhaft.

In südöstlicher Richtung führte nun der Weg nahe am rechten Rohlufer entlang, bis der Fluß zu überschreiten war. In dieser Gegend gedieh viel Getreide, und Jagd und Fischerei erleichterten den Unterhalt einer ziemlich dichten Bevölkerung. Ansässig war hier das kleine Völkchen der Bessi, das in ihren Sitten zahlreiche Anklänge an die Bongo, wie an die Mittu verriet.

Um seine Reise nach Westen zurück fortzusetzen, kehrte Schweinfurth über die Filialseriba Legbi nach Ngama zurück. Von dort aus machte er noch eine neue Rundtour in südlicher Richtung, zumal da die Zeit noch nicht herangerückt war, wo er, der Verabredung gemäß, mit Abd-es-Sammat nach den Niam-Niamländern aufbrechen konnte. Ueber die kleine Seriba Kero im Wadigebiet ging es nach Reggo, einer kleineren Niederlassung von Elephantenjägern, und mit Kuragera im Süden wurde der vorgeschobenste Posten im Gebiet Abd-es-Sammats erreicht. Ueber die Seriben Derago, Kuddu und Dokottu traf Schweinfurth am 15. Januar schließlich wieder in den gastlichen Hütten von Sjabbi ein, begrüßt von den Getreuen und fast erdrückt von den Liebkosungen seiner Hunde. Die Tour hatte eine Gesamtlänge von zweihundertundzehn Meilen erreicht und das Gebiet der Mittuvölker war in allen seinen Teilen durchwandert worden.

Die vier Mittustämme haben ihre Sitze zwischen den Flüssen Roah und Rohl, also größtenteils zwischen dem 5. und 6. Grad nördlicher Breite. Die Mittusprache enthält vereinzelte Anklänge an die der Bongo, hat aber, im Ganzen genommen, wenig mit ihr gemein. In Gebräuchen, Tracht und Einrichtungen nähern sich die Mittuvölker am meisten den Bongo; vielleicht auch bilden sie einen in der Entwickelung begründeten Uebergang zu den Niam-Niam. Erst im Laufe der letzten Jahre hatte ihre Unterwerfung unter die Gewalt der Chartumer begonnen. Der Rasse nach stehen die Mittu den Bongo erheblich nach, ihre Körperkonstitution ist minder tauglich zu beschwerlichen Strapazen, obwohl sie mindestens ebenso fleißige Ackerbauer als die Bongo sind. Fast drei Monate hindurch hatte Schweinfurth von Sabbi aus ununterbrochene Wanderungen unternommen. So war jetzt die Zeit der Erholung kurz bemessen, zumal die Vorbereitungen zur Weiterreise ihn eifrigst beschäftigten. Endlich, am 29. Januar 1870, war man mit den Vorbereitungen so weit gediehen, daß der Abmarsch vor sich gehen konnte. Der Zug bestand aus fünfhundert Trägern und einhundertundzwanzig Bewaffneten, Schweinfurth selbst verfügte außerdem über dreißig Träger.

Noch nie hatte ein Forschungsreisender derartige Vorteile genossen, wie sie Schweinfurth Mohammeds Uneigennützigkeit zu danken hatte. Beim Antritt der Reise wurde der Sitte gemäß ein Lamm am Eingangsthor der Seriba geopfert und in dessen Blut die rote Fahne des Islam unter leisem Murmeln von Gebeten gesenkt. Natürlich ging der Aufbruch einer im Gänsemarsch marschierenden sieben- bis achthundert Köpfe starken Kolonne nicht ohne Schwierigkeiten vor sich. Für Schweinfurth war es ein unvergeßlicher Tag, als er die ersten Schritte zur Erreichung seiner kühnsten Hoffnungen machte. „Bis ans Ende der Welt will ich Dich bringen," hatte ihm Mohammed beim Aufbruch gesagt, „daß Du selbst sagen sollst, nun genug." Das gelang dem uneigennützigen Manne nun allerdings nicht, Schweinfurths Wißbegierde ließ sich eben nicht so schnell genugthun.

Der Marsch ging zuerst einige Meilen nach Süden. Der dritte Reisetag — 31. Januar — war der erste Regentag seit Ende der letzten Regenzeit im November; am Mittag des 2. Februar war man nach einem außerordentlich schweren Marsch durch Grenzwildnis mit Massen verdorrten Grases am Ibba oder Tondj angelangt. Der Fluß, an dessen südlichen Ufer sich die ersten Felder der Niam-Niam ausdehnten, bot keine Schwierigkeiten beim Durchwaten, da er nur 3 Fuß Tiefe hatte. Die Eingeborenen auf den ersten Wegmeilen hatten bei der Annäherung der Karawanen aus Furcht sämtlich ihre Hütten geräumt; sie saßen mit Weib und Kind, Hunden und Hühnern, mit Körben und Töpfen in den dichtesten Teilen der Steppe sicher geborgen in ihren Schlupfwinkeln, wo sie nur etwa Hühnergeschrei verraten konnte. Kein Wunder, häufig bildeten diese Steppen den Schauplatz der so viel genannten Elephantenjagden. Die Grasmassen werden dabei angezündet und das Feuer bringt den in der angezündeten Steppe befindlichen Elephanten den unvermeidlichen Tod. Von Weiler zu Weiler ertönen dann die großen Holzpauken und rufen die waffenfähige Mannschaft zum Jagen zusammen. Tausende von Jägern und Treibern versammeln sich dann, denn Erscheinen ist Pflicht. Für das Wild giebt es kein Entweichen; schließlich scharen sich die Alten um die Jungen, bedecken sie mit Gras und suchen sie mit ihren Rüsseln zu schützen, bis sie selbst, ohnmächtig vor Rauch und Brandwunden, verenden. Mit Lanzenstichen versetzt man ihnen etwa noch einen Gnadenstoß. Aus der grausamen Metzelei wird das so begehrte Elfenbein erbeutet.

In dem Dorfe des Abu Samat befreundeten Niam-Niamhäuptlings Nganje, so große Furcht auch ein Teil seiner Leute bei deren Anmarsch vor der Karawane gezeigt hatte, ging es bei Ankunft Schweinfurths lebhaft her. Die Niam-Niam erschienen in ihrem vollsten kriegerischen Schmuck, mit Jagdtrophäen behangen, die chokoladenbraune Haut in Tigermustern mit einem schwarzen Saft bemalt. Machten sie so als echtes Jagdvolk einen selbstbewußten kriegerischen Eindruck, so erschien ihr Häuptling Nganje unserem Reisenden bei seinem Empfang wesentlich anders. Nganje war, als Schweinfurth zum ersten Mal vor ihn kam, nur mit einem schmalen Hüftentuch bekleidet, im Uebrigen ganz nackt, unbewaffnet und ohne Abzeichen seiner Würde. Er bewillkommnete den Europäer, auf einer Bank vor seinen Hütten, in denen er mit seinen Weibern zusammenlebte, sitzend, durch Handschlag, zeigte sich aber sonst recht stumpfsinnig und interesselos dem weißen Manne gegenüber.

Der Marsch wurde von den Hütten des Häuptlings Nganje nach Süden fortgesetzt. Nach sechs Stunden kam der Zug an den oberen Djurfluß, der hier Ssenœh genannt wurde. Seine Quellen erreichte Schweinfurth am Berge Bagins, wo der Fluß schon als kleiner Bach seinen Namen trägt.

Vor Sonnenaufgang des 7. Februar wurde der Uebergang bewerkstelligt. Alle Gebiete der Niam-Niamhäuptlinge waren durch menschenleere Wildnisse weit von einander geschieden, offenbar aus Mißtrauen vor hinterlistigen Ueberfällen.

Nganjes Gebiet war größtenteils Steppe, gutes und auch trefflich bebautes Ackerland befand sich nur im Gebiet des Rei, eines Nebenflusses vom Djur. Die Wohnstätten der Niam-Niam bilden kleine Weiler, die selten mehr als ein Dutzend Hütten enthalten, die von einigen Familien, welche sich zusammengethan haben, bewohnt werden. Die Hütten sind rings um einen freien, stets sehr sauber gehaltenen Platz errichtet. Auf diesem befindet sich ein Pfahl, der nicht nur zum Aufhängen der zum Teil recht seltenen Jagdtrophäen, wie Tierköpfe, Büffel- und Antilopenhörner ꝛc., sondern auch der Menschenschädel und der gedörrten menschlichen Arme und Beine, die Zeugnis von dem Kannibalismus der Niam-Niam ablegen, dient.

Die Stellung des Weibes weicht bei den Niam-Niam von den im socialen Leben der meisten heidnischen Negervölker Afrikas befolgten Grundsätzen bedeutend ab. Die Niam-Niamfrau pflegt nämlich im Gegensatz zu der Vertraulichkeit, ja sogar Zudringlichkeit der Frauen mancher anderer Stämme, dem Fremden mit großer Zurückhaltung gegenüber zu treten. Es hat dies einerseits seinen Grund in der sklavischen Stellung der Frauen, andererseits aber auch in der Eifersucht der Männer. Mit großer Liebe hängt der Niam-Niam an seinem Weibe und mit den größten Opfern ist er stets bereit, ein in Gefangenschaft geratenes Weib zu befreien. Selbst im Kriege mit den Niam-Niam hat der großen Vorteil, der sich in den Besitz von weiblichen Geißeln zu setzen verstanden hat.

Am 25. wurde der Marsch nach Westen fortgesetzt, inzwischen war noch Abd-es-Sammat mit seiner schwarzen Leibwache zu dem Zuge gestoßen, der jetzt an tausend Köpfe zählte. Am 27. März wurde der Jubbofluß überschritten. Wundermären eilten, von Mund zu Mund getragen, Schweinfurths Schritten voraus. „Wo kommt der Mann her," hieß es, „der doch nicht von unserer Art, der mit seinem Ziegenhaar nicht Bewohnern gleicht von dieser Erde? Ist er vom Himmel gefallen, ist es ein Mann vom Monde? Hat jemand seinesgleichen je zuvor gesehen?" So und ähnlich lauteten die Fragen dieses überaus einfältigen Volkes.

Der Weg wandte sich über den Atasilli in südlicher Richtung hinaus. Mit dem Flusse Linduku nahm Schweinfurth von den Nilländern Abschied; ihm war es nun vergönnt, die Wasserscheide zwischen den dem Nil und Kongo zugehörenden Flüssen als erster Europäer zu überschreiten. Der Weg führte dabei zunächst auf schmalem Pfade durch dichten Laubwald. „Die Ueppigkeit der Vegetation übertraf alles Bisherige, und in die Tiefen dieses Thals drang nie ein Sonnenstrahl." Die Terrainverhältnisse gestalten sich weiterhin wenig günstig. Ein weiterer einstündiger Marsch führte zu einer offenen, flachen Steppe, die aber nach einiger Zeit einer großen, mit Wald dicht bestandenen Niederung Platz machte, und nun erst begannen die ernsteren Chikanen afrikanischer Fußwanderungen. Sümpfe mußten durchwatet werden, durch die kein Wagen, ebensowenig ein Reiter hindurch gekommen wäre; auch tragen hätte sich der Forscher nicht lassen können, ohne die beständige Gefahr einer weit schlimmeren Unbequemlichkeit, nämlich der, Kleider und

Notizbuch, die er so sorgsam auf dem Kopfe trug, in den schwarzen Erdschlamm gebettet zu sehen. Da lagen modernde Baumstämme, die auf schlüpfriger Unterlage beim Betreten sich drehten wie eine Welle, andere waren glatt und boten dem Fuß keinen Halt, dann kamen tiefe Löcher von Wasser gefüllt, oder von schwimmender Vegetation verräterischerweise überdeckte Fallgruben, da gab es ein Springen von Erdklumpen zu Erdklumpen, mit Balancieren und Tasten verbunden; vergebens sah sich die Hand nach Hilfe um, ungastlich wiesen die sägeartig berandeten Pandanusblätter jeden Händedruck zurück.

Weithin erschallten die wilden Einöden einer viele Meilen weit gänzlich unbewohnten Wildnis von dem gellenden Geschrei und dem Lärm der durch das Wasser plätschernden Träger; des Schimpfens und Fluchens der Nubier und des Gepolters der Sklavinnen mit ihren Schüsseln, Kürbisschalen und Calebassen, wollte es im dichten Gedränge zwischen den stacheligen Dschungels kein Ende nehmen. An vielen Stellen übertönte ein lustiges Hallo aus hundert Kehlen den Wirrwarr der Stimmen; das galt dann immer einer Sklavin, die mit ihrem ganzen Küchenkram in einer Lache verschwunden war; und die Kürbisschalen trieben über ihr auf der trüben dicken Flut. Der Reisende war natürlich um sein Gepäck, namentlich um die Herbarien, welche sich zwar in wasserdichten Kautschuküberzügen befanden, aber doch möglichst große Schonung verlangten, in beständiger Sorge. Indes seine Bongoträger waren auserlesenster Art und erfahren, in dieser Manier Sümpfe zu durchwaten; keiner von ihnen kam zu Fall. So ist alles, was der Reisende aus diesem entlegenen Centralteile Afrikas an Pflanzen gesammelt hat, ohne Einbuße unbeschädigt herausgekommen.

Inzwischen hatte sich bei den den Zug begleitenden Niam-Niam die Benennung eingebürgert, unter der Schweinfurth von nun an allen Völkern, deren Gebiet er berührte, bekannt werden sollte. Sie nannten ihn nämlich „Mbarik-päh“, zu deutsch „Laubschlinger“. Schweinfurth stand nämlich bei den Eingeborenen im

Verdacht, daß er erstaunliche Quantitäten von Laub und Kräutern täglich vertilge. Eine eigentümliche Vorstellung verbanden die Eingeborenen überhaupt mit Schweinfurths botanischen Sammlungen. Seine Heimat, so glaubten sie, habe weder Gras noch Bäume, sondern bestände nur aus Sand- und Steinwüsten.

Der Weg nach dem Monbuttulande führte die Karawane ohne erhebliche Abweichungen in südsüdwestlicher Richtung vorwärts. Den Uebergang zu den Monbuttu bildeten die A-Banga, ein von den Niam-Niam in Sprache und Sitte äußerst verschiedener Stamm.

Die A-Banga sollen von jenseits der breiten Grenzwildnis, welche die Territorien beider Völker scheidet, hinübergekommen sein, und sich erst in neuerer Zeit im Gebiet der Niam-Niam angesiedelt haben. Nach Schweinfurth war ihr letztes Stammland die dichtbevölkerte Provinz, welche der Monbuttukönig Munsa im Norden des Uelleflusses besitzt. Ihre Hütten kennzeichnet ein ganz eigenartiger Baustil. Im Gegensatz zu den im Innern Afrikas gebräuchlichen Kegeldächern findet man hier die weiter hin nach Süden vorkommenden Horizontaldächer von mehr europäischer Art. Mit den Monbuttu haben sie in Tracht und Kriegsrüstung vieles gemein. So durchbohren sie sich die Ohren derart, daß man bequem einen fingerdicken Stab durchstechen kann, auch die Beschneidung ist bei beiden genannten Völkern in Gebrauch im Unterschied zu den jeder Körperverstümmelung abholden Niam-Niam. Die A-Banga belästigten Schweinfurth in seiner Hütte durch ihre Neugier in höherem Grade, als er es von andern Völkern gewohnt war. Zur Unterhaltung der Gäste produzierte sich dann Schweinfurth mit seinen Zündhölzern und unermüdlich wurde von diesen das Wunder des Feuermachens angestaunt. Und wie groß war das Staunen, wenn die Eingeborenen sahen, daß sie selbst das Wunderwerk vollbringen konnten. Es hieß unter ihnen, der weiße Mann könne auch Regen und Blitz bewirken; so etwas war bei ihnen seit Erschaffung der Welt noch nicht gesehen worden.

Endlich, nach mancherlei Mühen und Strapazen, stand Schweinfurth die Erreichung seines heißersehnten Zieles in naher Aussicht: am 19. März sollte der große Fluß Uelle überschritten werden. Der Weg am Flusse führte die Karawane in rein südlicher Richtung fast ununterbrochen durch Pisangplantagen, aus welchen ab und zu die kleinen Dächer der aus Rinden und Rotang kunstvoll zusammengenähten Häuser hervorguckten. „Nach kaum zweistündigem Marsche," berichtet der Forscher, „waren wir am Ufer des großen Flusses, der seine trüben, bräunlich schimmernden Fluten zwischen hohen Uferwänden majestätisch gen Westen wälzte, in seiner Physiognomie dem Blauen Nil nicht unähnlich. Es war für mich ein unvergeßlicher Anblick, dem Eindruck vergleichbar, welchen Mungo Park empfing, als er am 20. Juli 1796 zum ersten Mal am Ufer des vor ihm halb mythischen Nigers die große Streitfrage der damaligen Geographen, ob der Fluß nach Westen oder nach Osten sich bewege, mit einem Blick zu lösen vermochte.

Dies war also der rätselhafte, vielbesprochene Fluß, der nach Westen fließen sollte, von welchem gerüchtweise und vom Hörensagen die Erzählungen der Nubier mein Interesse bereits seit dem Aufbruch von Chartum gefesselt hatten. Wer eine Ahnung hat von der unklaren Darstellungsweise der arabisch sprechenden Völker, wo es sich um Stromläufe und um Stromrichtungen handelt, wird die Spannung begreifen, mit welcher ich, in den Uferbüschen auf nächstem Weg mir Bahn brechend, einen Durchblick zu gewinnen suchte nach dem großen Wasser, dessen Rauschen an den Steinbänken in seinem Bette bereits eine Zeit lang zu meinen Ohren gedrungen war. Floß er nach Osten, so war das Rätsel der unerklärlichen Wasserfülle des Mwutan gelöst, ging aber seine Strömung nach Westen, dann, das war das Wahrscheinlichere, konnte es nicht mehr zum Nilsystem gehören. Es floß nach Westen und gehörte nicht mehr zum Nil, hier zweihundertundvierzig Meilen entfernt vom wahrscheinlich westlichsten Ende jenes Sees, und bei all den vielen Stromschnellen, die der Fluß weiter oberhalb bildet, immer noch in einer Manns-höhe, welche das Niveau des Mwuntan fast erreichte oder gar dasselbe übertraf.

In auffallender Weise an den Blauen Nil bei Chartum erinnernd, hatte hier der Uelle eine Breite von 800 Fuß und bot bei dem niedrigsten Wasserstand dieser Jahreszeit eine Wassertiefe dar, die nirgends unter 12 und 15 Fuß betrug. Die Uferwände glichen den ‚Gefs‘ des Nils, überragten um 20 Fuß die Wasserfläche und schienen ausschließlich aus thonreichen Alluvionen mit fein eingemengtem Sand und Glimmergehalt gebildet zu sein. Rollsteine und Geschiebe fanden sich darin nirgends, soweit ich die freigelegten Wände einer Durchmusterung unterwerfen konnte. Nur hin und wieder ließen sich zerstörte Conchylienreste in spärlicher Menge unterscheiden.

Die Stromgeschwindigkeit des Uelle war keine auffällige, hier betrug sie am nördlichen Ufer zwischen 55 und 60 Fuß in der Minute. Die in der Sekunde fortbewegte Wassermasse war jetzt also über 10000 Kubikfuß groß; bei ihrem höchsten Stande, wenn die Geschwindigkeit dieselbe blieb, mußte sie fast das Dreifache betragen. Der Uelle entsteht eine deutsche Meile oberhalb dieser Stelle aus der Vereinigung von Gadda und Kibali. Ersterer war am 13. April 1870 155 Fuß breit und 2 bis 3 Fuß tief, letzterer, der Hauptfluß, auf 325 Fuß eingezwängt, besaß an diesem Tage eine Tiefe von durchweg 12 bis 13 Fuß, die Stromgeschwindigkeit in beiden Flüssen betrug kurz oberhalb ihres Zusammentrittes 57 bis 75 Fuß in der Minute.“

In drei Stunden war mit Hilfe der vom König Munsa gesandten Fährleute auch der letzte Mann der Karawane auf das südliche Ufer übergesetzt. Große Kanoes dienten dazu. Bald war das heißersehnte Ziel, die Residenz des Königs Munsa, erreicht. Im Angesicht der afrikanischen Königsstadt und der sie umgebenden lieblichen Landschaft wurde dann ein Zeltlager aufgeschlagen, und nunmehr haben wir Muße, uns mit den kannibalischen Niam-Niam zu beschäftigen.

Ueber das Volk der Niam-Niam war von jeher ein märchenhafter Schein ausgebreitet. Nächst seinem Vorgänger Piaggia hat namentlich Schweinfurth zur positiven Kenntnis dieses sagenhaften Volkes viel beigetragen. Der Name ist der Sprache der Dinka entlehnt. Das Volk nennt sich selbst „Sandeh“, doch hat sich der erste Name bei weitem mehr im Arabischen des gesamten Sudan eingebürgert. Die größte Masse des Niam-Niamlandes umfaßt das Gebiet zwischen dem 4. und 6. Grad nördlicher Breite. In seiner Längenausdehnung soll es nach Angaben der Nubier fünf bis sechs Längengrade umfassen, einem Flächenraum von allein 48000 Quadratmeilen entsprechend.

Schweinfurth hat nur den östlichen Teil des Landes durchwandert; er schätzt die Einwohnerzahl in dem bekannten Teil des Landes auf zwei Millionen.

Die Niam-Niam sind ein Volk von scharf ausgeprägter Eigentümlichkeit: sie sind ausgezeichnet durch das feingekräuselte Haar der sogenannten echten Negerrasse, das sie in langen Haarflechten und Zöpfen zusammengebunden weit über die Schultern bis zum Nabel herab tragen. Ihre Hautfarbe ist wie die der Bongo, der Gesichtsausdruck verrät tierische Wildheit, kriegerische Entschlossenheit und dann wieder Zutrauen erweckende Offenheit. Ein rundes Kinn, wohlabgerundete Wangen, eine wie nach dem Modell geformte Nase, stellen einen rundlichen Gesichtsumriß her; der Unterkörper ist untersetzt und neigt zur Fettbildung, ohne scharf ausgeprägte Muskulatur. Die durchschnittliche Höhe mittelgroßer Europäer wird nur selten überstiegen. Der Oberkörper überwiegt durch unverhältnismäßige Länge. Als Stammesmerkmal haben alle Sandeh drei oder vier mit Punkten ausgefüllte Quadrate auf Stirn, Schläfen und Wangen tätowiert, ferner stets eine H-förmige Figur unter der Brusthöhle. Verunstaltungen werden im Uebrigen am Körper weder vom weiblichen, noch vom männlichen Geschlecht vorgenommen, ausgenommen das Spitzfeilen der Zähne. Die gewöhnliche Kleidung der Niam-Niam besteht aus Fellen, die malerisch um die Hüften drapiert sind. Die Söhne eines Häuptlings tragen den Fellbehang stets auf der einen Seite hoch aufgeschürzt, so daß das eine Bein ganz entblößt wird. Auf den Haarputz verwenden die Männer große Sorgfalt, im Gegensatz zu der anspruchslosen Bescheidenheit des weiblichen Geschlechts. Leute aus dem Gebiete des Kisa tragen einem Heiligenschein ähnlich ein strahlenartiges Gebilde aus ihrem eigenen Haar um den Kopf. Hüte dagegen tragen nur die Männer in Gestalt von cylindrischen, an der Spitze vierkantigen Strohhüten ohne Schirm, „Wulibuna" genannt, die stets von einem lang herabflatternden Federbusch geziert sind. Ein sehr wertvoller Schmuck wird aus den Reißzähnen des Hundes hergestellt und auf einer Schnur über die Stirn längs der Grenze des Haarwuchses befestigt. Glasperlen sind bei ihnen nicht geschätzt. Die Hauptwaffen sind Lanze und Trumbasch, eine Wurfwaffe. Bogen und Pfeile sind nicht im Gebrauch, wohl aber verschiedene große Messer mit sichelartiger Klinge und säbelförmige Gebilde von fremdartiger Gestalt. Einen Teil dieser Waffen erhalten sie von den ihnen in der Schmiedekunst überlegenen Monbuttu, denen sie ihrerseits wieder eine gewisse Gattung schwerer Lanzen zur Büffel- und Elephantenjagd im Tausche anzubieten pflegen. Die Männer sind Jäger von Profession, der Ackerbau wird allein von den Frauen besorgt. Die Bodenbestellung ist jedoch eine entschieden geringere als bei den Bongo, denn bei der großen Fruchtbarkeit des Bodens hält sich die Bestellungsarbeit in sehr bescheidenen Grenzen. Die ihren nördlichen Nachbarn auffällige, stets rege Eßlust der Niam-Niam kennzeichnet ihr Geschlecht in den Augen der Bongo als ein Volk von „Fressern". Jeder Niam-Niam pflegt an seiner Seite eine kleine Strohtasche mit Mundvorrat hängen zu haben, wenn er sich auch nur wenige Stunden von seiner Hütte entfernt. Sogar außen an den Hütten sind an versteckten Stellen ausgehöhlte Konsolen zur Aufnahme von gerösteten Maiskolben und dergleichen angebracht, um jederzeit etwas Naschwerk zur Hand zu haben.

Ebenso wie die Völker des nördlichen Teils im Bahr-el-Ghasalgebiet, mit Ausnahme der Dinka, sind auch die Niam-Niam wenig wählerisch in ihren Speisen. Fleischkost gilt ihnen indes als die vornehmste, und so richtet sich denn all ihr Denken und Trachten auf Fleischerwerb. Der Ruf der Niam-Niam als Kannibalen ist, abgesehen von einigen Ausnahmen, wohlbegründet. Sie rühmen sich selbst offen dieser Gier und tragen mit Ostentation die Zähne der Verspeisten, auf eine Schnur gereiht, wie Glasperlen um den Hals. Auch die ursprünglich nur zum Aufhängen der Jagdtrophäen bestimmten Pfähle bei den Wohnungen schmücken sie, wie bereits erwähnt, mit den Schädeln ihrer Opfer. Dem reichlichen Genuß von Menschenfett schreiben die Niam-Niam eine berauschende Wirkung zu. In Hinsicht gemeinsamer Mahlzeiten sind sie sehr scrupulös. Wenn mehrere zusammen trinken, wischen sie den Rand des Kruges nach jedesmaligem Gebrauch ab.

Dörfer oder gar Städte in unserem Sinne giebt es im Niam-Niamlande nirgends. Die Hütten zu kleineren Weilern gruppiert, finden sich weithin über das Kulturland der bewohnten Distrikte zerstreut. Letztere sind von einander durch Wildnisse von oft mehreren Meilen im Durchmesser getrennt. Auch der Palast eines Fürsten besteht nur aus einer größeren Anzahl Hütten für ihn und seine Weiber, und nichts zeichnet sie vor den Behausungen anderer Sterblicher aus. In nächster Umgebung der Hütten liegen dann die zum Unterhalt dienenden Felder. Die Hütten der Niam-Niam zeigen auch die Kegelform, nur ist das Kegeldach höher und spitzer als bei den Hütten der Bongo und Dinka und springt mit horizontal ausgebreitetem Rande am unteren Ende etwas weiter über die Thormauer, der es zum Schutze gegen den Regen dient, vor.

Dieser vorspringende Teil des Daches wird von Pfosten getragen, welche das Gebäude mit einer Art niederer Veranda umgeben. Die Spitzen der Kegeldächer laufen häufig in zierliches Flechtwerk von Stroh aus, bei andern in Stangen, auf welchen die großen Gehäuse der Landschnecken aufgespeichert erscheinen, eine Eigentümlichkeit, welche sich auch an den Hütten der Bewohner der Salomoninseln zeigt. An den Hütten der Niam-Niam bemerkt man nicht selten die ersten Versuche von roter und schwarzer Farbenverzierung. Schwarz findet sich am thönernen Unterbau der Speicherhütten. Einmal beobachtete Schweinfurth bei diesen Verzierungen sogar die Form des Kreuzes in einfachster und untrüglichster Gestalt. Verzierungen in Kreuzform findet man auch im schwarz-weißen Flechtwerk der Niam-Niam häufig; man kann hierin wohl mit Recht eine Nachahmung christlicher Vorbilder vermuten; die Niam-Niam mögen früher ihre Wohnsitze näher zur Westküste gehabt haben, wo heutigen Tages die mit ihnen identischen Fan sitzen.

Für halbwüchsige Knaben der Vornehmen werden eigentümlich geformte Hütten mit glockenförmigem Dach und becherförmigem Unterbau von Thon hergestellt; als Eingang dient nur eine ganz kleine Oeffnung, damit die kleinen Insassen unbehelligt von Raubtieren daselbst die Nacht verbringen können. Diese eigentümliche Absonderung der Knaben von den Erwachsenen geschieht aus Gründen der Moral, weil man dadurch verhüten will, daß dieselben vorzeitig in die Geheimnisse des Geschlechtslebens eindringen.

Die Macht eines souveränen Fürsten, welcher den Titel „Bjiä" führt, beschränkt sich auf die Versammlung der gesamten waffenfähigen Mannschaft, auf die Entscheidung über Krieg und Frieden und auf die höchsteigenhändige Vollstreckung von Todesurteilen. Elfenbein fällt ihm natürlich ausschließlich zu. Sonst erhebt er noch an Abgaben von den Bewohnern seines Gebietes die Hälfte des auf der Jagd erlegten Wildes. In den westlichen Landesteilen dient als Abgabe auch eine Art Aushebung aus den unterdrückten Sklavenstämmen, welche keine echten A-Sandeh sind. Die vegetarischen Lebensmittel, namentlich Korn, erzielt der Häuptling selbst von seinen Feldern; diese werden von seinen Sklavinnen, nicht selten auch von seinen Weibern bestellt, deren er eine große Anzahl stets um sich versammelt hält. Außerdem umgiebt ihn noch ein Haufe Trabanten; sein Gehöft ist von weitem schon an den an Pfählen aufgehängten Schilden der Leibwache zu erkennen, welche Tag und Nacht der höchsten Befehle harrt.

Die Häuptlinge schreiten mit würdevoller Grazie einher. Willkürlich wird dann oft aus der Menge ein Opfer heraus gerissen, demselben die Schlinge um den Hals gelegt und ihm alsdann mit dem hakigen Säbelmesser ein tötlicher Streich in den Nacken versetzt, alles nur um dem Volke einen Beweis für die Macht über Tod und Leben zu geben. Ein solcher Grad von afrikanischem „Cäsarenwahn" erinnert lebhaft an die letzten Regierungstage Theodors von Abessinien. Nach dem Tode des Häuptlings geht die Gewalt an den erstgeborenen Sohn über. Die Brüder werden dann unter dem Titel „Bäki" mit einzelnen Distrikten belehnt, wo sie den Unterbefehl über die Mannschaft inne haben und meist auch einen Teil der Jagdgerechtsame genießen. Die Souveränität des Erstgeborenen wird aber oft nicht anerkannt und die Brüder erklären sich in ihren eigenen Distrikten zu Häuptlingen; daher denn auch unaufhörliche Streitigkeiten, Mord- und Totschlag. Von den fünfunddreißig selbständigen Häuptlingen, welche über ein Gebiet von 48000 Quadratmeilen herrschen, verdienen indes nur wenige den Titel König. Zu dem kriegerischen Geiste der Niam-Niam steht in auffälligem Gegensatze die Sitte, daß ein Häuptling nur selten mit in den Kampf hinauszieht; gewöhnlich harrt er in ängstlicher Erwartung nahe bei seiner Mbanga (Häuptlingswohnung) der Dinge, die da kommen sollen; schlimmstenfalls sucht er mit seinen Frauen und Kostbarkeiten das Weite und verbirgt sich in unzugänglichen Waldsümpfen.

Beim Angriff wird mit dem Ausholen zum Wurf zugleich der Name des Häuptlings von jedem einzelnen als Kriegsgeschrei dem Feinde entgegengerufen. Bei Pausen im Gefecht werden in sicherer Entfernung Terrainerhöhungen, so z. B. Termitenhaufen erstiegen und beide Parteien schimpfen sich dann weidlich aus. „Alle Türken“ — so nennen die Neger die Nubier — hieß es in einem Verhau der Eingeborenen an der Südgrenze des Uandoschen Gebiets, „sollen umkommen, keiner soll aus dem Lande hinaus, sie sollen alle wieder kommen, in den Kochtopf mit den Türken. Fleisch! Fleisch!“

Schweinfurth ließen sie unbehelligt. „Der weiße Mann soll allein abziehen können, ihm thun wir nichts zu Leide, da er zum ersten Mal zu uns gekommen ist.“ In sehr sinnig symbolischer Art war der Karawane auf dem Rückwege von Süden her an der Grenze des Uandoschen Gebiets der Krieg erklärt worden. Hart am Pfade und jedem so recht in die Augen springend, fanden sich an einem Baumaste drei Gegenstände aufgehängt: ein Maiskolben, eine Hühnerfeder und ein Pfeil. Das sollte heißen: „Laßt ihr euch einfallen, auch nur einen Maiskolben zu knicken oder ein Huhn zu greifen, so werdet ihr durch diesen Pfeil sterben“.

Zur Jagd bedienen sich die Niam-Niam, ähnlich wie die Bongo der Fallen, Gruben, Schlingen; die Treibjagd auf große Tiere wird von ihnen indessen systematischer betrieben. Die Häuptlinge lassen sich zu der Jagd hauptsächlich durch das Kupfer der Nubier verleiten, welches sie neben dem Eisen als einzige Werte zu schätzen wissen; sie tauschen dann nämlich ihr Elfenbein gegen deren Kupfer aus; den gemeinen Mann lockt namentlich sein Gelüst nach Fleisch zur Jagd. In mehreren Teilen des Landes, zunächst in den der Nordgrenze benachbarten Gebieten, werden Elephanten bereits gar nicht mehr erlegt, und es nimmt die Größe der Distrikte innerhalb deren diese Tiere teils sich vor der Massenverfolgung zurückgezogen haben, teils gänzlich verschwunden sind, immer mehr zu. Die Kunstfertigkeit der Niam-Niam erstreckt sich auf Eisenarbeiten, Korbflechterei, Töpferei, Holzschnitzerei und Hausbau. Felle verstehen sie ebensowenig zu gerben, wie die übrigen Völker in diesem Teil von Centralafrika. Ihre irdenen Gefäße sind fast immer von tadelloser Regelmäßigkeit in der Form; sie stellen Wasserkrüge von enormer Größe her, formen die zierlichsten Trinkkrüge und schmücken ihre Pfeifen kunstvoll aus; aus gewissen weichen Holzarten schnitzen sie Schemel und Bänke, große Schüsseln und Näpfe; alles, wenngleich stets aus einem Stück gehauen, zeigt unendliche Formenverschiedenheit in der Gestaltung des Fußgestells. Die Herstellung ihrer Waffen beschäftigt eine große Anzahl Schmiede, die durch kunstvolle Gestaltung der Form gegenseitig zu übertreffen suchen. Alle Lanzen, Messer, Klingen u. s. w. sind durch Blutrinnen national gekennzeichnet, welche den entsprechenden Erzeugnissen der Bongo fehlen.

Das Freien von Weibern ist entgegen weit verbreiteter afrikanischer Sitte in diesem Lande durch keine Tributforderung erschwert. Man wendet sich einfach an den König oder einen der Unterhäuptlinge, welcher bald dem Nachsuchenden eine Frau nach seinem Geschmacke verschafft. Trotz der Vielweiberei wird die Treue und Heiligkeit der Ehe hier streng aufrecht erhalten. Verletzungen derselben werden häufig mit sofortigem Tode bestraft. Auch die Niam-Niamfrauen sind auffallend schüchtern und ehrenhaft; Mutter vieler Kinder zu sein, gilt für besonders ehrenvoll. Förmlichkeiten beim Eingehen einer Ehe fehlen; zu erwähnen ist nur der Brautzug, der unter Vortritt des Häuptlings und von Musikern, Spaßmachern und Sängern begleitet, die Braut in das Haus ihres künftigen Gatten einführt. Dann giebt es nur noch einen gemeinschaftlichen Hochzeitsschmaus, während gewöhnlich die Frauen allein in ihren Hütten speisen.

Die Hauptbeschäftigung der Weiber besteht außer im Ackerbau in der Zubereitung der Speisen, sowie im Bemalen und Frisieren des Mannes. Säuglinge werden in schärpenartigen Binden von ihren Müttern überallhin mitgenommen. Ein Lieblingsspiel der Niam-Niam, in Aegypten Mangala benannt, ist unter allen Völkern des Gazellenstromes bekannt und überhaupt in ganz Afrika stark verbreitet. Die Mangala ist ein länglicher Holzblock mit zwei Reihen Gruben; jeder Spieler hat etwa zwei Dutzend Steine, welche aus einer Grube in die andere hin und herverlegt werden. Oft wird in Ermangelung des Spielbrettes der bloße Boden auch genommen.

Musik wird bei den Niam-Niam auch geübt, ihr Lieblingsinstrument ist ein Mittelding zwischen Harfe und Mandoline. Dabei vermögen sie, so gefräßig sie auch sonst sind, Speise und Trank zu vergessen. Auch findet man bei den Niam-Niam Sänger und Musiker von Profession, welche, in abenteuerlichem Federputz und Behang mit wunderwirkenden Hölzern und Wurzeln dem Fremden entgegentretend, seine Erlebnisse in schwungvollem Rezitativ feiern. Man findet sie wieder unter den verschiedensten Verhältnissen in allen Teilen Afrikas.

Die Niam-Niamsprache gehört dem großen Sprachstamme Afrikas nördlich vom Aequator an, speciell der nubisch-lybischen Gruppe. An abstrakten Begriffen ist die Sprache äußerst arm; zur Bezeichnung der Gottheit dient der Ausdruck „Gumba", Blitz. Einen eigentlichen Kultus besitzen sie nicht. Unter („borfu") beten verstehen sie nur das Einholen von Augurien bei unsichtbaren Mächten über Glück oder Unglück bei wichtigen bevorstehenden Unternehmungen. Neben einer Art Holzreiben ist von noch größerer Bedeutung das so vielen andern Negervölkern geläufige Augurium mittels eines Huhnes. Dieses wird einer Art Gottesurteil gleichgesetzt. Ein Fetischtrank von rotem Holze „Bengje", wird dem Huhn beigebracht. Stirbt es, so bedeutet sein Tod unfehlbares Unglück im Kriege und Lebensgefahr, bleibt es am Leben, so bedeutet es Sieg. In andern Fällen nimmt man einen Hahn, packt denselben beim Halse und drückt seinen Kopf unter Wasser. Nach einiger Zeit, wenn der Hahn betäubt und starr geworden, läßt man ihn wieder los. Belebt er sich wieder von neuem, so bedeutet es Glück, im andern Fall Unglück. Kein Niam-Niamhäuptling tritt einen Kriegszug an, ohne auf diese Art den Rat der unsichtbaren Mächte eingeholt zu haben. Unerschütterlich ist ihr Glauben an das Ergebnis eines solchen Auguriums, auch wenn über Schuld oder Unschuld eines Menschen abgeurteilt werden soll. Auch Hexen werden einem derartigen

Gottesurteil unterworfen. Bei den Niam-Niam spielen böse Geister und Waldkobolde eine ebenso große Rolle wie bei den Bongo. Immer ist es der Wald, in dessen schauervolles Dunkel der Mensch den Sitz der unheimlichen Mächte verlegt. So auch bei den Niam-Niam.

Als Ausdruck der Trauer um den Verlust eines lieben Angehörigen, schneidet der Niam-Niam sein Haar kurz und zerstört den kostbaren Kopfschmuck, der so künstlich von geliebter Hand hergestellt ist. Die abgeschnittenen Flechten und Zöpfe werden auf den Pfaden der Wildnis weithin ausgestreut; der Körper des Toten wird mit Fellen und Federn festlich ausgeputzt und mit Rotholz bunt bemalt. Vornehmere werden meist sitzend auf ihren Bänken, bald in einen ausgehöhlten Baumstamm, der sargartig verschlossen wird, beigesetzt. Mittelst eines Holzverschlages wird eine seitliche Kammer hergestellt, so daß nicht unmittelbar Erde auf den Toten geschüttet wird. Ueber der Grabdecke errichtet man eine gewöhnliche Hütte, die allerdings bald dem Untergange durch Fäulnis oder Steppenbrand verfällt.

Am 22. März 1870 wurde Schweinfurth bei König Munsa in Audienz empfangen. Bei seinem Herannahen an die Hütten wurden, so erzählt der Reisende, die Trommeln gerührt, die Trompete schmetterte ihre lustige Weise. Durch eine Art Ceremonienmeister wurde er ins Innere der Hütten geleitet, mitten durch die Reihen der Hunderte von Trabanten und der Vornehmen des Volkes, welche im Schmuck ihrer Waffen, nach Rang und Würden geordnet, auf zierlichen Bänken dasaßen. Am entgegengesetzten Ende der Halle stand die Thronbank des Königs, von den übrigen lediglich durch eine darunter liegende Fußmatte unterschieden. Der König ließ auf sich warten, es hieß, er mache erst Toilette. Mittlerweile hatte sich in der Halle wüster Lärm erhoben, ein wildes Toben der Kesselpauken und das Gebrüll der Hörner erschütterte den luftigen Bau, welcher 100 Fuß Länge, 40 Fuß Höhe und 50 Fuß Breite hatte. Alles Holzwerk schien glänzend braun poliert und wie frisch gefirnißt. Die Halle war ein kleines Weltwunder in ihrer Art und für die Kultur Centralafrikas höchst merkwürdig; mit unseren Baumitteln wäre man nicht im Stande gewesen, etwas Aehnliches von gleicher Leichtigkeit und solcher Widerstandsfähigkeit gegen das Toben der Tropenorkane herzustellen. Nach langem Harren verkündete endlich lauter Hörnerklang, Volksgeschrei und verdoppelter Donner der Pauken das Herannahen des Herrschers. Ein Hin- und Herrennen entstand von Ausrufern, Platzmachern, Festordnern; die Volkshaufen drängten nach dem Eingange zu. Jetzt still! — Der König kommt. Derselbe erstrahlte in seiner schweren Kupferpracht wie im roten Schimmer einer sonntäglichen Küche; sein Anblick hatte etwas über alle Maßen Bizarres. So präsentierte sich Munsa, Selbstherrscher aller Monbuttu; sein Grundsatz schien „nil admirari" zu sein, denn er ließ sich durch nichts aus der Fassung bringen. Nach und nach wurden einige Fragen durch Vermittelung eines Dolmetschers an Schweinfurth gerichtet und von diesem die Begrüßungsgeschenke übergeben. Dann begannen die Galavorstellungen zu Ehren der Gäste. Es produzierten sich Hornbläser, Spaßmacher, und zuletzt hielt Munsa eine Rede. Bei Kunstpausen erhob sich ein wütender Beifallssturm, ein wahrer Höllenlärm. Zur Ermunterung ließ dann der König ein schnarrendes „Brr" hören — seid gegrüßt, ein Brr, daß die Palmstäbe des Dachstuhls sich zu biegen schienen und die Schwalben erschreckt ihre Nester aufsuchten. Die Pauken schlugen ein lebhafteres Tempo an, während Munsa mit einer Art Klapper mit der ernstesten Miene das Höllenkonzert dirigierte. Zum Schlusse der Audienz entschuldigte sich der König dem Reisenden gegenüber: „Ich weiß nicht, was ich für Deine vielen Gaben geben soll; ich bin recht betrübt, daß ich nichts habe und so arm bin". Am nächsten Tage schenkte er Schweinfurth ein ganzes Häuschen zum Unterbringen seiner Habe. So erfreute sich also der Forscher der Würde eines Hausbesitzers im Monbuttulande.

Mit den Einwohnern kam Schweinfurth in immer größere Intimität, vorwiegend Weiber drängten sich an ihn heran, die ihm auch zu Hunderten in den Urwald zu seinen botanischen Exkursionen folgten. Ließ er dann einige aufgeschnappte Wörter ihrer Sprache fallen, so war der Jubel unbeschreiblich. Alle Versuche, von Munsa selbst Aufschlüsse über die Länder im Süden seines Reiches zu erlangen, scheiterten an der Geheimnisthuerei afrikanischer Herrscherpolitik. Von der Existenz eines großen Binnensees, nach Angabe des Forschers Piaggia, wußten die Eingeborenen nichts. Vom Weltmeere hatten weder Monbuttu noch Niam-Niam eine Ahnung. Schilderungen Chartumer Abenteurer davon, gehörten nach ihrer Meinung ins Fabelbuch.

Kurze Zeit vor Schweinfurths Aufbruch von Chartum, im Dezember 1868, hatte man durch Dr. Ori, den Medizinalchef von Chartum, Kenntnis davon erhalten, daß ein Volk namens Monbuttu im Süden der Niam-Niam seinen Sitz habe. Ihr Land, im Centrum des Kontinents gelegen, umfaßt kaum einen Flächenraum von 4000 Quadratmeilen, was eine Bevölkerung von einer Million ergeben würde. Zwei Häuptlinge, die wegen des Umfanges ihres Gebietes wohl den Namen Könige verdienen, teilten sich 1870 in die Herrschaft des Landes; Unterhäuptlinge herrschen als Vasallen in den einzelnen Distrikten und wissen sich mit ebenso großem Pomp zu umgeben wie der König. Im Norden und Westen bildet das Niam-Niamland die Grenze des Monbuttugebietes. Das Monbuttuland erscheint als ein reines Paradies. Der Erwerb von Baumfrüchten und Erdknollen fällt den Monbuttu fast ganz mühelos zu, so daß die Pflege der Cerealien bei ihnen vernachlässigt ist. Sorghum, der Hauptgegenstand der Kultur in Centralafrika, fehlt fast ganz, Eleusine und Mais werden spärlich angebaut. Der Anbau der Banane erfordert nur geringe Arbeit; außerdem sind noch als Objekte eines wirklichen Ackerbaues Sesam, Erdnüsse, Zuckerrohr und vor allem Tabak zu erwähnen. Jede Art Viehzucht ist den Monbuttu fremd, und es fehlt an Haustieren jeglicher Art. Den nötigen Fleischbedarf deckt in ausgiebigstem Maße die Jagd auf Elephanten, Wildschweine, Büffel und große Antilopen. Die Weiber übernehmen auch hier die Bodenkulturarbeiten, während die Männer, wenn sie nicht auf der Jagd sind, in offenen kühlen Hallen plaudernd zusammensitzen. Die Geberdensprache der Monbuttu besitzt manche Eigentümlichkeit, so halten sie z. B. zum Ausdruck des Staunens die Hand vor den geöffneten Mund, wie wir es beim Gähnen machen.

Die Töpferei wird, wie bei den meisten Bewohnern Afrikas, auch hier von den Weibern ausschließlich ausgeübt, das Schmiedehandwerk dagegen von den Männern; mit den Künsten der Korbflechterei und Holzschnitzerei sind beide Geschlechter vertraut. Musikalische Instrumente werden nie von den Männern gehandhabt. Die Frauen genießen bei den Monbuttu große Selbstständigkeit. Oft genug konnte Schweinfurth, wenn er um den Verkauf irgend einer Merkwürdigkeit ersuchte, die Antwort hören: „Frage meine Frau, der gehört es". Die Vielweiberei scheint schrankenlos zu sein, auch auf eheliche Treue wird wenig gegeben, wie Schweinfurth tagtäglich im Lager der Nubier sehen konnte.

Wie züchtig erschienen dagegen die Bongofrauen! Mehr als leicht gekleidet erschienen diese laubumgürteten Gestalten, dennoch geschützt durch natürliche Schamhaftigkeit und Würde.

Bei Besuchen lassen die Monbuttu sich die Sitze von Sklaven nachtragen, denn kein Monbuttu sitzt auf flachem Boden. Große Sorgfalt verwenden sie auf die Zubereitung der Speisen, hier in Centralafrika ein untrügliches Zeichen höchster Kultur. Alle Speisen werden mit dem Oel der Oelpalme versetzt. Von allgemeinstem Gebrauche ist jedoch bei ihnen das Menschenfett. Der Kannibalismus der Monbuttu scheint den aller bekannten Völker in Afrika zu übertreffen. Die im Kriege erbeuteten Kinder fallen als besonders delikate Bissen der königlichen Küche zu. Es ging während Schweinfurths Anwesenheit sogar das Gerücht herum, es würden täglich kleine Kinder eigens für König Munsa geschlachtet. Bei der auffällig hohen Kulturstufe der Monbuttu ist ihr Kannibalismus äußerst merkwürdig. Auch kriegerisch sind sie höchst tüchtig. Die Macht des Herrschers umfaßt hier viel weitere Gerechtsame als bei den Niam-Niam, und selbst an Bodenprodukten werden regelrechte Abgaben erhoben. Groß ist die Zahl der Beamten und Ortsvorsteher in den einzelnen Landesdistrikten. Mehrere Reichsräte nehmen nach den Unterhäuptlingen aus königlichem Blute den höchsten Rang ein, nämlich der Aufseher über die Waffen, der über die Ceremonien und Feste, der Speisemeister des königlichen Hofhalts, der Dolmetsch für den diplomatischen Verkehr mit Fremden und benachbarten Herrschern.

Die königlichen Frauen zerfallen, entsprechend den Altersstufen und nach ihrer ehelichen Abkunft, in mehrere Klassen. Die älteren wohnen abgesondert von der Residenz in eigenen Dörfern. Nach afrikanischer Sitte ererbt nämlich der Nachfolger von seinem Vorgänger alle seine Frauen, und außerdem nimmt er sich noch eigene dazu.

Außer den Trabanten hatte der König noch eine ganze Anzahl Leute in seinem persönlichen Dienst, als da sind Kammermusici, Eunuchen, Spaßmacher, Festordner, Bänkelsänger, die bei festlichen Gelegenheiten die Lust erhöhen und den Glanz des Hofes mehren. Ausschließlich für die Küche war immer abwechselnd eine seiner Frauen delegiert. Munsa pflegte fast immer allein zu speisen, niemand bekam den Inhalt seiner Schüsseln zu sehen, und alles was er übrig ließ, wurde in eine eigens dazu bestimmte Grube geschüttet. Das, was der König berührt hat, gilt als unantastbares Heiligtum, selbst an seinem Feuer darf der Gast sich nicht seine Pfeife anstecken; ein solcher Versuch würde als Majestätsbeleidigung sofort mit dem Tode geahndet werden. Die Garderobe des Königs beansprucht einen großen Raum; in einer Hütte lag nichts weiter als Hüte und Federnschmuck in den verschiedensten Formen; in einer kleineren Hütte wiederum befand sich das Heiligtum des königlichen Aborts, des einzigen, der Schweinfurth in Centralafrika zu Gesicht gekommen ist. Die Einrichtung entsprach ganz den in Türkenhäusern und in den besseren Häusern der afrikanischen Ostküste üblichen.

Aus allen Angaben erhellt, daß der Staat der Monbuttu monarchisch gegliedert ist. Die Monbuttu stechen durch hellere Hautfarbe von den bekannten Völkern Centralafrikas hervor. Von den Niam-Niam unterscheiden sie sich auch noch durch geringere Muskelfülle der Glieder und durch stärkeren Bartwuchs; außerdem ist eine ganz besondere Rasseneigentümlichkeit zu bemerken. Wie unser Reisender beobachtet hat, mochten etwa fünf Prozent der Bewohner blondhaarig sein; stets aber erschien das Haar als das feingekräuselte der Negerrasse; die blondhaarigen Individuen waren zugleich auch sonst am lichtesten gefärbt. Die Nasenbildung bei den Monbuttu erinnerte an semitische Profile. Alle diese Rasseneigentümlichkeiten wiesen auf eine Verwandtschaft mit der großen Völkergruppe der Fulbe hin. Die Monbuttusprache reiht sich dem großen Sprachstamme Afrikas nördlich vom Aequator an; ein großer Teil der Wörter gehört nachweislich speziell zur nubisch-lybischen Sprachgruppe, doch hat sie mit der Sandehsprache nichts gemein. Speziell fehlen ihr die eigentümlichen Nasallaute derselben. In weit größeren Gegensatz als durch Hautfarbe und Sprache stellen sich die Monbuttu durch Tracht und Volkssitten zu sämtlichen Nachbarvölkern. Gewebte Stoffe aller Art sind ihnen wegen ihrer Abgeschlossenheit noch gänzlich unbekannt.

Hier wie in vielen andern Gegenden Innerafrikas liefert der Rindenbast eines Feigenbaumes den einzigen Bekleidungsstoff. Dieser Baum wird in Monbuttu sehr viel angebaut und fehlt bei keiner Hütte. An den Monbuttu wird man nie Felle und Gürtel nach Art der Niam-Niam bemerken. Im Gegensatz zu den Männern gehen die Frauen fast völlig nackt, nur ein handgroßes Stück Bananenlaub oder ein ähnliches Stück von Rindenstoff dient zur Bekleidung. Tätowierte Figuren verlaufen bei den Frauen bandartig in der Richtung der Achseln über Brust und Rücken zur Bezeichnung individueller Unterschiedsmerkmale. Eine unerschöpfliche Mannigfaltigkeit ist in den Mustern wahrzunehmen. Bald sind es Sternchen und Maltheserkreuze, bald

Blumen und Bienen u. dergl. Jede Monbuttufrau sucht bei festlichen Gelegenheiten ihre Rivalin vermöge ihres Erfindungstalents durch solche Musterchen zu übertreffen. Die einzige sichtbare Verstümmelung des Körpers besteht in einem runden Ausschnitte der inneren Ohrmuschel, um einen Stab von der Größe einer Cigarre durchstecken zu können. Die Zähne bleiben in Monbuttu von Verstümmelung verschont.

Außer Schild und Lanze führt der Monbuttukrieger Bogen und Pfeile, wie sichelartig gekrümmte Säbelmesser. Das Schmiedehandwerk nimmt unter ihren Kunstfertigkeiten eine hervorragende Stelle ein; sie übertreffen darin alle übrigen Bewohner der von Schweinfurth bereisten Gebiete, während die übrigen Zweige ihrer Gewerbsthätigkeit jeden Vergleich mit den übrigen Völkern ausschließen, selbst die mohammedanischen Völker Nordafrikas nicht ausgenommen. Das Meisterstück des Monbuttuschmieds sind die feinen Eisenketten, die als Schmuck getragen, unseren besten Stahlketten an Formvollendung und Feinheit vergleichbar sind. Da fast alle künstlichen Zierraten bei den Monbuttu aus Kupfer hergestellt werden, ist ihr Bedarf an diesem Metall durchaus kein geringer. Durch die Vervollkommnung ihrer Instrumente sind sie natürlich auch zu einer größeren Fertigkeit in der Holzschnitzerei gelangt. Schüsseln, Schemel, Pauken, Boote und Schilde bilden den Hauptgegenstand dieser Industrie. Auch die Töpferarbeiten sind trotz Fehlens der Drehscheibe reich an Formvollendung; das Gerben von Fellen kennen oder üben die Monbuttu nicht; hingegen leisten sie wieder Hervorragendes im Häuserbau, wenigstens für afrikanische Verhältnisse.

In religiöser Beziehung hat der Forscher dieselbe Wahrnehmung gemacht, wie bei den nördlicher wohnenden Stämmen, daß auch ihnen der Gottesbegriff nicht ganz zu fehlen scheint.

Nunmehr wenden wir uns zu den eigentümlichsten Bewohnern Centralafrikas, von denen schon seit Herodot so viel gefabelt worden ist, zu dem Akka-Völkchen. Bereits unterwegs hatte Schweinfurth wiederholt von den Nubiern über das in Rede stehende Pygmäenvolk gehört, die südlich von den Monbuttu einen ausgedehnten Länderstrich bewohnen sollten. Unwillkürlich stiegen ihm Erinnerungen auf, wie schon Schriftsteller im grauen römischen und griechischen Altertum die Pygmäenfrage eifrigst beschäftigt hatte. Schweinfurth hatte nun Gelegenheit, einige Leute von diesem merkwürdigen Zwergvolke kennen zu lernen; an sechs derartigen Individuen hatte der Forscher festgestellt, daß ihre Körpergröße 1¼ m nicht überschreite. Er hatte indes bei Munsa zu wenig Aufenthalt gehabt, um sich eingehender dem Studium dieses merkwürdigen Volkes zu widmen. Nach allem, was schon dieser Forscher hörte, bildet der Akkastamm ein Glied in der langen Kette von Zwergvölkern, die, allem Anschein nach eine Urrasse, sich quer durch Afrika in der Längsrichtung des Aequators hinerstrecken.

In viel späteren Jahren ist es dem Begleiter Dr. Emin Paschas, Dr. Stuhlmann geglückt, nicht nur durch unser deutsch-ostafrikanisches Schutzgebiet bis in jene fernen Territorien und von diesem kleinen Volke bewohnten Strecken vorzudringen, sondern auch zwei Akkafrauen mit nach Deutschland wohlbehalten herüberzubringen.

Nach einer Rast von drei Wochen war der 12. April als Termin des Aufbruchs vom Lager des Monbuttukönigs von Schweinfurth festgesetzt, und nun machte sich unser Forscher auf den Heimweg. Das Niam-Niamgebiet war jetzt wegen der beginnenden Regenzeit weit schwieriger zu bereisen. Zur Häufung der Schwierigkeiten kamen dann noch die Feindseligkeiten der Eingeborenen, welche ein meuchlerischer Angriff auf den guten, zuverlässigen Abd-ul-Sammat eröffnete. Zu wissenschaftlichen Beobachtungen war infolgedessen wenig Gelegenheit; hatte man doch schon ohnehin viel unter den Strapazen der Reise und sogar unter dem Hunger zu leiden. Erst im Juli erreichte der Zug wieder die Seriba Ghattas. Schweinfurth beschloß dann, noch ein Jahr im Gebiet des Gazellenflusses zu verweilen, mit der Absicht, eine zweite Reise nach Süden mit der Ghatta'schen

Expedition auf einer westlicheren Route zu unternehmen. Aber infolge von Hiobsposten, die aus dem Gebiete der Niam-Niam anlangten, gab Schweinfurth für dieses Jahr die Reise nach dem Süden auf. Der Rückzug wurde dann nach Norden weiter fortgesetzt. Am 24. Juni wurde der Tondj überschritten, am 3. Juli langte Schweinfurth wieder in Sabbi an. Nach den forcierten Märschen der letzten Tage gönnte sich hier der Forscher eine fünftägige Ruhepause. Der Uebergang über den Doggurn war nicht leicht zu bewerkstelligen; auch die Niederung des Tondj war unter Wasser gesetzt und deshalb schwer zu passieren. Doch bald gelangte man zu den gastlichen Hütten von Kulongo. Nach achtmonatlicher Abwesenheit war denn Schweinfurth glücklich wieder zu seinem alten Ausgangspunkt zurückgekehrt, er fand ihn nur wenig verändert. Den Rest des Jahres 1870 wollte er einer weiteren Erforschung des Djur und Bongolandes widmen. Die erste Hälfte des September verwandte er zu einem interessanten Ausflug nach Kurkur, achtundzwanzig Meilen in Westsüdwest von der Ghatta'schen Hauptseriba. Er verbrachte seine Zeit mit Körpermessungen, linguistischen Studien, Präparieren von Schädeln und dergleichen. Mitten in den im allgemeinen doch zur vollen Zufriedenheit des Forschers von statten gehenden Arbeiten, seinen Forschungen und Vorbereitungen zu neuem Thun traf Schweinfurth ein Mißgeschick herbster Natur. Am 1. Dezember 1870 richtete die aus 600 dichtgedrängten Bambus- und Strohhütten bestehende Seriba ein furchtbarer Brand in wenigen Minuten völlig zu Grunde. Alle Kästen mit Manuscripten, Reisejournalen wurden durch das Feuer vernichtet, kaum konnte Schweinfurth das nackte Leben retten. Sofort wurde an den Wiederaufbau gegangen und bereits am 11. Dezember hatte Schweinfurth wieder neue Hütten zu seiner Verfügung. Noch lag über ein halbes Jahr vor dem Forscher, ehe er mit den Handelsbarken die beabsichtigte Rückreise auf dem Nil antreten konnte. Durch einen glücklichen Zufall waren Tinte, Schreib- und Zeichenmaterialien aus dem Brande gerettet worden und so machte Schweinfurth sich denn auf, neue wissenschaftliche Entdeckungen zu machen. Am 1. Januar 1871 begann er seine längst beabsichtigte Reise gen Westen, nur von wenigen Dienern begleitet. Auf dieser Tour folgte er stellenweise den Spuren der Heuglin'schen Expedition. Beständig begegneten der kleinen Karawane kleine Trupps von Sklavenhändlern, welche bald auf Eseln, bald auf Ochsen mit ihren Waren einherzogen. Am 18. Januar kam Schweinfurth an das vorläufige Ziel seiner Wanderung, die Hauptseriba Sibers und das ägyptische Lager. Auch seine Uhren hatte er im Brande eingebüßt, so daß er auf den Wanderungen, um sich zu orientieren, die Schritte zählen mußte. Trotzdem hat er auf dieser Reise seine Route mit derselben Genauigkeit wie auf den früheren festgelegt; der Erfolg der Reise war die genaue Erforschung des westlichen und nordwestlichen Gazellenflußgebietes.

Ende Juni 1871 trat endlich der Forscher seine Rückreise nach Chartum an, um dort am 21. Juli einzutreffen. Von hier begab er sich über Berber, Bakim und Suez nach Kairo. Zu Berber hatte der Reisende den Schmerz, einen Akkazwerg, den er als lebenden Zeugen seiner bedeutsamen ethnographisch-anthropologischen Forschungen nach Europa mitzunehmen gedachte, an Dysenterie dahinsterben zu sehen. Von Kairo begab er sich nach Europa, dessen Boden er nach ungefähr dreieinhalbjähriger Abwesenheit wieder betrat.

Schluß.

Schweinfurths Forscherlaufbahn war keineswegs mit seiner großen von uns geschilderten centralafrikanischen Reise beendet. Waren auch die heimgebrachten Schätze trotz aller Verluste in Bezug auf Botanik, Ethnographie und Geographie recht ansehnliche, so betrat er doch nach kurzem Aufenthalte in Europa wieder den Boden Afrikas, das ihm dann auch immer mehr zur zweiten Heimat wurde, um beharrlich und unermüdlich an seiner Lebensaufgabe, der Erforschung des schwarzen Erdteils, weiter zu arbeiten. Erfolgreich bemühte er sich, Aegypten, dieses seit Urzeiten bekannte, aber durchaus noch nicht wohlerschlossene Land, vornehmlich in Bezug auf die Flora, gründlich zu durchforschen. „Dazu mußten alle Teile Aegyptens, insonderheit die noch so wenig erforschten Wüstenstrecken, die das Nilthal umgeben, in Augenschein genommen werden und hieraus ergab sich von selbst eine Erweiterung unserer geographischen Kenntnisse, während die in den nackten Felsgebieten sich auf Schritt und Tritt dem Beobachter aufdrängenden geologischen Verhältnisse überall ein Forschungsgebiet von überraschender Fruchtbarkeit eröffneten.“

Nachdem unser Forscher sein Reisewerk „Im Herzen von Afrika“ verfaßt und zunächst Aegypten, dann Berlin zu dauerndem Aufenthalt erkoren hatte, unternahm er alljährlich und zu allen Jahreszeiten weite Streifzüge durch die unerforschten Gebiete zwischen dem Nil und dem Roten Meere. Lange Jahre hindurch setzte er diese Touren fort und ließ sich dabei selbstverständlich zuerst die botanische, sonst aber auch die topographische und geologische Erforschung der durchzogenen Thäler und Gebirge besonders angelegen sein. Zwischendurch besuchte er auch die Insel Sokotra und 1889 sehen wir ihn in Südarabien eine alle Erwartungen übertreffende botanische Ausbeute machen; ferner durchzog der Forscher die italienische Kolonie Eritrea (Nord-Abessinien) mit vielem Eifer und Erfolge.

Während ihn so seine pflanzengeographischen Arbeiten beschäftigten, kamen aber auch Wochen und Monate, wo er entweder im heimatlichen Kairo oder Berlin seine umfangreichen Sammlungen sichtete und ordnete und dann und wann zur Feder griff, um nicht wenige Aufsätze in verschiedenen namhaften Zeitschriften zu publicieren.

So können wir nun dem Manne, der über die botanischen, ethnographischen und geographischen Verhältnisse Centralafrikas, insbesondere zum ersten Mal über die Gebiete zwischen dem Nil und dem Roten Meere, neues Licht verbreitet hat, und der auch heute noch seine umfassende Thätigkeit mit bekannter Rührigkeit fortsetzt, fernerhin eine segensreiche Wirksamkeit wünschen, nicht bloß auf dem Gebiete der Forschung, sondern auch als berufener Berater der deutschen Kolonialbehörden und Gesellschaften. Denn als Deutschland in den achtziger Jahren unter die Kolonialmächte getreten war und Gustav Nachtigal, von dem die ersten Seiten des nächsten Bandes Näheres berichten, einzelne Länderstriche an der Westküste Afrikas hatte unter deutschen Schutz stellen können, als Deutschland seine Söhne nicht nur als Pioniere der Kultur, sondern auch als koloniale Sendboten nach dem schwarzen Erdteil schickte, da gehörte auch Schweinfurth zu den Männern, die berufen waren, für den kolonialen Gedanken in unserem Vaterlande einzutreten kraft seiner reichen Erfahrung in Wort und Schrift mit Rat und That.

FSC
www.fsc.org
MIX
antwortungsvollen
Quellen
Paper from
FSC® C141904

Druck:
Customized Business Services GmbH
im Auftrag der KNV-Gruppe
Ferdinand-Jühlke-Str. 7
99095 Erfurt